शाहरुख़ खान

शाहरुख़ खान

लैजेंड ★ आइकन ★ स्टार

मोहर बासु

फ़ोटोग्राफ़

प्रदीप बांदेकर

अनुवाद

केतन मिश्रा

हार्पर
हिन्दी

प्रथम प्रकाशन 2025
हार्पर हिन्दी
(हार्परकॉलिंस *पब्लिशर्स* इंडिया) द्वारा प्रकाशित
4th फ्लोर, टावर A, बिल्डिंग नं. 10, डीएलएफ साइबर सिटी,
डीएलएफ फेज II, गुरुग्राम, हरियाणा – 122002, भारत
www.harpercollins.co.in

P-ISBN: 978-93-7307-886-1
E-ISBN: 978-93-7307-056-8

टाइपसेटिंग : हार्परकॉलिंस *पब्लिशर्स* इंडिया प्राइवेट लिमिटेड
मुद्रक: रेप्लिका प्रेस प्रा. लि, भारत

HarperCollins *Publishers*, Macken House, 39/40 Mayor Street Upper,
Dublin 1, D01 C9W8, Ireland

MIX
Paper | Supporting responsible forestry
FSC™ C016779

हर उस शख्स के लिए, जिसका भरोसा अच्छाई से उठ गया है।

ये आज के ज़माने की परिकथा है, जिसमें है खूब सारा प्यार, मेहनत, आशा

और ओम शांति ओम के ओम के शब्दों में 'हैप्पी एंडिंग'...

विषय – सूची

हारी हुई बाज़ी को जीतने वाला...

बुधवार, 24 जनवरी 2023, शाम 6 बजकर 17 मिनट

सवा चार करोड़ से ज़्यादा फ़ॉलोवर्स वाले हैंडल से एक ट्वीट किया गया: *'बचपन में सारी फ़िल्में सिंगल स्क्रीन्स पर ही देखी हैं। उसका अपना ही मज़ा है। दुआ, प्रार्थना और प्रेयर्स करता हूं... आप सबको और मुझे क़ामयाबी मिले।'*

जब भी @iamsrk ट्वीट करते हैं तो वो वायरल ही होता है, लेकिन ये ट्वीट ख़ास था। इस ट्वीट के साथ एक लिस्ट भी थी जिसमें उन सभी फ़िल्म थियेटरों के नाम थे जो कोविड महामारी के बीच बंद हो गए। बेहद कम वक़्त में इसे 34 लाख व्यूज़ और 72 हज़ार लाइक्स मिल चुके थे। मानो हर किसी को ये समझ में आ रहा था कि उनका पसंदीदा अभिनेता उन्हें पुकार रहा था।

उस शाम, हिंदुस्तान भर के सिंगल-स्क्रीन थियेटरों ने अपने शटर उठाये और किस्मत के भरोसे एक और दांव खेल दिया। हर किसी को माहौल में एक अलग ही जोश महसूस हो रहा था।

महामारी के दौर से जूझ रहे देश के तमाम थियेटरों की तरह एक कोलकाता में भी था। बीते 4 सालों में, शहर के सबसे जाने-माने सिंगल-स्क्रीन थियेटर मेनका की ओर आने वाली सड़कें और गलियां सूनी हो चली थीं। दक्षिण कोलकाता के कालीघाट में ये थियेटर 1949 से खड़ा था। भले ही पूरे शहर में मल्टीप्लेक्स की बाढ़ आ चुकी थी,

इसने जैसे-तैसे खुद को बचाए रखा — यहां तक कि कोविड-19 लॉकडाउन के दौरान भी। नेटफ़्लिक्स, एमेज़ॉन और हॉटस्टार जैसे ओटीटी प्लेटफ़ॉर्म्स के आ जाने से भारत में 70एमएम के बड़े पर्दे की स्थिति कुछ डांवांडोल नज़र आ रही थी। लॉकडाउन ने इस स्थिति को और भी बदतर बना दिया था। ये तस्वीर देश के अख़बारों में भी नज़र आ रही थी जो मशहूर सिनेमाघरों के बंद होने की ख़बरों से लैस रहने लगे।

***The Sunday Guardian*[1]**

17 July 2021

'Pandemic Forces Many Theatres to Shut Shop'

***Mumbai Mirror*[2]**

29 August 2020

'SoBo Single-Screen Theatre Central Plaza Shuts Its Doors'

The Quint[3]

15 September 2020

'100 Single Screens across India May Shut after COVID-19 Lockdown'

The Ormax Box Office Report 2020 & 2021[4]

8 February 2022

'Indian Box Office Lost More Than ₹15,000 Crore to the Pandemic in 2020 and 2021'

25 जनवरी 2023 को, कोलकाता की एक व्यस्त सड़क पर कुछ कोलाहल महसूस किया गया। मेनका की ओर एक भीड़ जाती हुई दिखायी दी। ऐसा दृश्य इससे पहले कभी देखा नहीं गया था। एक सुनहरा रथ। दो झक्क सफ़ेद घोड़े। रथ की गद्दी पर फ़िल्म का विशालकाय पोस्टर। म्यूज़िक सिस्टम पर फ़िल्म का टाइटल ट्रैक *झूमे जो पठान,* तेज़ आवाज़ में बज रहा था। इसके साथ ही एक बैंड भी चल रहा था। बैंड के सुर-लय-ताल और स्पीकर पर बजते गाने में कोई मेल नहीं था लेकिन हर कोई उस शोर का आनंद ले रहा था। एसआरके यूनिवर्स नाम के फ़ैन क्लब का कोलकाता का हिस्सा ख़ुद को 'ऑल द किंग्स मेन' कहता है। इसके सदस्य नारे लगाते हुए चल रहे थे – 'बच्चे बूढ़े और जवान, सब देखेंगे पठान।'

जब ये भीड़ मेनका के दरवाज़े तक पहुंची, और भी फैंस साथ आ गए। 'फ़र्स्ट डे फ़र्स्ट शो' में अभी एक घंटा था। ढोल, संगीत और नाच-गाना, सबकुछ लगातार चलता रहा। शाहरुख खान की इस फ़िल्म के पोस्टर पर गेंदा के फूलों की माला चढ़ी हुई थी और उसे हॉल के बाहर रखा गया था। इस पोस्टर का दूध से अभिषेक किया जा रहा था। ये कोई आम शुक्रवार नहीं था। ऐसे दृश्य लगभग हर शहर, हर थियेटर और हर मल्टीप्लेक्स में देखने को मिल रहे थे।

कश्मीर में, जहां के सिनेमाघर दशकों से सूने पड़े थे, *पठान* एक ऐसी रोशनी लेकर आया जो तीस सालों में नहीं देखी गयी थी। फ़िल्म चल ही नहीं, दौड़ रही थी। जिन थियेटरों को डर दिखाकर बंद कर दिया गया था, उसमें लोग लगातार आते जा रहे थे। घाटी में एक ही मल्टीप्लेक्स है जिसके मालिक विकास धर हैं। यहां एक अनोखी घटना देखी गयी: हर शो हाउसफ़ुल जा रहा था। बीते वक़्त में मिली धमकियों को धता बताकर, लोगों ने अपनी खुशी का हक़ वापस लिया और लोग ऐसे जोश के साथ हॉल में घुसे कि माहौल में करंट दौड़ गया। घाटी ने फ़िल्मों के जादू के साथ फिर से आवाज़ उठाई और ये साबित कर दिखाया कि शाहरुख़ ख़ान की चमक और सिनेमा की ताक़त, सबसे गहरे अंधेरे को भी मात दे सकती है।[5] इसी तरह, इंदौर का ज्योति सिनेमा एक सिंगल स्क्रीन थियेटर है और बंद होने की कगार पर था। *पठान* के चलते इसे भी ऑक्सीजन मिलने लगी। इसके मैनेजर आदर्श यादव बेहद खुशी के साथ बोले, '*पठान* थियेटर में

नये चेहरे और एकदम नया दर्शक वर्ग लाया है। पहली बार रात 9 बजे वाले शो को फिर से शेड्यूल में जोड़ा गया है।’[6]

ये मौका ईद, दिवाली, क्रिसमस या दुनिया के किसी भी त्योहार से कम नहीं था। दुनियाभर में करोड़ों शाहरुख़ ख़ान के फैंस ने इसे मुमकिन बनाया।

आख़िरकार, ये पठान का दिन था।

बादशाह लौट आया था।

अब पठान के वनवास का टाइम ख़त्म हुआ...

पठान, 2023

1

बादशाह की वापसी

'पठान डे' कैसे शुरू हुआ, ये ठीक-ठीक कोई नहीं बता सकता। ऐसा कुछ शायद आख़िरी बार तब हुआ था, जब 29 नवंबर 2018 को रजनीकांत की फ़िल्म *रोबोट-2* रिलीज़ हुई थी जिसका हर कोई इंतज़ार कर रहा था, या फिर जब अमिताभ बच्चन के ज़माने में उनकी फ़िल्में रिलीज़ होती थीं। कहते हैं कि एक बार *द ग्रेट गैम्बलर* की स्क्रीनिंग के दौरान किसी शरारती आदमी ने सिनेमा हॉल में पटाखा चला दिया। ज़ाहिर है कि ख़तरनाक स्थिति पैदा हो सकती थी, लेकिन कुछ ही लोग बाहर भागे। कुछ ही मिनटों में वे भी वापस अपनी सीट पर लौट आये। ज़्यादातर दर्शक फिल्म में ही डूबे रहे। जब प्रशासन ने घटना की जांच के लिए फ़िल्म रोक दी, तो दर्शकों ने ज़ोरदार विरोध किया। उनका कहना था कि पहले फ़िल्म पूरी चलायी जाए, जांच बाद में हो![1]

यही तो एक सुपरस्टार की ताक़त होती है। दर्शक बड़े पर्दे पर अपने हीरो को देखने के लिए थमी हुई सांसों के साथ इंतज़ार करते हैं। यहां तक कि जब फ़िल्में बॉक्स ऑफ़िस पर कमाई नहीं कर पा रही होती हैं, एक सच्चे फ़ैन को यक़ीन होता है कि उनका हीरो बड़ी वापसी करेगा। वो पहले से और भी बड़ा बनकर आएगा।

शाहरुख़ की आख़िरी हिट फ़िल्म *चेन्नई एक्सप्रेस* थी, लेकिन वो भी एक दशक पहले, 2013 में आयी थी। उसके बाद उनकी अगली छह फिल्में उम्मीदों पर खरी नहीं उतरीं। नतीजा ये हुआ कि उनके सुपरस्टार स्टेटस को लगभग अंतिम विदाई दे दी गयी थी। ऐसा माना जाने लगा था कि शाहरुख़ का दौर अब ख़त्म हो चुका था। *ज़ीरो* वो

आख़िरी झटका था जिसने उन्हें अंदर ही अंदर तोड़ दिया था। उन्होंने प्रेस से बात करना, इंटरव्यू देना, यहां तक कि नये प्रोजेक्ट साइन करने भी बंद कर दिये थे।

जब एक सुपरस्टार, हर तरह के, हर रंग के, हर कलेवर के और देश के हर बड़े डायरेक्टर के साथ टीवी शो, रियेलिटी शो और फ़िल्में कर चुका हो, ऐसे में 'आगे क्या?' एक ऐसा सवाल बन जाता है, जिससे वो चाहकर भी पिंड नहीं छुड़ा सकता। इंडस्ट्री में तीन दशक के चमचमाते कैरियर के बाद शायद ख़ुद को दोबारा परिभाषित करना ज़रूरी बन जाता है। और शाहरुख़ ने ठीक यही किया। उनकी लवर-बॉय की छवि अब कुछ-कुछ धुंधली होती जा रही थी। रोमांस में अब वो बात नहीं रह गयी थी जो भीड़ को सिनेमाघर तक खींच सके। ये स्वाभाविक हो चला था कि अब उन्हें ऐसे रोल पकड़ने होंगे जो कुछ हटके हों। जैसे, मनीष शर्मा की *फ़ैन* का सुपरस्टार और उसका एक परेशान प्रशंसक, जैसे इम्तियाज़ अली की *जब हैरी मेट सेजल* का एक घुमंतू, जैसे राहुल ढोलकिया की *रईस* का एक गैंगस्टर या फिर आनंद एल. राय की *ज़ीरो* का एक बौना। इन सभी किरदारों में नयापन और ठोसत्व भरा हुआ था लेकिन इन्हें सफलता नहीं मिली। *ज़ीरो* के बारे में तो ये भी कहा जा सकता है कि ये फ़िल्म शाहरुख़ के कैरियर का सबसे बड़ा झटका साबित हुई। शाहरुख़ की कोई फ़िल्म इस तरह से औंधे मुंह और इतना नीचे नहीं गिरी थी। जिस तरह का बजट इस पर ख़र्च किया गया था, ये फ़िल्म बॉक्स-ऑफ़िस पर सम्मान योग्य रेज़गारी तक नहीं जुटा सकी।

इस फ़िल्म की असफलता ने उन्हें निजी तौर पर आहत कर दिया था। शायद इसलिए भी कि ठीक उसी समय पर, उनके दोस्त और साथी कलाकार सलमान ख़ान और आमिर ख़ान *टाइगर ज़िंदा है* और *दंगल* जैसी ब्लॉकबस्टर फ़िल्में दे रहे थे। अपनी स्टोरी के लिए जिन फ़िल्म ट्रेड एनालिस्ट से मैं लगातार बात करती रहती हूं, उन्होंने मुझे बताया, '*ठग्स ऑफ़ हिन्दुतान* के बाद *ज़ीरो* सबसे बड़ी फ़िल्म थी, जो दिवाली पर रिलीज़ हुई थी। उसका ट्रेलर भी अच्छा था। लेकिन पहले हफ़्ते में ही समझ में आ गया था कि ये फ़िल्म दर्शकों से कनेक्ट नहीं कर पाएगी। ये कुछ ज़्यादा ही महत्वाकांक्षी और लिपटी हुई फ़िल्म थी। इसमें निजी पसंद का कोई लेना-देना नहीं है। फ़िल्म का जो प्लॉट था, वो कई लोगों की समझ में तो आया लेकिन ऐसे लोगों की संख्या बहुत कम थी। मोटे तौर पर, ये फ़िल्म लोगों के दिल में जगह नहीं बना पायी। और ये शाहरुख़ की *फ़ैन* और *जब हैरी मेट सेजल* जैसी बुरा परफ़ॉर्म करने वाली फ़िल्मों के बाद आयी थी। *ज़ीरो* ने ये तय

कर दिया था कि शाहरुख़ को बहुत सूक्ष्मता से ये देखने की ज़रूरत है कि आख़िर वो क्या चीज़ें थीं, जो उनके पक्ष में काम नहीं कर रही थीं।'

ऐसा भी संभव था कि लोग उनसे क्या चाहते हैं, इस बात की समझ शाहरुख़ को अब नहीं रह गयी थी। उन्हें ख़ुद को दोबारा परिभाषित करने के क्रम में लोगों की अपेक्षाओं को भी दिमाग़ में रखकर चलना होगा। ये एक असफलता की बात थी ही नहीं। उन्हें सबकुछ नये सिरे से शुरू करना था और उसके लिए उन्हें शोर-शराबे से ख़ुद को अलग कर देना था। शाहरुख़ ख़ान ने अघोषित छुट्टी ले ली थी और इंडस्ट्री का हर शख्स भौंचक्का रह गया था।

पठान की सफलता के बाद, शाहरुख़ ने अपनी भावनाओं को शब्दों में जताने की हिम्मत भरी एक कोशिश की। रॉबिन उथप्पा के साथ एक इंटरव्यू में उन्होंने कहा, 'असल में, मैं एक साल का ब्रेक ले रहा था। मैंने सोचा, थोड़ा रुकता हूं, फ़िज़िकली फ़िट होता हूं। *ज़ीरो* में बहुत मेहनत करनी पड़ी थी और वो भी अच्छी कमाई नहीं कर सकी थी, किसी को पसंद नहीं आयी। मुझे बहुत बुरा लगा। लेकिन फिर मैंने सोचा कि कुछ ऐसा करूंगा जो लोग पसंद करते हैं। बहुत कर ली अपने दिल की। मैं पिछले 32 सालों से काम कर रहा हूं और मैंने एक बार भी ऐसा नहीं सोचा था कि मैं चलूंगा नहीं।'[2]

लॉकडाउन ने हर किसी के जीवन को बदलकर रख दिया था। घर में क़ैद रहना डरावना था, भले ही वो शाहरुख़ ख़ान का बंगला ही क्यूं न हो। ऐसे में, जब आप अपने सबसे बड़े डर के साथ घर में अकेले हों और आपको नहीं मालूम हो कि आप दोबारा काम कर सकेंगे या नहीं, आपकी परेशानी का कोई अंत नहीं दिखता। ऐसे में, एक नयी शुरुआत को टाला नहीं जा सकता था।

शाहरुख़ का कैरियर और उनकी ज़िंदगी किसी दैवीय या पौराणिक नायक जैसी रही है। वो एक ऐसे नायक रहे, जिसकी राह में मुश्किलें कभी कम नहीं होती थीं, लेकिन जिसके लिए भगवान हमेशा मुस्कुराते रहते थे (भले ही कभी-कभी उसे उन्हीं भगवानों से लड़ना भी पड़ता है)। इस महान कहानी में अगर थोड़ा सा जादू, दिवंगत माता-पिता का आशीर्वाद, एक शानदार और अटूट मोहब्बत और दुनियाभर के लाखों फ़ैंस की दुआएं जोड़ दें तो आपको मिलेगा एक ऐसा शख्स जो इंसानी कमज़ोरियों से भरा हुआ है, मगर फिर भी

अजेय है। शाहरुख़ को जो प्यार मिलता है वो कोई आम बात नहीं है। ये इंडस्ट्री बनी ही कुछ इस तरह से है कि इसके सबसे बड़े चेहरों पर अथाह प्यार उड़ेला जाता है। उन्हें पलकों पर बिठाकर रखा जाता है, उनके फैंस उनका नाम पुकार रहे होते हैं, जाने कितनी महिलाएं उनपर दिल हारे बैठी होती हैं। लेकिन शाहरुख़ का मामला कुछ अलग है। उसे हमारी मांओं की दुआएं मिलती हैं। हमारे पिता हमसे कहते हैं, 'शाहरुख़ ख़ान जैसी शिद्दत से मेहनत करो, सारी क़ायनात तुम्हें तुम्हारी मंज़िल तक ले जाने की साज़िश करेगी।'

ख़ुद शाहरुख़ भी यही कहते हैं कि इन दुआओं के ही दम पर ये संभव हो सका है कि वो ऐसी वापसी कर सके हैं। 'जब मैंने दोबारा काम शुरू किया तो मेरे भीतर एक अजीब सी भूख और नयापन आ चुका था। जबसे मैंने वापसी की है, मैं ख़ुद को बड़ा, बेहतर, तेज़ और ज़्यादा ख़ुश पा रहा हूं।'[3]

20 नवम्बर 2020 को, शाहरुख़ ने *पठान* की शूटिंग शुरू की। शाहरुख़ अपनी पुरानी ज़मीन पर वापसी कर रहे थे। वो यश राज फ़िल्म के साथ काम करने जा रहे थे, जहां उन्होंने अपने कैरियर की सबसे बड़ी फ़िल्मों पर काम किया था। कई मायनों में, ये फ़िल्म उनकी ज़िंदगी की एक बहुत बड़ी तमन्ना पूरी करने जा रही थी। शाहरुख़ हमेशा से चाहते थे कि वो एक एक्शन हीरो बनें। उनके उस्ताद यश चोपड़ा समेत हर किसी को यही लगता था कि शाहरुख़ की आंखों में ऐसा जादू था कि उसे एक्शन में खपा देना एक बहुत बड़ी नाइंसाफ़ी होगी। शायद वो कड़वे शब्दों से बचना चाह रहे थे। शाहरुख़ की चाल, डील-डौल या तकनीक में ऐसा कुछ भी नहीं था जो उन्हें एक्शन हीरो के लिए मुफ़ीद दिखा सकता। वो अक्षय कुमार की तरह मार्शल आर्ट्स के ज्ञाता नहीं थे, अजय देवगन की तरह स्टंट एक्सपर्ट नहीं थे और न ही सलमान ख़ान जैसा भौकाल रखते थे। शाहरुख़ का जादू कुछ दूसरी ही चीज़ों से बना था।

डर के बाद से, एक्शन उनके लिए एक सपना बन चुका था। एक इंटरव्यू में उन्होंने कहा था, 'डर में मैं एक्शन कर रहा था, दौड़ रहा था, गोलियां चला रहा था। और फिर मैंने सोचा कि अब यही मेरा रास्ता है, जिस पर मुझे चलना है। मैं एक्शन हीरो बनूंगा। और फिर मुझे मालूम भी नहीं चला कि कब मुझे लवर बना दिया गया। आदि (आदित्य चोपड़ा) ने मुझे फंसा दिया।'[4]

शाहरुख़ को एक्शन से दूर रखने की आदित्य चोपड़ा के पास अपनी वजहें थीं। 1995 के बाद उनके एकमात्र इंटरव्यू में वो इस बारे में बात करते हैं। 'वो एक मासूम सा, प्यारा सा

बंदा है जो लोगों को दिखाता है कि वो बहुत सख्त है। वो कहता है कि उसे एक्शन पसंद है लेकिन वो वैसा है नहीं। डर पर काम करते हुए मैंने उसे कुछ एक्शन आइडिया दिये थे और छह महीने बाद मैं उसके पास *डीडीएलजे (दिलवाले दुल्हनिया ले जायेंगे)* लेकर चला गया।'

ऐसा कतई नहीं है कि शाहरुख़ ने इससे पहले एक्शन फ़िल्मों में हाथ नहीं आजमाया था। उन्हें बहुत अच्छे से मालूम है कि स्क्रीन पर किसी को मुक्का कैसे मारना था और ऐसा करते हुए लोगों को कैसे लुभाया जा सकता था लेकिन इस दुनिया की नज़रें उनके गालों के गड्ढों पर अटकी और उनकी आंखों में डूबी रही। ऐसे में, *पठान* ने हर तरह से कई धारणाएं बदलीं। शाहरुख़ अपने सपने को सच करने निकले थे और ऐसा काम करने जा रहे थे, जिसके बारे में हर किसी की राय यही थी कि वो इस काम के लिए बने ही नहीं थे। शाहरुख़ ने ख़ुद को ही ये मौका दिया था।

पचपन की उम्र में, उनके पास खोने को बहुत कम था और अब वो एक विशुद्ध एक्शन हीरो के रूप में दिखने वाले थे।

पठान की सफलता के रास्ते में विवाद और नफ़रत मौजूद थी। आपको ऐसा लगता होगा कि क्रिकेट और बॉलीवुड इस देश को एक कर सकते हैं, लेकिन नफ़रत इस कदर हावी हो जाती है कि ऐसा हो नहीं पाता। रिलीज़ होने के क्रम में *पठान* को नफ़रत का सामना करना पड़ा था। अबसे कुछ वक़्त पहले तक हर किसी को ऐसा लगता था कि हर प्रकार की पब्लिसिटी, अच्छी पब्लिसिटी होती है। लेकिन अब ऐसा नहीं है। नफ़रत को कम नहीं आंकना चाहिए। *पठान* से पहले आयी फ़िल्मों पर इसका असर देखा जा चुका था। आमिर ख़ान ने *फ़ॉरेस्ट गम्प* को बेहद ख़ूबसूरती के साथ *लाल सिंह चड्ढा* के रूप में स्क्रीन पर उतारा था। लेकिन उसे भी नफ़रत ने लील लिया। *पठान* के साथ भी ऐसा हो सकता था। हर जगह, हर कोई, इस फ़िल्म से नाराज़ था।

जबसे इस फ़िल्म का गाना *बेशरम रंग* आया था, विवादों ने इस फ़िल्म को घेर लिया था। ये विवाद इस गाने में दीपिका के कपड़ों से जन्मा था। असल में, दीपिका ने इस गाने में भगवा रंग की बिकनी पहनी हुई थी। यहां से ये मुद्दा उठा और इसमें राजनीतिक हस्तियों से लेकर ऑनलाइन यूज़र्स तक शामिल हो गए। हर ओर इस फ़िल्म के बॉयकॉट करने की बातें होने लगीं।

मध्य प्रदेश के गृहमंत्री डॉक्टर नरोत्तम मिश्रा ने इस गाने पर नाराज़गी जतायी। उन्होंने इस गाने को आपत्तिजनक बताया। मंत्री जी ने ट्विटर (अब एक्स) पर पोस्ट लिखा और कहा कि ये गाना 'बुरी मानसिकता के साथ बनाया गया था।'[5] नरोत्तम मिश्रा ने दीपिका पादुकोण को 'टुकड़े टुकड़े गैंग' का समर्थन करने वाला बताया और मांग की कि इस गाने के कुछ दृश्य दोबारा फ़िल्माये जाएं और उसमें दूसरे परिधानों का इस्तेमाल हो। उन्होंने धमकी दी कि यदि ऐसा नहीं किया गया तो फ़िल्म को उनके प्रदेश में रिलीज़ नहीं होने दिया जाएगा। ये आग कई प्रदेशों तक फैली। कई दक्षिणपंथी संगठनों ने प्रदर्शन किये और इस फ़िल्म के बॉयकॉट की घोषणा कर दी। इंदौर में, वीर शिवाजी ग्रुप के सदस्यों ने शाहरुख़ के पुतले जलाये। उत्तर प्रदेश में, भाजपा के कार्यकर्ताओं ने ऐसे ही प्रदर्शन किये और इस फ़िल्म के पूर्ण बहिष्कार का ऐलान किया।

जनवरी 2023 में, गुजरात में बजरंग दल के सदस्यों ने मॉल में तोड़फोड़ की और इस फ़िल्म के पोस्टरों को नुकसान पहुंचाया। पार्टी ने अपने आधिकारिक ट्विटर अकाउंट के ज़रिये अपने इरादे साफ़ कर दिए थे कि वो फ़िल्म को कहीं भी प्रदर्शित होने नहीं देंगे।

बातें यहीं ख़त्म नहीं हुईं। हमले और भी निजी और ख़तरनाक होते गए। अयोध्या के पीठाधीश्वर जगतगुरु परमहंस आचार्य ने तो शाहरुख़ ख़ान को सार्वजनिक धमकी दे दी और कहा कि वो उन्हें ज़िंदा जला देंगे। अब धार्मिक भावनाएं भी आहत हो चुकी थीं।[6]

जैसा कि मैंने कहा था, नफ़रत में लोगों को एकजुट करने का गुण होता है। जैसे ही हिंदू अतिवादियों ने अपने गुस्से का इज़हार किया, ऐसा लगा कि ऑल इंडिया मुस्लिम त्यौहार कमिटी भी पीछे नहीं रहना चाहती थी। नयी दिल्ली स्थित इस संगठन ने फ़िल्म के शीर्षक पर सवाल उठाये और कहा कि ये फ़िल्म पठान समुदाय की ग़लत छवि पेश कर रही थी। संगठन के नेता पीरज़ादा ख़ुर्रम मियां चिश्ती ने कहा कि फ़िल्म का नाम *पठान* रखकर पठानों की तौहीन की गयी थी। उन्होंने कहा कि जब तक इसका नाम नहीं बदला जाता, फ़िल्म पर रोक लगा दी जानी चाहिए।

केन्द्रीय फिल्म प्रमाणन बोर्ड का मुख्य काम होता है फ़िल्मों को सर्टिफ़िकेट देना। उसने भी ड्रामा खड़ा करने में कोई कसर नहीं छोड़ी। फ़िल्म में दस कट्स लगाने को कहे, जिसमें कुछ शब्द हटाये जाने थे और कुछ कामुक दृश्यों को भी हटाने को कहा गया, मगर फ़िल्म का शीर्षक और वो बिकिनी वाला सीन जस का तस रहा।

ये कुछ अजीबोग़रीब समय चल रहा था और ऐसी प्रबल संभावनाएं थीं कि *पठान* का हश्र बुरा होगा, जैसा कि बीते समय में कई फ़िल्मों के साथ होता आया था।

लेकिन फिर कुछ अलग हुआ। और ये जो भी था, सबकुछ शाहरुख़ के फैंस ने किया। ऐसा कहने में कोई संकोच नहीं होना चाहिए कि किसी के भी पास ऐसे शानदार फैंस नहीं हैं। वो एक सेना है जो अपनी पूरी ताक़त के साथ अपने बादशाह को सलामत रखती हैं। उन्होंने अपना पूरा ज़ोर लगा दिया कि 'बॉयकॉट *पठान*' ट्रेंड इस फ़िल्म पर कोई बुरा असर न डाल सके। एसआरके यूनिवर्स की पूरी ट्विटर आर्मी ने *पठान* को लेकर कई कार्यक्रम आयोजित किये, जिसमें कोलकाता का वो फ़र्स्ट-डे-फ़र्स्ट-शो वाला आयोजन भी शामिल था, जहां 50,000 लोगों की भीड़ देखी गयी थी। इसके अलावा 26 जनवरी को दिल्ली पुलिस और एनजीओ के बच्चों के लिए स्पेशल शो रखा गया जिसके लिए एक आईमैक्स शो और दो सिंगल स्क्रीन शो बुक किये गए थे। दिल्ली के राजौरी गार्डन में सिनेपोलिस टीडीआई का पूरा ऑडिटोरियम बुक कर लिया गया था। शाहरुख़ के फैंस ने *पठान* की टी शर्ट, बैंड्रा और बैज बेच-बेचकर फ़ंड जुटाया था।

शाहरुख़ का कैरियर और उनकी ज़िंदगी किसी दैवीय या पौराणिक नायक जैसी रही है। वो एक ऐसे नायक रहे, जिसकी राह में मुश्किलें कभी कम नहीं होती थीं, लेकिन जिसके लिए भगवान हमेशा मुस्कुराते रहते थे (भले ही कभी-कभी उसे उन्हीं भगवानों से लड़ना भी पड़ता है)। इस महान कहानी में अगर थोड़ा सा जादू, दिवंगत माता-पिता का आशीर्वाद, एक शानदार और अटूट मोहब्बत और दुनियाभर के लाखों फ़ैंस की दुआएं जोड़ दें तो आपको मिलेगा एक ऐसा शख्स जो इंसानी कमज़ोरियों से भरा हुआ है, मगर फिर भी अजेय है।

शाहरुख़ का एक फ़ैन ग्रुप था जो ख़ुद को शाहरुख़ वॉरियर कहता है और जिसके सदस्य देश के पैंतीस शहरों और दुनिया के ग्यारह देशों में मौजूद हैं। इस समूह ने भी शाहरुख़ की फ़िल्म को बचाने में जी-जान लगा दी। आप सोचकर देखिये: एक कबीला कैसे काम करता है? वो एक जुड़ा हुआ, मज़बूत समुदाय होता है जो अपने करिश्माई हीरो के इर्द-गिर्द जुट जाता है। तो, शाहरुख़ को उस मसीहा की तरह पेश किया गया जो ऐसे

वक़्त में हिंदी फ़िल्म इंडस्ट्री को बचा सकता था, जब उस पर हर तरफ़ से हमले हो रहे थे। इस फ़िल्म के कई सारे नेगेटिव रिव्यू आ रहे थे लेकिन ढेर सारी बातों और भावनात्मक अपील के ज़रिए शाहरुख़ के फ़ैन क्लब्स ने इन्हें निष्क्रिय सा कर दिया। फ़िल्म की बड़ाई आलोचनाओं पर भारी पड़ने लगी। अब फ़ैन सिर्फ़ फ़िल्म देखने नहीं जा रहे थे। वो पूछ रहे थे: 'क्या आप *पठान* डे मना रहे हैं?' #ShahRukhPrideofIndia और #ShahofHearts जैसे हैशटैग्स से ऑनलाइन फैल रहे नफ़रत भरे ट्रेंड्स का मुकाबला किया गया। किसी भी शाहरुख़ फ़ैन ने बॉयकॉट वाले हैशटैग्स का जवाब नहीं दिया क्योंकि वो उस नफ़रत को और बढ़ावा नहीं देना चाहते थे।

ललिता कंभमपति एसआरके यूनिवर्स फ़ैन क्लब के अमेरिकी हिस्से का नेतृत्व करती हैं। वो 52 वर्षीय आईटी प्रोफ़ेशनल हैं और मिशिगन में रहती हैं। उन्होंने एक इंटरव्यू में कहा, 'शाहरुख़ ख़ान इस दुनिया में हर किसी के लिए कितनी खुशियां लेकर आते हैं। उनकी मौजूदगी का मतलब है ख़ुशी। और कई बार हम उनकी सकारात्मकता को यूं ही ले लेते हैं। उनका फ़ैन क्लब उनकी कम्युनिटी है और हम इस पूरे कबीले को साथ लेकर चलते हैं।' चेन्नई में फ़ैन क्लब्स ने अपने पैन-इंडिया नेटवर्क को 120 शहरों में सक्रिय कर दिया। एसआरके यूनिवर्स ने अपने नेटवर्क को ईजिप्ट, ऑस्ट्रेलिया, नाइजीरिया और ईरान जैसे देशों में चालू कर दिया। इन देशों में शाहरुख़ के हज़ारों-लाखों फ़ैन हैं।[7]

एक बहुत बड़ा प्लान बनाया जा चुका था जिससे *पठान* न देखने वालों को ऐसा लगे कि वो जीवन में बहुत बड़ी चीज़ मिस कर रहे थे। सोशल मीडिया पर क्विज़ चल रहे थे, गानों के हिस्से शेयर किये जा रहे थे और फ़िल्म से जुड़ी तमाम दूसरी बातें चल रही थीं। फैंस अपनी पूरी ताक़त और वक़्त, इसी में लगा रहे थे। कॉन्टेंट को लेकर जिस तरह की योजनाएं बन रही थीं, उन्हें देखकर बड़ी कॉर्पोरेट कम्पनियां भी शर्मसार हो जाएं। हर हैशटैग के साथ शाहरुख़ की पुरानी फ़िल्मों पर बात की जाने लगी। उदाहरण के तौर पर, #ShahrukhThePrideOfIndia के साथ उनके पुराने इंटरव्यूज़ के छोटे-छोटे हिस्से शेयर किये जा रहे थे, पुरानी फ़िल्मों के डायलॉग आ रहे थे और ऐसी बातें शेयर की जा रही थीं जिससे देखा जा सकता था कि कैसे पूरे हिंदुस्तान को शाहरुख़ पर गर्व था। ये तथ्य कि शाहरुख़ लगभग चार साल बाद बड़े पर्दे पर आ रहे थे, हर ट्वीट में इसका ज़िक्र किया जा रहा था। फैंस नॉस्टेल्जिया में डूबे हुए थे। ये इंसानी फ़ितरत है कि हम

बीते हुए वक़्त की मिठास के नशे में डूबे रहना चाहते हैं। शाहरुख़ हमें उसी वक़्त की याद दिला रहा था। याद है वो इंसान जिसने हमें प्यार करना सिखाया? वो वापस आ रहा था और आपको उसे मिस नहीं करना चाहिए। फ़िल्म रिलीज के पूरे हफ़्ते, दुनियाभर के फैंस ने इस आग को जलाए रखा और भरपूर ईंधन का इंतज़ाम किया। उन्होंने फ़िल्म के पोस्टर के साथ ढेरों तस्वीरें पोस्ट कीं और दुनिया को बताया कि वो किस बेसब्री के साथ इंतज़ार कर रहे थे।

इस वैश्विक भाईचारे में आम इंसानों ने एक-दूसरे का साथ दिया और अपने हीरो के लिए ऐसा करने से उन्हें इस दुनिया की कोई ताक़त रोक नहीं सकती थी। ऐसी तस्वीरें देखने को मिलीं जहां सिनेमाघर के बाहर लम्बी लाइनें लगी हुई थीं और टिकट काउंटरों पर हल्ला कटा हुआ था। किसी को भी अच्छे से नहीं मालूम था कि ये फ़िल्म किस बारे में होने वाली थी। किसी को भी फ़िल्म के रिव्यू तक रुकने की परवाह भी नहीं थी। हर कोई बस खिंचा चला आ रहा था।

जिस तरह से उन दिनों शाहरुख़ के पुराने इंटरव्यू की क्लिप्स शेयर की जा रही थीं, कोई भी ऐसा सोच सकता था कि वो अपनी फ़िल्म को प्रमोट करने में ख़ूब मेहनत कर रहे होंगे। लेकिन शाहरुख़ ने फ़िल्म के बनने और रिलीज़ होने तक एक भी इंटरव्यू नहीं दिया। न ही रिलीज़ के बाद उन्होंने प्रेस से बात की। रिलीज़ के तीन दिन बाद, फ़िल्म की सफलता पर जो प्रेस कांफ्रेंस रखी गयी थी, शाहरुख़ *ज़ीरो* के बाद पहली बार किसी भी तरह के फ़िल्म प्रमोशन में नज़र आये थे। और ये वो मौजूदगी थी जो वायरल हो गयी। शाहरुख़ अपने डायरेक्टर सिद्धार्थ आनंद और साथी कलाकार जॉन अब्राहम और दीपिका पादुकोण के साथ स्टेज पर मौजूद थे। शाहरुख़ वहां मौजूद लोगों की ओर देखकर मुस्कुरा रहे थे और लगभग हर उस मौक़े की तरह, जिसमें शाहरुख़ मौजूद होते हैं, यहां भी, भीड़ को शांत करने में कुछ वक़्त और मेहनत ख़र्च करनी पड़ी। जिन पत्रकारों ने इससे पहले कई बार शाहरुख़ का इंटरव्यू लिया हुआ था, वो भी उन्हें कई सालों बाद देख रहे थे।

उस शाम की सबसे अच्छी बात आयी जॉन अब्राहम की ओर से। वो इस फ़िल्म के शाहरुख़ के ख़िलाफ़ खड़े दिख रहे थे। अमूमन जॉन बहुत ज़्यादा नहीं बोलते हैं, लेकिन उस रोज़ उन्होंने फ़िल्म की सफलता के पीछे का सबसे बड़ा कारण ये बताया कि शाहरुख़

अब एक कलाकार नहीं रहे थे – वो एक इमोशन बन चुके थे। जब दर्शकों में से किसी एक फ़ैन ने चीखकर कहा, 'ही इज बैक', तो जॉन ने तुरंत उसे दुरुस्त किया। जॉन ने कहा, 'बस एक चीज़। शाहरुख़ "वापस" नहीं आये हैं। वो तो बस लू ब्रेक पर गए थे!'[8]

और जहां तक शाहरुख़ की बात थी, वो आराम से बैठे हुए थे। उनका दिल दर्शकों से मिल रहे प्यार में डूबा हुआ था। उनके फैंस ने साफ़ शब्दों में, ऊंची आवाज़ में पूरी दुनिया को ये बता दिया था कि वो हर हाल में शाहरुख़ के साथ खड़े रहने वाले थे। उस शाम, शाहरुख़ ने हमें अपने उन बेहद निजी पलों की एक झलक दिखायी जब वो सभी की नज़रों से दूर रहते हैं। हमें उनके घर के उस बाथरूम के बारे में मालूम चला, जहां वो दुखी होने पर, बुरा लगने पर और दिल टूटने पर रोये हैं। जब उन्होंने कहा कि ठीक न होना पूरी तरह से ठीक था, हम सभी को उनके रूप में एक साथी मिल गया था। उन्होंने कहा, 'मुझे ये कहते हुए कोई शर्म नहीं आती कि मैं कभी-कभी डर जाता हूं, कभी-कभी दुखी हो जाता हूं और दिन में कई मौकों पर मेरा कॉन्फ़िडेंस चला जाता है।'[9] उन्होंने बताया कि कैसे स्क्रीन पर या स्क्रीन से हटकर, बचाये जाने के पूरे क्रम से भागने की ज़रूरत नहीं थी। शाहरुख़ ने बताया कि कैसे आदित्य चोपड़ा ने उनमें अद्भुत विश्वास जताया, जब वो ख़ुद पूरी तरह से राज़ी नहीं थे। 'चार साल पहले मैं थोड़ा कमज़ोर महसूस कर रहा था। मुझे चोट लगी थी, कई सर्जरी हुई थीं... लेकिन मैंने सोचा कि कुछ ऐसा करता हूं जो अभी तक नहीं किया था। मुझे पूरी तरह से फिज़िकली फ़िट होना था। मैंने अपने दोस्त आदित्य चोपड़ा और सिद्धार्थ आनंद से कहा "एक एक्शन पिक्चर बनाओ"। तो उन्होंने कहा कि "सर, आप ये क्या कह रहे हो, आप थक जाओगे।" मैंने उनसे कहा कि कोशिश तो करनी ही चाहिए। मैंने कहा, "मैं टाइगर (श्रॉफ़) या डुग्गू (ऋतिक) जैसा तो नहीं हूं लेकिन कोशिश पूरी करूंगा।"'[10]

> **'ईमानदारी से कहूं तो हम रिकॉर्ड तोड़ने के लिए नहीं काम कर रहे थे। हम एक अच्छी फ़िल्म बनाना चाहते थे। शाहरुख़ ने मेरी फ़िल्म में मुझे ठीक यही चीज़ सिखायी थी। उन्होंने मुझे बताया था कि ऐसे लोगों के साथ काम करो जो तुम्हें ख़ुशी दें।'**
> **–दीपिका पादुकोण**

शाहरुख़ ख़ान ने *पठान* की सफलता का श्रेय उन सैकड़ों लोगों को दिया जो हर रोज़ उनके घर के सामने खड़े होते हैं। जब उनकी फ़िल्में नहीं चल रही होती हैं, घर के बाहर लोगों की संख्या कम नहीं होती। हर त्यौहार के दिन उनके फैंस उनके घर के बाहर अपने उस हीरो की एक झलक पाने को खड़े होते हैं जो उन्हें जादू भरे प्यार से लबरेज़ कर देता है। चाहे कुछ भी हो जाए, लोगों का आना बंद नहीं होता। 'वो सभी मुझे पूरी तरह से प्यार करते हैं... इसमें कोई स्वार्थ नहीं है और इससे ज़्यादा ख़ूबसूरत कुछ और नहीं है। जब भी मैं थोड़ा उदास होता हूं, कहीं जाना होता है, मैं लोगों के इस समुद्र को अपने पास पाता हूं। मैं हर वो कोशिश करता हूं जिससे इन सभी से मिल रहे प्यार को मैं इन्हें वापस भी कर सकूं।'

दीपिका पादुकोण को उस भगवा रंग की बिकिनी के चक्कर में मचे बवाल के चलते एक अलग ही लड़ाई से गुज़रना पड़ा था। प्रेस से बात करते हुए वो भावुक हो गयीं। उन्होंने ख़ुशी और राहत से भरे आंसुओं को पोछते हुए कहा, 'ईमानदारी से कहूं तो हम रिकॉर्ड तोड़ने के लिए नहीं काम कर रहे थे। हम एक अच्छी फ़िल्म बनाना चाहते थे। शाहरुख़ ने मेरी फ़िल्म में मुझे ठीक यही चीज़ सिखायी थी। उन्होंने मुझे बताया था कि ऐसे लोगों के साथ काम करो जो तुम्हें ख़ुशी दें। हमने एक बहुत ही ख़ुशनुमा माहौल में इस फ़िल्म पर काम किया और यही वो चीज़ है जो ऑडियंस को वापस मिल रही है। ये विशुद्ध रूप से प्यार और ख़ुशी है, जो आप सभी को दिख रही है।'

शाहरुख़ ने 2007 में *ओम शांति ओम* से दीपिका को लॉन्च किया था। अपने कैरियर की सफलता का श्रेय शाहरुख़ को देते हुए वो कहती हैं, 'चाहे वो *ओम शांति ओम* हो या *चेन्नई एक्सप्रेस*, जो सबसे ख़ास बात है, वो है हमारे बीच का रिश्ता और एक दूसरे पर भरोसा। अगर शाहरुख़ के मन में मेरे लिए एक विज़न नहीं होता तो मैं आज यहां आपके सामने नहीं बैठी होती। मुझे इतना प्यार नहीं मिल रहा होता। उन्हें मालूम नहीं है कि मुझे उनसे कितना आत्मविश्वास मिला है। मैं जो कर रही हूं वो इसीलिए कर पा रही हूं क्यूंकि मुझे पता है कि शाहरुख़ मेरे लिए हमेशा मौजूद रहेंगे।'[11]

इस जोड़ी ने एक बार फिर सफलता देखी थी। पिछली बार से कहीं ज़्यादा भव्यता के साथ। बीते वक़्त की तरह, एक बार फिर, अख़बार की सुर्ख़ियां विजयगाथा समेटे हुए दिख रही थीं।

The Guardian

'*Pathaan* and the King of Cinema Blast Bollywood Out of the Doldrums'

Vox

'Breaking Down *Pathaan*, the Most Popular Movie in the World'

The Conversation

'From *Deewana* to the success of *Pathaan*: The Global Impact of Bollywood's Enduring King, Shah Rukh Khan'

ThePrint

'Everyone Wrote Bollywood Obit. Then Shah Rukh Khan Made the Miracle Happen'

Film Companion

'*Pathaan*, Shah Rukh Khan and the Art of Killing with Kindness'

Foreign Policy

'Modi Is Losing His War on Bollywood'

The Hindu

'Shah Rukh's *Pathaan* Registers Record-Breaking Opening Day Collection for Any Hindi Movie'

WION

'Why *Pathaan* Is a Strong Rebuke to #BoycottBollywood Gang'

स्क्रीन पर, पठान एक ऐसा एक्शन हीरो था जिसे हमने पहले कभी नहीं देखा था। हमने देखा कि इस भूमिका को शाहरुख़ ने एक अलग रंग दिया था। लेकिन किसी भी मौके पर उन्होंने उस कसैली मर्दानगी को नहीं अपनाया, जो अक्सर ऐसे किरदारों से जुड़ी होती है। पठान पेनकिलर खाता है, टूटी हुई मिट्टी की चीज़ें सोने से जोड़ता है और उसे दीपिका की रुबाई और सलमान ख़ान का टाइगर, दोनों बचाते हैं। एक्शन के बीच भी शाहरुख़ का किरदार संवेदनशील बना रहता है।

इस फ़िल्म ने इंडिया में कुल 657.50 करोड़ रुपये कमाये और विदेश से 398 करोड़ रुपये आये। ग्लोबल बिज़नेस के मामले में इस फ़िल्म की कुल कमाई 1,055 करोड़ रुपये रही।[12]

बॉक्स ऑफ़िस पर *पठान* की सफलता का मतलब था कि बॉलीवुड एक बार फिर जी उठा था। असफल फ़िल्मों का जो दौर चलता दिख रहा था, उसका अंत हो गया था। सभी को रिझाने की ताकत रखने वाले किंग ख़ान न केवल उनको स्क्रीन पर देख सकने की ख़ुशियां लेकर आये थे, बल्कि एक्शन-हीरो की पहचान भी बदल चुके थे। बाग़र

कमाई करने वाली इस फ़िल्म ने हर किसी को बता दिया था कि हिंदी फ़िल्मों में बहुत सारे स्टार्स हैं और फिर आते हैं शाहरुख़ खान।

अगर एक शाहरुख़ आपको इतना ख़ुश कर सकता है तो सोचिये कि एक ही फ़िल्म में दो-दो शाहरुख़ क्या करेंगे। डायरेक्टर एटली कुमार ने इस आइडिया को केंद्रीय किरदार बना दिया और हमें बीते कई सालों की सबसे बड़ी 'मास फ़िल्म' में से एक, *जवान* मिली। शाहरुख़ में भी एक छोटा सा बदलाव देखने को मिला। यूएई में हो रही एक प्रेस कांफ्रेंस में जब उनसे पूछा गया कि क्या वो रिलीज़ से पहले नर्वस होते हैं तो उन्होंने जवाब दिया, 'मुझे नहीं लगता है कि मुझे नर्वस होने की ज़रूरत है। मुझे लगता है कि मेरी हर फ़िल्म सुपरहिट होगी। मैं इसी विश्वास के साथ सोता और जागता हूं और यही वो एक चीज़ है जो 57 की उम्र में मुझसे स्टंट करवाती है और मैं दिन में 18 घंटे काम करता हूं।'[13]

जवान बड़े पैमाने पर बनाई गई फ़िल्म थी। इसमें शाहरुख़ के साथ साउथ इंडियन सुपरस्टार नयनतारा थीं और बॉलीवुड सुपरस्टार दीपिका पादुकोण ने एक लंबा कैमियो किया था। दर्शकों के चहेते विजय सेतुपति विलेन के किरदार में थे। फ़िल्म का म्यूज़िक अनिरुद्ध रविचंदर ने दिया था, जो शाहरुख़ के ऑन-स्क्रीन अंदाज़ को समर्पित था। उन्होंने रैपर राजा कुमारी को भी किंग ख़ान पर एक रैप करने के लिए जोड़ा। राजा कुमारी ने किंग के लिए लिखा:

'Running with King Khan
Bullets rain down like it's thunder|'

ये रैप जोशीला था और सीधे लोगों के दिल पर असर करता था। *जवान* की आत्मा और उसके सदाबहार हीरो, शाहरुख़ ख़ान, दोनों के साथ पूरी तरह न्याय करता था।

इस फ़िल्म में हमें शाहरुख़ की जो एंट्री देखने को मिली, वो हिंदी फ़िल्मों में सबसे धमाकेदार एंट्री में से एक थी। हमारा हीरो पट्टियों में था और आसमान से उतर रहा था। वो देश के पूर्वोत्तर हिस्से के किसी गांव में था जिसपर डकैतों ने हमला कर दिया था। पूरे चांद के आगे खड़े शाहरुख़ ने तेज़ चलती हवा के बीच एक मसीहा की तरह ज़मीन

पर कदम रखा। वो सबको बचाने आ चुका था। शाहरुख़ डकैतों को चित्त कर रहे थे और ड्रम्स की बीट पर बना रविचंदर का म्यूज़िक उसे और भी असरदार बना रहा था। रूपक से भरी ये एंट्री एकदम सटीक साबित हुई। कम से कम बॉलीवुड के लिए तो हुई ही। फ़िल्म ने दुनियाभर में कुल 1,200 करोड़ रुपयों की कमाई की। कोविड महामारी के बाद हिंदी फ़िल्म इंडस्ट्री पर जो अनिश्चितता के बादल छाये दिख रहे थे, वो अब 2023 में छंट चुके थे।

जवान के चल पड़ने के पीछे कई कारण थे। स्टोरी को यूं बुना गया था कि शाहरुख़ के फ़ैन बेस का सबसे बड़ा हिस्सा, महिलाएं, शाहरुख़ के साथ ही दिखायी दें। फ़िल्म में शाहरुख़ के पास महिलाओं की एक सेना थी जो उनके लिये काम करती थी। शाहरुख़ ने अपने सबसे बड़ी अच्छाई को इस फ़िल्म में भी बरक़रार रखा कि वो फ़िल्म में रहते हुए कभी दूसरे कलाकारों को कमतर नहीं होने देते। ये एक ऐसी चीज़ है जो उनके साथ काम करने वाले हर एक्टर ने कही है और ये गुण इस इंडस्ट्री में बड़ी मुश्किल से देखने को मिलता है। ये एक ऐसी एक्शन फ़िल्म थी जिसे शक्ति महिलाओं से मिल रही थी और ऐसा शाहरुख़ की ज़िंदगी के बारे में भी कहा जा सकता है। डायलॉग लेखक सुमित अरोड़ा ने इसी कलेवर की एक लाइन भी लिखी: *'जेल में आदमी तेरे हैं पर ये जेल मेरी औरतों का है।'*

लेकिन, इंडिया के सबसे चहेते सुपरस्टार को ज़बरदस्त तरीक़े से पेश करने से भी बढ़कर, इस मसाला फिल्म की सबसे बड़ी ताक़त थी इस फ़िल्म की कहानी के भीतर बसा हुआ गुस्सा। *जवान* एक गुस्से भरी फ़िल्म थी। ये एक आदम आदमी के गुस्से को दिखा रही थी, उसकी चिंताओं और मुसीबतों की आवाज़ थी। इस फ़िल्म ने कोई पक्ष नहीं लिया। न दक्षिण, न वाम, न केंद्र। इसने लोगों की बात की और इसका नेतृत्व ख़ुद शाहरुख़ कर रहे थे। इस फ़िल्म ने उन मुद्दों पर बात की जो अब तक बड़ी सहजता के साथ, किनारे खिसका दिये जा रहे थे। दशकभर के बाद एक ऐसी फ़िल्म आयी थी जो मसाला भी थी, राजनीतिक भी और जिसे लोगों को संदेश देने में कोई संकोच भी नहीं हो रहा था।

फ़िल्म के क्लाइमेक्स में, शाहरुख़ एक भाषण देते हैं और इस क्रम में सिनेमा की फ़ोर्थ-वॉल तोड़ते हुए दर्शकों से मुख़ातिब होते हैं: *'मैं कौन हूं, कौन नहीं। मां को किया वादा हूं या अधूरा एक इरादा हूं... मैं अच्छा हूं, बुरा हूं... पूण्य हूं या पाप हूं, ये ख़ुद से पूछना... क्यूंकि मैं भी आप हूँ।'*

अगले तीन मिनट और आठ सेकंड के लिए शाहरुख़ हर उस चीज़ को शब्दों में बयान करते हैं, जो हमारे दिमाग में बीते कई सालों से चल रही थी। एक मसाला फ़िल्म की तरह पेश की गयी *जवान*, मूलतः एक जागरूक करने वाली फ़िल्म है।

शाहरुख़ ने हिंदी फ़िल्मों के एंग्री यंग मैन को चार दशकों के बाद पुनर्जीवित कर दिया था। भारत देश के लोगों के भीतर जो भी गुस्सा उबल रहा था, *जवान* उसे बड़े पर्दे पर ले आयी थी। फ़िल्म में कुछ वक़्त पहले, वो एक मंत्री को पहेली बूझने को कहता है और 10,281 की संख्या रखता है। वहां बैठे सभी लोग चौंक जाते हैं। बाद में वो बताता है कि ये आंकड़ा इस देश में आत्महत्या करने वाले किसानों का है, जिन्हें त्रासदी से भरी परिस्थितियों के चलते ऐसा कदम उठाने पर मजबूर होना पड़ा। जब देश के हालात की ये तस्वीर हमारे सामने आती है, सिनेमा हॉल में सन्नाटा पसर जाता है। *जवान* इस देश की कड़वी सच्चाइयों से जी नहीं चुराती। इस फ़िल्म में किसानों की आत्महत्याओं के बढ़ते आंकड़ों के बारे में बात की गयी है जो ख़ामियों से भरी कृषि नीतियों का सीधा नतीजा हैं। बात चाहे बढ़ते क़र्ज़ की हो या सूखा-बाढ़ आदि के रूप में पड़ती प्रकृति की मार की, *जवान* किसानों की बुरी स्थिति के ज़िम्मेदार हर तबके को सामने लाती है।

ये फ़िल्म सरकार की नाकामी पर बात करती है और इस बात पर ज़ोर देती है कि देश में ऐसे बदलावों की सख्त ज़रूरत है जो देश की अर्थव्यवस्था की रीढ़ को सुरक्षित तो रखें ही, उसे मज़बूत भी करें।

फ़िल्म में सान्या मल्होत्रा एक डॉक्टर का किरदार निभा रही थीं जिन्हें साज़िशन एक अस्पताल में कई बच्चों की मौत की ज़िम्मेदारी का दोषी क़रार दे दिया जाता है। बाद में मालूम पड़ता है कि असली ज़िम्मेदार तो भ्रष्टाचार और अस्पताल में संसाधनों और सुविधाओं की न के बराबर मौजूदगी थी। लोगों ने सान्या मल्होत्रा के किरदार और उत्तर प्रदेश के डॉक्टर कफ़ील ख़ान की असल ज़िंदगी की त्रासदी के बीच समानताएं देखीं। 2017 में, जब एक अस्पताल में ऑक्सीजन की भारी कमी हो गई थी, डॉ. ख़ान ने पूरी कोशिश की कि बच्चों को समय पर ऑक्सीजन मिल सके। इसके बावजूद, तेज़ी से फैलने वाले इंसेफ़ेलाइटिस सिंड्रोम की वजह से 63 बच्चों की मौत हो गई। इसके बाद राज्य सरकार ने डॉ. ख़ान को कर्तव्यों के निर्वहन में लापरवाही का हवाला देते हुए जेल में डाल दिया। डॉक्टर कफ़ील ख़ान ने शाहरुख़ को संबोधित करते हुए एक भावुक ट्वीट लिखा: 'जबकि मैं ये समझ सकता हूं कि *जवान* एक काल्पनिक फ़िल्म है, लेकिन इसमें गोरखपुर

त्रासदी से जो समानताएं दिखाई गयीं, वो सिस्टम की नाकामी, उदासीनता और सबसे अहम, मासूम ज़िंदगियों के ख़त्म हो जाने की याद दिलाती हैं। ये हमारे हेल्थ केयर सिस्टम में जवाबदेही की सख़्त ज़रूरत को उजागर करता है। सान्या मल्होत्रा द्वारा निभाया गया किरदार (डॉक्टर इरम ख़ान), भले ही सीधे तौर पर मुझसे जुड़ा न हो, लेकिन उसने मेरी ज़िंदगी के कई अनुभवों को बहुत ही सटीक रूप से दर्शाया। ये देखकर सुकून मिला कि "गोरखपुर हॉस्पिटल ट्रैजेडी" का असली दोषी फिल्म में पकड़ा गया। हालांकि अफ़सोस की बात है कि असल ज़िंदगी में असली दोषी आज़ाद घूम रहे हैं...'[14]

तीन घंटे की समयावधि में ये फ़िल्म देश के कई मुद्दों पर बात करती है। चाहे वो क़र्ज़ से परेशान किसानों की आत्महत्या के बीच बड़े-बड़े अरबपतियों को मिलने वाली कर्ज़माफ़ी हो या फिर सरकारी अस्पतालों का खस्ताहाल हो, डिफ़ेंस से जुड़े कॉन्ट्रैक्ट्स में भ्रष्टाचार हो या फिर ग़ैर-ज़िम्मेदाराना ढंग से करवायी गयी वोटिंग हो। लेकिन, चिंताओं के इस समंदर में सभी का ध्यान फ़िल्म के नायक पर ही केन्द्रित रहता है और हम ख़ुद को उसकी निजी तकलीफ़ों, त्रासदी भरे भूतकाल और उसे आगे बढ़ाती प्रेरणाओं से गुज़र रहे होते हैं। कई मौक़ों पर तो किरदार और कलाकार के बीच की लाइन भी धुंधली होती नज़र आती है।

ये फ़िल्म अचानक से हमारे सामने आ गयी। इसके प्रोमो कुछ-कुछ भ्रमित करने वाले लग रहे थे। एक ट्रेड एक्सपर्ट ने बताया, 'कोई ये भी समझ सकता था कि इस फ़िल्म को सबसे बड़ी ओपनिंग तमिलनाडु से मिलेगी। नयनतारा लीड कर रही थीं, एटली डायरेक्टर थे, अनिरुद्ध रविचंदर का म्यूज़िक था। ये हर तरह से एक मास फ़िल्म थी। लेकिन जिस फ़िल्म को लोगों ने देखा, वो अपेक्षाओं से बेहद अलग थी। ये ऐसी फ़िल्म थी जिसकी कहानी हर तरह के लोगों को छू रही थी। पहले दिन का कलेक्शन 50 करोड़ के आसपास का माना जा रहा था। इसने 75 करोड़ बनाये क्यूंकि लोगों ने एक-दूसरे को बताना शुरू किया कि ये फ़िल्म हर किसी की ज़िंदगी से जुड़ी हुई थी और जिन मुद्दों के बारे में है, उससे हम हर दिन दो-चार होते हैं!' एटली ने कुछ ऐसे डायलॉग भी रखे थे, *'जब मैं विलेन बनता हूं, तब मेरे सामने कोई हीरो टिक नहीं पाता।'* ये समझ में आ रहा था कि शाहरुख़ एंटी-हीरो जैसा कोई किरदार निभायेंगे, जो क़ानून के ख़िलाफ़ जाकर काम कर

रहा होगा। और किताबों के अनुसार वो ऐसा कर भी रहे थे, लेकिन इस क्रम में वो आम आदमी के साथ खड़े दिख रहे थे।

इस फ़िल्म में, आज़ाद प्रतिशोधी भी थे और पीड़ित भी। ठीक इस फ़िल्म की ऑडियंस की तरह। शाहरुख़ के बर्ताव में गुस्सा, अकुलाहट और बर्बाद कर देने की तमन्ना दिखायी देती है। इन नैतिक संदेशों के चलते कुछ बोझिल होती फ़िल्म में एटली एक्शन थ्रिलर वाली एनर्जी भर देते हैं। फ़िल्म को और भी ज़्यादा मज़बूती मिलती है शाहरुख़ के डबल रोल से। शाहरुख़ इसमें पिता विक्रम राठौड़ बने हैं, जो आज भी उसी स्टाइल और रौब के साथ हड्डियां तोड़ सकता है और उसी का बेटा भी बने हैं, जो हूबहू अपने पिता की छवि है। बाप और बेटे, दोनों ने अन्याय झेला है और जब ये दोनों एक साथ आते हैं, तो गुस्से से भरे दो हीरो एक हो जाते हैं और कहीं ज़्यादा ताकतवर बन जाते हैं। कौन भूल सकता है वो सीन, जब चांदी जैसे सफ़ेद बालों वाला बाप स्क्रीन पर धमाके के साथ आता है, अपने बेटे को बचाता है और बेल्ट से विलेन की धुनाई करता है! थियेटर में सीटियां, चीखें और तालियां, सब एक साथ गूंज उठी थीं!

जवान के बाद जो हल्ला उठा वो कुछ और ही था। फैंस सिनेमाघरों के बाहर जमा हो रहे थे, अंदर ऐसे नाच रहे थे जैसे वो किसी क्लब में हों और कुछ फ़िल्म देखने आये दर्शक तो पट्टियां लपेटकर ऐसे आये जैसे फ़िल्म में काम करने वाले एक्स्ट्रा कलाकार हों। शाहरुख़ को फ़िल्म में पांच अलग-अलग तरह से दिखाया गया था जो फैंस को और भी पागल कर रहा था।

मुंबई के बांद्रा में, गैलेक्सी सिनेमा के सामने शाहरुख़ के फ़ैन लाइन में नहीं लगे हुए थे बल्कि एक सीढ़ी बना रहे थे... एक इंसानी सीढ़ी। वो अपने किंग की एक स्टैंडी लगाना चाह रहे थे जिसमें शाहरुख़ नीचे जमा भीड़ को देखता हुआ मालूम दे रहा था। इतना बड़ा कट-आउट इस पूरे जमघट का केंद्र बन चुका था। इस तमाशे को कोई एक लाइन में नहीं बांध सकता था। ये लोकप्रियता का सबसे ऊंचा बिंदु था जहां बैठे शाहरुख़ ख़ान को देखकर मालूम चल रहा था कि क्यूं वो बॉलीवुड के बादशाह हैं। *जवान* की सुबह 6 बजे हुई स्क्रीनिंग से बहुत पहले से गैलेक्सी सिनेमा के बाहर शाहरुख़ के फैंस जमा होने लगे थे। मुंबई में जो दीवानगी दिख रही थी वो अलग स्तर की थी लेकिन देशभर में जो

पागलपन दिखायी दे रहा था वो अभूतपूर्व था। सिनेमाघरों में ऐसी डिमांड थी कि उन्हें सुबह के कई शो बढ़ाने पड़े, शो जल्दी शुरू करने पड़े। रानीगंज में तो ये आलम था कि फ़िल्म का पहला शो देर रात सवा दो बजे शुरू किया गया क्यूंकि लोग इंतज़ार नहीं कर पा रहे थे।

इस पूरे त्यौहार जैसे माहौल में गूगल भी शामिल हो गया और उसने फैंस के लिए एक मज़ेदार ईस्टर-एग दिया। जब लोग अपने गूगल सर्च बार में *जवान* लिखकर सर्च कर रहे थे तो स्क्रीन पर शाहरुख़ आता था और अपने वॉकी-टॉकी से सभी से कहता था, 'रेडी!'

मुंबई के बांद्रा में, शाहरुख़ के फ़ैन लाइन में नहीं लगे हुए थे बल्कि एक सीढ़ी बना रहे थे। एक इंसानी सीढ़ी। वो अपने किंग की एक स्टैंडी लगाना चाह रहे थे जिसमें शाहरुख़ नीचे जमा भीड़ को देखता हुआ मालूम दे रहा था। इतना बड़ा कट-आउट इस पूरे जमघट का केंद्र बन चुका था। इस तमाशे को कोई एक लाइन में नहीं बांध सकता था। ये लोकप्रियता का सबसे ऊंचा बिंदु था जहां बैठे शाहरुख़ ख़ान को देखकर मालूम चल रहा था कि क्यूं वो बॉलीवुड के बादशाह हैं।

फैंस अपने चहेते स्टार के लिए अपने प्रेम को अलग जगह पर लेकर जाते दिख रहे थे। उन्होंने *जवान* की रिलीज़ को एक ऐसी डांस पार्टी में तब्दील कर दिया था, जहां ममी (mummy) नाचती मालूम दे रही थीं। थियेटर डांस-क्लब्स में तब्दील हो चुके थे और पट्टियों में लिपटे लोग *'ज़िंदा बंदा'* पर नाच रहे थे। भीड़ पर्दे पर पैसे फेंक रही थी। फैंस के शोर में डायलॉग्स दबे जा रहे थे। फ़िल्म देखकर निकल रहे लोग उत्तेजना से भरे हुए थे। एक फ़ैन ने आईएएनएस से कहा, 'मूवी नहीं बवाल है, बवाल। आसमान नीचे गिरा देगा ये मूवी... शाहरुख़ ख़ान ज़िंदाबाद!'

बैंगलोर में फ़िल्म देखकर निकला एक फ़ैन रोने लगा। उसके पास शब्द नहीं थे। उसके साथी ने कहा, 'हमें फैंस मत कहिये। वो हमारा आइडल है। हम उसकी फ़िल्म हिट करने के लिए किसी भी लेवल तक जा सकते हैं... वो स्टार नहीं है, दुनिया है मेरी।'

गैटी सिनेमा के बाहर एक फ़ैन ने कहा, 'शाहरुख़ वापस आ गया है, बेबी! भयानक वापसी! ब्लैक में टिकट बिक रही है। मैंने थियेटर में तीन बार देखी ये फ़िल्म और मुझे हर बार डायलॉग्स सुनाई ही नहीं दिये...'

एक फ़ैन माइक में चीखा, 'शाहरुख़ किंग है, था और रहेगा!' उसके दोस्त ने *ग़दर* की स्टाइल में आगे कहा, 'शाहरुख़ ख़ान ज़िंदाबाद था और ज़िंदाबाद रहेगा।'

फ़ैंस के ऐसे वीडियोज़ आते रहे और ये पागलपन रिलीज़ के दो महीने बाद तक चलता रहा।

जवान की कामयाबी निजी थी। कुछ मायनों में *पठान* से भी ज़्यादा निजी। ये आम आदमी की जीत थी। और इस जीत को सबसे अच्छी तरह समझा सकते थे खुद एटली। पीटीआई को दिए एक इंटरव्यू में उन्होंने बताया कि उनके हिसाब से फ़िल्म क्यों कामयाब रही: '*जवान* भारतीय इमोशन की कहानी है और मुझे लगता है कि मैंने इसे संतुलित तरीक़े से पेश किया। जब आप अख़बार पढ़ते हैं, जब आप ज़िंदगी को गंभीरता से लेते हैं और जब आप ज़िम्मेदार होते हैं, उस वक़्त आपके दिल में क्या होता है, आप क्या महसूस करते हैं, ये फ़िल्म उसके बारे में बात करती है। एक फ़िल्ममेकर के तौर पर, आपको ज़िम्मेदार होना चाहिए। आप सिर्फ़ एंटरटेन करके घर जाकर सो नहीं सकते। आपको एंटरटेन भी करना है और कुछ ऐसा भी देना है जिसे लोग अपने साथ घर ले जाएं।'[15]

_जवान_ उन फ़िल्मों में से नहीं है जिसे आप उसकी कहानी के लिए रिव्यू करते हैं, बल्कि उसके अनुभव के लिए करते हैं, उसके उस इमोशन के लिए करते हैं, जो वो आपके भीतर जगाती है। थियेटर के अंधेरे में बैठकर ये फ़िल्म आपके भीतर एक ज़ोरदार असर छोड़ती है। _जवान_ शाहरुख़ वर्सेज़ सिस्टम की कहानी है और इस मायने में शायद ये उनकी सबसे बड़ी लव स्टोरी है।

और शाहरुख़ ख़ान? इंडिया की सबसे बड़ी फ़िल्म बनाने और देश के सबसे बड़े सुपरस्टार के साथ काम करने के सीक्रेट के बारे में बात करते हुए एटली कतई नहीं झिझके। 'एक फ़िल्ममेकर से पहले आपको एक फ़ैन होना होता है। मैं हमेशा कहता था कि "सर, मैं आपको कितना प्यार करता हूं, ये आपको तब मालूम चलेगा जब ये फ़िल्म रिलीज़ होगी।" वो हमेशा मुझसे कहते थे, "सर, मुझे मालूम है"।'

फ़िल्म के हिट होने के बाद शाहरुख़ ने एक प्रेस कांफ्रेंस की, जहां उन्होंने बताया कि ये फ़िल्म उनके लिए क्या मायने रखती थी। उन्होंने कहा, 'जवान (का किरदार) एक भावना है, जवान एक भारतीय सैनिक है, जवान एक भारतीय मां है, जवान एक भारतीय लड़की है, जवान एक भारतीय है जो अन्याय के खिलाफ़ लड़ता है। और आपको ये समझना पड़ेगा कि जवान कई बार कमज़ोर पड़ जाता है क्यूंकि वो ये सब है। और कई बार, वो लड़ने के लिए एकदम तैयार होता है। जवान कई मौकों पर ग़लत लगता है लेकिन बहुत से मौकों पर वो एकदम ठीक होता है। कभी जवान अंधेरे में रहता है तो कभी वो ही दुनिया के लिए रोशनी लेकर आता है। और अंत में, हम सबके सब, हर भारतीय, एक जवान है, जो ईमानदार है। अच्छाई, ईमानदारी और प्रेम, ये फ़िल्म इन्हीं बातों के लिए बनी है।'[16]

जवान उन फ़िल्मों में से नहीं है जिसे आप उसकी कहानी के लिए रिव्यू करते हैं, बल्कि उसके अनुभव के लिए करते हैं, उसके उस इमोशन के लिए करते हैं, जो वो आपके भीतर जगाती है। थियेटर के अंधेरे में बैठकर ये फ़िल्म आपके भीतर एक ज़ोरदार असर छोड़ती है। *जवान* शाहरुख़ वर्सेज़ सिस्टम की कहानी है और इस मायने में शायद ये उनकी सबसे बड़ी लव स्टोरी है।

2023 में तीन ब्लॉकबस्टर फ़िल्मों के बाद ही शाहरुख़ ने अपनी बात खुलकर रखी। मौका था सीएनएन-न्यूज़ 18 के एक अवॉर्ड शो का। उन्होंने आखिरकार अपनी चुप्पी तोड़ी। पिछले कुछ साल उनके लिए प्रोफ़ेशनल और पर्सनल, दोनों ही मोर्चों पर काफ़ी मुश्किल रहे थे। सार्वजनिक हस्तियों के मामले में अक्सर प्रोफ़ेशनल और पर्सनल कामयाबी के बीच की रेखा धुंधली हो जाती है। 2023 वो साल था, जिसमें मिली क़ामयाबी की शाहरुख़ और उनके परिवार को सख़्त ज़रूरत थी। अक्टूबर 2021 में उनके बड़े बेटे आर्यन को नारकोटिक्स कंट्रोल ब्यूरो ने एक ड्रग्स केस में गिरफ़्तार किया था। इस पूरे घटनाक्रम के चलते भारी विवाद खड़ा हो गया था। इस मुश्किल दौर में शाहरुख़ ने बेहद हिम्मत के साथ अपने परिवार का साथ दिया, रातों की नींद से दूर रहे और मीडिया को झेला। क़रीब एक महीने की लंबी क़ानूनी लड़ाई के बाद, जब केस कमज़ोर पड़ गया, तो मुंबई हाई कोर्ट ने आर्यन को ज़मानत दे दी।

उस शो में जब उन्हें अवॉर्ड मिला, तो उन्होंने ये ज़रूर याद दिलाया कि वे बारहमासी भारतीय हैं। उन्होंने बहुत कुछ कहा, लेकिन उससे भी ज़्यादा बातें रोक लीं।

उन्होंने अपने चिरपरिचित, मज़ाकिया लहजे में बात शुरू की, 'वाकई बहुत लम्बा वक़्त हो गया है मुझे कोई अवॉर्ड मिले। मुझे तो ऐसा लगने लगा था कि अब सीधे लाइफ़टाइम अचीवमेंट अवॉर्ड ही मिलेगा।' *पठान, जवान* और *डंकी* के रूप में उस साल उनकी तीन सुपरहिट फ़िल्में आयी थीं और वो हज़ार करोड़ क्लब में जाकर पांव जमा चुके थे। ये सवाल कई बार पूछा जाता है कि शाहरुख़ ने बॉक्स ऑफ़िस पर जो जादू किया है, उसके पीछे क्या चलता है? *जवान* फ़िल्म के अपने किरदार विक्रम राठौर का डायलॉग लाकर उन्होंने कहा, 'मैं भूखा हूं और मैं हमेशा से भूखा था...' यही वो एक चीज़ है जो सफ़लता की भूख को जगाये रखती है और वो तीन दशकों से, साल-दर-साल, देश के 140 करोड़ लोगों को एंटरटेन करते रहे हैं। उन्होंने खुद को एक 'उत्साही और आवेगी आधुनिक अभिनेता' बताया, 'जो अपने टैलेंट और मेहनत पर पूरा भरोसा रखता है'। हंसते हुए उन्होंने ये भी जोड़ा कि उनकी पत्नी कभी-कभी उन्हें 'ज़रूरत से ज़्यादा कॉन्फ़िडेंट और अक्खड़' कहती हैं।

शाहरुख़ खुद को उम्मीद और खुशियों भरी कहानियां सुनाने वाला कलाकार मानते हैं। एक ऐसा हीरो जो अच्छे काम करता है और जब वो विलेन का किरदार निभाते हैं, तो ये भी ज़रूर तय करते हैं कि उस किरदार को न्यायपूर्ण अंत ज़रूर मिले। उनका मानना है कि अच्छाई से ही अच्छाई पैदा होती है, और बुराई को वो सज़ा ज़रूर मिलनी चाहिए जिसकी वो हक़दार है।

शाहरुख़ ने बीते कुछ सालों की निजी मुश्किलों के बारे में भी बात की। इस दौरान उन्होंने उस सवाल का भी जवाब दिया जो सबसे ज़्यादा पूछा जाता है: आपने क्या सीखा? उन्होंने कहा कि 'ज़िंदगी में एक के बाद एक, कितने भी बुरे मोड़ आते रहें, हमें चुप रहना चाहिये, मेहनत करनी चाहिए और आत्मसम्मान कभी छोड़ना नहीं चाहिए।' अपने ऐसे वक्तव्यों और जीवन के ज़रिये भी, वो अपने फैंस को ये समझाना कभी नहीं भूलते हैं कि बुरे वक़्त में भी हिम्मत नहीं हारनी चाहिए। जैसा कि उनकी फ़िल्में बताती आयी हैं, अंत में सबकुछ ठीक हो जाता है और अगर सबकुछ ठीक नहीं है *'तो पिक्चर अभी बाक़ी है, मेरे दोस्त!'*

उस शाम उनके अंतिम शब्द थे: 'मुझे ऐसा नहीं लग रहा है कि मैं बस इंडियन ऑफ़ द इयर हूं, मैं आने वाले हर साल का इंडियन रहूंगा। असल में, मैं हर ज़माने का इंडियन हूं। मैं जो स्टार एक बार फिर बन गया हूं, उसे बनाने के लिए आप सभी का शुक्रिया अदा करता हूं...'[17]

“

मैं वादा करता हूं, पापा,
मैं इस परिवार का नाम
हमेशा ऊंचा रखूंगा...
मैं वादा करता हूं, मैं आपको
हमेशा ख़ुश रखूंगा

कभी ख़ुशी कभी ग़म..., 2001

”

2

सभी का साथ चाहिए, बादशाह को भी

मीर ताज मोहम्मद की आवाज़ गूंजी, 'ऐ बदमाश, इधर आओ। ऐ उल्लू के पट्ठे, तुम इतना हीरो बन के घूमते रहते हो। तुम्हें अपनी इस आज़ादी को यूं ही नहीं लेना चाहिए। ये हमने तुम्हें दी है, इसीलिए इसको यूं ही बनाए रखना।'

एक युवा शाहरुख़ को ये समझ में ही नहीं आता था कि उसके पिता कहना क्या चाहते थे। लेकिन ये बातें उसके दिमाग में अटकी रह गयीं। शाहरुख़ ने फ़रीदा जलाल को एक इंटरव्यू में बोला, 'उस समय पर मुझे ऐसा लगता था कि आज़ादी का मतलब, वो अंग्रेज़ों से आज़ादी की बात कर रहे थे। लेकिन अब, जब मैं बड़ा हो गया हूं तब ऐसा लगता है कि वो शायद ग़रीबी या दुख से आज़ादी की बात कर रहे थे।'[1]

कई साल बाद, शाहरुख़ ने यही बात शेयर की। 2016 में, धीरूभाई अंबानी इंटरनेशनल स्कूल के वार्षिक दिवस कार्यक्रम में शाहरुख़ को चीफ़ गेस्ट के तौर पर बुलाया गया था। वो ऐसी शाम थी जब हर कोई बॉलीवुड के सबसे अच्छे वक्ता को सुनने आये थे। शाहरुख़ ने वादा किया कि वो बच्चों से, उनकी आगे की, स्कूल से बाहर की ज़िंदगी के बारे में 20 मिनट बात करेंगे। उन्होंने अपने पापा की बातें याद करते हुए आज़ादी की अहमियत पर ज़ोर दिया। उन्होंने कहा, 'ख़ुद को आज़ाद महसूस करो, क्योंकि मेरी बात का असल मकसद यही है – आज़ाद महसूस करना। ख़ुद जैसा होने की

आज़ादी, अपने भीतर की आवाज़ सुनने की आज़ादी और किसी को ये हक़ न देने की आज़ादी कि वो ये तय करे कि तुम कौन हो या तुम्हें क्या बनना चाहिए, यहां तक कि मुझे भी नहीं। ज़िंदगी के यही वो साल हैं जिनमें तुम बिना पछतावे के गलतियां कर सकते हो।'[2]

अब वापस मीर ताज मोहम्मद ख़ान की बात पर। हो सकता है कि दिल्ली के एक छोटे से मोहल्ले में पल रहे नौजवान शाहरुख़ को ये नहीं पता रहा हो कि उनके पिता भारत छोड़ो आंदोलन के दौरान कई बार जेल गये थे। या ये कि 1947 में उनका नाम रेड शर्ट फ्रीडम फ़ाइटर्स की ब्लैकलिस्ट में आ गया था, जिसकी वजह से उन्हें पेशावर लौटने से रोक दिया गया था, जो रैडक्लिफ़ रेखा खिंचने के बाद पाकिस्तान का हिस्सा बन गया था। और शायद उन्हें दिल्ली यूनिवर्सिटी में बितायी उन रातों के बारे में भी नहीं मालूम होगा, जब उनके पिता के हिंदू दोस्त उनके बिस्तर के चारों ओर घेरा बनाकर उनकी हिफ़ाज़त करते थे, ताकि किसी भी मुस्लिम-विरोधी हमले से उन्हें बचाया जा सके।

1947 के बाद, ख़ान अब्दुल गफ़्फ़ार ख़ान के आंदोलन से सहानुभूति रखने वाले मीर ताज मोहम्मद ख़ान की कोई ख़ास पहचान नहीं रह गयी। उन्होंने राजनीति में उतरने की कोशिश की और मौलना अबुल कलाम आज़ाद के ख़िलाफ़ चुनाव भी लड़ा लेकिन जीत नहीं सके। सोलह साल की उम्र में पेशावर से निकलने के बाद से लेकर, तेरह साल बाद, शाहरुख़ की मां फ़ातिमा से मिलने तक, उन्हें कभी दूसरा घर या व्यवस्थित जीवन नसीब नहीं हो सका।

लतीफ़ फ़ातिमा ख़ान का जन्म हैदराबाद की टोली चौकी नाम की जगह में हुआ था। वो एक फ़र्स्ट क्लास मजिस्ट्रेट थीं और समाजसेवी थीं। एक बड़ी पुरानी तस्वीर सोशल मीडिया पर ख़ूब शेयर होती है जिसमें फ़ातिमा ख़ान पूर्व प्रधानमंत्री इंदिरा गांधी के साथ दिखती हैं। फ़ातिमा का परिवार आंध्र प्रदेश से आता था लेकिन वो कर्नाटक में रहते थे। चार बहनों में वो सबसे बड़ी थीं और उनके पिता का नाम इफ़्तिखार अहमद था। ऑक्सफ़ोर्ड से पढ़कर आये इफ़्तिखार, मैंगलोर पोर्ट के चीफ़ इंजीनियर थे और उसकी डिज़ाइन और निर्माण में अहम भूमिका निभायी थी। फ़ातिमा चार दक्षिण भारतीय भाषाएं जानती थीं, जिससे अपने समाजसेवा के काम में उन्हें ख़ासी मदद मिली, क्यूंकि उन्हें देश के कई हिस्सों में जाना पड़ता था।

डेविड लेटरमैन के नेटफ़्लिक्स शो *माय नेक्स्ट गेस्ट* में शाहरुख़ ने बताया था कि कैसे उन्होंने मैंगलोर में अपने नाना-नानी के साथ पांच साल बिताये थे और फिर वो वापस

अपने मां-बाप के पास दिल्ली आ गये थे। फ़ातिमा की मां ने उन्हें गोद ले लिया था क्यूंकि उनका ख़ुद का कोई बेटा नहीं था। मज़ेदार बात ये है कि जिस शाहरुख़ ख़ान नाम से पूरी दुनिया उन्हें जानती है, ये उनका असली नाम नहीं है। उनकी नानी ने उनका नाम अब्दुल रहमान रखा था। लेकिन ये नाम रजिस्टर होने से पहले ही उनके पिता ने उनको शाहरुख़ ख़ान नाम दे दिया। किसे मालूम था कि एक दिन यही नाम दुनिया पर राज करेगा?

जब मीर ताज मोहम्मद की मुलाक़ात फ़ातिमा से हुई थी, वो बेरोज़गार थे। उनकी उम्र उनतीस साल थी, और जिस लड़की से वो मिले, वो उनसे तेरह साल छोटी थी और हर मामले में, उनसे बिल्कुल अलग। मीर लम्बे और गठीले थे, उनकी गोरी त्वचा इतनी साफ़ थी कि नीली नसें दिखती थीं। उन्हें पहनावे में सादगी पसंद थी और वो अक्सर ढीले-ढाले पठानी सूट पहनते थे। उनके भीतर एक शांति थी, जो शरारत भरे मज़ाकों और संत जैसी सहनशीलता के साथ आती थी। ज़िंदगी में कुछ भी अप्रत्याशित हो जाए, मीर बहुत कम ही विचलित होते थे। अगर उन्हें कुछ पसंद न आता, तो हल्के-फुल्के ढंग से जता देते थे। मीर को अदब और शायरी से बेहद लगाव था और वो बिना किसी समस्या के लंबी-लंबी उर्दू नज़्में सुना सकते थे। उनके बोलने के अंदाज़, बैठने के ढंग और ज़िंदगी को देखने के नज़रिए में एक ठहराव था। उनके पास हमेशा एक छोटा सा थैला रहता था जिसमें पान बनाने का सारा सामान होता था। जिस तरह वो बड़े इत्मीनान और एक रिवाज़ की तरह बड़े करीने से पान बनाते थे, ज़िंदगी भी उसी तरह से जीते थे, शालीनता और मोहब्बत के साथ।

फ़ातिमा कद में थोड़ी छोटी थीं और हल्की सी गोल-मटोल, लेकिन उतनी ही खूबसूरत। उनका गोरा रंग और लंबे काले बाल रात और दिन का खेल खेलते थे। वह तेज़ मिजाज़ की थीं और स्वभाव में एक शाही ठाठ नज़र आता था। हैदराबाद में पली-बढ़ी फातिमा में नवाबी ठसक थी। उनके बाल सुखाने का तरीका भी अनोखा था। वो अपने बालों को उल्टे रखे टोकरे पर फैला देतीं, जिसके नीचे ख़ुशबू और अंगारे होते। फ़ातिमा की तीन बहनें थीं और उन तीनों में वो सबसे तेज़ और बहुत हद तक बेपरवाह थीं।

फ़ातिमा और मीर की मुलाकात इत्तेफ़ाकन हुई और मीर के लिए तो वो पहली ही नज़र का प्यार था। क़िस्मत ने उस दिन और भी बड़ा मोड़ तब लिया, जब इंडिया गेट के पास फ़ातिमा की कार गंभीर रूप से दुर्घटनाग्रस्त हो गयी और मीर वहीं पास में मौजूद थे। मीर ने फ़ातिमा को गाड़ी से निकाला और तुरत अस्पताल पहुंचाया। एक फ़िल्मी मोड़ की तरह, फ़ातिमा को ख़ून की ज़रूरत पड़ी और मीर का ब्लड ग्रुप उनसे मेल खाता था।

लेकिन किस्मत यहीं नहीं रुकी। जब फ़ातिमा की मां, जो उस वक्त अपने पांचवें बच्चे से गर्भवती थीं, को बेटी के एक्सीडेंट की खबर मिली, तो उन्हें ऐसा सदमा लगा कि गर्भपात हो गया। उन्हें भी खून चढ़ाने की ज़रूरत पड़ी और उनका ब्लड ग्रुप भी फ़ातिमा से मेल खाता था। मीर बिना देर किए फ़ातिमा के परिवार के पास बैंगलोर (अब बेंगलुरु) पहुंचे और खून दिया।

मीर की ऐसी भारी-भरकम कोशिशों के बावजूद, फ़ातिमा के माता-पिता मीर को लेकर बहुत सहज नहीं थे, जो अब उनकी बेटी से शादी करना चाहते थे। मीर पढ़े-लिखे थे लेकिन उनके पास न कोई बड़ा खानदानी नाम था, न कोई स्थिर नौकरी। ऊपर से, उन्होंने फ़ातिमा को पहले ख़ून दिया था, जिसे उनके परिवारवालों ने ख़ून का रिश्ता मान लिया और माना कि अब वो परिवार का हिस्सा बन चुके थे। और परिवारवाले से शादी हो नहीं सकती थी। लेकिन मीर डटे रहे। उन्होंने फ़ातिमा को मनाने में कोई कसर नहीं छोड़ी। वो उनके लिए बड़ी-बड़ी इश्क़िया हरकतें करते। यहां तक कि दोस्तों की कार उधार लेकर उन्हें ड्राइव पर ले जाते। फ़रवरी 1959 में मीर और फ़ातिमा ने शादी कर ली। शादी में आए मेहमानों को याद है कि हमेशा मज़बूत और गंभीर दिखने वाले मीर उस दिन दुल्हन की तरह शरमा रहे थे।

विवाह समारोह ख़त्म हुआ और शादीशुदा ज़िंदगी की शुरुआत हुई। 2 नवंबर 1965 को, दिल्ली के तलवार नर्सिंग होम में शाहरुख़ ख़ान की इस दुनिया में आमद हुई। ये मीर और फ़ातिमा का दूसरा बच्चा था। जन्म के वक्त गर्भनाल शाहरुख़ की गर्दन के चारों तरफ लिपटी हुई थी, जिसके चलते कुछ परेशानियां आयी थीं। लेकिन वो सही-सलामत इस दुनिया में आये। एक नर्स ने उनकी सलामती का श्रेय हनुमान जी की कृपा को दिया और कहा कि ये बच्चा किस्मतवाला है। बाद में उनकी ये बात सच साबित हुई।

उस वक्त शाहरुख़ का परिवार राजिंदर नगर में रहता था। लेकिन उन्हें वो घर जल्दी ही छोड़ना पड़ा क्यूंकि परिवार की माली हालत बहुत ठीक नहीं चल रही थी। पढ़े-लिखे होने के बावजूद मीर की ईमानदारी ही उनकी कामयाबी की राह में सबसे बड़ी रुकावट बनती थी। वहीं फ़ातिमा इन मुश्किल हालात को उतनी सहजता से नहीं ले पाती थीं। कई बार मीर की उसूलों भरी सोच पर उनकी तकरार भी हो जाती थी।

धीरुभाई अम्बानी स्कूल के वार्षिकोत्सव वाली शाम, शाहरुख़ ने अपने सामने बैठे बच्चों को अपने मां-बाप के बारे में बताया। उन्होंने कहा, 'मेरी मां टॉप-क्लास थीं, वो बहुत

कूल थीं। उन्होंने मुझे बहुत प्यार दिया और हर मां की तरह वो बहुत ख़ूबसूरत थीं और उन्हें विश्वास था कि एक दिन मैं इस दुनिया का सबसे फ़ेमस इंसान बन जाऊंगा और मैं कुछ भी बुरा कर ही नहीं सकता था। दिल्ली में कहते हैं, "हमारा बच्चा न, हमारी आंखों का तारा है।" कुछ पंजाबी आंटियां इसे और बड़ा बना देती हैं और कहती हैं "हमारी आंखों का सूरज है"। तो मैं अपनी मां की आंखों का सूरज था। मेरे पापा एकदम शरीफ़ इंसान थे... वो बहुत पढ़े-लिखे थे, उन्होंने वक़ालत कर रखी थी, उन्हें सात भाषाएं आती थीं। उन्होंने देश की आज़ादी की लड़ाई में हिस्सा लिया और हॉकी, स्विमिंग और पोलो जैसे खेल में महारत हासिल की। वो खाना पका लेते थे और शायरियां सुनाते थे और दुनिया के हर देश की राजधानी जानते थे। मैंने अपनी ज़िंदगी के पंद्रह साल उनको जाना और उन सालों में वो बेहद ग़रीबी में रहे, बेरोज़गार रहे। वो मुझे फ़ैंसी गिफ़्ट्स नहीं दे पाते थे तो मेरे जन्मदिन पर अपनी कोई चीज़ अख़बार में लपेटकर मुझे बर्थडे गिफ़्ट देते थे।'[3]

आर्थिक मुश्किलों के बावजूद ये घर गर्मजोशी और मेहमाननवाज़ी के लिए जाना जाता था। अतिथि-सत्कार के लिए पठान घराना जाना ही जाता है। शाहरुख़ और उनकी बहन शहनाज़ (लालारुख़) को उनकी मां ने ज़िंदगी के कड़वे अनुभवों से बचाकर रखा था। उन्होंने अपने बच्चों के आराम का ख़्याल रखा। शाहरुख़ बचपन से ही शांत प्रवृत्ति के थे। बीमारियों से घिरे रहने और लगातार लगती रहने वाली चोटों के बावजूद, बचपन में वो चुलबुले किरदार वाले बच्चे थे। उनका बचपन काल्पनिक खेलों से भरा रहता था जिसमें वो सुपरहीरो हुआ करते थे। इसके अलावा उन्हें अपने दोस्तों के साथ क्रिकेट खेलना भी बहुत सुहाता था।

मीर अपने बेटे को 'यार' कहकर पुकारते थे। शाहरुख़ के पिता और मां, दोनों इस बात में यकीन रखते थे कि उन्हें अपने बच्चों को नियमों में बांधकर नहीं बल्कि खुलेपन के साथ और पढ़ाई पर ज़ोर देकर पालना था। एक ओर फ़ातिमा अपने बच्चों को धार्मिक शिक्षा दे रही थीं, तो मीर उन्हें एक सेक्युलर दृष्टिकोण समझा रहे थे जिससे इन बच्चों में संतुलन आया और उनमें सभी धर्मों के प्रति आदर का भाव समा सका।

आर्थिक मुसीबतों के बावजूद, उनकी ज़िंदगी में सुकून था। गर्मियों की छुट्टियां बैंगलोर में ननिहाल में बीतती थीं। जहां शाहरुख़ मुमताज़ के गानों पर नाचते थे और अपनी इन शुरुआती परफ़ॉर्मेंस से ही सबको लुभाने लगे थे। मानो सभी को उनकी आगे की चमचमाती ज़िंदगी की एक झलक देखने को मिल रही हो।

बहुत कम ऐसे मौके आते हैं, जब शाहरुख़ अपने माता-पिता के बारे खुलकर बात करते हैं। लेकिन 2012 के एक इंटरव्यू में उन्होंने अपने चाहनेवालों को कुछ चीज़ें बतायीं। उन्होंने कहा, 'मुझे लगता है कि मेरे पिता दुनिया के सबसे क़ामयाब नाकाम आदमी थे और मुझे उन पर बहुत-बहुत गर्व है। मैं उन्हें एक बेहद नरमदिल इंसान के तौर पर याद करता हूं, जो छह फीट लंबे थे, भूरे बाल थे और बहुत हैंडसम थे। उन्होंने मुझे बहुत कुछ सिखाया। जब मेरी उम्र पंद्रह साल थी, उनका देहांत हो गया। जैसे-जैसे साल बीते, मुझे उनकी कही हुई बातें याद आने लगीं। मुझे याद है, वो मुझे एक बार फ़िल्म दिखाने ले गए थे। उस वक्त हम लोअर-मिडिल क्लास के लोग थे। उन्होंने मुझसे ये नहीं कहा कि पैसे खत्म हो गए हैं। वो मुझे कमानी ऑडिटोरियम के पास एक गोल चक्कर पर ले गए और मूंगफली ली। उन्होंने पंजाबी में मुझसे कहा, "यारा, यहां बैठेंगे और गाड़ियों को गुजरते देखेंगे।"'[4]

2012 की उसी रात शाहरुख़ ने ये भी माना कि वो कभी भी पूरी तरह आज़ाद नहीं हो पायेंगे। जबकि वो दूसरे लोगों को इसी आज़ादी के बारे में बड़ी-बड़ी बातों के ज़रिये समझाते हैं। 'मैंने उस नाकामी के डर को अपने भीतर भर लिया है, जिससे मैंने अपने पिता को गुज़रते देखा था। मैं वैसा नाकाम नहीं होना चाहता था जैसा वो हुए। मैं अपने बेटे को बाहर ले जाना चाहता हूं, अगर मैंने उसे फ़िल्म दिखाने का वादा किया है, तो मैं उसे फ़िल्म दिखाना चाहता हूं, न कि गोल चक्कर पर चलती गाड़ियां। हालांकि, वो सब भी मज़ेदार था। मुझे लगता है कि मेरी मां के जैसी ऊर्जा और जोश मेरे अंदर है, जिससे वो पैसे कमाती थीं ताकि हमारा ख्याल रख सकें।'

'एंग्री यंग मैन' के दौर में बड़े हो रहे शाहरुख़, अमिताभ बच्चन के बहुत बड़े फ़ैन थे। वो उनकी फ़्लॉप फ़िल्में भी पसंद करते थे। ये फ़िल्में देखते वक़्त उन्हें साथ मिलता था अमृता सिंह का, जो आगे चलकर हिट फ़िल्म *बेताब* (1983) में आयीं।

अमृता की मां रुख़साना सुल्ताना की जान-पहचान कांग्रेस नेता संजय गांधी से थी। फ़ातिमा बाल न्यायालय में स्पेशल मजिस्ट्रेट थीं और वो अक्सर पुरानी दिल्ली में रुख़साना के साथ काम करती थीं। अमृता और शाहरुख़ एक साथ, एक ही स्कूल में पढ़ते थे और स्कूल के बाद ये तिकड़ी, जिसमें शाहरुख़ की बहन शहनाज़ भी थीं,

अमृता के घर समय बिताते थे। अमृता ने बहुत मेहनत की लेकिन वो शाहरुख़ को स्विमिंग नहीं सिखा सकीं। लेकिन इन दोनों को फ़िल्मों में जाने के सपने और अमिताभ बच्चन को लेकर दीवानगी ने जोड़े रखा। शाहरुख़ अमिताभ जैसा बनना चाहते थे और अमृता उनके साथ रोमांस करने के सपने देख रही होती थीं। आगे चलकर दोनों के सपने साकार हुए।

बहुत ही सीमित पैसे होने के बावजूद, इन दोनों ने सिनेमाघरों की आगे की सीटों पर बैठकर फ़िल्में देखीं और अमृता के घर आकर इन फ़िल्मों पर बहस होती और दोनों इसके दृश्यों की नक़ल करते। जब भी उनके पास पैसे होते, अमिताभ की फ़िल्मों के साउंडट्रैक खरीदते और उनके डायलॉग याद करके उनके ही अंदाज़ में उन्हें बोलने की कोशिश करते। शाहरुख़ की मिमिक्री ने उन्हें स्कूल में बहुत लोकप्रिय बना दिया था। स्कूल में कार्यक्रमों के दौरान टीचर उन्हें हिंदी फ़िल्मों के एक्टर्स की नकल करने के लिए बुलाते थे। घर पर शाहरुख़ अपने दोस्तों के साथ बरामदे में नाटक करते थे, जिसमें वो खुद ही लेखक, निर्देशक और हीरो की भूमिका निभाते थे।[5]

> **'मेरे भी सपने हैं, जैसे मेरे पिता के थे। मैं भी एक भरोसा करने वाला इंसान हूं... विनम्र, सोचने वाला, और अक्सर अपने पिता की तरह एक आदर्शवादी।'**

शाहरुख़ ने सात साल की उम्र के आस-पास कविताएं लिखनी शुरू कर दी थीं। इनमें रोज़मर्रा की ज़िंदगी में कमाये अनुभव शामिल हुआ करते थे और उनके पिता उन्हें इसके लिए प्रेरित करते थे। मीर ताज मोहम्मद ख़ान ने शाहरुख़ को मिर्ज़ा ग़ालिब और मीर तक़ी मीर जैसे महान उर्दू शायरों से परिचित कराया और उनमें शायरी के शुरुआती बीज बोये। शाहरुख़ अपने रोमांटिक हीरो बनने का श्रेय इन्हीं अधूरी मोहब्बत और तड़प से जुड़े शुरुआती सबकों को देते हैं। अपने पिता की मौत के बाद शाहरुख़ ने कभी शायरी नहीं लिखी। शायद अपनी प्रेरणा और अपने साथी को खो देने के बाद सबकुछ दर्द से भरा हुआ मालूम लगने लगा होगा।

लेकिन शाहरुख़ ख़ुद को एक व्यावहारिक कवि मानते हैं। 'मेरे भी सपने हैं, जैसे मेरे पिता के थे। मैं भी एक भरोसा करने वाला इंसान हूं... विनम्र, सोचने वाला, और अक्सर अपने पिता की तरह एक आदर्शवादी। लेकिन ये सारी सोच और ये शायरियां लिखना...

ये सब मैं भरे पेट, अच्छी गाड़ी और अच्छे घर के साथ करना चाहता हूं जिससे मुझे दुख न उठाने पड़ें। जब मैं ये कहता हूं कि मैं पूंजीवादी हूं तो मेरा मतलब ये है कि मैं अच्छे ढंग से जीना चाहता हूं और अच्छी चीज़ें सोचना चाहता हूं।'[6]

1980 में, चौदह साल की उम्र में शाहरुख़ अपने पिता के साथ पाकिस्तान गये थे। ये उनकी पाकिस्तान की दूसरी यात्रा थी, जो अंतिम साबित हुई। पहले, कई बार तो पाकिस्तानी अधिकारियों ने अनुमति नहीं दी लेकिन मीर बार-बार गुज़ारिश करते रहे और अंततः उन्हें 70 के दशक के मध्य में वीज़ा मिल गया। चूंकि वो एक ब्लैकलिस्टेड स्वतंत्रता संग्राम सेनानी थे, उनकी एप्लीकेशन बार-बार नामंज़ूर की जा रही थीं। लेकिन फिर उनकी बहन और कुछ वक़्त के बाद उनके भाई की मृत्यु हो गयी, जिसके बाद उन्होंने बार-बार आवेदन किये क्यूंकि इससे पहले कि बहुत देर हो जाए, वो अपने बाक़ी के परिवार से मिल लेना चाहते थे।

उनकी यात्रा बेहद लम्बी और ऊर्जा चूसने वाली रही। बाप-बेटे ने अमृतसर तक ट्रेन से यात्रा की और फिर वहां से अटारी तक गए। अटारी, दोनों देशों के बॉर्डर पर लगा एक छोटा सा गांव है और यहीं वो एकमात्र सड़क है जिससे दोनों देशों के बीच आधिकारिक आवागमन होता है। यहां से वो पाकिस्तान के वाघा पहुंचे, जहां से वो मीर के पुराने घर, पेशावर के लिए रवाना हुए।

यात्रा के दौरान, मीर ने अपने बचपन की कहानियां शाहरुख़ को सुनाईं। 1977 की पहली यात्रा, जब शाहरुख़ बारह साल के थे, अच्छी यादें दे गयी थी। पुश्तैनी हवेली में अच्छी-ख़ासी चहलकदमी थी। उसमें परिवार की कई पुश्तें एकसाथ रह रही थीं। शाहरुख़ ने अपने दूर के रिश्तेदारों से मुलाक़ात की और अपने भाई-बहनों के साथ खेलते हुए वक़्त बिताया। लेकिन, दूसरी बार जब वो वहां पहुंचे तो माहौल में कुछ रुखाई थी। अपने संस्मरण, जो शाहरुख़ लिख रहे हैं, से कुछ लाइनें सुनाते हुए शाहरुख़ कहते हैं, 'इस चैप्टर का नाम है "ट्रेन टु पाकिस्तान"। मुझे ये समझ में आ गया कि हमारी ज़िंदगी इसलिए नहीं बनी है कि हम 1 जनवरी को एक "ऐसा होना चाहिए, ऐसा हो सकता है, ऐसा हो जायेगा" की लिस्ट बनायें और फिर जल्दी से जल्दी इन सभी बातों का सही जवाब ढूंढ निकालें। मेरे पिता 1980 में एक बार फिर मुझे पेशावर लेकर गये। दूसरी बार की ये यात्रा

भी पिछली बार की तरह ही मज़ेदार तरीक़े से गुज़र रही थी। लेकिन मुझे नहीं मालूम था कि मेरी नाक के नीचे एक साज़िश रची जा रही थी। मेरे पिता के एक दोस्त ने मुझे बताया कि मेरे चचेरे भाई, जो मेरा इतना सत्कार कर रहे थे, इसलिए कर रहे थे जिससे ख़ुश होकर मेरे पिता प्रॉपर्टी का अपना हिस्सा उनके नाम कर दें। मैं आज भी ये मानता हूं कि इस बात में कोई सच्चाई नहीं थी लेकिन जब हम वापस आये तो मेरे पिता बहुत दुखी थे। मेरे पिता अपने परिवार और उसकी उपलब्धियों पर बहुत गर्व करते थे लेकिन अब जब पीछे मुड़कर देखता हूं तो समझ में आता है कि जब वो अपने परिवार से मिलने पहुंचे तो उनका अनुभव कुछ खट्टा साबित हुआ। वो हमसे बहुत प्यार करते थे और बेहद नरमदिल शख्स थे। उन्होंने हमसे कभी तेज़ आवाज़ में बात नहीं की थी और न ही कभी डांटा डपटा था। जब वो सोलह साल के थे, उन्होंने अपना घर छोड़ दिया था... भारत में रहते हुए उन्होंने हरसंभव कोशिश की जिससे स्थितियां बेहतर हो सकें। मैं ये मानता हूं कि जब भी उन्हें ऐसा लगता था कि भारत में अपने परिवार के प्रति ज़िम्मेदारियां निभाने में वो बहुत सफल नहीं हो सके हैं, तो उन्हें इस बात से हिम्मत मिलती थी कि पाकिस्तान में मौजूद उनके परिवार ने उनकी अच्छी परवरिश की थी और वो परिस्थितियों से डटकर मुक़ाबला कर लेंगे।'

आप जब भी शाहरुख़ को अपने माता-पिता के बारे में बात करते देखेंगे तो उनकी बातों में दुख और करुणा साफ़ दिखायी देती है। वो उस यात्रा के बारे में आगे बात करते हैं, 'अपने घर जाने की वो यात्रा उनके इसी निश्चय को और दृढ करने का एक तरीका था और इस काम के लिए वो अपने बेटे को भी अपने साथ लेकर चल रहे थे, जिससे उसे भी अपनी जड़ों के बारे में कुछ पता चल सके। मुझे लगता है कि ये एक कोशिश थी, जिससे बीते हुए समय में जाया जा सके और उसे अपने भविष्य के हाथों में सौंपा जा सके। ये वैसा ही है जैसे आप कहीं भटक गये हों और पीछे लौटकर जानना चाह रहे हों कि आपने कहां ग़लत कदम रखे, लेकिन इसी बीच पुराने समय में बहुत सी चीज़ें बदल गयी हों। उनके लिए अब कुछ भी वैसा नहीं था। पुराने किस्सों और अच्छी यादों को उन्होंने लम्बे समय से, अपने सीने से लगाकर रखा हुआ था, लेकिन अब जायदाद के हिस्से जैसे हल्के मुद्दों ने हर उस चीज़ को खटास से भर दिया था। वो अपने बेटे को साथ लेकर गए थे जिससे उसे अपने बीते वक़्त की एक झलक दिखा सकें, लेकिन वो बीता हुआ वक़्त बचा ही नहीं था और जो कुछ भी मौजूद था, उसमें गर्व करने लायक एक भी

चीज़ नहीं थी। इससे पहले कि वो ये जान पाते कि स्थितियां कहां बिगड़ीं, उन्हें ये समझ में आ गया कि शुरुआत ही गड़बड़ हुई थी। वो इतना आगे निकल चुके थे कि सबकुछ शुरू से शुरू करना असंभव था और कोई भी पक्ष उन्हें अपना नहीं लग रहा था। वो एक ऐसी ज़मीन पर खड़े थे जो कहीं की भी नहीं कही जा सकती थी। भारत और पाकिस्तान के बीच के नो-मैन्स लैंड पर चलते हुए वो रो रहे थे और मैं उनके लिए बेहद दुखी था। मुझे नहीं मालूम था कि जब मैं वापस आ जाऊंगा तब मुझे अपने लिए दुखी होना पड़ेगा। मेरे पिता मृत्यु के नज़दीक जा रहे थे।'[7]

कई साल बाद शाहरुख़ उसी वाघा बॉर्डर पर *वीर-ज़ारा* फ़िल्म की शूटिंग कर रहे थे। एक रोज़ शूटिंग के दौरान वो भावुक हो गये। उन्होंने वहां किसी से कहा, 'मेरे पिता की मौत उसी वक़्त हो गयी थी जब वो नो-मैन्स लैंड में चल रहे थे।'

एक ओर उनकी बहन, जिन्होंने एमए और एलएलबी किया हुआ था, अपने मां-बाप को खोने का दुख झेल नहीं पा रही थीं और दूसरी तरफ शाहरुख़ ने अपने भीतर अलग हो जाने, नकली हिम्मत और मज़ाक करते रहने के भाव अपना लिए जिनके बल पर, वो इस दुख से लड़ रहे थे। लोग जिसे उनकी चमक और 'बॉलीवुड' स्टाइल समझते हैं, वो असल में एक मुखौटा है, जिसके पीछे वो अपनी ज़िंदगी के दुख छिपा ले जाते हैं।

न ही उनका बीता वक़्त उन्हें आगे ले जा सका, न ही उनका भविष्य उतना मज़बूत था। जब वो दिल्ली आये तो मालूम चला कि मीर को गले और लीवर का कैंसर था। अपनी मृत्यु से कुछ हफ़्ते पहले उनके गले से आवाज़ निकलनी बंद हो गयी। वो सफ़दरजंग अस्पताल में भर्ती थे और उनके बच्चे उनके साथ इशारों में फ़िल्म का नाम पता करने वाला खेल खेलते थे। तीन महीने बाद वो चल बसे।

कितने ही बेटों की तरह, शाहरुख़ को भी यही लगता था कि उनके पिता एक सुपरहीरो थे। उन्हें नहीं लगता था कि कभी भी उनके पिता उनसे इतना दूर चले जायेंगे। अपनी मृत्यु से कुछ समय पहले, मीर बेहतर होते दिख रहे थे। अस्पताल से उन्हें डिस्चार्ज किया जा

चुका था, वो अपनी दाढ़ी बनाते थे और घर पर मज़े से आइसक्रीम खाते थे। बीते कई महीनों की तुलना में वो बेहद स्वस्थ नज़र आने लगे थे।

जब मीर को दोबारा सफ़दरजंग अस्पताल में भर्ती करवाया गया, शाहरुख़ बेहद शांत रहे। अब तक वो अस्पताल के चक्करों से परिचित हो चुके थे। 19 सितम्बर 1981 को, रात के 2 बजे के आस-पास एक नर्स ने परिवार को सूचना दी कि मीर ताज मोहम्मद ख़ान नहीं रहे थे। फ़ातिमा ने पहले पहल तो पंद्रह साल के शाहरुख़ को ये ख़बर दी ही नहीं। उन्होंने बस इतना कहा कि मीर उनसे मिलना चाहते थे। अस्पताल जाकर उन्होंने देखा कि उनके पिता एक दूसरे कमरे में एक स्ट्रेचर पर लेटे हुए थे। वो जल्दी से उनके पास पहुंचे और उन्हें गर्माहट देने के इरादे से अपने हाथों से उनके पैरों के तलवे रगड़ने लगे। उन्होंने देखा कि उनके पिता के कान से खून टपक रहा था। ये वो दृश्य था जो उन्हें बाकी की ज़िंदगी परेशान करते रहने वाला था।

शाहरुख़ और फ़ातिमा अगली सुबह घर वापस आ गए। उस रोज़ शाहरुख़ ने अपने घर की फ़िएट गाड़ी चलाई। मीर की मृत देह को जब दफ़नाया जा रहा था, बारिश की कुछ छींटें पड़ने लगीं, मानो प्रकृति भी उस शानदार इंसान के गुज़रने का शोक मना रही हो।

फ़ातिमा अपने बाईस साल के साथी की मौत से बेहद दुखी थीं लेकिन उन्हें मालूम था कि वो लम्बे समय तक शोकाकुल नहीं रह सकती थीं। उनपर दो बच्चों की ज़िम्मेदारी थी और आर्थिक स्थिति इतनी मज़बूत नहीं थी। ये सबकुछ देखते हुए उन्होंने परिवार के व्यवसाय को अपने हाथ में लिया, जिसमें ख़ातिर नाम का एक छोटा सा रेस्टोरेंट था और गैराजों को पेट्रोल कैन, ल्यूब्रिकेंट और बाकी सामान बेचने वाली एक एजेंसी मैनेज करनी थी। फ़ातिमा की दृढ़ता और हालात से लड़ने की क्षमता ने उस त्रासद समय में परिवार को बिखरने से पूरी तरह से बचा लिया।

मां-बाप की मृत्यु हर इंसान को अलग तरह से प्रभावित करती है। शहनाज़ के लिए, मीर का जाना एक बहुत बड़ा झटका था। शहनाज़ हमेशा से ही सपनों में खोई रहने वाली थीं और ज़िंदगी में बहुत कुछ करने की चाह नहीं रखती थीं। वो मीर के बेहद क़रीब थीं। मीर ने ही उनका मिडिल नेम 'लाला रुख' रखा था, जिसका मतलब होता है, 'एक लाल फूल जैसी ख़ूबसूरत'। शाहरुख़ ने *तहलका* मैगज़ीन को दिए एक इंटरव्यू में बताया कि कैसे उनके पिता के निधन के बाद उनकी बहन की ज़िंदगी बदल गयी। उन्होंने माना कि एक 'सबकुछ करने वाला कमर्शियल एक्टर' होते हुए भी वो अपनी ज़िंदगी के गहरे

निजी अनुभवों को फ़िल्मों में इस्तेमाल करते हैं। वो ऐसा पैसे कमाने के लिए नहीं कर रहे थे, बल्कि वो मानते हैं कि उन्होंने ज़िंदगी की इन घटनाओं से सीख लिया था कि अपने जज़्बातों को इस तरह बाहर निकालना भी बिल्कुल ठीक था। उन्होंने उस मौक़े को याद किया, जब उनकी बहन ने पहली बार अपने पिता की मृत देह देखी थी। वो ज़मीन पर गिर पड़ीं, उनके सिर में चोट लगी और फिर वो चुप हो गयीं। वो दो साल तक बिना कुछ बोले, बस शून्य में ताकती रहीं। उस दिन के बाद से उन सबकी दुनिया पूरी तरह बदल गयी थी।

जब *दिलवाले दुल्हनिया ले जायेंगे* की शूटिंग चल रही थी, तब शहनाज़ को अस्पताल में भर्ती कराना पड़ा था। डॉक्टरों को डर था कि वो शायद नहीं बचेंगी। शाहरुख़ उन्हें इलाज के लिए स्विट्ज़रलैंड ले गए। उस वक़्त वो *'तुझे देखा तो ये जाना सनम'* गाने की शूटिंग कर रहे थे। पिता की मौत से शहनाज़ कभी उबर नहीं पायी थीं और जब एक दशक बाद उनकी मां भी चल बसीं, तो ये दुख और गहरा हो गया। शाहरुख़ ने कहा, 'हम वो हैं जिन्हें मुस्लिम समाज में यतीम और यासिर कहते हैं। यानी, जिनके न बाप हैं न मां।' एक ओर उनकी बहन, जिन्होंने एमए और एलएलबी किया हुआ था, अपने मां-बाप को खोने का दुख झेल नहीं पा रही थीं और दूसरी तरफ शाहरुख़ ने अपने भीतर अलग हो जाने, नकली हिम्मत और मज़ाक करते रहने के भाव अपना लिए जिनके बल पर, वो इस दुख से लड़ रहे थे। लोग जिसे उनकी चमक और 'बॉलीवुड' स्टाइल समझते हैं, वो असल में एक मुखौटा है, जिसके पीछे वो अपनी ज़िंदगी के दुख छिपा ले जाते हैं।

शाहरुख़ अपनी बहन को बेहद चाहते हैं और उन्हें ख़ुद से बेहतर इंसान मानते हैं। वो उन्हें मासूम, सरल और बच्चों जैसी इंसान बताते हैं। उनके बच्चे उन्हें शाहरुख़ और गौरी से भी ज़्यादा चाहते हैं। शाहरुख़ ने माना कि उनके अंदर अपनी बहन जितनी सादगी और दर्द को झेलने का साहस नहीं है। उन्होंने कहा, 'मुझमें उतना सरल, उतना टूटा हुआ और उतना बेचैन होने की हिम्मत नहीं है। इसलिए मैं दिन-रात काम करता हूं, मेरे बारे में जो कुछ कहा जाता है, उस पर मज़ाक करता रहता हूं। मैं इसीलिए एक्टिंग करता हूं कि डिप्रेशन से बच सकूं। ये बात सिर्फ़ पैसे कमाने, बड़ा स्टार बनने, शादियों में नाचने या ऐड करने से कहीं ज़्यादा है।'[8]

पिता के जाने पर शाहरुख़ दुखी थे, ऊर्जाविहीन थे और बेहद गुस्से में थे। लेकिन वो बड़ी सहजता के साथ इस सबसे उबर गये और वो पहले से कहीं ज़्यादा केंद्रित थे। उन्हें पढ़ाने वाली सीता वेंकटेश्वरन ने अनुपमा चोपड़ा की किताब *किंग ऑफ़ बॉलीवुड* के लिए बताया, 'वो वैसा था ही नहीं जो स्कूल न आये और न ही उसकी मां वैसी थीं जो उन्हें रोककर रखें। वो बस आगे बढ़ता गया।'[9]

सेंट्रल दिल्ली का सेंट कोलंबाज़ स्कूल आयरिश ब्रदर्स द्वारा चलाया जाता था, जो अपनी बेहद सख़्त अनुशासनात्मक नीतियों के लिए जाने जाते थे। सबको शाहरुख़ की जो एक बात याद है, वो है उनका बेखौफ होना। डंडा लिए घूमने वाले पादरियों और सख़्त नियमों के बीच भी, शाहरुख़ मस्ती करने से नहीं चूकते थे। वो बड़े ही शातिर प्रैंक्स करते थे और मज़े लेते थे। जब वो ग्यारहवीं क्लास में पहुंचे, तो उनकी शरारतें और भी ऊंचे स्तर पर पहुंच गयीं। एक बार उन्होंने एक बेहद बोरिंग क्लास के दौरान मिर्गी के दौरे का नाटक किया। उनके दोस्तों ने टीचर को समझाया कि दौरे ठीक करने का देसी तरीका ये है कि उन्हें सड़े हुए जूते से मारो! ये मजेदार किस्सा उनके दोस्तों ने *जीना इसी का नाम है* नाम के टीवी शो में फ़ारूख़ शेख़ को बड़े मज़े से सुनाया था।

शाहरुख़ के स्कूल के दिनों की सबसे यादगार चीज़ थी उनका ग्रुप 'सी गैंग'। 9 सितम्बर 1984 को शाहरुख़ और उनके चार सबसे क़रीबी दोस्तों ने आधिकारिक रूप से 'सी गैंग' की शुरुआत की थी। 'सी' का मतलब था कूल। एक ग्रुप के तौर पर वो कूल लगने वाला हर काम करते थे, कम से कम उन्हें तो ऐसा ही लगता था। लेकिन ये गैंग अपने उसूलों और इज़्ज़त को लेकर बहुत गंभीर था। विवेक खुशालानी एक अमीर घर से था और उसने अपने पिता से कहकर अमेरिका से टी-शर्ट्स मंगवाईं, जिस पर 'सी गैंग' का लोगो और पीछे हर मेंबर का नाम लिखा हुआ था। ये लोगो शाहरुख़ के दोस्त रमन शर्मा के कज़िन ने डिज़ाइन किया था जिसे बड़ी बारीकी से उनकी सफ़ेद यूनिफॉर्म पर लगाया गया था, ताकि स्कूल में भी उनकी अलग पहचान बनी रहे। शाहरुख़ के अलावा इस गैंग में बिकाश माथुर और उनके सबसे करीबी दोस्त अशोक वासन भी थे। स्कूल के बाहर, सी गैंग की यूनिफ़ॉर्म होती थी नाइकी के ग्रे जूते, नीली जींस और सफ़ेद टी-शर्ट। उन्होंने कनॉट प्लेस की एक दुकान से बड़े सस्ते दाम में लैमिनेटेड आईडी कार्ड भी बनवाए थे, जिन पर हर सदस्य की फोटो और गैंग की शुरुआत की तारीख छपी होती थी: 9-9-84।

स्कूल में भयानक सख़्ती के बावजूद सी गैंग खूब फूला-फला। वजह ये थी कि उनकी बगावती हरकतें हद पार नहीं करती थीं। उनका स्टाइल, एटीट्यूड और नियमों को चुनौती देना बस दिखावे तक ही सीमित था। वो नशे या शराब जैसे किसी गैरक़ानूनी काम में नहीं पड़ते थे। हां, कभी-कभी उनकी हरकतें क़ानून की हदों को छूती दिखती ज़रूर थीं, लेकिन कभी शर्मसार करने के स्तर तक नहीं पहुंचती थीं। एक बार की बात है, वो सब घर से चुपके से निकले ताकि रात को एयरपोर्ट के पास जहाज़ों को उतरते देख सकें। लेकिन सुबह तक सड़क पर हॉकी खेलने के चक्कर में पुलिस ने उन्हें पकड़ लिया।

इस गैंग के लड़के अलग-अलग बैकग्राउंड से थे। इनमें एक पायलट का बेटा भी था और एक ऑयल-गैस इंडस्ट्री से जुड़े बिज़नेसमैन का भी। लेकिन सी गैंग की दोस्ती में किसी को कोई फ़र्क करना नहीं आता था। वो अक्सर चाणक्यपुरी के निरुला कैफ़े में जाते थे, जो उनके स्कूल के पास था। वो सभी चाणक्य सिनेमा के बेसमेंट में वीडियोगेम खेलते थे और कभी-कभी कुतुब होटल के बोलिंग ऐली में पैसे उड़ाते थे। हालात हमेशा ऐसे ही ख़ुशी भरे नहीं रहते थे। कई बार उन सभी के मां-बाप को स्कूल बुलाया जाता। लेकिन शाहरुख़ को उसके अच्छे नंबरों और खेल में आगे होने ने हमेशा बचाया। उनकी मां को भी कई बार बुलाया गया। लेकिन शाहरुख़ को कौन काबू कर सकता था!

जीना इसी का नाम है, शो में उनके मिडिल-स्कूल के हेडमास्टर ब्रदर एरिक डिसूज़ा ने कहा कि शाहरुख़ सीमाओं को तोड़ने वाला लड़का था जो नियम तो तोड़ता था लेकिन पकड़ा नहीं जाता था।[10]

ब्रदर डिसूज़ा उस स्कूल में एक आकर्षक व्यक्तित्व के लिये जाने जाते थे। उनके बाल लम्बे थे, वो गिटार बजाते थे और वहां सबसे युवा पादरी थे। एक टीचर और पादरी की परम्परागत छवि से वो कतई मेल नहीं खाते थे। वो हर मायने में, शाहरुख़ के जीवन के गाइड थे। वो स्कूल के छात्रों से क्लासेज़ के बाहर बात करते थे और उनके युवा मन की बातों को सुनते थे और ज़रूरत पड़ने पर रास्ता दिखाते थे। वो अपनी प्रगतिशीलता के लिये जाने जाते थे और उन्होंने स्कूल की पढ़ाई में कम्प्यूटर को शामिल करवाया और इसी विषय पर एक किताब भी लिखी। इस सबके बावजूद, ज़रूरत पड़ने पर, किसी छात्र के अपेक्षा के अनुरूप प्रदर्शन न करने पर वो उनको दंड देने से भी पीछे नहीं हटते

थे। नुकीली नाक और सांवले रंग के चलते ब्रदर डिसूज़ा को बच्चे 'कौव्वा' कहते थे। वो हमेशा बच्चों को नये तरीक़े से सोचने और बेहतर करते रहने के लिये प्रेरित करते रहते थे।

1983 में ब्रदर डीसूज़ा ने शाहरुख़ को उनका पहला बड़ा रोल दिया। द *विज़र्ड ऑफ़ ऑज़* पर आधारित एक म्यूज़िकल नाटक द *विज़* में उन्हें जादूगर का किरदार निभाना था। इस रोल के लिए कई दावेदारियां थीं और कड़ी टक्कर के बावजूद, शाहरुख़ ने इसे हासिल कर लिया था।

परफॉर्मिंग आर्ट्स तो हमेशा से शाहरुख़ का मज़बूत पक्ष रहा है। वो दिल्ली में दशहरे के दौरान होने वाली 'छाबड़ा रामलीला' में भी हिस्सा लेते थे। उसमें उन्होंने एक बार एक वानर योद्धा का रोल निभाया था। वो एक खुले मैदान में गाड़े गए तम्बू के नीचे एक अस्थायी मंच पर परफ़ॉर्म कर रहे थे और उनका घर पास में ही था। ऐसी जगहों पर माहौल थोड़ा अव्यवस्थित और अनगढ़ होता था, लेकिन शाहरुख़ उसमें भी परफ़ॉर्म करने का रस लेते थे। इंटरवल के दौरान जब वो अपनी कविताएं सुनाते थे, तो दर्शक उन्हें कुछ रुपये भी देते थे। यही उनकी पहली पैसे वाली परफ़ॉर्मेंस मानी जा सकती है। उन्होंने डेविड लेटरमैन के शो *माय नेक्स्ट गेस्ट* में बताया था कि रामलीला में उनके हिस्से डायलॉग के रूप में एक शब्द आया था। हनुमानजी की लाइन थी 'सियापति रामचंद्र की…', जिसके बाद उन्हें बोलना था: 'जय!'[11]

द *विज़* नाटक के लिए शाहरुख़ ने गाना गाने की भी कोशिश की। लेकिन उनकी आवाज़ में वो आत्मविश्वास नहीं दिख रहा था जिसकी दरकार थी। बदले में, ब्रदर डिसूज़ा ने पलाश सेन नाम के एक लड़के के साथ शाहरुख़ के लिए गीत गाया। आगे चलकर उसी पलाश सेन को हमने यूफ़ोरिया बैंड के चेहरे के रूप में देखा और वो उनकी पहली प्लेबैक सिंगिंग परफ़ॉरमेंस बन गयी।

एक तरह से, ये शाहरुख़ की नियति थी कि वो एक एक्टर बनेंगे। ये उनके पिता का अधूरा सपना था, जो उन्हें पूरा करना था। ये बात ज़्यादा लोगों को नहीं मालूम है कि मीर ने भी सपनों के शहर में आकर ख़ुद को आज़माने की कोशिश की थी।

विभाजन के बाद बॉम्बे (अब मुंबई) में लाहौर से ढेरों टैलेंटेड लोग आये। 1950 के दशक का सबसे महत्वाकांक्षी प्रोजेक्ट था *मुग़ल-ए-आज़म*, जो अनारकली और शहज़ादे सलीम (जिसे इतिहास की किताबों में मुग़ल शहंशाह जहांगीर के नाम से जाना जाता है) की किंवदंती पर आधारित एक सिनेमाई शाहकार था। इसका निर्देशन के. आसिफ़ कर रहे थे और इसके प्रोडक्शन में पंद्रह साल का वक़्त लग गया जिस दौरान इसे पैसों की कमी से लेकर एक्टरों की मृत्यु तक की समस्याएं झेलनी पड़ीं। तमाम रुकावटों के बावजूद आसिफ़ ने कोई कसर नहीं छोड़ी। उन्होंने भव्य से भव्य पोशाकें बनवायीं और उस्ताद बड़े ग़ुलाम अली ख़ान जैसे बड़े गायकों को शामिल किया और फ़िल्म की मेयार बढ़ाते गए।

मीर फ़िल्म इंडस्ट्री की चमक-दमक से आकर्षित हुए थे और वो फ़िल्म के सेट पर पहुंच गए। लेकिन फिर उनके सपनों पर पानी तब फिर गया जब उन्हें एक्स्ट्रा की लाइन में खड़ा कर दिया। उन्हें लगता था कि उनका चेहरा उन्हें स्टार बना सकता था, भले ही एक्टिंग बहुत जानदार साबित न हो।

एक्टिंग को लेकर वो समर्पित भाव से काम कर रहे थे लेकिन इंडस्ट्री में लगातार मिल रही ज़िल्लत को वो झेल नहीं सके। उन्होंने एक आख़िरी कोशिश करनी चाही और अशोक कुमार से जाकर मिले। वो उन दिनों एक बड़े कलाकार हुआ करते थे। मीर को अशोक कुमार के घर के बाहर खड़े चौकीदारों ने झिड़क दिया। मीर ने वहीं इंडस्ट्री का हिस्सा बनने के अपने सपने को त्याग दिया। वो बॉम्बे में लगभग एक साल रहे लेकिन हर दिन के साथ वो हिम्मत हारते जा रहे थे। अंततः, मरीन ड्राइव पर कई दिन चप्पलें घिसने के बाद, उन्होंने हाथ खड़े कर दिये। बात ये भी थी कि वो लगातार बीमार रहने लगे थे और उनके दोस्तों ने उन्हें सलाह दी कि वो दिल्ली लौट जायें।

हालांकि मज़ाक ये भी चलता है कि लोगों ने मीर से कहा कि वो घर जाएं और एक बच्चा पैदा करें जो स्टार बन सके। इत्तेफ़ाक़ से, उन्होंने ठीक यही किया। शाहरुख़ ने 2011 में अपनी कम्पनी रेड चिलीज़ एंटरटेनमेंट की पहली डॉक्युमेंट्री *मुग़ल-ए-आज़म: अ डॉक्युमेंट्री* के लॉन्च के दौरान कहा, 'मेरे पिता को एक पठान का रोल मिला था और वो उन्होंने इतना ख़राब किया कि आसिफ़ सा'ब ने उन्हें फ़िल्म से निकाल दिया। जब मैं छोटा था, तब मेरे पिता ने मुझे बताया था कि आसिफ़ सा'ब ने उनसे कहा कि घर जाएं और एक एक्टर पैदा करें।'[12] *मुग़ल-ए-आज़म* की क्या जगह थी और वो कैसे बनी थी,

इसपर बनी इस डॉक्युमेंट्री को शाहरुख़ ने अपनी आवाज़ दी थी। ये फ़िल्म उन्होंने के. आसिफ़ के बेटे अकबर आसिफ़ के साथ बनायी थी। फ़िल्म की टैगलाइन थी: 'एक बेटे की अपने पिता को श्रद्धांजलि।'

बस इतना सा ख्वाब है

***यस बॉस*, 1997**

3

बम्बई का सपना

आज के समय में, शाहरुख़ ख़ान को दुनिया के जाने-माने सुपरस्टार के अलावा, और किसी रूप में सोचना बेहद मुश्किल भरा काम लगता है। लेकिन 80 के दशक में, शाहरुख़ ने तय कर लिया था कि वो एक खिलाड़ी बनेंगे। बिग सीबीएस प्राइम के *इंडियाज़ प्राइम आइकन* शो में उन्होंने बताया, 'लेकिन मुझे चोट लग गयी। मैं सात से आठ दिन डॉक्टरों की निगरानी में था और फिर डेढ़ महीने बिस्तर पर पड़ा रहा। मेरी पीठ के निचले हिस्से में चोट लगी थी और मुझे बहुत बुरा लग रहा था। छह से आठ महीने मैं डिप्रेशन में रहा। फिर मैं स्कूल जाने लगा।'

एक्टिंग में जाना उनकी मां का आइडिया था। वो चाहती थीं कि कैसे भी उनके बेटे को बेहतर महसूस होना शुरू हो जाए। मेरी मां ने कहा, 'अपना समय खपाने के लिए शाम को कुछ करना शुरू करो। मैंने लेडी श्री राम कॉलेज में *ऐनी गेट योर गन* नाम के नाटक में जाना शुरू कर दिया। असल में वहां जाने का एक और बहाना था कि वो एक गर्ल्स कॉलेज था और मैं उन चुनिंदा लड़कों में से था जो वहां जा सकता था। आठ लड़के और अस्सी लड़कियां!'

कॉलेज ने शहर की सबसे बड़ी थियेटर कंपनी को बुलाया था। ये थी थियेटर एक्शन ग्रुप (TAG), जिसे छात्रों के साथ इस म्यूज़िकल नाटक को परफ़ॉर्म करना था। इस TAG के संस्थापक और डायरेक्टर थे बैरी जॉन, जिन्होंने प्रोडक्शन की कमान संभाली हुई थी। जिस बड़े स्तर पर ये नाटक होना था, पुरुष एक्टर्स को ऑडिशन के ज़रिये कंपनी

के बाहर से बुलाया गया था। जब तक शाहरुख़ आये, कास्टिंग लगभग पूरी हो चुकी थी और उन्होंने कोरस में एक सिंगर-डांसर का रोल पकड़ लिया। लेकिन, जब तक ये नाटक परफ़ॉर्म करने का समय आया, शाहरुख़ ने तय कर लिया था कि वो TAG का हिस्सा बनेंगे।

TAG एक इंग्लिश प्रोडक्शन कम्पनी थी, जिसकी नींव 1973 में सिद्धार्थ बासु, बैरी जॉन, रोशन सेठ, लिलेट दुबे, मीरा नायर और पंकज कपूर ने डाली थी। इस ग्रुप में वो लोग थे, जो साउथ दिल्ली के बेस्टम-बेस्ट एक्टर हुआ करते थे। ये जीवन का वो पहला मौका था जब बाहरी शाहरुख़ को एक ग्रुप के सदस्यों के बीच अपनी पहचान बनाने की मशक्कत करनी थी। इसके बाद से तो ये उनकी आदत बन गयी।

उन दिनों में, दिव्या सेठ उनकी सबसे अच्छी दोस्त थीं जो आगे चलकर एक जानी-मानी टीवी और फ़िल्म एक्टर बनीं, जिन्होंने 2024 की *आर्टिकल 370* में भी काम किया था। 2015 में शाहरुख़ ने उनके साथ एक तस्वीर ट्वीट करते हुए लिखा था, 'मेरी सबसे अच्छी दोस्त दिव्या, जिसने मुझे एक्टिंग सिखायी। जो ख़राब हुईं (परफ़ॉरमेंस), उनके अलावा जितनी भी अच्छी हैं, सभी उनकी सीख की बदौलत ही संभव हुईं।'[1]

दोनों ने लेख टंडन की टीवी सीरीज़ *दिल दरिया* (1988) में एक साथ काम किया था। एक इंटरव्यू में दिव्या ने शाहरुख़ के बारे में कहा, 'हम लोग हमेशा दोस्त रहे और हमने कई नाटक साथ में किये। उसे हमेशा से मालूम था कि वो सफल होकर रहेगा। और वो आज भी इसके लिए पूरी मेहनत करता है।'

शाहरुख़ दिल्ली के हंसराज कॉलेज में डिग्री के लिए इकोनॉमिक्स की पढ़ाई कर रहे थे लेकिन उन्हें असली सीख मिली TAG में बैरी जॉन से। शाहरुख़ एक्टिंग को लेकर बेहद जुनूनी तो थे, लेकिन उन्हें कतई ऐसी आशा नहीं थी कि वो अगले दिलीप कुमार या अमिताभ बच्चन बन जायेंगे, जबकि वो इन दोनों से बेहद प्रभावित थे। और इसमें कोई अचरज भी नहीं था, क्यूंकि एक लड़का जो दिल्ली के मिडिल-क्लास गौतम नगर से आता हो, उसके लिए बॉलीवुड को एक विकल्प बनाना बहुत आसान नहीं होता। उनके नैन-नक्श भी परम्परागत हीरो जैसे नहीं थे और न ही उनके पास ऐसे संसाधन थे कि वो इतने ऊंचे मक़ाम के बारे में सोचें।

लेकिन शाहरुख़ और उनकी अम्मी का एक रिवाज़ बन चुका था कि वो हर रात अपने वीसीआर पर एक फ़िल्म देखते थे। उन दिनों में शाहरुख़ ने यही सोचा था कि वो

शॉर्ट फ़िल्मों, टीवी और ऐड फ़िल्मों में जम जाएंगे। हर भारतीय मां की तरह उनकी मां भी यही सोचती थीं कि उनका बेटा और भी बड़ी चीज़ों के लिए बना हुआ था। उन्होंने अपने बेटे को ख़ुद अपना रास्ता बनाने दिया क्यूंकि उन्हें मालूम था कि उस रास्ते के अंत पर सफलता उनके लिए बाहें फैलाये खड़ी मिलेगी। आज तक शाहरुख़ यही मानते हैं कि उनकी अम्मी उनकी पहली और सबसे अहम फ़ैन हैं।

बैरी जॉन से अक्सर ये पूछा गया है कि क्या वाकई किसी को एक्टिंग सिखायी जा सकती है। 2016 में, *हफ़िंग्टन पोस्ट इंडिया* को दिये एक इंटरव्यू में उन्होंने समझाया था कि एक्टिंग ऐसी विधा है जो सीखी जा सकती है। आज की दुनिया में, जब मॉडर्न एक्टर्स को तमाम चीज़ें सीखने की ज़रूरत होती है, ट्रेनिंग उनके जीवन का अहम हिस्सा बन चुकी है। लेकिन उन्हें ऐसा लगता है कि इंडस्ट्री में ऐसे लोगों की भीड़ मौजूद है, जिनके पास कोई ट्रेनिंग नहीं है और उनमें ज़्यादातर लोग या तो अंदर के लोगों के क़रीबी हैं, या फिर उनके पास अच्छी शक़्ल और तराशा हुआ शरीर है। भारत देश में, कई क्षेत्रों की तरह, फ़िल्म इंडस्ट्री में भी परिवारवाद का सिक्का चलता है और जबकि कुछ प्रतिभाएं विरासत के चलते मिल सकती हैं, एक एक्टर के कैरियर की लम्बाई इस पर निर्भर करती है कि वो अपने ऊपर मेहनत कितनी करते हैं, न कि वो किस परिवार से आते हैं।

बैरी इस बात को लेकर बिल्कुल साफ़ कहते हैं कि शाहरुख़ की कामयाबी का श्रेय उन्हें नहीं जाता। 'एक अभिनेता में टैलेंट, मेहनत और थोड़ी किस्मत होनी चाहिए। शाहरुख़ के पास ये सब था। वो आज जो भी हैं, उसका क्रेडिट मैं नहीं ले सकता। उनकी ज़िंदगी किसी ख़्वाब जैसी है। एक परीकथा की तरह। उसमें दुख है, नुकसान है, कॉमेडी है और सफलता भी। वो कुछ बनने के लिए ही पैदा हुए थे। उन्होंने दिल्ली में मेरा थिएटर एक्शन ग्रुप जॉइन किया था। बतौर अभिनेता, उनके शुरुआती सालों को मैंने ज़रूर प्रभावित किया होगा। वो ऊर्जा से भरे थे, मेहनती थे, समझदार और हाज़िरजवाब भी थे। उनमें सीखने की ज़बरदस्त चाहत थी और वो पूरी तरह समर्पित होकर काम करते थे, जैसे आज भी हर फ़िल्म के लिए करते हैं।'[2]

शाहरुख़ हमेशा से एक्टिंग की तकनीक और उसके हुनर में यकीन रखते आये हैं। जब वो *ज़ीरो* की शूटिंग कर रहे थे, तो उन्होंने अपनी बेटी सुहाना से कहा था कि वो सेट पर आएं और बारीक़ एव बुनियादी चीज़ें सीखें। ये जो परफ़ॉर्मेंस को बारीकी से पकड़ने की जिद है, वो बैरी से ही आयी है। बैरी का सिखाने का तरीका ज़बरदस्ती वाला नहीं

था। वो धीरे-धीरे अपने स्टूडेंट्स को सच्चा कलाकार बनने की ओर ले जाते थे। वो ऐसी वर्कशॉप्स करना चाहते थे, जहां उनके छात्र किरदारों और उनके हालात में डूब सकें। बैरी मानते थे कि एक्टिंग थोपने वाली चीज़ नहीं है और वो युवा एक्टर्स को उनके हावभाव और भावनाओं पर काम करने के लिए प्रोत्साहित करते थे, ताकि वो अपने किरदारों की बारीकियां अच्छे से पकड़ सकें। वो नफ़ासत को बढ़ावा देते थे, हल्ला, ड्रामा और ओवरएक्टिंग उनकी स्टाइल नहीं थी। इन क्लासेज़ से सबसे अहम सीख शायद ये रही होगी कि शाहरुख़ हर किरदार की अपनी खुद की व्याख्या करते थे। TAG में एक बुनियादी उसूल था: 'किसी सीन को करने का सही या ग़लत तरीका नहीं होता। तुम्हारे लिए जो काम कर जाए, वही "मेथड" है। असली पैमाना ये है कि कितने लोग उसे पसंद करते हैं।'

बैरी पहले शख्स थे जिन्होंने शाहरुख़ को फिल्मों में हाथ आज़माने की सलाह दी थी। ये सलाह तारीफ़ के तौर पर नहीं दी गयी थी। TAG में बिताए पांच सालों में ये साफ़ हो गया था कि शाहरुख़ का ध्यान किसी कहानी को भीतर से समझने से ज़्यादा उसके बड़े और नाटकीय पहलू पर होता था। अगर अभिनय की कला के नज़रिए से देखें, तो कुछ अभिनेता ऐसे होते हैं जो किरदार में घुस जाते हैं, उसे भीतर तक जीते हैं। लेकिन शाहरुख़ की खासियत ये थी कि वो किसी भी किरदार को बड़ा बना सकते थे या कहानी को और भव्य बना सकते थे। शायद बैरी ही अकेले ऐसे व्यक्ति थे जिन्होंने ये समझा कि शाहरुख़ भले ही परफ़ेक्ट अभिनेता न बन सकें, लेकिन उनमें एक स्टार बनने की सारी संभावनाएं थीं।

दिल्ली की एक्टिंग की दुनिया में कोई आम लड़का अगर स्टार बनने की ख्वाहिश रखता था, तो उसे आमतौर पर ज़्यादा मौके नहीं मिलते थे। बड़े तो बिल्कुल भी नहीं। *इन व्हिच ऐनी गिव्स इट दोज़ वन्स* नाम की एक छोटी सी फ़िल्म शाहरुख़ की पहली फ़िल्म बनी। इसे प्रदीप कृष्णन और उनकी लेखिका-साथी अरुंधति रॉय ने बनाया था। ये फ़िल्म 1974 के वक़्त की दिल्ली की एक आर्किटेक्चर यूनिवर्सिटी पर आधारित थी और इसकी कहानी बड़ी अलग थी। इसकी कहानी आदर्शवादी छात्र आनंद ग्रोवर उर्फ़ ऐनी (जिसे अर्जुन रैना ने निभाया) पर केंद्रित थी, जो पढ़ाई से ज़्यादा भारत की समस्याओं

के ग़ैर-व्यावहारिक हल सोचने में लगा रहता है। उसकी आज़ाद ख़्यालों वाली गर्लफ़्रेंड राधा का किरदार अरुंधति रॉय ने निभाया था। इसमें रोशन सेठ, दिव्या सेठ, ऋतुराज सिंह और मनोज बाजपेयी जैसे कलाकारों ने भी छोटे-छोटे लेकिन अहम रोल किये थे। फ़िल्म में युवापन का विद्रोह और कॉलेज लाइफ़ की थीम को टटोला गया था। ये फ़िल्म एक समय के बाद गुमनामी में चली गयी, लेकिन जब *द गॉड ऑफ़ स्मॉल थिंग्स* के लिए अरुंधती रॉय को बुकर पुरस्कार मिला, तो फ़िल्म का स्क्रीनप्ले प्रकाशित हुआ। 2024 में, फ़िल्म हेरिटेज फ़ाउंडेशन ने घोषणा की कि वो इस फ़िल्म को रीस्टोर कर रहे थे और जल्द ही इसे सिनेमाघरों में दोबारा रिलीज़ किया जाएगा।[3]

पर्दे पर शाहरुख़ के किरदार को बेहद कम वक़्त मिला था। उनके हिस्से में महज़ चार सीन आये थे और उस किरदार का कोई नाम भी नहीं था। लेकिन इस फ़िल्म ने उन्हें एक बात ज़रूर समझा दी थी कि वो ऐसी फ़िल्मों के लिए नहीं बने जिनमें उन्हें असाधारण व्यक्तित्व वाला न दिखाया जाए। वो तो हीरो बनने के लिए बने थे।

शाहरुख़ टीवी पर पहली बार आये *फ़ौजी* में जिसे कर्नल राज कपूर ने बनाया था। वो *जीना इसी का नाम है* शो में शाहरुख़ के बारे में बात करने के लिए भी आये थे। शाहरुख़ ने उनके बारे में बात करते हुए कहा, 'मुझे कभी भी नहीं लगता था कि मैं स्क्रीन पर एक्टिंग कर सकता था। मैं एक कहानी बताता हूं: मेरे पिता के गुज़रने के बाद, मैं और मेरी मां किराये का घर ढूंढ रहे थे। कर्नल राज कपूर के दामाद कमल दीवान प्रॉपर्टी का काम करते थे और वो मेरी मां को एक घर दिखा रहे थे मेरी मां ने कहा कि मेरा लड़का नहीं है, वो थियेटर करने गया हुआ है। उसको घर दिखाकर ही डिसाइड करेंगे। तब कमल ने कहा कि मेरे ससुर जी एक सीरियल बना रहे हैं, तुम वहां जाओ। तो इस तरह से *फ़ौजी*, जो 1989 में आया और जिसके तेरह एपिसोड थे, मैं उसका हिस्सा बना।'

फ़ौजी के ज़रिये कर्नल कपूर ने भारतीय सेना को नमन किया जिसमें कैडेट के जीवन के उन पहलुओं को बेहद क़रीब से दिखाया, जब वो कमांडो बनने के लिए ट्रेनिंग ले रहे होते हैं।

उस वक़्त शाहरुख़ पहले ही *दिल दरिया* नाम के एक सीरियल की शूटिंग में व्यस्त थे और लंच ब्रेक के दौरान वो *फ़ौजी* की शूटिंग पर पहुंचते थे। ऐसा शूटिंग शेड्यूल उन

एक्टर्स के लिए बहुत आम था, जो एक वक़्त पर एक से ज़्यादा प्रोजेक्ट पर काम कर रहे होते थे। *फ़ौजी* के लिए जो ऑडिशन हुए, उसमें बेहद कठिन शारीरिक परीक्षण भी शामिल थे। उन्हें सुबह डेढ़ मील की दौड़ लगानी होती थी और कभी भी बॉक्सिंग मैच के लिए कह दिया जाता था। शाहरुख़ ने अपने अनुशासन से सभी को बहुत प्रभावित किया और दौड़ में कभी हार नहीं मानी, जबकि कई ऑडिशन देने वाले लोग बीच में ही छोड़कर बैठ जाते थे। पहले उन्हें कोई छोटा सा रोल मिलने मिलने वाला था जबकि कर्नल कपूर का बेटा बॉबी, अभिमन्यु नाम के मुख्य किरदार में दिखने वाला था। लेकिन बॉबी, जो पहले ही इस सीरियल के कैमरामैन थे, को शाहरुख़ के लिए जगह खाली करनी पड़ी। जैसा कि ज़ोया अख्तर की डेब्यू फिल्म, *लक बाय चांस* में करण जौहर कहते हैं, 'इंडस्ट्री में आउटसाइडर्स ऐसे ही तो आते हैं। कोई अलग तरह का रोल लिखता है, कोई बड़ा स्टार नहीं करता है एंड फ़ाइनली एक नये लड़के को ब्रेक मिल जाता है। *ज़ंजीर* सात बड़े एक्टर्स ने ठुकराई थी, फ़ाइनली रोल एक स्ट्रगलिंग एक्टर को मिला जिसका नाम था अमिताभ बच्चन।'

शाहरुख़ किस्मत के दुलारे रहे हैं, या शायद हमेशा सही वक़्त पर सही जगह मौजूद रहे। उनकी दो बड़ी बॉलीवुड हिट फ़िल्में, डर और *बाज़ीगर* भी कुछ ऐसे ही उनके हाथ आयीं।

फ़ौजी कैसे मिला, ये भी मज़ेदार किस्सा है, चाहे उन्होंने उसमें कितनी भी मेहनत क्यों न की हो। समर ख़ान और सोनाली कोकरा की किताब *एसआरके: 25 इयर्स ऑफ़ ए लाइफ़* के लॉन्च के दौरान शाहरुख़ ने बताया, 'मैं वहां गया, ऑडिशन दिया और उन्होंने मुझे एक बड़ा प्यारा रोल दिया। पूरे *फ़ौजी* सीरियल में, कर्नल मुझे हुक्म देते हैं कि पेड़ पर कितने कौवे बैठे हैं, जाकर गिनो। मैं दौड़कर आता और कहता, "चार कौवे हैं।" यही था मेरा रोल पूरे सीरियल में। मुझे ये बहुत अजीब लगा... मैं घरवालों को कैसे बताता कि यही मेरा रोल है? ... मैंने वो किया और वो मेरे लिए सबसे प्यारे रोल्स में से एक बन गया और सबने मुझे परिवार की तरह अपनाया। मैं ये फ़र्ज़ी विनम्रता से नहीं कह रहा, लेकिन शायद जो अच्छाई आज मेरे अंदर है, वो मेरी ज़िंदगी में मिले उन बेहतरीन लोगों की वजह से है।'

फ़ौजी में किरन कोचर का किरदार निभाने वाली और शो की लेखिका अमीना शेरवानी ने बताया कि उस दौर के हिसाब से *फ़ौजी* एक बहुत महंगा शो था। एक एपिसोड

बनाने में लगभग दो लाख रुपये लग रहे थे। पायलट एपिसोड को रिलीज़ होने में चार साल की देरी हो चुकी थी। फिर 1988 में *फ़ौजी* की टीम ने एकजुट होकर कोशिश की कि शो अगले साल जल्दी से जल्दी रिलीज़ हो जाए। इसके लिए उन्हें रक्षा मंत्रालय, दूरदर्शन और सेना के मुख्यालय से इजाज़त लेनी पड़ी। मुश्किलों के बावजूद, टीम ने अपना पूरा हुनर और संसाधन लगाकर इस शो को हकीकत में तब्दील कर दिया। *द प्रिंट* को दिए इंटरव्यू में अमीना ने बताया, 'मुझे याद है, आर्मी हमें स्टेन गन और बाकी उपकरण देने वाली थी, लेकिन उन्होंने कुछ भी छूने नहीं दिया। तो मैंने एक कमांडो से फ़्लर्ट करके एक टूटी-फूटी स्टेन गन चोरी करवायी और उसका सांचा बनवाया। हमने एल्यूमिनियम की बारह नकली बंदूकें बनवाईं जो दिखने में असली लगती थीं। एक दिन मैं उन्हें ऑटो में स्टूडियो से ला रही थी, तभी पुलिस ने रोक लिया। मैं बारह असली दिख रही बंदूकों के साथ पकड़ी जा चुकी थी। शुक्र है हमने दिल्ली पुलिस के लिए पहले फ़िल्में की थीं, तो पुलिस कमिश्नर को पता था कि हम असल में क्या कर रहे थे।'

ये 80 के दशक के अंतिम साल थे और पंजाब में अशांति के चलते विस्फ़ोट और धमाके के सीन के लिए ज़रूरी सामान जुटाना बेहद मुश्किल हो गया था। प्रशासन ने सख्त नियम लागू कर रखे थे। ऐसे में केरोसीन जैसे सामान शाहरुख़ की मां से लिए गए, जो एक मिट्टी के तेल की कंपनी चलाती थीं। डायनामाइट उनके कुछ दोस्तों के ज़रिए मिला, जिनके पास अरावली में स्टोन और माइका खनन के ठेके थे। इस तरह से टीम ने विस्फोटकों का इंतज़ाम ख़ुद किया। आप सोचेंगे कि ये सबसे बड़ी मुश्किल रही होगी, लेकिन असली चुनौती थी शाहरुख़ के बाल कटवाना। अमीना ने बताया, 'शाहरुख़ बिल्कुल बाल नहीं कटवाना चाहता था। वो लगातार सिगरेट पीता रहता और उसकी मां चिंतित रहतीं कि थियेटर के लिए उसकी ये दीवानगी कहीं उसे बेकार करके न छोड़े।'

जब *फ़ौजी* टीवी पर आया तो लोगों ने ख़ुद को उससे जुड़ा हुआ पाया। शाहरुख़ ने हर किसी को मोहा और वो शो का सबसे बड़ा नाम बन गया। उनका किरदार अभिमन्यु, कहानी के केंद्र में आ गया और यहां से दिखना शुरू हुआ कि शाहरुख़ रोमांस और एक्शन, दोनों में बेहद सहज नज़र आते हैं। यहीं से शाहरुख़ वो नाम बना जिसे घर-घर में जाना जाने लगा। शाहरुख़ के उस दौर के तमाम फैंस में से एक हैं मेरी मां, एलोरा बासु। जब मैंने पहली बार उन्हें बताया कि मैं इस किताब पर काम कर रही थी तो उन्होंने बताया कि कैसे शाहरुख़ के प्रति उनका प्यार 80 के दशक के अंत से शुरू हुआ था।

'*फ़ौजी* देखना एक सुपरस्टार का जन्म होते हुए देखने जैसा था। अभिमन्यु राय के तौर पर शाहरुख़ ने जबरदस्त प्रभाव छोड़ा था, और जिस दिन शो का पहला एपिसोड एयर हुआ, हम जान गए थे कि वह कुछ महान करने के लिए बना था।' उस दौर की होने के नाते उन्होंने बताया कि कैसे 'एंग्री यंग मैन' की छवि टीवी और फ़िल्मों पर छायी हुई थी और वो उसे देख-देख कितना उकता चुकी थीं। 'जब तक *फ़ौजी* नहीं आया था, मैं टीवी में इंट्रेस्टेड ही नहीं थी। वो एक नये रंगों वाला शो था। उसमें वो कहानियां थीं जिससे मैं और मेरे भाई-बहन जुड़ाव महसूस करते थे। इस शो के चलते युवावर्ग भी टीवी देखने लगा। हमारी इसे पसंद करने की सबसे बड़ी वजह शाहरुख़ ही था। वो एक ईमानदार एक्टर तो था ही लेकिन उससे भी बड़ी बात थी कि वो आपको मोह लेता था। इसे स्क्रीन प्रेजेंस कहा जा सकता है लेकिन वो ऐसा था कि हर कहानी में आप उसके ही पक्ष में खड़े होते थे। यही तो एक हीरो के लक्षण होते हैं!'

उन दिनों में शाहरुख़ को यक़ीन था कि उनकी ऑडियंस टीवी वाली ही थी। 'टीवी में आपको तुरंत ही पहचान मिलती है। मेरे दिमाग में कुछ सेट आइडिया थे और मैं अपनी शर्तों पर काम करना चाहता था। मैं इसकी फ़िक्र ही नहीं करता था कि बैनर कितना बड़ा है। अगर मेरा रोल अच्छा था तो मैं तैयार हो जाता था। मैं लॉन्च नहीं होना चाहता था। मैं हमेशा वेरायटी चुनता हूं।'

हंसराज कॉलेज से पढ़ाई पूरी करने के बाद शाहरुख़ ने जामिया मिलिया इस्लामिया में एक फ़िल्म-मेकिंग कोर्स में दाखिला ले लिया। वो इतना व्यस्त रहते थे कि सारी क्लासेज़ अटेंड नहीं कर पाते थे, लेकिन नंबरों पर इसका असर नहीं पड़ा। वो शुरू से ही बहुत तेज़ छात्र थे। कुछ लोगों का तो ये भी मानना था कि वो एक्टिंग में जाकर अपना टैलेंट बर्बाद कर देंगे। अपने स्कूल के कई साथियों की तरह, वो एमबीए करके अमेरिका जा सकते थे। लेकिन तब तक वो थियेटर की दुनिया में पूरी तरह डूब चुके थे। TAG उनका ज़्यादातर समय ले रहा था और जिन टीवी सीरियलों में वो काम कर रहे थे, वो भी काफ़ी सफल हो रहे थे।

कुछ कुछ होता है की शूटिंग शुरू होने से ठीक पहले अमेरिका के एक चैनल को दिए इंटरव्यू में शाहरुख़ ने बताया, 'मैं टीवी करना नहीं चाहता था, लेकिन वो एक इत्तेफ़ाक था। वो एक अलग ही माध्यम था। कर्नल कपूर ने एक उर्दू नाटक में मेरी परफ़ॉर्मेंस देखी और मुझे चुन लिया। कॉलेज के बाद मैंने जामिया मिलिया इस्लामिया में फ़िल्ममेकिंग में दाखिला लिया। वो दो साल का कोर्स था। मैं फिल्में बनाना चाहता था, मुख्य तौर पर ऐड फिल्में। किसी ने मुझे एक सीरियल (*फ़ौजी*) में देखा और फ़ोन किया। और इसी तरह मैं बॉम्बे पहुंच गया।'

शाहरुख़ के 54वें जन्मदिन पर, दिल्ली के जामिया मिलिया इस्लामिया के मास कम्युनिकेशन रिसर्च सेंटर (MCRC) में उनके प्रोफ़ेसर रहे फ़रहत बसीर ख़ान ने *इंडियन एक्सप्रेस* को एक इंटरव्यू में अपने सबसे मशहूर छात्र के बारे में बताया। उन्होंने कहा कि जब पहली बार उनकी (जामिया के प्रोफ़ेसरों की) मुलाक़ात शाहरुख़ से हुई, तब तक वो पहले से ही एक मंझे हुए एक्टर और परफ़ॉर्मर बन चुके थे। वो बहुमुखी प्रतिभा वाले एक्टर थे। यहां तक कि एक ऑडिशन में उन्होंने महिला किरदार भी निभाया था, जिसने प्रोफ़ेसरों पर गहरी छाप छोड़ी। शाहरुख़ का सोचने का तरीका कमाल का था। वो किसी भी आइडिया को अच्छे से समझकर उसे बहुत आसान तरीके से समझा सकते थे।

यही वो समय था जब शाहरुख ने *फ़ौजी* की शूटिंग शुरू कर दी थी और अपना समय पढ़ाई और शूटिंग के बीच जैसे-तैसे बांट रहे थे। शूटिंग की व्यस्तता के कारण कभी-कभी वो क्लास मिस कर देते थे, लेकिन उसकी भरपाई वो प्रोफेसर ख़ान के घर जाकर कोर्स मटीरियल पर चर्चा करके कर लेते थे। उनका पढ़ाई करने का तरीका थोड़ा अलग था जिससे प्रोफ़ेसर हमेशा सहमत नहीं होते थे। लेकिन हर बार उनके आकर्षण और विषय की गहरी समझ के चलते वो काम निकाल जाते। प्रोफेसर ख़ान को एक असाइनमेंट आज भी खासतौर पर याद है। ये वो मौका था जब पूरी क्लास फ़ील्ड शूट पर गई थी ताकि स्टूडेंट्स लोगों से मिल सकें और बुनियादी बातों की जानकारी ले सकें। सभी को एक तय समय पर वैन में लौट आना था, लेकिन शाहरुख़ देर से लौटे। प्रोफ़ेसर को चिंता हुई, तो लोगों को उन्हें ढूंढने भेजा। आख़िरकार, वो एक ख़ूबसूरत जगह पर मिले। शाहरुख़ सूरज की रोशनी के खास कोण पर आने का इंतज़ार कर रहे थे ताकि एक परफ़ेक्ट तस्वीर खींच सकें। बारीक़ियों पर उनका इस कदर ध्यान देखकर उनके प्रोफ़ेसर बहुत प्रभावित हुए।

किस्मत को जो मंज़ूर था, वही हुआ। मायानगरी, जिस नाम से मुंबई को जाना जाता है, एक उभरते सितारे को लुभाने से कैसे चूकने वाली थी? साल 1990 में शाहरुख़ पहली बार उस शहर में आए, जिसे आगे चलकर वो अपना घर कहने वाले थे।

काश ऐसा होता कि उनकी कहानी वैसे ही सपनों भरी होती जैसी सोची जाती है। जब शाहरुख़ इस्कार नाम की एक कंपनी के लिए एक रोल करने की खातिर बॉम्बे में उतरे तो एयरपोर्ट पर उन्हें पिक करने कोई नहीं आया। उनके दिमाग में ये विचार चलने लगा कि उनके साथ किसी ने भद्दा मज़ाक किया था और वो बेवजह इस शहर में चले आये थे। जब आप स्टार बनने की कगार पर होते हैं, वो जगह बड़ी अजीब होती है। उस वक़्त मन में ऐसे ख़्याल आते हैं जो सबकुछ उथल-पुथल कर रहे होते हैं: यदि ऐसा न हुआ हुआ तो? शाहरुख़ भी इससे अछूते नहीं थे। वो आसपास देख रहे थे और उन्हें एक डर घेरे जा रहा था। क्या उनके साथ एक फ़्रॉड हो चुका था? उन्हें मालूम था कि वापस जाने का तो सवाल ही नहीं था। वो असफल नहीं हो सकते थे। आपाधापी की स्थिति में उन्होंने ख़ुद को एक फ़ोनबूथ के अंदर क़ैद कर लिया और मां को फ़ोन करने के लिए सिक्के ढूंढने लगे। वो रोना चाहते थे और अपनी मां को बताना चाहते थे कि उनके साथ किसी ने बेहद क्रूर मज़ाक किया था। शर्म और गुस्से के चलते वो रोने लगे। आते-जाते लोग फ़ोनबूथ में टूटते हुए एक आदमी को देख रहे थे। ठीक उसी वक़्त, कुछ महिलाएं वहां से गुज़रीं जो हज पर जा रही थीं। उन्होंने 'फ़ौजी वाले लड़के' को पहचान लिया और रुक गयीं। उन्होंने दुआ में हाथ उठाकर कहा, 'चिंता मत करो बेटा। हम अपने हज पर तुम्हें दुआ में याद रखेंगे। तुम एक दिन बहुत बड़े एक्टर बनोगे।'

और फिर कुछ देर में वो शख्स आ गया जिस पर शाहरुख़ को एयरपोर्ट से लाने की ज़िम्मेदारी थी। और फिर होते-करते शाहरुख़ कुंदन शाह और अज़ीज़ मिर्ज़ा से मिले जिनके साथ उन्होंने बॉलीवुड में पहले-पहल काम किया। अज़ीज़ को ऐसा लगता था कि शाहरुख़ उनके बेटे हारुन की तरह लगते थे इसलिए उनके दिल में शाहरुख़ की एक ख़ास जगह बन गयी। यहां तक कि शाहरुख़ उनके प्रभादेवी वाले घर में भी रहने लगे और हारुन के साथ उनकी गहरी दोस्ती भी हो गयी। बीते वक़्त पर नज़र डालते हुए, एक इंटरव्यू में उन्होंने मज़ाकिया लहजे में कहा, 'जब मैं किताब लिखूंगा, अपने स्ट्रगल को रोमेंटिसाइज़ करूंगा। क्यूंकि ऐसा कुछ हुआ ही नहीं था। हर कोई अपने अंदर स्ट्रगल कर रहा होता है। उन चीज़ों की कहानी लिखने के बजाय लोग बताते हैं कि कैसे वो मुंबई की

सड़कों पर सोने को मजबूर थे, फिर किसी ने उन्हें कास्ट कर लिया; कैसे उन्हें कॉकरोच खाने पड़े, फिर जाकर उन्हें प्रॉपर खाना मिला। फिर उन्हें ब्रेक मिला और हर कोई उनसे रूखेपन के साथ बात करता था। अब तो मैं ऐसा ही करूंगा।'

मज़ाक को आगे बढ़ाते हुए उन्होंने कहा, 'मेरी ऐसी कोई कहानी नहीं है। मेरे सामने ऐसे बहुत से लोग थे जो कहते थे कि मैं बड़ा नहीं बन पाऊंगा। लेकिन मैं स्टार बनने आया ही नहीं था। एक्टिंग की अहमियत की समझ मुझमें थी। मैंने एक्टिंग पर बहुत कुछ पढ़ भी रखा था। मुझमें एक विश्वास था कि मुझे एक्टिंग की ग्रामर आती थी। और ये स्टार बनने के लिए ज़रूरी नहीं है लेकिन एक अच्छा एक्टर बनने के लिए बेहद अहम है। मैं व्याकरण को देखकर एक्टिंग नहीं करता हूं। मुझे मालूम है इसे कैसे किया जाता है, लेकिन हर बार कुछ अलग करने की कोशिश करता हूं।'[4]

शाहरुख़ ने जैसे ही *सर्कस*, *नागले की दुनिया* और *उम्मीद* नाम के तीन बड़े टीवी प्रोडक्शन पर काम करना शुरू किया, उनका समय दिल्ली और बॉम्बे के बीच बंटने लगा। मोहाली की 75 वर्षीय गृहणी सुमीता धर (बदला हुआ नाम) के लिए *सर्कस* वाला शाहरुख़ *फ़ौजी* वाले शाहरुख़ से बेहतर था। 'मैं टीवी देखने की रानी हूं। मैं सबकुछ देखती हूं। पाकिस्तानी ड्रामा *धूप किनारे* से लेकर *फ़ौजी* और तुर्की के नाटक और अब के-ड्रामा भी। लेकिन मुझे आज भी याद है जब मैंने शाहरुख़ को पहली बार शेखरन के रोल में देखा था। हम उसे पहले से पहचानते थे लेकिन *सर्कस* में वो बेहतर दिख रहा था। उसकी आंखों में एक चमक थी जो बताती थी कि वो बड़ी चीज़ों के लिए बना था। जब भी वो स्क्रीन पर आता था, आप नज़र नहीं हटा सकते थे। मुझे मालूम था कि मैं किसी बहुत शानदार चीज़ की शुरुआत देख रही थी! जब वो हिंदी फ़िल्मों में आया और इतना बड़ा स्टार बन गया तो मुझे कतई आश्चर्य नहीं हुआ। मैं अपने स्वर्गीय पति से यही कहती थी "ये लड़का और भी बड़ी चीज़ें करेगा!" मैं सही थी। मेरे पति भी फ़ौज में थे और हम दोनों में *फ़ौजी* वर्सेज़ *सर्कस* की बहस होती थी। इस बहस के अंत में शाहरुख़ ही जीतता था!'

उन दिनों में शाहरुख़ को यक़ीन था कि उनकी ऑडियंस टीवी वाली ही थी। 'टीवी में आपको तुरंत ही पहचान मिलती है। मेरे दिमाग में कुछ सेट आइडिया थे और मैं अपनी शर्तों पर काम करना चाहता था। मैं इसकी फ़िक्र ही नहीं करता था कि बैनर कितना बड़ा है। अगर मेरा रोल अच्छा था तो मैं तैयार हो जाता था। मैं लॉन्च नहीं होना चाहता था। मैं हमेशा वेरायटी चुनता हूं।'[5]

शाहरुख़ को फ़िल्मों में आने का कोई शौक़ नहीं था। बॉम्बे और बॉलीवुड, उनके लिए एक अस्थायी पड़ाव था, हालांकि तब तक फ़िल्मों के ऑफ़र तेज़ी से आने लगे थे। *सर्कस* ने उनके लिए अच्छी ज़मीन तैयार कर दी थी। समानांतर सिनेमा के डायरेक्टर मणि कौल ने उन्हें *अहमक* फ़िल्म ऑफ़र की। ये फ़्योदोर दोस्तोएव्स्की के उपन्यास द *इडियट* पर आधारित थी। केतन मेहता भी उनसे प्रभावित थे और सोचते थे कि वो *माया मेमसाब* में बिल्कुल फ़िट बैठेंगे। बर्फ़ से ढके पहाड़ों के बीच हीरोइन के साथ डांस करने के ख्याल के चलते शाहरुख़ को केतन मेहता की फ़िल्म भा गयी। लेकिन उन्होंने भावनाओं में आकर मणि कॉल की फ़िल्म को हां कह दिया। असल में, द *इडियट* वो किताब थी जो उनके पिता ने उन्हें गिफ़्ट की थी। वो अपने पिता को श्रद्धांजलि दे रहे थे।

मणि की फ़िल्म ने लोगों का ध्यान खींचा और उनकी दोस्ती प्रोड्यूसर विवेक वासवानी से हो गयी। वो कफ परेड के एक जाने-पहचाने लड़के थे जिसके पास फ़िल्मों के लिए संसाधन और जुनून, दोनों थे। जनवरी 2024 में *फ़िल्म कम्पेनियन* को दिए इंटरव्यू में वासवानी ने कहा, 'हम साथ में बैठते थे और सिगरेट पीते थे। मैं सिगरेट और कॉफ़ी पीने के मामले में उनकी पूरी बराबरी कर सकता था। नींद की कमी भी एक बराबर। शायद हम बिल्कुल एक जैसे थे।'

लहरें के एक 1992 के इंटरव्यू में शाहरुख़ ने कहा, 'मुझे फ़िल्मों में कोई दिलचस्पी नहीं थी। मैंने करना ही नहीं चाहा। मैं अपना मास कम्युनिकेशन (एमए) कर रहा था। *उम्मीद* और *सर्कस* के बाद, हेमाजी ने मुझे *दिल आशना है* के लिए बुलाया। फ़िल्में मेरे लिए एक एक्सपेरिमेंट थीं।'

संभव है कि शाहरुख़ और हेमा मालिनी के बीच एक अख़बार के लेख को लेकर तकरार हो सकती थी। 2016 के एक इंटरव्यू में शाहरुख़ ने याद किया, 'हेडलाइन थी "हेमा मालिनी डायरेक्ट करना नहीं जानतीं"। मैंने ऐसा नहीं कहा था, या हो सकता है, मैं इतना बदतमीज़ था, मैंने कुछ ऐसी बात कर दी हो। मैं बहुत सारी चीज़ें कहता हूं और फिर बाद में समझ नहीं आता कि कैसे बोल दिया। लेकिन मेरा मतलब वैसा नहीं था और मैं वैसा महसूस भी नहीं करता था।' अगली सुबह वो शर्मिंदगी के साथ सेट पर छुपते-छिपाते गये लेकिन हेमा मालिनी ने उन्हें बुलाया और कहा कि वो उनके पास बैठें। 'मैं बैठा और सोच रहा था, "ओह, अब ये मुझे मार डालेंगी।" मुझे लगा वो मुझसे पूछेंगी, "तुमने उस इंटरव्यू में क्या कहा था?" मैं चाहता था कि ज़मीन फट जाए और

मैं चला जाऊं यहां से और ये मोमेंट ख़त्म हो जाए। लेकिन हेमाजी ने बड़े आराम से कहा, "या तो तुम बहुत फ़ेमस हो, या मैं बहुत फ़ेमस हूं। मैंने तो काम छोड़ दिया है। तो ये तुम्हारी ही फ़ेम है। और जब तुम फ़ेमस होते हो तब लोग बकवास लिखते हैं। जाओ और तैयार हो जाओ"।'

ये उन्हीं दिनों की बात है जब शाहरुख़ ने एक दोस्त से कहा था, 'मैं एक सफल स्टार बनूंगा। देखो, अमिताभ बच्चन रिटायर हो गये हैं, दिलीप सा'ब बहुत बूढ़े हो गये हैं और इन सबके बाद मैं एक ही शख़्स को देख पा रहा हूं – शाहरुख़ ख़ान।'

एक ओर शाहरुख़ की ज़िंदगी में सफलता दस्तक दे रही थी और दूसरी ओर घर पर हालात बिगड़ रहे थे। उनकी मां बीमार थीं।

शाहरुख़ गोवा में शूटिंग कर रहे थे, जब उन्हें पता चला कि उनकी मां की तबीयत ठीक नहीं थी। उन्हें टखने में लगातार दर्द था। शाहरुख़ ने उन्हें फ़ोन किया तो उन्होंने कहा कि कुछ नहीं हुआ था। उन्होंने मां की बात पर भरोसा कर लिया। शायद उस वक़्त पच्चीस साल के शाहरुख़ को लगा था कि क़िस्मत उनके साथ इतनी बेरहमी से पेश नहीं आएगी। लेकिन जैसे महाकाव्यों में नायक की परीक्षा लेने के लिए देवता अचानक कोई श्राप दे देते हैं, कुछ वैसा ही शाहरुख़ के साथ भी हुआ।

'जब मेरे पिता का देहांत हुआ, मैं रोया नहीं। मैंने सोचा ये बड़ी बहादुरी की बात है। मैं उनका जनाज़ा कंधों पर उठाने वालों में से एक था। मैंने सोचा मैं बड़ा इंसान बन गया हूं। लेकिन मुझे ऐसा लगा कि मेरे साथ धोखा हुआ था, जबकि वो मुझे अपनी मौत के बारे में तैयार कर चुके थे... और मेरी अम्मी की मौत ने मुझे एहसास कराया कि कुछ भी स्थायी नहीं होता। मैंने किसी चीज़ की उम्मीद करना बंद कर दिया। मैं बहुत रोया। अब मुझे कुछ भी हैरान नहीं करता।'

पैर के घाव के चलते फ़ातिमा अस्पताल पहुंच चुकी थीं और दो महीने के अंदर वो चल बसीं। उनकी मौत मल्टी-ऑर्गन फ़ेलियर के चलते हुई जिसकी जड़ में सेप्टिसीमिया था। शाहरुख़ के लिए इस बात को समझ पाना बेहद मुश्किल था।

मां की मौत के बाद शाहरुख़ के भीतर ख़ुद ज़िंदगी के लिए गुस्सा भर गया। वो एकमात्र इंसान, जो उन पर पूरी तरह से भरोसा करती थीं, जो ये मानती थीं कि उनके बेटे में स्टार बनने की पूरी क़ाबिलियत थी, वो उसका गवाह बनने से पहले ही चली गयीं। शाहरुख़ ने कोशिश की थी कि अस्पताल में मां को *सर्कस* के कुछ एपिसोड दिखा सकें, लेकिन उस वक़्त फ़ातिमा इतनी बीमार थीं कि कुछ समझ ही नहीं सकीं।

सिमी गरेवाल को *रॉन्देवू* इंटरव्यू में शाहरुख़ ने बताया कि वो मां को मौत से खींच लाने के लिए बुरी तरह बेचैन थे।[6] जब फ़ातिमा कोमा में चली गईं, तो डॉक्टरों ने परिवार को तुरंत बुलाया। शाहरुख़ जानते थे कि अब कुछ ही घंटे बचे थे। वो अस्पताल में भीतर ही भीतर तड़प रहे थे... वो मां को जाने नहीं देना चाहते थे। अस्पताल की पार्किंग में उन्होंने दुआ पढ़ी: *'नसरुन मिनल्लाही व फतहुन क़रीब'*, जिसका मतलब था 'या ख़ुदा, मुझे ताक़त दे कि मेरी जीत हो।' उस दिन उन्होंने ये दुआ 869 बार दोहराई। जब वो मां के पास पहुंचे, तब तक वो लगभग जा चुकी थीं। शायद सिर्फ़ बेटे को एक बार और देखने के लिए ही रुकी थीं।

शाहरुख़ इस बात में घोर विश्वास रखते थे कि मौत सिर्फ़ उन्हें ले जाती है जो पूरी तरह संतुष्ट होते हैं। अब उन्होंने मां को रोकने के लिए, एक के बाद एक बुरी बातें गिनानी शुरू कर दीं। उन्होंने कहा कि अगर वो उन्हें छोड़ गयीं तो वो बहन का ख्याल नहीं रखेंगे, एक्टिंग में फ़ेल हो जाएंगे, जानबूझकर ज़िंदगी तबाह कर लेंगे। मां की आंख से एक आंसू निकला और वो चली गयीं। शाहरुख़ ने बहुत प्यार से उनके बाल संवारे, उन्हें चूमा और विदा कर दिया।

दफ़न के वक़्त शाहरुख़ खुद को संभाल नहीं पा रहे थे। एक मामूली सी बात पर मौलवी से हाथापाई तक की नौबत आ गयी थी। असल में, उन्हें समझ में ही नहीं आ रहा था कि कैसे ये आख़िरी मौका था जब वो उस इंसान का मुंह देख पा रहे थे, जिससे वो बेइंतिहा प्यार करते थे। जब फ़ातिमा को दफ़नाया गया, तब जाकर शाहरुख़ फूट-फूटकर रोये।

बाद में, *फ़िल्मफ़ेयर* मैगज़ीन को दिये एक इंटरव्यू में उन्होंने कहा, 'जब मेरे पिता का देहांत हुआ, मैं रोया नहीं। मैंने सोचा ये बड़ी बहादुरी की बात है। मैं उनका जनाज़ा कंधों पर उठाने वालों में से एक था। मैंने सोचा मैं बड़ा इंसान बन गया हूं। लेकिन मुझे ऐसा लगा कि मेरे साथ धोखा हुआ था, जबकि वो मुझे अपनी मौत के बारे में तैयार कर चुके थे...

और मेरी अम्मी की मौत ने मुझे एहसास कराया कि कुछ भी स्थायी नहीं होता। मैंने किसी चीज़ की उम्मीद करना बंद कर दिया। मैं बहुत रोया। अब मुझे कुछ भी हैरान नहीं करता।'[7]

आगे आने वाले हफ़्ते शाहरुख़ के लिए आसान नहीं थे। जिस दुख ने उन्हें घेर रखा था, उसके चलते उन्हें उबकाई आया करती थी। अपने ही शहर में, अपने ही घर में उन्हें बंधक जैसा लगने लगा था। वो कुछ भी खा-पी नहीं पा रहे थे और बुरी तरह से टूट चुके थे। उनकी बहन, जो पहले से ही पिता की मौत से उबर नहीं सकी थीं, शाहरुख़ के साथ संताप में थीं। लेकिन हर किसी को ये चिंता लगी हुई थी शाहरुख़ एक बार भी अपनी मां की क़ब्र पर नहीं गये थे।

कहते हैं कि जब भावनाएं उफान पर होती हैं, तब आपकी प्रतिक्रियाएं किसी भी ध्रुव की ओर जा सकती हैं। शाहरुख़ के दुख ने गुस्से का जामा पहन लिया था और अपने इस सबसे बुरे वक़्त में उन्होंने तय किया कि वो हर उस चीज़ से, हर उस बात से दूर चले जाएंगे जो उन्हें उनके दिल में बसे दर्द की याद दिलाएगी। उन्होंने अपना सामान बांधा और दिल्ली से निकल गये। एक तरह से ये वो आख़िरी मौका था जब शाहरुख़ ने दिल्ली को अपना घर कहा था। 26 जून 1991 को सुबह 5 बजे वो मुंबई में विवेक वासवानी के घर के बाहर खड़े थे और उन्होंने कहा, 'चलो फ़िल्में बनाते हैं!'

फ़िल्म कम्पेनियन को दिये एक इंटरव्यू में विवेक ने बताया, 'एक दिन सुबह 4 बजे घर की घंटी बजी। वहां शाहरुख़ खड़ा था और उसके साथ दो बड़े-बड़े बैग्स थे। वो आता-जाता रहता था और ये बिल्कुल रूटीन की बात थी कि मैं उसे लेने के लिए एयरपोर्ट जाता था। ये एक नियम जैसा था। वो वहां खड़ा था और मैंने पूछा, "तूने मुझे कॉल क्यूं नहीं किया? मैं आ जाता तुझे पिक करने!" उसने मुझसे सीधा एक बात पूछी, "मेरे साथ एक फ़िल्म करेगा?" मैंने कहा, "मैं दो महीनों से ये कह रहा हूं और तू मना करते जा रहा है।" मैंने उससे बोला कि वो अंदर आये। उसने कहा, "नहीं, मेरे साथ एक फ़िल्म करेगा?" मैंने कहा कि मैं कसम खाकर कहता हूं कि मैं फ़िल्म करूंगा। सुबह 4 बजे, हमने बैग अंदर रखे, व प्रेसिडेंट गये, कोना कॉफ़ी और सिगरेट लीं और उसने पूछा कि फिल्म कैसी होगी। ये फ़िल्म उसे लॉन्च करने वाली थी तो उसे ही सबकुछ होना था। इस तरह से *राजू बन गया जेंटलमैन* का जन्म हुआ!'[8]

विवेक ने शाहरुख़ से कहा कि वो उनको स्टार बनायेंगे।

अमिताभ बच्चन ने फ़िल्मों से ब्रेक लेने का ऐलान किया और उसके ठीक एक साल बाद शाहरुख़ फ़िल्मों में आये। *ख़ुदा गवाह* (1992) के बाद अमिताभ ने 5 साल का ब्रेक लिया था क्यूंकि वो अपनी राजनीतिक असफलता से उबरना चाहते थे और आगे का रास्ता तय करना चाहते थे। हां, शाहरुख़ एक बार फिर सही समय पर सही जगह पर थे। इंडस्ट्री में एक नयी तबीयत के हीरो की जगह बन चुकी थी। समय आ गया था कि बड़ों की ज़िम्मेदारी अब नयी पीढ़ी संभाले।

बड़े होने के क्रम में, शाहरुख़ को दो लोगों का कीड़ा काट चुका था – दिलीप कुमार और अमिताभ बच्चन। दिलीप कुमार उनके पिता को जानते थे। 2013 में, *फ़िल्मफ़ेयर* को दिये एक इंटरव्यू में शाहरुख़ ने कहा था, 'असल में, मैं बचपन से दिलीप सा'ब को जानता था। पिता जी उन्हें जानते थे। दिल्ली में ये दोनों एक ही गली में रहते थे। बचपन में मैं दिलीप सा'ब से कई बार मिला हूं। हम कई बार उनके घर जाते थे। सायराजी को ये याद नहीं होगा लेकिन उनकी दवाएं मेरी मौसी लंदन से भेजती थीं। कई साल बाद, जब मैं केतन मेहता के साथ काम कर रहा था, मैंने देखा कि उनके ऑफ़िस में दिलीप कुमार की तस्वीर लगी हुई थी और मैंने कहा, "ओह! ये तो मैं हूं।" वो उस तस्वीर में बहुत हद तक मेरे जैसे दिख रहे थे। बल्कि ये कहना ठीक होगा कि मैं उनकी तरह दिख रहा था। लेकिन दिलीप सा'ब के साथ मेरा रिश्ता फ़िल्मों से अलग है। दिलीप सा'ब और सायरा जी ने मुझे हमेशा अपना बेटा माना है।'[9]

कई मायनों में, दिलीप कुमार वो एक वजह थे जिसके चलते शाहरुख़ हिंदी फ़िल्मों में आये। कॉन्वेंट स्कूल में पढ़ने वाले शाहरुख़ के लिए हिंदी कुछ मुश्किल थी। उनकी मां को मालूम था कि फ़िल्में शाहरुख़ की कमज़ोरी थीं। उन्होंने शाहरुख़ को चैलेंज दिया कि वो अपनी परीक्षा में अच्छे नंबर लाकर दिखाएं। और यदि ले आये तो उन्हें फ़िल्म दिखाने ले जाया जाएगा। पहली फ़िल्म जो शाहरुख़ ने थियेटर में देखी, उसका नाम था *जोशीला*। जब शाहरुख़ के पूरे नंबर आये तो वो सभी विवेक सिनेमा हॉल गये थे। बाद में उन्हें मालूम चला कि यश चोपड़ा ने वो फ़िल्म डायरेक्ट की थी और गुलशन राय उसके प्रोड्यूसर थे। एक इंटरव्यू में उन्होंने कहा, 'इसलिए, यश चोपड़ा से मेरा कनेक्शन वहीं से शुरू हो गया था।'

शाहरुख़ की मां को भी फ़िल्मों से प्रेम था और उन दिनों में वीसीआर चला करता था। वो एक ब्लैक-एंड-व्हाइट टीवी पर फ़िल्में देखते थे। विनीत नाम का एक शख़्स चांदनी चौक में वीसीआर बेचता था और फ़िल्मों से लगाव के चलते इन दोनों की अच्छी दोस्ती हो गयी। आगे चलकर विनीत ने दो फ़िल्मों में एक्टिंग भी की।

शाहरुख़ की मां के पैरों में दर्द रहा करता था और वो अपनी बहन के साथ हर रात मां के पैरों की मालिश करते हुए फ़िल्में देखा करते थे। ये एक ऐसा रिवाज़ था जो दोनों को बहुत रास आता था। 'हम हर तरह की फ़िल्म देखते थे। उन्हें दिलीप कुमार बहुत पसंद थे और कहती थीं कि मैं उनके जैसा दिखता हूं। जैसे ही कोई नयी फ़िल्म रिलीज़ होती, अम्मी, बहन और मैं उपहार थियेटर में जाकर देखते। पिता के गुज़रने के बाद ये "हमारी" चीज़ बन गयी थी।'[10]

दिलीप कुमार और शाहरुख़ ख़ान ने कभी भी साथ में काम नहीं किया लेकिन कमल हासन ने इसे लगभग हक़ीक़त बना ही दिया था। कमल अपनी सबसे लोकप्रिय तमिल फ़िल्म *थेईवर मागन* को हिंदी में बनाना चाहते थे और इसमें दिलीप कुमार और शाहरुख़ ख़ान को बाप और बेटे के किरदार में रखना चाहते थे। लेकिन दिलीप कुमार ने मना कर दिया। कमल हासन ने पत्रकार सुभाष के. झा को एक इंटरव्यू में बताया, 'उन्हें फ़िल्म की थीम बहुत हिंसक लगी थी और वो तय कर चुके थे कि हिंसा से भरी फ़िल्में नहीं करेंगे।'

बचपन में, दिलीप कुमार ने पेशावर के अपने शहर में, देश विभाजन के चलते भयानक मार-काट देखी थी। उनका परिवार भी हिंसा का शिकार हुआ और तबाह हो गया। उन्होंने एक पलंग के नीचे भूखे-प्यासे कई दिन निकाले और किसी तरह से ख़ुद को मौत से बचाये रखा। जानते हैं उन्हें किसने जिंदा रखा? एक गौरैया ने, जो वहां आकर बैठती थीं जहां वो छिपे हुए थे और वो उन्हें ये यकीन दिलाती रहती थी कि बाहर की दुनिया में अभी ज़िंदगी बची हुई थी। उसके बाद, दिलीप कुमार कभी भी हिंसा का सामना नहीं कर सके। स्क्रीन पर भी नहीं। इसका दुखद नतीजा ये निकला कि दिलीप कुमार के साथ फ़िल्म करने का शाहरुख़ का सपना पूरा नहीं हो सका।

लेकिन ये दोनों दोस्त बने रहे। पर क्या ये इन दोनों के बीच के रिश्ते का सही नाम होगा? शायद नहीं। दिलीप कुमार की पत्नी सायरा बानो, शाहरुख़ को अपना मुंह बोला बेटा बताती हैं। जब आशीर्वाद देते हुए वो शाहरुख़ के बालों में उंगलियां नहीं फेरती हैं वो वो अपनी नाराज़गी ज़ाहिर करते हैं। वो हर अच्छे और बुरे वक़्त में उनके साथ रहते हैं। जब दिलीप कुमार गुज़रे, शाहरुख़ वो पहले शख़्स थे जो उनके घर पहुंचे थे।

शायद ये एक तरीका है जिससे शाहरुख़ अपने माता-पिता से जुड़ा महसूस करते हैं – दोनों ही दिलीप कुमार से जुड़े हुए थे। या शायद ये उनका तरीका था उस महान कलाकार को सम्मान देने का। शाहरुख़ मानते हैं कि दिलीप कुमार की चुप्पी, भारतीय सिनेमा को उनका सबसे बड़ा तोहफ़ा थी। कई बार ये चुप्पी शब्दों से कहीं ज़्यादा बातें

कह जाती है। शाहरुख़ मानते हैं कि ये एक ऐसी कला है, जो उनमें नहीं है। शाहरुख़ जब 2001 में ज़ी सिने अवॉर्ड्स के दौरान दिलीप कुमार को सम्मान दे रहे थे तो उन्होंने कहा था, 'वो धीरे से कुछ कहते हैं तो भी गूंजते हैं।'

दिलीप कुमार ने उन्हें इतने सालों में जो भी चीज़ें सिखायीं, उसमें दो ऐसी बातें हैं जो शाहरुख़ कभी नहीं भूले। 'जब मैं उनसे पहली बार मिला तो उन्होंने मेरे गाल पर थपकी दी और कहा "मेहनत करना।" एक ये बात और दूसरी वो बेहद बुनियादी बात जो भारतीय फ़िल्में अक्सर भूल जाती हैं: "कोई भी एक्टर उन चीज़ों से बड़ा नहीं हो सकता है जिन्हें वो दिखाना चाहता है – किरदार, कहानी और स्क्रीनप्ले। और किसी भी याद रह जाने वाली परफ़ॉरमेंस के लिए, शाहरुख़, आपके पास एक अच्छी कहानी, किरदारों के अच्छे समीकरण, अच्छी परिस्थितियां और आपके लिए भरपूर मौक़ा होना चाहिए कि इन सभी के बीच ख़ुद को स्थापित कर सकें। क्यूंकि तब आप हवाहवाई नहीं बल्कि एक ठोस काम से गुज़र रहे होते हैं!"'[11]

इससे सीख लेते हुए शाहरुख़ ने हमेशा अपने लेखकों को ऐसा मटीरियल लिखने की जगह दी है, जिसमें ठोसत्व हो। उनकी पिछली फ़िल्म के लेखक सुमित अरोड़ा, जिन्होंने *जवान* लिखी थी, कहते हैं, 'शाहरुख़ की जो शख्सियत है, डायलॉग्स को उसके साथ न्याय करना था। और इसके साथ ही कहानी की दुनिया से भी उतना ही जुड़े रहते हुए, सहज भी लगना था। वो किसी भी हाल में फ़ेक और बनावटी नहीं लग सकता था।'

मेरठ से आये सुमित ने एक और इंटरव्यू में बताया कि उन्होंने बैंडस्टैंड में शाहरुख़ के मन्नत को घूरने से लेकर बंगले के अंदर उनसे मीटिंग करने तक की यात्रा की है। शाहरुख़ इनपुट देने के लिए हमेशा मौजूद रहते थे। 'शाहरुख़ सर और मैंने आज़ाद और विक्रम राठौर की भाषा ढूंढने पर ख़ूब काम किया। हम ड्राफ़्ट के साथ बैठते थे और शाहरुख़ सर ऐटली को उसे अंग्रेज़ी में समझाते थे। कई बार ऐटली बताते थे कि उन्हें अमुक सीन में कैसा भाव चाहिए होता था और फिर हम उसे अपनी लय में लाकर लिखते थे। कहानी को ठोस बनाने के लिए वो इस स्तर पर आकर मेहनत करते हैं। और इन तीन सालों में, शाहरुख़ सर ने मुझे कला के बारे में सबसे अहम सीख दी है – हर किसी को स्वीकार करो और सभी की इज़्ज़त करो।'

शाहरुख़ का जीवन देखें तो कह सकते हैं कि वो एक हीरो का है – एक शख़्स जो निजी क्षति और दुख से उबरता है और बहुत मज़बूत होकर उभरता है; एक शख़्स जिसके भाग्य में लिखा था कि वो बड़े काम करेगा; एक शख़्स जो इसलिए जन्मा था कि पूरी दुनिया पर राज कर सके। टीवी की साधारण शुरुआत से सुनहरे पर्दे की चमक-दमक तक, उनकी सफलता दृढ़ता, टैलेंट और बड़े सपने देखने के साहस की बानगी थी।

एक ऐसी इंडस्ट्री में, जिसे अक्सर एक बंद किले की तरह देखा जाता है, शाहरुख़ एक सांवले रंग के नौजवान के रूप में सामने आए, जिन्होंने यहां बन चुकी परंपराओं को चुनौती दी और हिंदी फ़िल्मों के हीरो का नया नियम-कायदा गढ़ा। कई मायनों में, शाहरुख़ का स्टार बनना भारत के उस दौर के साथ हुआ, जब देश खुद को बदल रहा था। पुराने ज़माने का हीरो धीरे-धीरे पीछे छूट रहा था, पुरानी मान्यताएं नये लोगों को रास नहीं आ रही थीं। देश में आर्थिक सुधार हो रहे थे, आम लोगों को नये अवसर मिल रहे थे और सपनों की उड़ान ऊंची होने लग चली थी। 1970 के दशक का गुस्सैल हीरो अब आम आदमी की पसंद नहीं रहा था। अब लोग ऐसे किसी को चाहते थे जो थोड़ा नरम हो, जिसकी आंखें सपनों से भरी हों। और शाहरुख़ वही एक आम हिंदुस्तानी लड़का था।

शाहरुख़ का जीवन देखें तो कह सकते हैं कि वो एक हीरो का है – एक शख़्स जो निजी क्षति और दुख से उबरता है और बहुत मज़बूत होकर उभरता है; एक शख़्स जिसके भाग्य में लिखा था कि वो बड़े काम करेगा; एक शख़्स जो इसलिए जन्मा था कि पूरी दुनिया पर राज कर सके।

हर साल ईद पर, जब आप भीड़-भाड़ वाले बैंडस्टैंड इलाके से गुज़रते हैं, तो एक आवाज़ सुनाई देती है, 'शाहरुख़ खान आ गये बाहर।' और फिर बस एक झलक पाने के लिए भीड़ मन्नत की तरफ दौड़ पड़ती है। तब सोचने पर मजबूर होना पड़ता है: ये हज़ारों लोग, जो दुनियाभर से आते हैं, पूरे दिन बस उनकी एक झलक पाने के लिए उनके घर के बाहर क्यों खड़े रहते हैं? इसकी एक बड़ी वजह है, भारतीय फैंस का स्वभाव। यहां लोग किसी को ऊंचे मुकाम पर बिठा देते हैं और फिर उसकी पूजा करते हैं। ज़्यादातर सितारे ऊंचाई पर पहुंचते हैं और फिर उसी तरह गिर भी जाते हैं, जो हमने बार-बार देखा है। ये फैंस के स्वभाव के चलते ही होता है। लेकिन शाहरुख़ खान के साथ ऐसा नहीं है। आम आदमी

शाहरुख़ को विजयी होता हुआ ही देखना चाहता है। मन्नत एक मंदिर इसलिए नहीं है क्यूंकि वहां एक सुपरस्टार रहता है, बल्कि इसलिए कि मन्नत एक उम्मीद की कहानी है। कि एक ऐसा इंसान, जो कहीं से नहीं आया था, जिसका कोई नाम-ओ-निशान नहीं था, वो आज एक ऐसा शख़्स बन गया है जिसे पूरी दुनिया जानती है। वो आम लोगों भीड़ में एक राजा है।

मन्नत सफलता की एक शानदार मिसाल के तौर पर खड़ा है जो सपने देखने वालों, विश्वास करने वालों और हिम्मत न हारने वालों को सलाम करता है। देखा गया कोई भी सपना दुस्साहसी नहीं होता, कोई भी अड़चन ऐसी नहीं जिससे पार न पाया जा सके। शाहरुख़ सिर्फ़ एक सुपरस्टार ही नहीं, वो हमारी महत्वाकांक्षाओं, आशाओं और सामूहिक आस्था का एक बिम्ब है।

मन्नत की अपनी कहानी शानदार है। 8 अक्टूबर 1995 को शाहरुख़ ने ये बंगला अपनी पत्नी गौरी को गिफ़्ट किया था। इसके सामने समंदर का नज़ारा है। ये 1986 में बनकर तैयार हुआ था और कुल 26,300 स्क्वायर फ़ुट में फैला हुआ है। एक ऐसे शहर में, जहां 500 स्क्वायर फ़ुट के अपार्टमेंट को आरामदायक माना जाता है, ऐसे बंगले का मालिक होना एक बहुत बड़ी बात है। मन्नत, जिसे पहले विला वियेना कहा जाता था, जर्जर स्थिति में था और अक्सर फ़िल्म शूटिंग के लिए ही इस्तेमाल किया जाता था। अगले पांच साल इस बंगले के नैन-नक़्श सुधारे गए।

इसे ख़रीदने के लिए शाहरुख़ को बहुत पापड़ बेलने पड़े थे। उन्हें ऐसी फ़िल्में करनी पड़ी थीं, जिन्हें वो करना भी नहीं चाहते थे। 2016 में दिये एक इंटरव्यू में शाहरुख़ ने कुबूल किया था कि मन्नत ख़रीदने से पहले वो पैसों के लिए फ़िल्में कर रहे थे। 'मैं नाम नहीं लूंगा, पर सिर्फ़ एक फ़िल्म मैंने पैसों के लिये की थी। मैंने अभी तक साठ फ़िल्में की हैं। और मुझे मालूम भी था, मैंने प्रोड्यूसर को बोल भी दिया था। मैंने घर लिया था उस फ़िल्म की फ़ीस से, मुझे बहुत ज़रूरत थी। जब मेरी हालत ठीक-ठाक हो गयी, तो जब मैंने अपनी सारी फ़िल्में ख़रीदना शुरू कीं, वो पहली फ़िल्म थी जो मैंने वापस ली... मुझे ऐसा लगता है कि मैंने उस फ़िल्म की पेमेंट वापस की है।'[12]

मुंबई के नियम ये कहते हैं कि विरासत संपत्तियों में बदलाव नहीं किये जा सकते, इसलिए विला विएना का बाहरी ढांचा और दिखावट वैसी की वैसी बनी रही। लेकिन इंटीरियर यूं

बना कि मालूम देता है कि वहां एक स्टार रहता है। मशहूर भारतीय कलाकार एमएफ़ हुसैन ने एक पेंटिंग बनायी जो सफ़ेद और गहरे नीले रंग के इंटीरियर पर ख़ूब जमती है।

ये विला किकू गांधी नाम के गैलेरिस्ट का था, जिन्होंने इसे नाम दिया था जन्नत। बाद में शाहरुख़ ने इसे बदलकर मन्नत कर दिया क्यूंकि ये बंगला उनके कैरियर के लिहाज़ से बड़ा ही शुभ साबित हुआ। ये बहुत कम लोगों को मालूम है कि मन्नत पहले सलमान ख़ान के पास आया था। *बॉलीवुड हंगामा* को दिये एक इंटरव्यू में सलमान ने बताया था, 'मैंने बस काम शुरू किया था और वो मेरे पास आया था। फिर मेरे पापा (सलीम ख़ान) ने कहा, "इतने बड़े घर में तुम करोगे क्या?"' और फिर हंसते हुए उन्होंने कहा, 'अब मैं शाहरुख़ से पूछना चाहता हूं कि इतने बड़े घर में करता क्या है तू?'

अपनी किताब *माय लाइफ़ इन डिज़ाइन* में गौरी ख़ान ने सलमान के इस सवाल का जवाब दिया है। 'शाहरुख़ अपनी लाइब्रेरी और स्टडी में बहुत सारा वक़्त गुज़ारते हैं। वहां वो कभी अकेले तो कभी लोगों के साथ कई विषयों पर सोचते हैं, बात करते हैं। कभी पढ़ते हैं, कभी लिखते हैं, मीटिंग करते हैं और काम से जुड़ी बातें करते हैं। हमने आरामदायक लेकिन सीरियस माहौल तैयार किया हुआ है। ये कोई कहने की बात नहीं है कि अगर शाहरुख़ शूटिंग पर नहीं हैं तो उनका ज़्यादातर वक़्त अपनी स्टडी में ही बीतता है।'[13]

आज की तारीख़ में मन्नत की कीमत 200 करोड़ आंकी जाती है। लेकिन शाहरुख़ हमेशा कहते हैं, 'अगर मैं कंगाल भी हो जाऊं तो मैं अपना सबकुछ बेच दूंगा लेकिन मन्नत नहीं बेचूंगा।'

कोई ये कह सकता है कि वो उन्हें याद दिलाता है कि वो ज़िंदगी में कितनी तरक्की कर ले गये हैं। शायद वो उन्हें हर रोज़ मेहनत करते जाने के लिए प्रेरित करता हो। लेकिन इसका जवाब थोड़ा और नर्म है। हमें इसके बारे में ट्विटर के एक AMA (आस्क मी एनिथिंग) के दौरान मालूम चला। जब एक फ़ैन ने मज़े-मज़े में पूछा कि उनका घर बेचने का कोई प्लान था, तब उन्होंने लिखा, 'भाई मन्नत बिकती नहीं है। सर झुकाकर मांगी जाती है... याद रखोगे तो लाइफ़ में कुछ पा सकोगे।'

“

मुझे यक़ीन है कि मैं सिर्फ़ इसलिए जन्मा हूं... कि मैं तुमसे प्यार कर सकूं... तुम सिर्फ़ इसलिए, कि एक दिन मेरी बन सको

चलते चलते, 2003

”

4

एक प्रेम कहानी, समय की सीमाओं से परे

एक विशुद्ध देसी रोमांटिक कहानी के मुख्य बिंदु क्या होते हैं? ये कहानी सुनिए: एक लड़का और एक लड़की मिलते हैं और एक दूसरे से प्रेम करने लग जाते हैं। कुछ एक साल तक वो मिलते हैं। सबकुछ बेहतरीन चल रहा होता है लेकिन अचानक परिवारवालों को मालूम चल जाता है। घरवाले नाख़ुश हो जाते हैं। लड़की के घरवाले उसे घर में क़ैद करके रखते हैं और उससे कहते हैं कि वो उस लड़के से आइंदा कभी नहीं मिल सकती। वो अपने प्यार की कुर्बानी देने को राज़ी हो जाती है और मुंबई चली जाती है। लड़का उसके पीछे-पीछे उस महानगर में आ जाता है और दोबारा उसका प्यार पाने की कोशिश करता है। एक दिन वो उसे मुंबई में समुद्र के किनारे ठीक उसी वक़्त देखता है जब सूरज बस डूबने को था। वो जाकर उसे हवा में उठा लेता है और उस लडकी को बताता है कि वो उससे कितना प्यार करता है और उसके बिना रहना नामुमकिन के बराबर था।

ये एक फ़िल्मी कहानी मालूम देती है न?

आपको बता दूं कि मैंने अभी-अभी आपको शाहरुख़ ख़ान और उनकी पत्नी गौरी ख़ान, जो ख़ान से पहले छिब्बा हुआ करती थीं, की प्रेम कहानी सुनायी है। और प्रेम लिखने वाले सबसे शानदार लेखक भी आपसे यही कहेंगे कि ये कहानी बड़े पर्दे पर दिखाये जाने के लिए बनी है।

शाहरुख़ ने पहली बार गौरी को दिल्ली में एक दोस्त की पार्टी में देखा था। उस वक़्त गौरी अपने किसी दोस्त के साथ डांस कर रही थीं। जब भी कोई लोकप्रिय गाना बजता था तो एक रिवाज़ की तरह लड़के, अपने ईर्द-गिर्द से किसी लड़की को साथ में डांस करने के लिए बुलाया करते थे। ऐसी शामों में किन्हीं जोड़ों की स्लो-डांसिंग ही हाईलाइट हुआ करती थी।

वो चौदह की थी। ये अठारह के। उसने मरून रंग की कॉरडरॉय पैंट पहनी थी जो इसको भा गयी। वो फैशनेबल थी, चुलबुली थी और बेहद आकर्षक भी। जब शाहरुख़ इस लड़की के पास गए तो उसने झूठ-मूठ में कह दिया कि वो अपने बॉयफ्रेंड का इंतज़ार कर रही थी। अठारह बरस के लड़के को धक्का तो लगा लेकिन थोड़ी ही देर में समझ गया कि ये उसका लड़कों को दूर रखने का पैंतरा था।

एक इंटरव्यू में शाहरुख़ याद करते हुए बताते हैं कि गौरी उन दिनों बहुत बातूनी हुआ करती थीं। प्रीती ज़िंटा के शो *अप क्लोज़ एंड पर्सनल विद पीज़ी* में उन्होंने कहा, 'वो बहुत बोलती थी जो एक अजीब बात है क्यूंकि तुम तो गौरी को जानती हो, वो इतनी बातें नहीं करती। फिर उसने बताया कि असल में वो अपने किसी बॉयफ्रेंड का नहीं बल्कि भाई का इंतज़ार कर रही थी। उसने वो बस इसलिए कह दिया था जिससे उसे किसी ऐसे-वैसे के साथ डांस न करना पड़े।'

25 अक्टूबर 1984 को, तीसरी मुलाक़ात में, शाहरुख़ को गौरी का फ़ोन नंबर मिल गया।

उनकी पहली डेट मात्र पांच मिनट लम्बी चली। गौरी साउथ दिल्ली के पंचशील पार्क के एक धनाढ्य परिवार से आती थीं। उनकी कॉलोनी में शानदार बंगले और कोठियां हुआ करती थीं। दोनों पंचशील पार्क क्लब में मिले और पूल के पास बैठकर कोला पीने लगे। वापस आते हुए, जिस स्कूटर से शाहरुख़ और उनके दोस्त वहां गए थे, ख़राब हो गया और उन्हें धक्के मारकर वो वापस लाना पड़ा।

लेकिन शाहरुख़ और गौरी में एक कनेक्शन बैठ चुका था। प्रेम का अंकुर फूटा और साल बीतने लगे। गौरी एक जॉइंट फ़ैमिली में रहती थीं। वो कई चाचा, चाची, भाई-बहनों से घिरी हुई थीं और उनकी खोज-ख़बर का पता रखने वाले भतेरे लोग आस-पास मौजूद थे।

इन दोनों ने बातचीत बनाये रखने का एक जुगाड़ निकाला। शाहरुख़ डायरेक्ट फ़ोन तो कर नहीं सकते थे क्यूंकि लड़के का फ़ोन आना परिवार के लिए ख़तरे की घंटी बन जाता। इसकी जगह शाहरुख़ ने दूसरी लड़कियों से फ़ोन करवाना शुरू किया और वो फ़ोन

पर गौरी को बुलाती थीं। इस पूरे काम के लिए कोड-वर्ड था 'शाहीन' जिसको सुनते ही गौरी समझ जाती थीं कि असल में बात किससे होने वाली थी। उन्हें किसी लड़के के साथ घूमने-घामने की मनाही थी लेकिन वो अक्सर किसी तरह से शाहरुख़ से मिल लेती थीं। अमूमन ऐसा किसी न किसी पार्टी पर ही होता था, जहां गौरी अपनी सहेलियों के साथ पहुंची होती थीं। शाहरुख़ ने उन्हें इतिहास की पढ़ाई में मदद की और गाड़ी चलाना भी सिखाया। वो अक्सर कोला-डेट्स पर जाते और फिर जवाहरलाल नेहरू यूनिवर्सिटी के विशाल कैम्पस में टहला करते थे, कभी गले लगते तो कभी ठहाके मारकर हंसते और फिर अपने-अपने घर आ जाते।

हम जिस कूल और प्रगतिशील शाहरुख़ ख़ान को आज देखते हैं, वो हमेशा से ऐसे नहीं थे। उस रिलेशनशिप के शुरुआती दिनों में वो रौबदार और हक़ जताने वाले हुआ करते थे। उन्हें गौरी के सफ़ेद शर्ट पहनने से समस्या होती थी और वो नहीं चाहते थे कि गौरी अपने बाल खुले रखें जिससे वो लोगों का ध्यान अपनी ओर न खींच सकें। वो उनके स्विमिंग सूट पहनने के सख़्त ख़िलाफ़ थे और अगर वो दूसरे लड़कों से बात करती दिख जाती थीं तो वो गुस्से से भर जाते थे। दिल्लीवाला होने के बावजूद उनमें वो प्रवृत्ति देखी जा सकती थी जिसे 'छोटे शहर की मिडिल-क्लास मानसिकता' कहा जाता है। इन हरक़तों से परेशान होकर गौरी वहां पहुंच गयीं जहां उनके लिए शाहरुख़ को बर्दाश्त करना मुश्किल हो रहा था। उन्होंने शाहरुख़ से दूरी बनाने का फैसला कर लिया। एक लड़ाई के बाद दोनों एक-दूसरे से छह से सात महीने तक नहीं मिले। गौरी ने शाहरुख़ के फ़ोन उठाने ही बंद कर दिए। फिर, बगैर शाहरुख़ को बताये, वो छुट्टी मनाने मुंबई चली गयीं।

जब उन्हें मालूम चला कि गौरी मुंबई चली गयी थीं, बग़ैर कुछ भी सोचे-समझे, वो मुंबई चले गये, जहां आजतक वो कभी नहीं गये थे।

शाहरुख़ ने बाद में एक इंटरव्यू[1] में बताया था कि जिस दिन वो जा रही थीं, उसके एक दिन पहले वो उनसे मिलने आयी थीं। वो उनका जन्मदिन था और शाहरुख़ ने अपना कमरा गुब्बारों से सजाया हुआ था और ढेर सारे गिफ़्ट्स ख़रीदे थे। जब वो आयीं तो ख़ूब रोयीं और शाहरुख़ को लगा कि वो तनाव के चलते रो रही थीं। बाद में उन्होंने अपने दोस्तों आशीष और बेनी को सबकुछ बताया और फिर मां के सामने जाकर सब उगल दिया। शाहरुख़ कहते हैं, 'उन्होंने मुझे कहा कि मैं जाऊं और जिस लड़की से इतना प्यार करता हूं, उसे लेकर आ जाऊं।' उन्होंने शाहरुख़ को 10,000 रुपये भी दिए। अपने दोस्तों

के साथ वो मुंबई पहुंचे। पहले दो दिन तो ये सभी अपने एक दोस्त के घर पर रुके लेकिन उसके बाद ओबेरॉय के पास एक फ़ुटपाथ पर सोये। वो याद करते हैं कि कैसे वो सभी ताज होटल में नहाने जाया करते थे। उस वक़्त होटल की मरम्मत चल रही थी और वो सभी सुबह-सुबह छुपते-छिपाते उसके बाथरूम में घुस जाते थे। वो सभी अपना पूरा दिन मुंबई की सड़कों की ख़ाक छानते थे और इधर-उधर गौरी को ढूंढा करते। उन्होंने ज़्यादा समय समंदर के किनारे की सड़कों पर निकाला क्यूंकि शाहरुख़ के अनुसार, 'गौरी को समुद्र का किनारा बेहद पसंद है।'

उस वक़्त शाहरुख़ को मुंबई के बारे में बहुत कुछ मालूम नहीं था। ट्रिप के आख़िरी दिन उन लड़कों को एक टैक्सीवाले सरदारजी ने अक्सा बीच के बारे में बताया। गौरी को ढूंढने की चाह तो बहुत थी लेकिन जेब में पैसे नहीं थे। यहां तक कि शाहरुख़ ने अपना कैमरा भी बेच दिया था। उन्होंने चांस लेने की सोची और अक्सा बीच के लिए निकल पड़े। कैब ने जब उन्हें वहां छोड़ा तो इन सभी के पास कुल मिलाकर बीस रुपये बचे थे। वहां किसी ने गोराई बीच के बारे में सुझाया तो सभी फ़ेरी लेकर वहां पहुंच गए लेकिन गौरी का कोई अता-पता नहीं चल रहा था। शाहरुख़ इधर-उधर घूम रहे थे और लोगों को गौरी के बारे में बताकर पूछ रहे थे कि क्या उन्होंने ऐसी किसी लड़की को देखा था। शाहरुख़ गौरी के बालों के बारे में ज़्यादा जानकारी दे रहे थे और कह रहे थे कि वो उनकी दोस्त है जो गुम हो गयी है। जब वो रिक्शा से फ़ेरी पकड़ने जा रहे थे, उन्हें कुछ लोग पुकारते हुए दिखे। रिक्शेवाले ने उन्हें कहा कि पास में ही एक प्राइवेट बीच भी था। शाहरुख़ के भीतर आशा की एक किरण और फूटी। वो उस बीच पर पहुंचे। और वो वहीं पर थीं। एक टीशर्ट पहने, पानी में खड़ी हुईं। 'वो आयी और हम गले लगकर रोने लगे। उसी मौके पर मुझे एहसास हुआ कि मैं बेकार में इतना हक़ जताने में लगा हुआ था। मैंने भी महसूस किया कि जैसे मैं गौरी को प्यार कर सकता हूं, और कोई नहीं कर सकता। और इस बात ने मुझमें ढेर सारा आत्मविश्वास भर दिया।'[2]

'वो आयी और हम गले लगकर रोने लगे। उसी मौके पर मुझे एहसास हुआ कि मैं बेकार में इतना हक़ जताने में लगा हुआ था। मैंने भी महसूस किया कि जैसे मैं गौरी को प्यार कर सकता हूं, और कोई नहीं कर सकता। और इस बात ने मुझमें ढेर सारा आत्मविश्वास भर दिया।'

किसे मालूम था कि *फ़ौजी* जैसा शो करना किसी के साथ समय गुज़ारने में मदद करेगा? ये और बात है कि गौरी की मां शाहरुख़ और उनके कैरियर को बहुत महत्व नहीं देती थीं लेकिन *फ़ौजी* के अभिमन्यु राय ने शाहरुख़ के भावी ससुर को प्रभावित किया हुआ था। 'उसके घरवालों ने मुझे टीवी पर देखा हुआ था और मुझे पसंद करते थे। उन्हें लगता था कि मेरा नाम अभिमन्यु था लेकिन फिर उन्हें मालूम चला कि मैं तो शाहरुख़ ख़ान हूं। उसका भाई मुझे अपनी अमरीश पूरी स्टाइल वाली आवाज़ में धमकी देने की कोशिश करता था: "मेरी बहन से दूर रहना, वरना..." और फिर एक दिन मैंने उसे सामने से देखा और मैं हैरत में पड़ गया। वो एक गोरा सा, नीली आंखों वाला लड़का था जिससे कोई भी नहीं डर सकता था। यहां तक कि जब मेरे दोस्त अशोक ने उसे देखा तो कहा कि "इसमें और कुछ भी होगा यार, ये फ़ोन पर तो बड़ा ख़तरनाक बोलता है।"'

गौरी के पिता रमेश छिब्बा के लिए *फ़ौजी* पुरानी यादों को ताज़ा करने वाला अनुभव था। वो इंडियन मिलिट्री अकेडमी के अपने 30 साल पुराने दिनों में पहुंच जाते थे। एक एपिसोड में शाहरुख़ अपने अधीन कैडेट्स को ड्रिल ऑर्डर दे रहे थे। रमेश उनकी एक्टिंग और इतने मुश्किल रूटीन को साधने की कला देखकर हैरत में पड़ गए, जबकि अच्छे-अच्छे सेना के जवान उसमें हांफ़ जाया करते थे। उस वक़्त तक वो शाहरुख़ और उनकी बेटी की दोस्ती के बारे में कुछ नहीं जानते थे। बगैर किसी दूसरी जानकारी के, रमेश ने शाहरुख़ की कलाकारी को पसंद करना शुरू कर दिया था। एक मौके पर, जब गौरी का परिवार कहीं बाहर खाना खाने आया था, शाहरुख़ भी वहां पहुंच गये। उन्होंने एक शर्ट पहनी थी जो गौरी के परिवार की गारमेंट एक्सपोर्ट कंपनी ने हाल ही में एक फ़्रेंच ग्राहक के लिए बनायी थी और जिसे भारत में बिकना ही नहीं था। गौरी की मां ने शाहरुख़ को देख लिया और कहा, 'वो देख, *फ़ौजी* वाला लड़का हमारी शर्ट पहने हुए।' गौरी के चाचा तेजिंदर इस सोच में पड़ गए कि ये शर्ट फ़ैक्ट्री के बाहर निकली कैसे। इधर, गौरी टेबल पर किसी और ही दिशा में देखते हुए खाना खाने में मगन थीं। वो शाहरुख़ और अपने चाचा और उस गिफ़्ट की हुई शर्ट को अनदेखा करने की हरसंभव कोशिश कर रही थीं।

और एक दिन हिंदू-मुस्लिम रोमांस की ख़बर उड़ते-उड़ते गौरी के घर तक पहुंच ही गयी। उनके माता-पिता असमंजस की स्थिति में थे और कुछ हद तक परेशान भी। रमेश और सविता बहुत पूजा-पाठ और कर्मकांड करने वाले लोग नहीं थे। उनकी अपनी शादी प्रेम के बाद हुई थी और उन्होने परम्परागत तरीक़े से अरेंज मैरिज नहीं की थी, जो उनकी

पीढ़ी का चलन था। प्रगतिशील और प्यार देने वाले मां-बाप होने पर वो गर्व करते थे। लेकिन गौरी का एक मुस्लिम लड़के से प्यार करना उन्हें सहज नहीं कर रहा था। गौरी हमेशा वो बच्ची रही थी जिसने कभी कोई बड़ी-बड़ी मांगें नहीं उठायीं। और अब, वही बच्ची इस तरह के रिश्ते में थी, ये बात उन्हें हज़म नहीं हो रही थी।[3]

फिर चला बग़ावत का दौर। शाहरुख़ और गौरी ने कुछ वक़्त के लिए अपनी रिलेशनशिप पर ब्रेक भी लगा दिया था। *फ़िल्मफ़ेयर* को दिए एक इंटरव्यू में उन्होंने कहा, 'चीज़ें सही दिशा में नहीं बढ़ रही थीं... गौरी को घर में बंद कर दिया गया था, जैसे *दिलवाले दुल्हनिया ले जायेंगे* में सिमरन को क़ैद कर दिया गया था। वो मुझसे कहती रहती थी, "शाहरुख़, तुम मेरे मां-बाप को नहीं जानते... तुम चीज़ों को बहुत हल्के में ले रहे हो।" और मैं उससे कहता था कि दस साल बाद हम इन्हीं बातों को याद कर-करके हंसा करेंगे। और आज हम ठीक वही करते हैं। कई बार हम रात में साथ बैठे होते हैं और इन सभी चीज़ों के बारे में सोचते हैं और ख़ूब हंसते हैं।'

'चीज़ें सही दिशा में नहीं बढ़ रही थीं... गौरी को घर में बंद कर दिया गया था, जैसे *दिलवाले दुल्हनिया ले जायेंगे* में सिमरन को क़ैद कर दिया गया था। वो मुझसे कहती रहती थी, "शाहरुख़, तुम मेरे मां-बाप को नहीं जानते... तुम चीज़ों को बहुत हल्के में ले रहे हो।" और मैं उससे कहता था कि दस साल बाद हम इन्हीं बातों को याद कर-करके हंसा करेंगे। और आज हम ठीक वही करते हैं। कई बार हम रात में साथ बैठे होते हैं और इन सभी चीज़ों के बारे में सोचते हैं और ख़ूब हंसते हैं।'

इन दोनों ने घरवालों का सामना करना शुरू किया। शाहरुख़ ने गौरी की चाची, नीरू से मुलाक़ात की। वो चाचा-चाची से एक रेस्टोरेंट में मिले और उन्हें इम्प्रेस करने की सभी कोशिशें कीं। एक मौक़े पर तो उन्होंने मज़ाक में ये भी कह दिया कि वो धर्म बदलने की सोच रहे थे और अपना नाम रखेंगे जीतेंद्र तुली। इस मुलाक़ात में कुछ तो ऐसा था जो काम कर गया। गौरी के चाचा-चाची ने उन्हें अपने घर होने वाली एक पार्टी में बुला लिया।

उस रोज़ पार्टी के दौरान कई मेहमानों ने शाहरुख़ को *फ़ौजी* सीरियल के चलते पहचान लिया। ये सब देखते हुए गौरी के पिता ने उनसे बात करनी शुरू कर दी। वो उनके बारे में और जानना चाहते थे। उन्हें कतई नहीं मालूम था कि वो जिस लड़के से बात कर रहे थे, उनकी बेटी उसी को डेट कर रही थी। शाहरुख़ हड़बड़ाए और घबराए हुए से थे। रमेश छिब्बा को जैसे ही कुछ खटका तो उन्होंने शाहरुख़ से उनका नाम पूछा। उन्हें जैसे ही जवाब मिला, उन्होंने शाहरुख़ से कहा कि इससे पहले वहां कोई गड़बड़ हो जाए, वो घर से निकल जाएं। जाने से पहले शाहरुख़ ने गौरी की मां से मुलाक़ात की और पार्टी के लिए शुक्रिया कहा। वो भी हैरान थीं कि इतना शालीन दिखने वाला लड़का अचानक पार्टी छोड़कर क्यूं जा रहा था।

इधर, रमेश के लिए मुख्य मुद्दा ये नहीं था कि वो मुसलमान थे बल्कि ये था कि वो एक एक्टर थे। रमेश ने भारतीय राष्ट्रपति ज़ाकिर हुसैन के सहायक के रूप में काम किया था जिसके चलते अपने कैरियर में वो कई फ़िल्म स्टार्स से मिल चुके थे। उनकी नज़रों में फ़िल्म वाले लोग अच्छे नहीं थे। 80 के दशक में भी, भारतीय मिडिल क्लास बच्चे, फ़िल्मों में जाने के सपने नहीं देखते थे। बॉलीवुड को शक़ की नज़रों से देखा जाता था।

एक टीवी स्टार के तौर पर शाहरुख़ सविता को पसंद थे लेकिन होने वाले दामाद के लिहाज़ से कतई नहीं। इस रिश्ते को तुड़वाने के विचार के साथ सविता ने कई ज्योतिषियों के चक्कर लगाये लेकिन हर जगह से उन्हें नकारात्मक जवाब ही मिले। इधर, गौरी के बड़े भाई, विक्रांत ने तय कर लिया था कि वो अपनी बहन के सम्मान की रक्षा करेंगे, ख़ासकर इस मुलसमान लड़के से, जिसके पिता अब इस दुनिया में थे नहीं और उसके भविष्य का कोई अता-पता था नहीं। विक्रांत ने शाहरुख़ को बंदूक दिखाकर धमकाना शुरू कर दिया लेकिन उन्हें कोई ख़ास सफलता हाथ नहीं लगी। इधर, तेजिंदर को शाहरुख़ पर विश्वास होने लगा था और उन्होंने रमेश और सविता से ये कहना शुरू कर दिया था कि उन्हें शाहरुख को लेकर अपनी राय बदलनी चाहिये। वो कहते थे, 'बंदा देखो कैसा है।' इस बीच छिब्बा घराने में मामला हाथ से निकलता जा रहा था।

आप सोचेंगे कि ये दोनों भाग क्यूं नहीं गये? असल में, शाहरुख़ *दिलवाले दुल्हनिया ले जायेंगे* की मुख्य कहानी को फ़िल्म बनने से कई साल पहले जी चुके थे। 'राज और सिमरन की तरह ही हम कभी भी अपने घरवालों की मर्ज़ी के ख़िलाफ़ जाकर शादी नहीं करना चाहते थे। घर से भागने का विचार हमारे ज़हन में कभी आया ही नहीं। लेकिन इतना ज़रूर सोचा हुआ था कि शादी तो हम करके रहेंगे। जब मैं गौरी के घरवालों से मिला

तो उनके सामने ये कह ही नहीं सका कि मैं आपको बेटी से प्यार करता हूं। मुझे लगा ये कहना बहुत ही बड़ी बेवकूफ़ी होगी। क्यूंकि मैं कभी भी उनकी बेटी को उतना प्यार नहीं कर सकूंगा जितना वो ख़ुद करते हैं। उन्होंने गौरी को जन्म दिया था और बड़ा किया था। मेरा प्यार उनके प्यार की जगह कभी ले ही नहीं सकता है।'

गौरी के घर पर अलग ही कहानी चल रही थी। उनकी मां ने खाना-पीना छोड़ दिया था और घर में मातम सा माहौल बना हुआ था। शाहरुख़, गौरी के पिता के पास गये और दोषी जैसा महसूस किया। उन दोनों की बातचीत के दौरान ही ये लगभग तय हो गया था कि परिवार को एक मौका देकर देखना ही होगा। 'मैं गौरी के परिवार की झिझक को समझ सकता हूं। आख़िरकार वो एक पंजाबी जॉइंट फ़ैमिली थी। लगभग पंद्रह लोगों में गौरी सबसे छोटी थी और उसे सभी की छत्रछाया मिली हुई थी। आप सोचिये कि वो एक दिन अचानक सबको बताती है कि वो इस झबरीले से दिखने वाले लड़के से शादी करना चाहती है जो अलग धर्म से आता है, जिसका रवैया बेहद अलग है और बड़े ही अलग पेशे से जुड़ा हुआ है। मेरे बारे में एक ऐसी चीज़ नहीं थी जो ठीक कही जा सकती थी। मैं उन्हें कतई दोष नहीं देता हूं। उन्हें ये ज़रूर लगता होगा कि किसी भी दिन वो अपनी लड़की के लिए मुझसे बेहतर लड़का तलाश कर सकते थे। इसको आप ऐसे देखें... अगर मेरी बेटी कोई मेरे जैसा लड़का लेकर आती है तो मैं तो बावला हो जाऊंगा।'

एक और इंटरव्यू में, शाहरुख़ अपनी शादी के दिन को याद करते हैं। उन्होंने हिंदू रिवाज़ों से भी शादी की थी और कोर्ट में भी की थी। दूसरे धर्म के पार्टनर से शादी करने के लिए कोर्ट में जाना क़ानूनन ज़रूरी हो जाता है। हालांकि, कोर्ट मैरिज की बातें दबी ही रह जाती हैं और उसके बारे में कुछ वक़्त बीत जाने के बाद बताया जाता है, लेकिन शाहरुख़ और गौरी की कोर्ट में हुई शादी की बात तीसरे दिन ही बाहर आ गयी। इसके चलते कई मुस्लिम संगठनों ने एक हिंदू से शादी करने के चलते शाहरुख़ का विरोध भी किया। ये स्थिति तब और अजीब लगने लगी, जब मालूम चला कि ख़ुद शाहरुख़ की मां ने, जो एक सामाजिक कार्यकर्त्ता थीं और स्पेशल एग्जीक्यूटिव मजिस्ट्रेट थीं, अपने घर पर लगभग पच्चीस अंतर्जातीय शादियां करवायीं थीं। शुरुआत में तो ये दोनों एक सादा सा समारोह चाहते थे, जिसमें बहुत भीड़-भड़क्का न हो। लेकिन गौरी के घरवाले पारम्परिक हिंदू शादी चाहते थे। सभी ये सोचकर राज़ी भी हो गये कि शादी जीवन में एक बार होने वाला आयोजन होता है। शादी की रस्मों के अनुसार, दूल्हा एक घोड़े पर सवार

होकर आता है और जब तक रस्में पूरी नहीं हो जातीं, वो दुल्हन को देख नहीं सकता। लेकिन, मेकअप के बाद जिस कार से गौरी को आना था, वो ख़राब हो गयी। इस पर शाहरुख़ ख़ुद गाड़ी चलाकर उन्हें लेने गए, शादी वाली जगह तक लेकर आये, वापस जाकर तैयार हुए और फिर घोड़े पर सवार होकर आये। आधे रास्ते के बाद उन्हें हाथी पर सवार होना था, जिसमें ढेर मशक्कत करनी पड़ी और उनके दोस्तों ने उनकी मदद की।

शाहरुख़ की शादी के वक़्त तक उनके माता-पिता गुज़र चुके थे। 'जब तक मेरी मां ज़िंदा रहीं, वो मुझे एंटी-सोशल कहती रहीं। मैं किसी भी शादी या समारोह वगैरह में नहीं जाता था। मेरी मां हमेशा मुझसे कहती थीं कि मेरी शादी में कोई नहीं आयेगा।' शाहरुख़ ने तय किया हुआ था कि वो अपनी शादी का पूरा लुत्फ़ उठाएंगे। अपनी बारात के पूरे एक किलोमीटर के रास्ते में वो नाचते हुए आये। शादी के वक़्त वो अपने अंगूठों पर खड़े रहे और गौरी को जयमाला डालने ही नहीं दे रहे थे। उनके दोस्त, जो उनके मज़ाक करने की आदत से परिचित थे, लगातार उन्हें समझा रहे थे कि कहीं उनके मज़ाक को कोई ग़लत तरह से न समझ बैठे। चूंकि ये एकमात्र मौका था जब वो किसी शादी को इतने क़रीब से देख रहे थे, उन्होंने पंडित से हर रिवाज़ के बारे में पूछना शुरू कर दिया। इसके चलते वो पूरा कार्यक्रम कई घंटे चला। उनके दोस्तों ने उन्हें बता रखा था कि वो हर चीज़ को बहुत गंभीरता से न लें, लेकिन एक ऐसा मौका आया जब गौरी को उनके पैर धोने थे और शाहरुख़ उसमें बहुत सहज नहीं थे।

'वो पहली बार था जब मैंने सूट पहना था और पहला मौका था जब मुझे गौरी की मां की ओर से कुछ नर्मी महसूस हुई। उन्होंने मुझसे कहा कि वो नहीं जानती थीं मैं इतना अच्छा भी दिख सकता था। मैंने अपने रिसेप्शन पर टक्सीडो पहना था और बालों में जेल लगाया हुआ था। मेरा सीधा सा लॉजिक ये था कि मेरी शादी पर जो इंसान सबसे ज़्यादा मज़े करेगा वो मैं ही होऊंगा।'

हिंदू रिवाज़ों से हुई शादी में शाहरुख़ ने *राजू बन गया जेंटलमैन* के अपने सूट पहने थे। संगीत में वो पार्टी की जान बने हुए थे और कुछ हद तक मायूसी से भरे माहौल को बेहतर बनाने की हर कोशिश कर रहे थे। गौरी की मां को नाचने और ऐसे आयोजनों में सकारात्मक ऊर्जा भरने वाली महिला के रूप में जाना जाता था लेकिन वो उस रोज़

नहीं नाचीं। समारोह ख़त्म होने तक शाहरुख़ ने सभी का दिल जीत लिया था। गौरी के पिता ने आर्मी का एक बैंड बुलाया था जो शाहरुख़ की आने वाली फ़िल्मों *दीवाना* और *राजू बन गया जेंटलमैन* के गाने बजा रहा था। उन्होंने क़हा, 'वो पहली बार था जब मैंने सूट पहना था और पहला मौका था जब मुझे गौरी की मां की ओर से कुछ नर्मी महसूस हुई। उन्होंने मुझसे कहा कि वो नहीं जानती थीं मैं इतना अच्छा भी दिख सकता था। मैंने अपने रिसेप्शन पर टक्सीडो पहना था और बालों में जेल लगाया हुआ था। मेरा सीधा सा लॉजिक ये था कि मेरी शादी पर जो इंसान सबसे ज़्यादा मज़े करेगा वो मैं ही होऊंगा।'

जब विदाई का समय आया तो गाड़ी में बैठने के वक़्त गौरी रोने लगीं। इसके बाद उनकी मां ने रोना शुरू किया, फिर उनके पिता ने और फिर उनके भाई ने। 'फिर, पूरी गंभीरता के साथ मैंने उनसे कहा कि अगर आपको इतना बुरा लग रहा है तो आप इसे यहीं रख लो, मैं आता रहूंगा इससे मिलने। क्यूंकि मैं दूसरे धर्म से था और जैसा मैं था, लगता नहीं था कि मैं कोई ज़िम्मेदारी ले पाऊंगा, ऐसे में समझ सकता हूं कि उसके घरवालों को कितना इनसिक्योर लग रहा होगा।'

सात सालों में वो पहली बार था जब दोनों एक साथ एक घर में गए थे। इस दिन तक आने के लिए दोनों को जाने कितने पापड़ बेलने पड़े थे। 'सात सालों से हम एक-दूसरे को जानते थे और हमने पहली बार साथ में रात गुज़ारी। इससे पहले हम जब भी बाहर जाते थे, चाहे टहल ही रहे हों, ये डर लगा रहता था कि कहीं कोई देख न ले। मुझे बहुत ही एक्साइटमेंट हो रहा था कि हम साथ में सो रहे थे और जब मैं सुबह आंखें खोलूंगा तो वो मेरे साथ ही होगी। क्या आप विश्वास करेंगे, मैंने अगली शाम को बॉम्बे की फ़्लाइट पकड़ी और उसके अगले दिन *मैं दिल आशना है* की शूटिंग करने लगा था? असल में, मैं तो सेट पर इसलिए गया था क्यूंकि फ़िल्म की यूनिट मुझे बधाई देना चाहती थी। लेकिन फिर उन्होंने मुझसे एक शॉट देने को कहा। इससे पहले मुझे समझ में आता, एक से पांच शॉट हो गए और मैं घर आने में लेट हो गया। फिर हमारी बहुत लड़ाई हुई।'

शाहरुख़ की शादी में फ़िल्म इंडस्ट्री से बहुत कम ही लोग आये थे। राजीव मेहरा, विवेक वासवानी, अज़ीज़ मिर्ज़ा और जीपी सिप्पी ही पहुंचे थे। जब शाहरुख़ और गौरी मुंबई आये, जूही चावला और उनकी मां ने उनके लिए एक पार्टी रखी थी।

गौरी बहुत ख़ुश नहीं थीं कि उन्हें बॉम्बे में रहना पड़ रहा था। उनके पति फ़िल्मों में थे और उस शहर में उनके कोई दोस्त थे ही नहीं। वो अकेली पड़ गयी थीं। ऐसा दिखता है कि वो अपने पति के पीछे एक चट्टान की तरह खड़ी रही थीं। 2012 के एक इंटरव्यू में डिज़ाइनर अबू जानी और संदीप खोसला से उन्होंने कहा कि एक समय ऐसा था जब वो चाहती थीं कि शाहरुख़ की फ़िल्में फ़्लॉप हो जाएं और वो वापस घर चले जाएं। वो इस बात से ख़ुश नहीं थीं कि वो बॉम्बे आ गये थे और उन्हें ये एहसास ही नहीं हुआ कि कब शाहरुख़ एक स्टार बन गये। फ़िल्म इंडस्ट्री में आना और उससे जुड़ी हर चीज़ ने उन्हें हैरान कर रखा था। इक्कीस बरस की उम्र में उनकी शादी हो गयी थी और फ़िल्मों से जुड़ी हर चीज़ उनके लिए पूरी तरह से नयी थी। उन्हें लगता था कि बेहतर यही होगा कि कुछ भी सफल न हो। जब फ़िल्में अच्छा करती थीं तो उन्हें समझ ही नहीं आता था कि उसका क्या प्रभाव पड़ रहा था। जब *दीवाना* सफल हुई और उसके बाद *दिलवाले दुल्हनिया ले जायेंगे* आयी, तो कमाल ही हो गया। गौरी ने कहा, 'मुझे समझ में ही नहीं आया कि ये इतना बड़ा स्टार कब बन गया।'

'ये ऐसा था जैसे हम साथ बड़े हो रहे हों। हमने बहुत कमउम्र में शादी कर ली थी और उससे पहले कुछ वक़्त डेट भी किया था। आज भी मुझे ऐसा लगता है कि मैं उसे जान ही रही हूं। कुछ महीने पहले मैंने करण से कहा कि मैंने उसके बारे में एक नयी चीज़ जानी है। कोई भी रिश्ता हो, वो धीरे-धीरे आगे बढ़ता ही है।'

–गौरी ख़ान

गौरी अपनी किस्मत को अच्छा मानती हैं कि उन्हें एकदम सही साथी मिला। 'वो मेरे जीवन में आये एकमात्र पुरुष हैं और मुझे बेहद ख़ुश रखते हैं।'

बॉम्बे की यात्रा जितनी भी कमाल की हो, जीवन मुश्किलों से भरा चल रहा था। गौरी को याद है कि कैसे वो एक ऐसा अनुभव तो था जिसमें उन्हें मज़ा आ रहा था लेकिन वो एक नयी जगह थी और उनके आस-पास हर कोई नया था। छह महीनों के लिए गौरी और शाहरुख़ अज़ीज़ मिर्ज़ा के घर पर रहे। इसके बाद उन्होंने एक अपार्टमेंट किराए पर लिया, जो माउंट मेरी के पास था और उसमें कोई फ़र्नीचर नहीं था। न सोफ़ा न कुर्सी और न ही कोई बेड। जब गौरी की मां दिल्ली से उनके घर पर आयीं, तो हालत देखकर दंग रह गयीं। जब सोने का वक़्त आया तो उन्हें एक गद्दा मिला। हालांकि ये घर

एक अस्थायी इंतज़ाम था, लेकिन इसमें दोनों को एक साल काटना पड़ा। इस घर में रहने के दौरान शाहरुख़ और गौरी मटकों से पानी पीते थे। इसके बाद, दोनों ने बांद्रा में एक घर ख़रीद लिया। अब उनके पास एक फ़्लैट था जिसमें फ़र्नीचर भी था। कुछ ही वक़्त में उन्होंने इस फ़्लैट को घर में तब्दील कर दिया और फिर एक दिन वो मन्नत तक आ गये।

गौरी अपनी इस कहानी के बारे में कहती हैं, 'ये ऐसा था जैसे हम साथ बड़े हो रहे हों। हमने बहुत कमउम्र में शादी कर ली थी और उससे पहले कुछ वक़्त डेट भी किया था। आज भी मुझे ऐसा लगता है कि मैं उसे जान ही रही हूं। कुछ महीने पहले मैंने करण से कहा कि मैंने उसके बारे में एक नयी चीज़ जानी है। कोई भी रिश्ता हो, वो धीरे-धीरे आगे बढ़ता ही है।'

लेकिन शाहरुख़ इस बारे में अलग मत रखते हैं। उन्हें लगता है कि वो और गौरी वैसे के वैसे ही रहे। 'ये एकदम वैसा है जैसे आपको बच्चा हो और हर कोई यही कहता रहे कि बच्चे की लम्बाई बढ़ती जा रही है। रिलेशनशिप में बदलाव आया होगा। हम इस शहर में बीस साल पहले आये थे और इस दौरान हमारे दो बच्चे भी हो गये। पहले तो हमारा ऐसा मानना था कि हम बहुत युवा थे। हमें मालूम नहीं था कि हम क्या कर रहे थे।'

दिल्ली में शांति से डेटिंग और न पहचाने जाने की सुविधा अब ख़त्म हो चुकी थी। गौरी को गोल मार्केट में चाट खाना याद आता है, शाहरुख़ को नहीं। शाहरुख़ कहते हैं, 'मैं नहीं चाहता हूं कि मैं चौपाटी पर जाकर पाव-भाजी खाऊं। एक स्टार बनकर मैं ख़ुश हूं। इसके चलते जीवन में जो भी चीज़ें आयी हैं, वो भी मुझे पसंद हैं और मुझे ख़ुशी होती है कि इस सबके लिए मैं मेहनत करता हूं।'

उन्होंने जिस तरह से अपने रिश्ते को सार्वजनिक करके रखा, ये बात भी इन दोनों को दूसरी जोड़ियों से अलग बनाती है। बतौर एक्टर, आमिर ख़ान ने शाहरुख़ से चार साल पहले फ़िल्मों में काम करना शुरू कर दिया था। उन्होंने लम्बे वक़्त तक अपनी शादी की बात को लोगों की नज़रों से छिपाकर रखा। उनकी पत्नी रीना फ़िल्म *क़यामत से क़यामत तक* में एक छोटे से रोल में नज़र आयी थीं लेकिन आमिर ने रीना से अपनी शादी की बात सार्वजनिक नहीं होने दी थी। फ़िल्म के क़ामयाब होने और उनके बेड स्टार बन जाने के बाद ही उन्होंने सभी को ये बताया कि वो शादी कर चुके थे। इसके उलट, शाहरुख़ ने गौरी के साथ अपने रिश्ते को शुरू से ही सार्वजनिक रखा हुआ था।

एक अफ़वाह ये भी है कि प्रोड्यूसर एफ़.सी. मेहरा ने शाहरुख़ से कहा था कि वो फ़िल्म *चमत्कार* के रिलीज़ होने तक अपनी शादी को टाल दें। एक ओर तो डायरेक्टर राजीव मेहरा ने इस बात को झूठा क़रार दिया, तो दूसरी ओर एक कहानी ये भी चलती है कि शाहरुख़ ने अपनी शादी की तारीख आगे बढ़ाने की बजाय फ़िल्म छोड़ने की धमकी तक दे दी थी।[4] गौरी के प्रति अपने प्रेम को लेकर शाहरुख़ चुप नहीं बैठते थे। बाद में, एक बातचीत के दौरान शाहरुख़ ने बताया, 'मेरे प्रोड्यूसर ने कहा कि शादी मत करो, बेचलर हीरो की फ़ैन फ़ॉलोविंग ज़्यादा होती है। लेकिन मैंने कहा कि बड़ी मुश्किल से पटाया है, शादी तो करनी पड़ेगी।'[5]

1992 में, *स्टारडस्ट* मैगज़ीन को दिये एक इंटरव्यू में शाहरुख़ ने कहा, 'मेरी पत्नी सबसे पहले आती है। और मैं आपको ये बता दूं कि जीवन में अगर कभी भी मेरे कैरियर और गौरी के बीच चुनाव करने का वक़्त आया तो मैं फ़िल्में छोड़ दूंगा। मैं पागल हो जाऊंगा लेकिन गौरी के लिए ऐसा करूंगा। वो मेरे लिए सबकुछ है। मैं जुड़ा हुआ हूं उनसे।'

उन्हें समझ में नहीं आता है कि ऐसे मौक़ों पर क्यूं दो में से एक को चुनना पड़ता है। दोनों ही साथ में क्यूं नहीं रह सकते? 'मुझे ये सब बकवास नहीं समझ आती कि मैं अपने कैरियर के लिए इसका बलिदान दूं या उसका बलिदान दूं। मतलब, मुझे दोनों क्यूं नहीं मिल सकते? आप अपनी पत्नी या गर्लफ़्रेंड या परिवार की अनदेखी कर रहे हैं तो उसके लिए बहाने मत बनाइये। और अगर आपने अपनी प्रोफ़ेशनल ज़िंदगी के लिए, निजी ज़िंदगी के कई पहलुओं को नज़रंदाज़ किया है तो इसमें इतना गर्व करने वाली कौन सी बात है? आपको कोई हक़ नहीं है कि आप अपने नज़दीकी लोगों को चोट पहुंचाएं।'

उन्होंने अपने साथियों, साथ काम करने वालों, प्रेस और बाक़ी पूरी दुनिया को एकदम साफ़ बता दिया था कि वो गौरी के साथ नाइंसाफ़ी कभी नहीं होने देंगे। उनके लिए गौरी से बड़ा और कुछ भी नहीं था।

कैरियर के शुरुआती दिनों में मैगज़ीन के कवर पर शाहरुख़ और गौरी साथ में नज़र आते थे और गौरी कई इंटरव्यू में भी देखी गयीं। जून 1994 में, उन्होंने *ऑरा ऑफ़ द स्टार्स* मैगज़ीन से कहा, 'शाहरुख़ के साथ रहने से मुझे अपार ख़ुशी मिलती है और ऐसा लगता है जैसे मेरे हिस्से की सभी चीज़ें पूरी हो गयीं। उससे शादी करके मुझे कोई पछतावा नहीं है। मैं उसके बिना अपनी ज़िंदगी सोच भी नहीं सकती।'[6]

और अब शाहरुख़ के लिए, जो उनका मौजूदा परिवार है, वही उनका बचा हुआ परिवार है। और गौरी के साथ मिलकर उन्होंने एक ऐसी दुनिया बना ली है जिसने उन्हें संभालकर रखा हुआ है। ये एक ऐसी शादी है जिसमें उन्हें ये क़ुबूल करने में कोई झिझक नहीं होती है कि गौरी ही बॉस हैं। वो हुक्म सुनाती हैं और ये उसकी तामील करते हैं। वो अक्सर इस बारे में बात करते हैं कि वो गौरी से इतना प्यार करते हैं क्यूंकि वो बेहद ईमानदार हैं और उनकी पूरक हैं। गौरी ने ही शाहरुख़ को व्यवहारकुशलता सिखायी है और ये भी बताया है कि किन मौकों पर उन्हें कम बोलना चाहिए क्यूंकि अक्सर उनकी बातों के अलग ही मतलब निकाल लिए जाते हैं। गौरी ने शाहरुख़ को और भी आदतें डलवायीं, जिसमें सोने से पहले लाइटें बंद करना, ठीक जगह पर बैठकर खाना खाना और अपने कपड़े संभालकर रखना और ढंग के कपड़े पहनना शामिल है। वो कहते हैं कि गौरी ने उन्हें जानवर से इंसान बना दिया और इस बात की तारीफ़ करते हैं कि उन्हें ख़ूब बिगाड़ा भी। वो गौरी को ऐसी शक्ति बताते हैं जो उनके जीवन में स्थिरता लेकर आयी थी। गौरी जिन चीज़ों का सम्मान करती हैं या उन्हें जो पसंद है, उसमें शाहरुख़ की सफलता शामिल नहीं है। वो उनको पसंद करती हैं क्यूंकि शाहरुख़ उन्हें हंसाते हैं। इस पर वो कहते हैं, 'और भाई, मैं क्या हंसाता हूं उसे!'

'बच्चे हो जाने से शादी की समीकरण नहीं बदलते। वो तो रोमांस, प्रेम, कामुकता, जो भी आप कहें, उसकी एक छवि होते हैं। मैं उसे अपने बच्चों में देखता हूं। वो मुझे उनमें देखती होगी, ऐसा मुझे लगता है। यही सब तो इस अमूर्त रिश्ते को मूर्त रूप देता है।'

शुरुआती कुछ सालों के बाद गौरी ने इंटरव्यू वगैरह से दूरी बनानी शुरू कर दी। अब वो ऐसी पार्टियों में दिखती थीं, जहां सेलिब्रिटीज़ आया करती थीं। उनके पहले बच्चे से पहले कुछ-एक गर्भपात की घटनाएं भी हुईं। शाहरुख़ *परदेस* की शूटिंग में व्यस्त थे जब गौरी का मिसकैरेज हुआ और उन्हें *'ये दिल दीवाना'* गाने की शूटिंग को बीच में छोड़कर वापस आना पड़ा।[7]

जब वो वापस आ रहे थे तो यात्रा के दौरान दुनिया को एक झलक मिली कि शाहरुख़ अपने फैंस के लिए किस हद तक जा सकते थे। एक चैट शो पर उन्होंने ये किस्सा बताया जब एक महिला ने पूरे एयरपोर्ट पर उनका पीछा करके ऑटोग्राफ़ लिया। वो डरे और घबराए हुए थे लेकिन वो महिला फ़ैन पीछा नहीं छोड़ रही थी। अंततः शाहरुख़ ने हार मान ली और ऑटोग्राफ़ के लिए राज़ी हो गए। लेकिन वो तब हक्के-बक्के रह गये जब उस महिला ने कहा, 'आय लव यू, अक्षय कुमार।' शाहरुख़ ने एक भी शब्द नहीं कहा और उन्होंने अक्षय कुमार के नाम से ऑटोग्राफ़ दिया। यहां तक कि उन्होंने फ़ैन के साथ *'तू चीज़ बड़ी है मस्त-मस्त'* के एक-दो स्टेप्स भी किये।

शाहरुख़ और गौरी के बेटे आर्यन का जन्म 12 नवम्बर 1997 को हुआ। इसके तीन साल बाद, 22 मई 2000 को, सुहाना इस दुनिया में आयीं। शाहरुख़ अस्पतालों को ख़ास पसंद नहीं करते हैं और जब आर्यन का जन्म होने को था, उनके दिमाग में सैकड़ों विचार आ रहे थे। 'मैंने अपने मां-बाप को अस्पताल में ही खोया है, इसलिए मुझे वहां जाना बिल्कुल भी पसंद नहीं है। जब मैंने उन्हें (गौरी को) अस्पताल में देखा तो पाया कि उन्हें ट्यूब वगैरह लगी हुई थीं। वो बेहोशी की हालत में जा रही थीं और उनका शरीर ठंडा पड़ रहा था। मैं उनके साथ ऑपरेशन थियेटर में भी गया... और (एक गहरी सांस छोड़ते हुए) मुझे लगा वो मरने वाली हैं। उस मौके पर तो मैं बच्चे के बारे में सोच ही नहीं रहा था। वो मेरे लिए महत्वपूर्ण था ही नहीं। वो बहुत ज़्यादा काँप रही थीं... मैं डर गया था।'[8]

आपको ऐसा लग सकता है कि बच्चों के चलते दोनों के बीच रोमांस में कमी आ गयी होगी। शाहरुख़ बताते हैं, 'बच्चे हो जाने से शादी के समीकरण नहीं बदलते। वो तो रोमांस, प्रेम, कामुकता, जो भी आप कहें, उसकी एक छवि होते हैं। मैं उसे अपने बच्चों में देखता हूं। वो मुझे उनमें देखती होगी, ऐसा मुझे लगता है। यही सब तो इस अमूर्त रिश्ते को मूर्त रूप देता है।' 27 मई 2013 को, दोनों ने अपने तीसरे बच्चे अबराम को दुनिया में आते देखा।

कई बॉलीवुड शख्सियतों से उलट, शाहरुख़ कंट्रोवर्सी में नहीं फंसे। गॉसिप करने वाली मैगज़ीनों ने अक्सर उनका नाम किसी न किसी साथी कलाकार से जोड़ा, लेकिन अफ़वाहों से आगे बात बढ़ती दिखी ही नहीं। शाहरुख़ ने कहा था, 'मेरी रिलेशनशिप को लेकर मैंने दिल ही दिल में कुछ वादे किये हैं और मुझे लगता है कि मैंने उन्हें निभाया है।'

रॉन्देवू विद सिमी गरेवाल को शाहरुख़ ने बताया कि क्यूं कभी किसी और का ख्याल उनके दिमाग में कभी भी नहीं आया, 'भगवान जो सबसे बड़ा गिफ़्ट मुझे दे सकता है वो है कि मैं अपने में ख़ुश रहूं। मैं हमेशा गौरी के पास रहना चाहता हूं क्यूंकि मैं गौरी का सुख-चैन उजाड़ने का ज़िम्मेदार नहीं बनना चाहता हूं। मैं उसे दुखी नहीं करना चाहता हूं।'

एक ऐसे समय में, जब अफ़ेयर और प्रेम-प्रसंग एक आम बात थे, शाहरुख़ ने एकदम साफ़ कर दिया था कि वो अपनी फ़िल्मों की किसी भी लीडिंग लेडी में रुचि नहीं रखते थे। वो सभी उनकी साथी कलाकार थीं जिनकी वो तारीफ़ करते थे और बेहद सम्मान करते थे। किसी के भी प्रति उनका कोई रोमांटिक झुकाव नहीं था।

जीक्यू मैगज़ीन से बात करते हुए उन्होंने कहा था कि वो कभी भी किसी को धोखा नहीं देना चाहते, न ही आर्थिक मामलों में, न ही भावनात्मक रूप से और न ही प्रेम-संबंधों में। वो कहते हैं कि नैतिक रूप से वो कोई संत-महात्मा तो नहीं हैं लेकिन किसी को धोखा देना बेहद नीचता भरा काम है। उन्होंने कहा कि उनकी समस्या ये है कि वो लोगों ने 'न' नहीं कह सकते और ज़रूरत से ज़्यादा शालीन बन जाते हैं जिससे उनके लिए मुश्किल खड़ी हो जाती है, क्यूंकि ऐसे में वो उन लोगों को मना नहीं कर सकते, जिनके साथ वो वक़्त नहीं बिताना चाहते। एक सेक्शुअल रिलेशनशिप स्थापित करके, फिर उससे अलग होना, ये एक ऐसी चीज़ है जो उन्हें बुरी तरह से प्रभावित करती है। उनका मानना है कि अफ़ेयर्स और धोखा देने का समय जा चुका है। 'क्यूंकि मैंने कभी चीट नहीं किया है, आधे लोग तो ये कहने लगे थे कि मैं गे हूं। लेकिन अब मैं बहुत बूढ़ा हो गया हूं। यहां तक कि अब अगर मैं चीट करूंगा तो लोग कहेंगे "झूठ बोल रहा है, साला।"'

उन्होंने कहा कि जब वो मुंबई आये थे, तब फ़िल्म इंडस्ट्री के बारे में बहुत सी झूठी बातें फैली हुई थीं। और उन्हें लगा था कि इन सभी की सच्चाई लोगों के सामने आना ज़रूरी था।

शाहरुख़ ने बहुत वक़्त पहले, अपनी पत्नी से वादा किया था कि वो किसी भी पार्टी में कभी भी बगैर इस बात की चिंता किये जा सकती थीं कि कहीं शाहरुख़ इनमें से किसी के साथ सोये तो नहीं थे। उन्होंने कहा, 'ऐसी कोई भी लड़की नहीं है जो आकर तुम्हें हेलो बोलेगी और वो मेरे बारे में तुमसे भी ज़्यादा जानती होगी।' असल में, ये एक ऐसा वादा था जो उन्होंने ख़ुद से भी किया था। हालांकि वो अपनी कई महिला साथी कलाकारों के प्रति स्नेह का भाव रखते हैं लेकिन उसमें शारीरिक चाहत का कोई एंगल नहीं है।

एक बार फ़रीदा जलाल ने उनसे पूछा था कि अगर गौरी उन्हें छोड़कर चली गयीं तो वो क्या करेंगे। 'वैसे तो ऐसा होना नहीं चाहिए। मैं पूरी तरह से पत्नी द्वारा नियंत्रित पति हूं। लेकिन अगर ऐसा हो ही गया, तो मैं अपनी शर्ट फाड़कर उसके लिए गाना गाऊंगा, *"ओ गोरी-गोरी, ओ बांकी छोरी, कभी मेरी गली आया करो।"*'

उनकी शादी दोस्ती से भरी रही है। ये दोनों एक ईकाई की तरह रहे हैं। 'उसे तो मेरी एक्टिंग भी बहुत पसंद नहीं है। जब फ़िल्म अच्छा नहीं करती है और मैं डिप्रेस्ड हो जाता हूं तो वो मुझे समझाती है कि हर फ़िल्म अच्छी चल भी नहीं सकती। वो मुझे ख़ूब सपोर्ट करती है लेकिन सामने से ऐसा नहीं दिखता। ये ज़्यादातर किसी दूसरे ही तरीक़े से होता है। एक फ़िल्म स्टार से शादी करना मुश्किल ही रहा होगा, वो भी तब, जब उसकी सफलता के पीछे हज़ारों लड़कियां भी हों। लेकिन उसे इस बात पर पूरा भरोसा है कि मैं उससे प्यार करता हूं। वो बेहद सच्ची है। इस दुनिया में, जहां हम काम करते हैं, सबकुछ झूठा होता है। चांद, तारे, बारिश, सबकुछ। लेकिन वो इधर-उधर की बात नहीं करती। वो सबकुछ एकदम क्लियर-कट रखती है!'[9]

और शाहरुख़ पूरी तरह से एक पारिवारिक आदमी हैं। उनके कंधों पर जितनी भी ज़िम्मेदारियां हैं, उन सबके बीच वो इस बात का दावा करते हैं कि वो दुनिया के सबसे अच्छे पिता हैं। ये ऐसी चीज़ है जिसकी शिकायत उनकी पत्नी करती हैं, 'वो बच्चों को बहुत बिगाड़ के रखता है।' आर्यन और सुहाना के पैदा होने से पहले के जो इंटरव्यू हैं, उसमें शाहरुख़ को कहते हुए सुना जा सकता है, 'अगर लड़का हुआ तो मैं चाहता हूं कि वो ख़ूब बदमाश हो। मैं चाहता हूं कि सोलह का होने तक वो सारी ख़राब चीज़ें कर डाले, जिससे उसके बाद फिर वो सही-सलामत रहे। और अगर लड़की हुई तो मैं उसे वो सारा प्यार दूंगा जो मेरे भीतर समाया हुआ है। हालांकि मेरी बीवी सोचती है कि मैं पागल हूं, पर मुझे मालूम है कि मेरी बेटी को जिन भी पार्टियों में बुलाया जायेगा, मैं उसे ड्रॉप करके आऊंगा। मैं चाहूंगा कि उसके दोस्त उससे कहें, "वाह, तुम्हारे पापा कितने हैंडसम हैं!" जब वो अपने बॉयफ्रेंड के साथ गाड़ी की पिछली सीट पर बैठेगी, मैं चाहूंगा कि गाड़ी मैं चलाऊं और उन्हें हर जगह घुमाऊं। मेरे मां-बाप मेरे यार थे। मैं अपने बच्चों का बेस्टफ्रेंड बनूंगा।'

शाहरुख की कहानी भले ही कितनी रोमांटिक लगती हो, असल जीवन में प्रेम, उनके लिए, फ़िल्मी दुनिया की तुलना में बड़ा ही सादा सा है। 'रिलेशनशिप के मामले में मैं बड़ा ही बकवास हूं। इतना बकवास हूं कि जोकर लगने लगता हूं। अगर कोई पूछता है कि फलाने ने जब ये कहा तो तुमने क्या कहा, तो मेरा जवाब उन्हें सन्न कर देता है। वो पूछते हैं, "तुम ऐसा कैसे कह सकते हो?" और मैं कहता हूं "मुझे नहीं पता कि मैं और क्या सोचता।" मैं रिलेशनशिप्स में बहुत ख़राब हूं, एकदम बर्बाद। मैं बहुत हद तक एकतरफ़ा हो जाता हूं, कई बार स्वार्थी भी। असल में, बहुत ही विरक्त। मैं बहुत अलग रहता हूं। मैं "डिमोशनल" हूं, भावुक भी और अलग रहने वाला भी। मुझे नहीं पता ये कैसे काम करता है। मैंने अपनी फ़िल्मों में जो भी कहा है, वैसा कुछ मैं किसी लड़की से या किसी रिश्ते में नहीं कह सकता। मैं बेहद संकोची, अंतर्मुखी, शर्मीला, अकेले रहने वाला और अपनी भावनाओं को दरवाज़ों के पीछे क़ैद करके रखने वाला इंसान हूं।'[10]

फ़िल्म *जब हैरी मेट सेजल* के प्रमोशन के दौरान उन्होंने बताया था कि उनके जीवन में शुरुआत से इतना प्यार भरा हुआ था कि फ़िल्मों में रोमांस करना उनके लिए काफ़ी हद तक आसान हो गया। वो ठीक से नहीं कह सकते कि रोमांस उनके भीतर से सहज रूप से आता है या उन्हें मेहनत करनी पड़ती है। उन्होंने कहा कि चूंकि रोमांस और दूसरे मामलों में उनका जीवन ख़ूबसूरत रहा है, वो भावनाओं को गहराई से समझ पाते हैं। उन्हें लगता है कि शायद वो थोड़े ज़्यादा संवेदनशील हैं, और भावनात्मक रूप से झुके हुए हैं, जैसे औरतें प्यार को ज़्यादा अच्छी तरह समझती हैं। वो मानते हैं कि रोमांस के मामले में महिलाएं पुरुषों की तुलना में कुछ अलग ही सोच रखती हैं। हमेशा से महिलाओं के सामने शर्मीले रहे शाहरुख़ को नहीं पता कि असल ज़िंदगी में रोमांस कैसे किया जाता है, हालांकि उनका सेंस ऑफ़ ह्यूमर अच्छा है। वो महिलाओं से अच्छी बातचीत कर लेते हैं, लेकिन फ़िल्मों में लंबे समय से रोमांटिक हीरो का किरदार निभाते रहने की वजह से लोग मान लेते हैं कि वो असल ज़िंदगी में भी बहुत रोमांटिक होंगे। 'लेकिन मुझे नहीं पता कि मैं रोमांटिक हूं या नहीं। यक़ीनन, मैं बहुत सभ्य रहता हूं। सबसे पहले, मैं जानता हूं कि मैं किसी भी औरत के साथ शालीनता की सीमा नहीं पार करूंगा, चाहे वो मुझसे बड़ी हो, छोटी हो या एक बच्ची ही क्यूं न हो। मुझे लगता है कि शर्मीला होना रोमांटिक

होना होता है। मुझे याद है, बहुत लोग कहते थे कि लड़कियों को बैड बॉय्ज़ पसंद आते हैं, लेकिन मैं वैसा नहीं हूं।'

और अगर आप ये सोच रहे हैं कि क्या अच्छे लड़के अंत में हार जाते हैं, तो ज़रा शाहरुख़ ख़ान पर एक नज़र डाल लीजिये।

मुझे अंधेरा पसंद है...
तुम्हारे आने वाले कल की
याद दिलाता है

डॉन 2, 2011

5

एंटी-हीरो

सितम्बर 1992 की *स्टारडस्ट* मैगज़ीन की कवर स्टोरी एक सवाल पूछ रही थी: 'क्या ये इंडस्ट्री शाहरुख़ ख़ान का घमंड झेल पायेगी?'

शाहरुख़ के विचार एकदम साफ़ थे: 'अगर सेल्फ़ रेस्पेक्ट को ऐरोगेन्स बोलते हैं, तो हां, मैं ऐरोगेन्ट हूं। जब मैं फ़िल्म साइन करता हूं, मैं लोगों को परेशान करता हूं। मैं इस बात पर ज़ोर देता हूं कि वो पूरी कहानी लिखकर लाएं, डायलॉग्स के साथ। मैं स्टेज का एक्टर हूं, आप मुझे कैरेक्टर दीजिये, मैं प्ले करूंगा। आपको शाहरुख़ के लिए कहानी नहीं लिखनी है। पहले जब मैं डीटेलिंग की बात करता था तो लोग बोलते थे ये समझता क्या है? अब हिट हो गया हूं तो बोलते हैं कि लम्बी रेस का घोड़ा है। सब इस पर डिपेंड करता है कि एक्टर किस पोज़ीशन में है।'[1]

एक ऐसे समय में, जब कैरियर शुरू करने वाले लोग ब्रेक या किसी की मदद की तलाश में होते हैं, तो उनका हाव भाव भी वैसा ही होता है। लेकिन शाहरुख़ लोगों से आंखों में आंखें डालकर बात करते थे और उन्हें समझाते थे कि वो चीज़ क्या थे। लेकिन शाहरुख़ कोई आम एक्टर भी नहीं थे जो अपनी पहली फ़िल्म की तलाश कर रहा था। हाथ जोड़कर लोगों से मिलना उनकी स्टाइल नहीं थी और कभी भी नहीं देखा गया कि वो किसी पार्टी में किसी प्रोड्यूसर के सामने झुककर खड़े हों। चूंकि उन्होंने *फ़ौजी* के ज़रिये सफलता देखी हुई थी और लोगों का प्यार पाया हुआ था, ये सब उनके लिए नया नहीं था। वो स्क्रीन पर अपनी मौजूदगी को लेकर आश्वस्त और आत्मविश्वास से भरे हुए

थे। अपने शुरुआती दिनों में भी इन्हीं ख़ूबियों के चलते वो हर प्रकार के लोगों पर अपनी छाप छोड़ने में सफल हो जाते थे।

जून 1992 में, *दीवाना* फ़िल्म के साथ शाहरुख़ पहली बार बड़े पर्दे पर आये, जिसमें दिव्या भारती और ऋषि कपूर उनके साथी कलाकार थे। हालांकि उन्होंने एक के बाद एक, कई फ़िल्में साइन कर रखी थीं लेकिन इनमें से *दीवाना* सबसे पहले रिलीज़ हुई। इस फ़िल्म में ढेर सारी नाटकीयता तो थी, पर न ही इसमें थियेटर की सादगी थी और न ही *फ़ौजी* जैसी बात। ये बॉलीवुड मसाला फ़िल्म थी जिसमें एक विधवा महिला को शाहरुख़ में प्यार दिखता है लेकिन वो दुविधा में तब पड़ जाती है जब उसका मरा हुआ पति (ऋषि कपूर) वापस आ जाता है। ऐसी कहानी में सादगी बरतने की बहुत ही कम गुंजाइश होती है। शाहरुख़ को नौसिखिये तो थे नहीं। उन्हें बहुत ही सी चीज़ें आती थीं और एक्टिंग उसमें मुख्य थी। उन्होंने पूरी गंभीरता से काम किया था और स्क्रीन पर वो फब रहे थे। उनकी अतिश्योक्ति से भरी एक्टिंग को समीक्षकों ने बेहद पसंद किया और ऐलान हो गया कि इंडस्ट्री में एक नया स्टार आ चुका था।

'मैं अपना सबसे क्रूर आलोचक हूं और जब पहली बार मैंने ख़ुद को स्क्रीन पर देखा था तो बहुत बुरा लगा था।'

कई साल बाद, *फ़िल्मफ़ेयर* को दिये एक इंटरव्यू में उन्होंने *दीवाना* की याद करते हुए बताया कि वो उसे बहुत अच्छा काम नहीं मानते थे। शाहरुख़ फ़िल्म की सफलता से ख़ुश थे लेकिन उन्हें नहीं लगता था कि उसमें उनका कोई हाथ था। उन्होंने अपनी ही एक्टिंग की आलोचना की और उसे 'उग्र, अतिश्योक्तिपूर्ण और कंट्रोल से बाहर' बताया। शाहरुख़ का कहना था कि उन्होंने ओवर-एक्टिंग की थी और उसकी वो पूरी ज़िम्मेदारी ले रहे थे। उनका मानना था कि ऐसा इसलिए हुआ था क्यूंकि न ही उन्हें सटीक निर्देश मिले थे और न ही पूरी स्क्रिप्ट मिली थी। असल में शाहरुख़ की शूटिंग की तारीखों में फेरबदल हुआ था क्यूंकि उन्हें दूसरी शूटिंग पर भी साथ में जाना पड़ रहा था। 'मैं अपना सबसे क्रूर आलोचक हूं और जब पहली बार मैंने ख़ुद को स्क्रीन पर देखा था तो बहुत बुरा लगा था। ये कमाल की बात नहीं लगती कि लोगों को फ़िल्म में मैं अच्छा लग रहा था?

ऐसा शायद इसलिए हुआ था क्यूंकि मैं एकदम नया चेहरा था। वो कोई ऐसी परफ़ॉरमेंस नहीं थी जिसे मैं दोहराना या याद रखना चाहूंगा।'[2]

शाहरुख़ ने फ़िल्म की सफलता के पीछे इसके संगीत के बारे में भी बात की। उन्होंने कहा कि फ़िल्म का म्यूज़िक एक बहुत बड़ा कारण था जिसने फ़िल्म को बड़ा बनाया। वो चाहते थे कि लोग कहें, 'फ़िल्म का म्यूज़िक तो शानदार है लेकिन शाहरुख़ तो और भी कमाल है।' लेकिन, *दीवाना* में म्यूज़िक ने हर किसी को पीछे कर दिया था। शाहरुख़ ने गानों को दिखाने के तरीक़े को लेकर डायरेक्टर राज कंवर की तारीफ़ की और ऋषि कपूर, दिव्या भारती, देवेन वर्मा और अमरीश पुरी के काम को भी ख़ूब सराहा। लेकिन इस सबके साथ, ज़ोर देकर कहा कि ये फ़िल्म मुख्यतः नदीम-श्रवण के म्यूज़िक की वजह से याद रखी जायेगी। शाहरुख़ ने कहा, 'बहुत सारी फ़िल्में उनके म्यूज़िक की वजह से चलती हैं। मैं उनकी जगह पर आना पसंद करूंगा। वो जितने सफल म्यूज़िक डायरेक्टर हैं, मैं उतना ही सफल एक्टर बनना चाहता हूं।'

एक नये स्टार के तौर पर, वो जिस तरह से अपनी सफलता को अपना रहे थे, शानदार था। वो न केवल उस पर अपना हक़ जता रहे थे बल्कि लगातार इंटरव्यू भी दे रहे थे। ऐसे ही एक इंटरव्यू में उन्होंने कहा कि वो बेस्ट एक्टर थे। और ऐसा कहने के दौरान वो किसी को नीचा नहीं दिखा रहे थे, किसी की बुराई नहीं कर रहे थे। क्यूंकि उन्हें ऐसा करने की कोई ज़रूरत नहीं थी। उन्होंने ये ऐलान कर दिया था कि उन्हें उनके साथियों का प्रतिस्पर्धी मानने की कोई ज़रूरत नहीं थी। 'मैं बेस्ट हूं और मेरा कम्पटीशन मुझसे ही है। मैं चूहों की दौड़ में विश्वास नहीं रखता हूं और मैं कोई चूहा हूं भी नहीं... रात में, जब मैं सोने जाता हूं तो ख़ुद को ये बताकर सोता हूं कि मैं अपना सूरज कभी डूबने नहीं दूंगा।'

जब वो सीरियलों में काम कर रहे थे, शाहरुख़ एक जाना-पहचाना चेहरा बन चुके थे। लेकिन जब वो मुंबई आये, उनका कैरियर तेज़ी से ऊपर उठा। फ़िल्म *अजूबा* के लिए हो रही एक पार्टी में विवेक वासवानी उन्हें लेकर गये। डिम्पल कपाड़िया से लेकर ऋषि कपूर और राजीव राय तक वहां आये हुए थे। वासवानी ने ये सुनिश्चित किया कि वो फ़िल्म इंडस्ट्री के इस नये हीरो को सभी से मिलवाएं। यही वो पार्टी थी जहां शाहरुख़ की राकेश रोशन से पहली मुलाक़ात हुई। राकेश उस वक़्त *किंग अंकल* बना रहे थे। फ़िल्म पहले ही बिक चुकी थी। वासवानी चाहते थे कि शाहरुख़ वहां मौजूद लोगों की किसी फ़िल्म में आ जाएं, जिससे उन्हें एक बेचे जाने लायक़ स्टार

का तमगा मिल सकता था। लोगों से मिलने-जुलने के इसी क्रम में शाहरुख़ का सामना राकेश रोशन से हुआ।

वासवानी ने एक इंटरव्यू में बताया, 'राकेश ने उससे पूछा, "मैं तुम्हें अपनी फ़िल्म में क्यूं लूं?" शाहरुख़ भले ही उस वक़्त टीवी से फ़िल्मों में नया-नया आया था लेकिन उसने बात ऐसे की जैसे न जाने कबसे इस काम में हो। उसने कहा कि जैकी श्रॉफ़ पहले से ही फ़िल्म में थे। अब अगर सलमान को लिया तो और पैसे देने पड़ेंगे, जिससे फ़िल्म महंगी हो जायेगी। शाहरुख़ को लिया तो वो कम पैसे लेगा और फ़िल्म बनाने का ख़र्चा भी कम हो जायेगा। और यहीं से ये धारणा ख़त्म हो गयी कि टीवी से एक नया लड़का आया हुआ था।' अंत में, नतीजा ये निकला कि राकेश रोशन ने शाहरुख़ के साथ तीन फ़िल्मों की डील साइन कर डाली जिसमें आगे चलकर *कोयला* और *करण-अर्जुन* पर्दे पर आयीं। कुछ ही महीनों में शाहरुख़ ने *दिल आशना है, दीवाना, चमत्कार* और *किंग अंकल* साइन कर लीं। शाहरुख़ ने फ़िल्मों में जो पहला शॉट दिया, वो राजकमल स्टूडियो में *दिल आशना है* के लिए था। वो छाये हुए थे।

शाहरुख़ जैसी चीज़ अभी तक इंडस्ट्री ने नहीं देखी थी। वो इंडस्ट्री के नामी-गिरामी लोगों से आशीर्वाद मांगते नहीं फिर रहे थे, चमचागिरी करने के इरादे से एक ऑफ़िस से दूसरे ऑफ़िस नहीं जा रहे थे। अपने लिए वो बेहद सीधी बातें कह रहे थे: 'मुझे लो, मैं अपने काम में अच्छा हूं।' सुभाष घई, जिन्होंने शाहरुख़ को *त्रिमूर्ति* और *परदेस* में डायरेक्ट किया, अपनी किताब *किंग ऑफ़ बॉलीवुड* में लिखते हैं, 'मैंने उससे कहा "मैंने सुना है तुम अच्छी एक्टिंग करते हो।" शाहरुख़ ने जवाब दिया, "हां सर, करता तो हूं।"'

सुभाष घई को ये महसूस हुआ कि शाहरुख़ के हाव-भाव दूसरे, नये आ रहे एक्टर्स से अलग थे। उन्होंने बताया कि नये आने वाले लोग अमूमन झुके हुए कंधों के साथ आते थे, उन्होंने हाथ जोड़े होते थे। और जैसे-जैसे वो तरक्की की सीढ़ी चढ़ते जाते थे, उनके हाथ पीछे जाते रहते थे और उनमें घमंड दिखता जाता था। इसके उलट, शाहरुख़ के हाथ उनके बगल में ही रहे और उनकी आंखों में ग़ज़ब का आत्मविश्वास दिखायी देता था।

शाहरुख़ को पहले ही दिन से अपनी कीमत पता थी। उन्हें मालूम था कि वो एक्टिंग कर सकते थे। उन्हें मालूम था कि उनमें वो बात थी जो उन्हें स्टार का दर्जा दिलवा सकती थी। वो किसी भी फ़िल्म के लिए लालायित नहीं हुए। उन्होंने हमेशा मांग रखी कि फ़िल्म उनके साथ न्याय करे। उस वक़्त तक बॉलीवुड में ऐसा देखा नहीं गया था। नये आने वाले

ज़्यादातर लोग या तो सितारों के बच्चे थे या फिर बाहरी लोग थे जिन्हें कोई अनुभव नहीं था। शाहरुख़ इसमें से दोनों खांचों में नहीं समाते थे। न ही वो पैसेवाली पृष्ठभूमि से आते थे और न ही उनके सर पर किसी का हाथ था, जैसा कि उनके साथियों के मामलों में देखा जा रहा था। और फिर भी, शाहरुख़ को आम लोग पहचाना करते थे, जबकि अभी तक उन्होंने एक भी फ़िल्म नहीं की थी। दर्शक उन्हें जानते थे – ये एक ऐसी चीज़ थी जो उनके आत्मविश्वास को बढ़ाती थी और यही सामने वालों पर प्रभाव डालता था। उन्हें फ़िल्म में लेना किसी भी प्रोड्यूसर के लिए एक आसान फैसला होता था क्यूंकि शाहरुख़ एक प्रकार का भरोसा लेकर आते थे कि उन्हें देखने लोग थियेटर आयेंगे ही। 'अरे, वो *फ़ौजी* वाला लड़का? ये उसकी फ़िल्म है...' उनकी पहली कुछ फ़िल्में यूं ही चल पड़ीं। और चूंकि शाहरुख़ ने फ़िल्मों में एक्टिंग को कभी भी जीवन की योजनाओं में चिरस्थायी स्थान नहीं दिया था, वो ख़तरों से खेलने को तैयार भी थे।

1990 के दशक में देखा गया कि स्टार्स और प्रेस के बीच समीकरण कुछ बदल रहा था। मनोरंजन की दुनिया के पत्रकार कलाकारों की सीक्रेट दुनिया के बारे में ज़्यादा और उनकी फ़िल्मों या असल काम के बारे में कम जानकारी जुटा रहे थे। अफ़वाहों या कानाफूसियों के बाज़ार को गर्म रखने के लिए शाहरुख़ के पास बहुत मसाला नहीं था। अपनी पत्नी के प्रति प्रेम को लेकर वो सार्वजनिक तौर पर बात करते ही रहते थे। लोगों ने पुरुष कलाकारों की एक पूरी पीढ़ी देखी थी, जो फ़िल्म के सेट की सभी बातें अपनी पत्नी तक पहुंचने से रोकने में मेहनत किया करते थे। ऐसे में शाहरुख़ एक अपवाद की तरह मालूम दे रहे थे और उनकी कहानी लोगों को समझ में ही नहीं आ रही थी। कुछ लोगों को तो शाहरुख़ की लव स्टोरी पर विश्वास ही नहीं हो रहा था।

शाहरुख़ को पहले ही दिन से अपनी कीमत पता थी। उन्हें मालूम था कि वो एक्टिंग कर सकते थे। उन्हें मालूम था कि उनमें वो बात थी जो उन्हें स्टार का दर्जा दिलवा सकती थी। वो किसी भी फ़िल्म के लिए लालायित नहीं हुए। उन्होंने हमेशा मांग रखी कि फ़िल्म उनके साथ न्याय करे। उस वक़्त तक बॉलीवुड में ऐसा देखा नहीं गया था।

फिर एक कहानी गढ़ी जाने लगी कि शाहरुख़ समलैंगिक हैं। एक शख़्स जो अपनी सेक्शुएलिटी को लेकर आरामतलब है, अपनी महिला कलाकार साथियों का प्यारा है लेकिन उनमें से किसी के साथ भी उसका अफ़ेयर नहीं है – वो ज़रूर ही दूसरी दिशा में जा रहा होगा। शाहरुख़ ने इस बारे में सार्वजनिक तौर पर बात की। उनके पास छुपाने को कुछ भी नहीं था। उन्होंने कहा, ‘मैं जूही, माधुरी, मनीषा, शिल्पा, सोनाली, नग़मा, सुचित्रा कृष्णमूर्ति, उर्मिला के साथ काम करता हूं। मैं इनके साथ सोता नहीं हूं। मैं काजोल की साथ नहीं सोया। मैं अपने साथी कलाकारों की इज़्ज़त करता हूं। कुछ ऐसा है कि लड़कियां मुझे उत्तेजित नहीं करती हैं। मैं गे नहीं हूं लेकिन एक ख़ूबसूरत चेहरा मुझे भटका नहीं सकता। मेरे लिए महिला का कैरेक्टर, बुद्धि मायने रखते हैं, महज़ शारीरिक आकर्षण ही सबकुछ नहीं। गौरी के पास ये सबकुछ है तो मैं क्यूं दूसरी लड़कियों के पास जाऊं?’[3]

लेकिन 90 के दशक में प्रेस उल्टी बातें छाप रही थी। लब्बोलुआब यही निकल रहा था कि हर ओर से चरित्र हनन की कोशिशें हो रही थीं। किसी भी सितारे को नीचे घसीटने का ये सबसे आसान तरीका था। आपकी छवि कैसी बन रही है, ये बात मायने रखती थी और नैतिक शील एक ऐसी बला थी जिसमें भारतीय जनमानस की ख़ासी दिलचस्पी हुआ करती थी। चूंकि स्टार्स को ऊंचा दर्जा मिला होता था, उनकी लोकप्रियता और निजी ज़िंदगी के बीच एक सीधी कड़ी नज़र आया करती थी।

1992 में एक ऐसा मौका भी आया जब शाहरुख़ लगभग जेल की हवा खाने वाले थे। उन्होंने एक पत्रकार के साथ बेअदबी कर दी थी। उन दिनों वो केतन मेहता की *माया मेमसाब* पर काम कर रहे थे, जिसमें उन्होंने एक अधेड़, विवाहित और जीवन की नीरसता से ऊबी औरत के युवा प्रेमी का किरदार निभाया था। ये एक ऐसा रिश्ता था जिसमें जुनून था, लेकिन साथ ही टकराव, जलन और आक्रोश भी भरपूर था। इस फ़िल्म के एक सीन में दोनों को शारीरिक संबंध बनाते हुए दिखाया जाता है, जो उस समय की हिंदी फ़िल्मों के लिए आम नहीं था। इस सीन में निर्देशक केतन मेहता की पत्नी और अभिनेत्री दीपा साही टॉपलेस दिखती हैं।

सिने ब्लिट्ज़ नाम की मैगज़ीन ने इससे जुड़ी एक रिपोर्ट छापी जिसका शीर्षक था – ‘शाहरुख़ और दीपा का हॉट सीन आया सामने!’ इस रिपोर्ट में बताया गया था कि केतन मेहता ने एक ऐसी स्थिति बनाई जिसमें शाहरुख़ और दीपा को शूटिंग से पहले एक होटल में रात गुज़ारनी पड़ी ताकि वो एक-दूसरे के साथ ‘पूरी तरह सहज’ हो सकें। ये भी

कहा गया कि शाहरुख़ ने ये पूरी बात अपनी पत्नी गौरी से छिपा रखी थी। जब शाहरुख़ ने ये पढ़ा, तो वो बेहद नाराज़ हो गए।

कुछ समय बाद, किसी फ़िल्मी इवेंट में शाहरुख़ की मुलाकात *सिने ब्लिट्ज़* के कीथ डी'कोस्टा से हुई। शाहरुख़ ने उन पर ज़बरदस्त तरीक़े से अपना गुस्सा निकाला। बहस तीखी हो गई और शाहरुख़ तहज़ीब भरी बातों से बहुत दूर निकल आये। बात यहीं नहीं रुकी। उसी रात शाहरुख़ ने कीथ के घर पर फ़ोन कर उन्हें धमकाया और शारीरिक हिंसा की चेतावनी तक दे डाली। अगले दिन, शाहरुख़ वाक़ई उनके घर पहुंच गये और उनके माता-पिता के सामने ही उन्हें धमकाने लगे। रिपोर्ट के मुताबिक़, शाहरुख़ बेहद आक्रामक और अशिष्ट थे। कीथ ने पुलिस में शिकायत दर्ज कराई और सुरक्षा की मांग की, जबकि शाहरुख़ लगातार उन्हें फ़ोन पर गालियां और धमकियां देते रहे।[4]

नेटफ़्लिक्स के शो *माय नेक्स्ट गेस्ट* में डेविड लेटरमैन को शाहरुख़ ने बताया कि अपने कैरियर के शुरुआती दिनों में वो मीडिया कवरेज को लेकर बहुत संवेदनशील थे। किसी एक रिपोर्ट को पढ़कर वो इतने ग़ुस्से में आ गये कि सीधे संपादक को फ़ोन कर डांटने लगे। जब संपादक ने कहा कि वो मज़ाक था, शाहरुख़ ने उन्हें और ज़्यादा धमकियां दीं और चिल्लाने लगे। इसके चलते उन्हें कुछ देर के लिए गिरफ़्तार कर लिया गया। पुलिस उन्हें लॉक-अप ले गई और उसी शाम वो ज़मानत पर बाहर भी आ गये।

लेटरमैन के दबाव देने पर शाहरुख़ ने बताया कि जेल में उन्हें एक फ़ोन कॉल की इजाज़त मिली और उन्होंने उसी पत्रकार को दोबारा कॉल किया, जबकि सीनियर अफ़सर ने उन्हें पहले ही चेतावनी दे रखी थी। शाहरुख़ ने उससे कहा, 'अब, जब मैं जेल में हूं और किसी बात का डर भी नहीं है, तो अब डरने की बारी तुम्हारी है।' ज़मानत मिलने के बाद, शाहरुख सीधे उस पत्रकार के घर गये। वहां पुलिस पहले से मौजूद थी। उन्होंने पुलिसवालों से माफ़ी मांगी और उसी पत्रकार की खिड़की के सामने खड़े होकर सिगरेट पीते हुए अपने बचकाने बर्ताव पर विचार करने लगे।

जब कुछ साल बाद शाहरुख़ को पता चला कि वो लेख कीथ ने लिखा ही नहीं था, तब शाहरुख़ ने उन्हें फ़ोन किया और दिल से माफ़ी मांगी। दोनों ही पक्षों ने ये मामला भुला दिया।

माया मेमसाब के बाद शाहरुख़ ने किसी भी फ़िल्म में कोई भी अंतरंग सीन नहीं किया। *जब तक है जान* (2012) में उन्होंने एक किसिंग सीन दिया। वो भले ही इस बात

का मज़ाक उड़ाते रहे हों कि पुरानी फ़िल्मों में दो फूलों को आपस में मिलते हुए दिखाकर रोमांस दिखा दिया जाता था, लेकिन उन्होंने हमेशा कोशिश की कि उनके रोमांटिक सीन कभी अश्लील न लगें।

हालांकि, कीथ के साथ उनके बर्ताव ने उन पर 'घमंडी' होने का ठप्पा लगा दिया था। उनके गुस्सैल स्वभाव ने भी आग में घी का काम किया। अपने शुरुआती दौर के काम में उनके साथ सामंजस्य बिठाना कोई आसान काम नहीं था। *कभी हां कभी न* की शूटिंग के दौरान उनके और डायरेक्टर कुंदन शाह के बीच बात हाथापाई तक पहुंच गयी थी। ये फ़िल्म भले ही उनकी सबसे बेहतरीन परफ़ॉर्मेंस में गिनी जाती हो और ख़ुद उनकी भी पसंदीदा फ़िल्म रही हो, लेकिन इस फ़िल्म की शूटिंग उनके लिए बिल्कुल भी आसान नहीं रही। गोवा में सेट इस कहानी में शाहरुख़ एक ऐसे लड़के का किरदार निभा रहे थे जो अपनी एक दोस्त से प्यार करने लगता है, लेकिन हिंदी फ़िल्मों के आम चलन के उलट, उसे आख़िर में लड़की नहीं मिलती। शूटिंग के दौरान शाहरुख़ और कुंदन के बीच कई बार बहसें हुईं और ये क्रियेटिव असहमतियां एक-एक करके इतना बढ़ गयीं कि मारपीट की नौबत आ गयी। लेकिन शाहरुख़ ने *दीवाना* के लॉन्च के समय इस फ़िल्म को हां कहा था और अपने वादे पर टिके रहे।

फ़िल्म को पैसों से जुड़ी दिक्कतों का सामना भी करना पड़ा था, जिसके चलते इसकी रिलीज़ में देरी हुई। 1992 तक फ़िल्म लगभग तैयार हो चुकी थी, बस पांच सीन बाकी थे। लेकिन ये 1994 में रिलीज़ हो पाई।

शाहरुख़ और कुंदन शाह की पहली मुलाक़ात 1989 में दिल्ली में हुई थी। 2015 के एक इंटरव्यू में कुंदन ने उन दिनों को याद किया। उस वक़्त शाहरुख़ *उम्मीद* नाम के टीवी सीरियल पर काम कर रहे थे। उन्होंने विकास देसाई के एक कॉमेडी शो के दो एपिसोड्स में एक्टिंग की थी, जिसे कुंदन ने प्रोड्यूस किया था। वो *वागले की दुनिया* के एक एपिसोड में भी दिखे और फिर *सर्कस* में भी आए, जिसे अज़ीज़ मिर्ज़ा और कुंदन ने डायरेक्ट किया था।

कुंदन शाह *फ़ौजी* में शाहरुख़ की एक्टिंग से प्रभावित थे, लेकिन *दूसरा केवल* में उनकी परफ़ॉर्मेंस देखकर उन्होंने उनके इमोशनल पहलू को पहचाना। ये सीरियल 1984 के सिख दंगों पर आधारित था। कुंदन को समझ में आया कि शाहरुख़ में काफ़ी प्रतिभा थी और उन्हें मिलने के लिए बुलाया। शाहरुख़ बहुत उत्साहित थे, क्यूंकि वो और उनके

दोस्त *जाने भी दो यारों* के बहुत बड़े फ़ैन थे। उन्होंने रातों-रात स्क्रिप्ट पढ़ी और अगली सुबह लौटा दी।

जब *कभी हां कभी न* की शूटिंग शुरू हुई, तब तक शाहरुख़ कई और प्रोजेक्ट्स के लिए हामी भर चुके थे। इस बात के चलते प्रोड्यूसर्स परेशान थे क्यूंकि कोई आधिकारिक एग्रीमेंट हुआ ही नहीं था। इसी दौरान जुहू सेंटौर (अब ट्यूलिप स्टार) होटल में फ़िल्म *दीवाना* का मुहूर्त हुआ। इसी मौके पर प्रोड्यूसर्स ने उन्हें एक कॉन्ट्रैक्ट दिया। कमरे में लोगों की भीड़ थी इसलिए सारी बातचीत एक गलियारे में हुई। आसपास कोई मेज़ नहीं थी तो शाहरुख़ ने ज़मीन पर ही रखकर उस काग़ज़ पर साइन कर दिया। उन्हें साइनिंग अमाउंट के तौर पर 5,000 रुपये दिये गये और पूरी फ़िल्म के लिए उनकी फ़ीस 25,000 रुपये तय हुई। बाद में, 1992 में शाहरुख़ ने इस फ़िल्म के अधिकार ख़रीद लिए। फ़िल्म पूरी तरह तैयार थी, लेकिन *बाज़ीगर* और डर की सफलता के बावजूद डिस्ट्रीब्यूटर्स *कभी हां कभी न* को ख़रीदने में हिचक रहे थे। आख़िरकार शाहरुख़ ने प्रोड्यूसर विजय गिलानी को राज़ी किया। गिलानी, वीनस (वर्ल्डवाइड एंटरटेनमेंट) और शाहरुख़, तीनों मिलकर को-प्रोड्यूसर बने और मुंबई में फ़िल्म रिलीज़ करवाई। फ़िल्म को इस मुकाम तक पहुंचाने में शाहरुख़ की बेहद अहम भूमिका रही थी।[5]

उस दौर में ऐसा बाहुत कम ही सुनने को मिलता था कि कोई एक्टर पूरे प्रोजेक्ट की ज़िम्मेदारी ले रहा हो। एक्टर्स को बस किराए का कलाकार माना जाता था, जो शूटिंग करके निकल जाते थे। अगर कोई फ़िल्म पूरी नहीं हो पा रही होती, तो ज़्यादातर एक्टर्स उसे छोड़कर अगले प्रोजेक्ट पर बढ़ जाते थे। उस समय तक ये धारणा बनी हुई थी कि हर एक्टर के काम का एक 'जीवनकाल' होता है इसलिए उसे अपने सबसे अच्छे सालों में ज़्यादा से ज़्यादा कमा लेना चाहिए और फिर वो आराम से ज़िंदगी बिताते थे। उन्हें फ़िल्म के ज़मीनी काम से कोई मतलब नहीं होता था। लेकिन शाहरुख़ की पृष्ठभूमि थियेटर वाली थी और वो अलग तरह से सोचते थे। उन्होंने ज़्यादातर स्वतंत्र प्रोजेक्ट्स पर काम किया हुआ था। ऐसी जगहों पर जब काम होता है तो वो सामूहिक श्रम के साथ-साथ निजी प्रक्रिया के तहत भी होता है। सबको सबकुछ करना पड़ता था। अगर कहानी में कोई सुझाव देना हो, तो आपको बोलना होता था। अगर कोई लाइट बंद हो जाए, तो ख़ुद ठीक करनी होती थी। ऐसे सेटों पर एक्टर्स को एक्टिंग के अलावा और भी काम दिये जाते थे। और इंडिपेंडेंट फ़िल्में सबसे पहले पैशन प्रोजेक्ट होती थीं, मुनाफ़े की बात बहुत

बाद में आती थी। शाहरुख़ ऐसे ही एक्टर बने रहे। अगर कोई फ़िल्म पूरी नहीं हो पा रही हो, तो वो उसमें अपने पैसे डाल देते थे। इसका मतलब ये नहीं कि उनके पास बहुत पैसा होता था, बस वो अपने काम की परवाह इस कदर करते थे। जल्द ही लोगों के बीच ये बात होने लगी कि शहर में एक नया, बेपरवाह एक्टर आया था जो किसी भी फ़िल्म को पूरा करवाने के लिए अपनी जान लगा देता था।

कभी हां कभी न आज भी शाहरुख़ की सबसे पसंद की जाने फ़िल्मों में से एक मानी जाती है। प्रेरणा सान्याल मेरी दोस्त हैं और दिल्ली की एक शिक्षाविद हैं, उनका कहना है कि ये फ़िल्म उनके बुरे दिनों में एक उम्मीद बनकर आयी थी। 'जब हम बड़े हो रहे थे, *कभी हां कभी न* वो फ़िल्म थी जिसने मुझे यकीन दिलाया कि परीक्षा के मार्क्स किसी इंसान की क़ीमत नहीं बताते। सोचिए, जब आप स्कूल में स्ट्रगल कर रहे हों, और आपको लग रहा हो कि ज़िंदगी बेहद ख़राब चल रही है, फिर आपको स्क्रीन पर शाहरुख़ ख़ान दिख जाए। वो बस कोई किरदार नहीं थे, वो हमारी ही तरह का एक इंसान था। स्कूल कठिन था और ऐसे वक़्त में वो हम जैसे हर उस इंसान की तस्वीर बने हुए थे जो कभी खुद को काबिल नहीं समझ पाया। मैंने इस फ़िल्म को जब भी देखा, मुझे यही लगा कि ये फ़िल्म मुझे यकीन दिलाती है कि ज़िंदगी और बेहतर होगी। इस फ़िल्म के बाद शाहरुख़ से जो मेरा कनेक्शन बना, वो आज तक बरकरार है। मुझे याद है, पहली बार मैंने उन्हें *फ़ौजी, दूसरा केवल* और *सर्कस* में देखा था और लगा था कि वो कितने अच्छे और बिल्कुल अपने जैसे दिखते हैं। तब मुझे उन पर थोड़ा सा क्रश भी हो गया था। लेकिन *कभी हां कभी न* के बाद वो बस पसंदीदा नहीं रह गये बल्कि मैं उनसे जुड़ सी गयी। और फिर, जब वो *दिलवाले दुल्हनिया ले जाएंगे* में राज बने, तो हमने उन्हें एक एक्टर के रूप में और किरदारों के ज़रिए कामयाब होते देखा। एक समय के बाद, उनके किरदार और उनकी असल शख्सियत के बीच की लकीर मिटने लगी। मेरे लिए ये पूरा प्रोसेस *कभी हां कभी न* से शुरू हुआ था।'

2024 में शाहरुख़ ने इस फ़िल्म के बारे में ट्वीट भी किया था। 'मुझे वाकई ऐसा लगता है कि ये सबसे प्यारी, गुनगुनाहट से भरी, खुशमिजाज़ फ़िल्म है जिसमें मैंने काम किया है। मैं इसे देखता हूं और इसमें जो भी लोग शामिल थे, उनकी याद आती है, ख़ासकर मेरे दोस्त और टीचर कुंदन शाह की।' शाहरुख़ ने फ़िल्म से जुड़ी एक तस्वीर पोस्ट की और लिखा, 'उस वक़्त... उस उम्र में... कच्चापन... कोई कंट्रोल नहीं...

अनिश्चितता से भरी कला... इंडिया के सबसे अच्छे क्रू से घिरा हुआ और एक ऐसा डायरेक्टर जिसे मैं हर दिन मिस करता हूं! इन सभी ने मुझे सिखाया कि कई बार आप एक पल खो देते हो... लेकिन बाक़ी सबकुछ जीत जाते हो... मुझे यकीन है कि किसी जगह, किसी दुनिया में सुनील के साथ भी ऐसा ही हुआ!'[6]

हालांकि, कुंदन शाह और शाहरुख़ ने दोबारा किसी भी फ़िल्म में साथ काम नहीं किया। शाहरुख़ सफलता की सीढ़ी चढ़ रहे थे और उन्हें काम करने के लिए नये साथी मिल रहे थे जिसमें यश चोपड़ा से लेकर अब्बास-मस्तान और बाद में करण जौहर जैसे सफल डायरेक्टर्स शामिल थे। उनके आस-पास चीज़ें तेज़ी से बदल रही थीं लेकिन उन्होंने कभी भी उन लोगों को अपनी यादों से निकलने नहीं दिया जिन्होंने उन्हें अपने पैरों पर खड़ा होना सिखाया था।

जब 2017 में कुंदन शाह की मौत हुई तो शाहरुख़ ने श्रद्धांजलि देते हुए लिखा कि ये 'उनके जीवन की सबसे बड़ी क्षतियों में से एक थी।' पच्चीस बरस की उम्र में, जब शाहरुख़ मुंबई आये थे तो वो कुंदन शाह के घर में ही रुके थे, उनके परिवार ने ही उनका ख़्याल रखा था और इमोशनल सपोर्ट दिया था। उन्होंने याद किया कि उनके थियेटर के दोस्तों ने उनसे कहा था कि जब वो कुंदन शाह से पहली बार मिलें तो उनके पैर छुएं और गले मिलें। वो कुंदन शाह को हिंदी टीवी और फ़िल्म इंडस्ट्री के सबसे बड़े डायरेक्टर्स में से एक मानते थे और अपनी सफलता के लिए उन्हें क्रेडिट देते थे। डायरेक्टर से अक्सर पड़ने वाली झाड़, दर्जनों रीटेक्स और इक्का-दुक्का हुई झड़पों के बावजूद, शाहरुख़ बताते हैं कि वो उन सभी अनुभवों को कितना महत्वपूर्ण मानते हैं। वो बताते हैं कि उनके घर पर कुंदन शाह की कई फ़िल्मों के पोस्टर थे। इन पोस्टरों में *जाने भी दो यारो* का भी पोस्टर था और कुंदन शाह उसे साइन करना टालते ही जा रहे थे।

कुंदन के गुज़रने से बस कुछ ही रोज़ पहले शाहरुख़ ने सोचा था कि वो उनका ऑटोग्राफ़ लेने जायेंगे लेकिन नहीं जा सके। शाहरुख़ याद करते हुए कहते हैं कि वो कुंदन की यादों, उनकी मोहब्बत और वो जैसे उनके साथ व्यवहार करते थे, उसे हमेशा अपने क़रीब रखेंगे। 'जब भी वो मुझे मारने को आये, जब भी वो मुझ पर चिल्लाये, अपने घर पर खाना खिलाया, मुझे बताया कि मैं कितना बेकार हूं, जब भी उन्होंने मुझसे कहा कि मैं अपनी ज़िंदगी में कभी अच्छा काम नहीं कर पाऊंगा, मुझे मेरी मां की याद आयी। मैं कुंदन को एक मां के जैसे ही मिस करूंगा।'[7]

शाहरुख़ की रोमांटिक हीरो की छवि बहुत बाद में बनी। 1992 में, शाहरुख़ बेताबी से ऐसी कहानी ढूंढ़ रहे थे जो हिंसा और ख़ून-ख़राबे से भरी हो। शाहरुख़ एक्शन फ़िल्में ढूंढ रहे थे और इस तरह के किरदारों की हदों को पार करना चाहते थे। 1992 के एक इंटरव्यू में शाहरुख़ *इंडिया टुडे* मैगज़ीन से मणि कौल की फ़िल्म *अहमक* के बारे में बात कर रहे थे, जो दोस्तोयवस्की की द *इडियट* पर आधारित थी। *अहमक* में वो रघुराजन का किरदार कर रहे थे जो रगोझिन नाम के विलेन के किरदार पर आधारित था। रगोझिन एक पैसेवाले व्यापारी का बेटा था, जो अपने बाप की दौलत लुटाया करता था और नस्तस्या फ़िलीपोव्ना नाम की ख़ूबसूरत महिला पर लट्टू हो गया था। उतार-चढ़ाव से भरे उनके रिश्ते में ईर्ष्या का भाव आ गया जहां से स्थिति यूं बन गयी कि रगोझिन एक दिन नस्तस्या की चाकू मारकर हत्या कर देता है। आलोचकों ने रगोझिन के डार्क कैरेक्टर और हिंसक स्वभाव की तुलना बुराई के प्रतीक से की है, जो कि इस उपन्यास के मुख्य किरदार मिश्किन से बिल्कुल उलट है, जिसे ईसा-मसीह जैसे एक चरित्र के रूप में दिखाया गया है। शाहरुख़ के युवा होने के चलते उनमें जो चमक थी, रघुराजन के इस भयानक अपराधी पक्ष के ठीक उलट था। और यही विरोधाभास उस किरदार में एक चौंकाने वाला आकर्षण ले आया। क्लाइमेक्स सीन में, रघुराजन ठंडी आवाज़ में कहता है कि चाकू की इतनी गहरी चोट के बावजूद कितना कम खून निकला है। *इंडिया टुडे* से बातचीत में शाहरुख़ ने कहा था, 'यार, मणि के साथ शूट करना कुछ और ही था। मुझे फ़िल्म समझ नहीं आई, लेकिन आर्ट-फ़िल्म वाला माहौल बहुत अच्छा लगा। आप समोसे का कौर खाते हो और सोच रहे होते हो कि भगवान कौन है? ज़िंदगी क्या है? मैं कौन हूं?'[8]

'मेरा लॉजिक ये है कि अगर आप *शोले* को गब्बर सिंह के दृष्टिकोण से देखेंगे तो आपको सभी मर्डर एकदम ठीक लगेंगे।'

लेकिन इस फ़िल्म के बाद उन्होंने माना कि वो कुछ और करना चाहते थे। इंटरव्यू में लिखा हुआ था, 'शाहरुख़ अपनी सुंदरता की ताक़त को पहचानते हैं, लेकिन वो सिर्फ़ हैंडसम लड़के के रूप में नहीं, कुछ और भी बनना चाहते हैं। उन्हें पूरा यक़ीन है कि लोग उनकी फ़िल्में सिर्फ़ इसलिए देखने नहीं आते कि वो हीरो हैं, वो शाहरुख़ को देखने आते

हैं। अब उनकी सबसे बड़ी ख़्वाहिश है कि वो एक विलेन का किरदार निभाएं और "हिंदी फ़िल्मों के डरावने खलनायक को एक नया आयाम दें"।"[9]

कहा जा सकता है कि शाहरुख़ ने *बाज़ीगर* को जैसे अपनी झोली में डलवा लिया था। डायरेक्टर अब्बास-मस्तान की जोड़ी को उनके भतीजे ने *ए किस बिफ़ोर डाइंग* दिखाई थी, जो आइरा लेविन के उपन्यास पर आधारित थी। ये फ़िल्म तिकड़मी दिमाग वाले एक लड़के की कहानी है, जो कॉलेज में पढ़ रहा था और जो अपनी गर्लफ्रेंड की हत्या कर देता है और फिर उसकी बहन को फंसाने की कोशिश करता है। फ़िल्म के बीच तक पहुंचते-पहुंचते अब्बास-मस्तान ने तय कर लिया था कि वो इसका रीमेक बनाएंगे। ये वो दौर था जब रीमेक बनाने के लिए अधिकार ख़रीदने का चलन नहीं था।

हॉलीवुड से आइडिया लेकर उन्हें बॉलीवुड की स्टाइल में ढालना एक पुरानी परंपरा रही है। और उन दिनों, हॉलीवुड की सेक्स सीन वाली कहानियों को बॉलीवुड में मेलोड्रामा से बदला जाता था। मसलन, *बाज़ीगर* में हीरो या कहें एंटी-हीरो को एक दुखद बैकस्टोरी दी गयी, जिससे उसके क्रूरता से भरे कामों को जायज़ ठहराया जा सके। फ़िल्म की शुरुआत में ही दिखाया गया है कि कैसे लड़के के पिता को उनके बिज़नेस पार्टनर द्वारा धोखा दिया जाता है और उसका परिवार बर्बाद हो जाता है। फिर, वही एंटी-हीरो उस धोखेबाज़ के परिवार से बदला लेने के लिए उसकी दोनों बेटियों के साथ रिश्ते बनाता है, बड़ी बेटी की हत्या कर देता है और कई और हत्याएं करता है। और अंत में अपनी मां की गोद में मर जाता है।

1990 के दशक में स्टार्स को एकदम साफ़-सुथरा, आदर्श और बगैर किसी दोष के दिखना होता था। उस वक़्त के दर्शक माफ़ करने के मामले में बेहद कंजूस होते थे। इसलिए, एक ऐसा किरदार जो हीरोइन की बहन और कई लोगों की हत्या करता है और फिर कुत्ते जैसी मौत मरता है, उस वक़्त किसी को भी ये हीरो वाली कहानी नहीं लगी।

आमिर ख़ान ने इस रोल के लिए मना कर दिया था। अनिल कपूर ने भी। सलमान ख़ान के पिता सलीम ख़ान एक स्क्रिप्टराइटर रह चुके थे और उन्हें ऐसा लगा कि उनके बेटे का ऐसे नेगेटिव रोल करना अभी जल्दबाज़ी होगा।

इसके बाद अब्बास-मस्तान को शाहरुख़ ख़ान नाम के एटीट्यूड से भरे लड़के का ख़्याल आया। वो एक परंपरागत हीरो से अलग था लेकिन उसे ख़ूब पहचाना जा रहा था और टीवी के काम ने उसे ख़ूब लोकप्रिय बनाकर रखा हुआ था। लेकिन, प्रोड्यूसर

रतन जैन सहमत नहीं थे। उन्हें लग रहा था कि शाहरुख़ को लेकर फ़िल्म का स्तर कम हो सकता था क्यूंकि आमिर और सलमान ने ब्लॉकबस्टर फ़िल्मों के साथ इंडस्ट्री में कदम रखा था और उस वक़्त राज कर रहे थे। 2023 में रतन जैन ने *टाइम्स ऑफ़ इंडिया* को बताया, '*बाज़ीगर* के वक़्त शाहरुख़ एक नया एक्टर था। उसने कुछ ही फ़िल्में की थीं। और मुझे लगा कि बस एक वही था जो कुछ नये तरह का काम करना चाहता था। वो हर तरह के एक्सपेरिमेंट करना चाहता था। वो रेगुलर रोमांटिक या एक्शन फ़िल्में नहीं करना चाहता था। मैंने कई एक्टर्स से बात की लेकिन कोई भी *बाज़ीगर* नहीं करना चाहता था। हर किसी को यही लग रहा था कि उनकी जो छवि बनी हुई है, ये रोल उसके ख़िलाफ़ चला जायेगा। शाहरुख़ को मालूम था कि मैं क्या बना रहा था। हमारी पहली मीटिंग में उसने कहा, "ठीक है, मैं ये रोल करूंगा और किसी से भी बेहतर करके दिखाऊंगा।" उसने ऐसा ही किया।'[10]

सितम्बर 1992 में, अब्बास-मस्तान ने शाहरुख़ को पूरी तसल्ली से कहानी सुनायी। शाहरुख़ को एक भी पल के लिए कोई संदेह नहीं रहा। उन्होंने कई सीन के बारे में पूरे उत्साह के साथ चर्चा करनी शुरू कर दी। वो इस बात को लेकर बहुत उत्साहित थे कि वो एक विलेन का किरदार निभाने वाले थे। उनमें जो उतावलापन था, उसे देखकर लोग हैरान थे क्यूंकि बाकी हर एक्टर यही कह रहा था कि ये कैरियर को तबाह करने वाला रोल था।

शाहरुख़ के पास अपनी वजहें थीं। वो कहानी सुनाने में विविधता रखने की वक़ालत करते थे। उन दिनों वो किस विचारधारा के साथ आ रहे थे, इस बारे में उन्होंने अनुपमा चोपड़ा से एक इंटरव्यू में बात करते हुए कहा, 'मेरा लॉजिक ये है कि अगर आप *शोले* को गब्बर सिंह के दृष्टिकोण से देखेंगे तो आपको सभी मर्डर एकदम ठीक लगेंगे।'[11]

अब्बास-मस्तान शाहरुख़ की सोच से ख़ुश तो थे लेकिन हर कदम झाड़-फूंककर रख रहे थे। चूंकि शाहरुख़ ने उनके काम में विश्वास दिखाया था, वो नहीं चाहते थे कि उनकी फ़िल्म के चलते शाहरुख़ का कैरियर अपनी शुरुआत में ही चोटिल हो जाए। उन्होंने ये बिल्कुल साफ़ कर दिया था कि अगर शाहरुख़ ने फ़िल्म में किसी लोकप्रिय एक्टर को मारा, तो हो सकता है कि लोग उनके किरदार से सहानुभूति न रखें। शुरुआत में शाहरुख़ की गर्लफ़्रेंड (काजोल) के रोल के लिए आयशा झुल्का और माधुरी दीक्षित ने मना कर दिया था। श्रीदेवी ने हां कर दी लेकिन उनकी मांग थी कि दोनों बहनों को जुड़वां रखा

जाए, जिससे वो डबल रोल कर सकें। 2017 में अब्बास ने *फ़िल्म कम्पेनियन* से कहा था, 'श्रीदेवी उस वक़्त बहुत पॉपुलर थीं। फ़िल्म में उन्हें मार देते तो ऑडियंस को अच्छा नहीं लगता। अगर हम श्रीदेवी जैसी एक्ट्रेस को इंटरवल से पहले ही मार देते तो ऑडियंस को ये कतई पसंद नहीं आता, और ये फ़िल्म नहीं चल पाती।'

इस सबके चलते, दो नयी एक्ट्रेसेस को लिया गया। शिल्पा शेट्टी को वो रोल मिला जो शाहरुख़ की गर्लफ़्रेंड थी और जिसे वो मार देते हैं। शिल्पा शेट्टी उस वक़्त सत्रह की थीं। तनूजा की बेटी काजोल, जिन्होंने तीन फ़िल्में साइन कर रखी थीं, को शिल्पा की बहन का रोल मिला और वो फ़िल्म की महिला लीड बनीं।

उधर, शाहरुख़ को कोई दिक्कत महसूस ही नहीं हो रही थी। उन्हें इस बात से ज़रा भी समस्या नहीं थी कि वो ऐसे आदमी का किरदार निभा रहे थे, जो अपनी गर्लफ़्रेंड और फिर दो और दोस्तों को इसलिए मार देता है, जिससे उसका सीक्रेट बाहर न आये। उन्होंने इस किरदार के लिए कोई कसर नहीं छोड़ी और हिंदी फ़िल्मों के नेगेटिव किरदार को एक नया आयाम दे दिया। उन्होंने वादा भी ऐसा ही कुछ किया था। उनकी आंखों में उतर आया ख़ून, ख़ून से सना चेहरा और बदले की भावना के चलते बाकी हाव-भाव उनके किरदार को एक डरावना जामा पहना रहे थे। अपनी गर्लफ़्रेंड को शादी के रजिस्ट्रेशन ऑफ़िस की छत से नीचे फेंकने से ठीक पहले, वो उसकी ओर एक शातिर मुस्कान के साथ देखते हैं और मासूमियत से कहते हैं, 'आय ऐम सॉरी।'

एक बुरे आदमी का रोल करने में उन्हें ख़ूब मज़ा आ रहा था। दिलीप ताहिल ने शाहरुख़ की दोनों गर्लफ़्रेंड बहनों के पिता का किरदार निभाया था और फ़िल्म के मुख्य विलेन भी थे। लेकिन वो फ़िल्म में दिखाये जा रहे खून-ख़राबे को लेकर असमंजस की स्थिति में थे। लेकिन अब्बास-मस्तान को ये विश्वास था कि दर्शक शाहरुख़ की मां के साथ इतनी सहानुभूति रखने लगेंगे कि सबकुछ ठीक हो जायेगा।।

जब फ़िल्म रिलीज़ हुई, पूरी टीम इस फ़िल्म को प्रमोट करने के लिए लंदन गयी। ये पहला मौका था जब शाहरुख़ देश के बाहर निकले थे। विदेश के डिस्ट्रिब्यूटर इरॉस इंटरनेशनल ने तीन दिनों में छह प्रीमियर रखे थे। शाहरुख़ और गौरी बेहद आलीशान सेंट जेम्स कोर्ट होटल में ठहरे थे। वहां दूसरी रात को शाहरुख़ को एक फ़ोन आया। रात बहुत हो चुकी थी और शाहरुख़ और गौरी सो रहे थे। फ़ोन इंडिया से था और लाइन के दूसरी ओर प्रोड्यूसर यश जौहर थे, जो बता रहे थे कि *बाज़ीगर* सुपरहिट हो चुकी थी!

फ़िल्म का एक डायलॉग लोगों की ज़ुबान पर चढ़ चुका था: *'हारकर जीतने वाले को बाज़ीगर कहते हैं।'*

शाहरुख़ हर जगह *'ये काली काली आँखें'* गाने पर डांस कर रहे थे। उन्हें मालूम था कि जीवन की लम्बी यात्रा में, परिस्थितियों के ख़िलाफ़ जाकर काम करना उनके लिए हमेशा फलीभूत होने वाला था। 2013 में, *फ़ोर्ब्स* को दिए एक इंटरव्यू में उन्होंने उस डर के बारे में बात की, जो हर कोई उनके भीतर बिठाना चाह रहा था। ये हमारी ख़ुशकिस्मती है कि उन्होंने इस पर कोई कान नहीं दिया। 'मैं छोटे वक़्त के लिए सोचता ही नहीं हूं। मेरा ऐसा ही मानना है। ऐसा इसलिए भी हो सकता है क्यूंकि बीते वक़्त में मुझे लगातार कई असफलताएं मिली हैं। और फिर मैंने बहुत बड़े-बड़े रिस्क लिए हैं और उसमें मैं सफल हो गया। जैसे, जब *बाज़ीगर* रिलीज़ हुई, हर किसी ने मुझसे यही कहा कि मेरा कैरियर ख़त्म हो जायेगा। जो मुझे सबसे ज़्यादा चाहते थे, उन्होंने भी कहा कि एक महिला को मारने के बाद मैं कभी भी हीरो नहीं बन पाऊंगा। लेकिन वो काम कर गया। लम्बे वक़्त में, अगर आप अपने काम में डटे रहें, तो सबकुछ फल देता है।'

इंडस्ट्री में एक जानी-मानी थ्योरी ये है कि अगर आप अलग दिखना चाहते हैं तो उसके लिए सबसे अच्छा तरीका यही है कि आप सभी को चौंका दें। शाहरुख़ के शुरुआती किरदारों ने यही किया। वो सभी को चौंका रहे थे, नेगेटिव किरदार निभा रहे थे, कई बार हदें पार कर रहे थे। ये रोल अभी तक देखे नहीं गए थे, इनके बारे में बात भी नहीं हुई थी और हिंदी फ़िल्मों के हीरो जैसे होते थे, उसकी छवि के बिल्कुल उलट थे।

किसे मालूम था कि कुछ सालों के बाद ही ये 'बैड बॉय' बॉलीवुड के रोमांटिक हीरो का प्रतीक बन जायेगा। ये कहना ग़लत नहीं होगा कि शाहरुख़ समय के साथ चलना जानते थे और इसमें उनका कोई सानी नहीं था। सबसे बड़ी बात, वो अपनी छाप छोड़ना जानते थे।

बाज़ीगर के ज़रिये बॉलीवुड को एक स्टार मिल चुका था। और डर में शाहरुख़ को एक मौका मिला। मौका था ये साबित करने का कि वो आम धारणाओं से आगे जाने में पूरी तरह से सक्षम थे। 2023 में फ़िल्म इतिहासकार दिलीप ठाकुर ने द *टाइम्स ऑफ़ इंडिया* को बताया, '*लम्हे* के फ़्लॉप होने के बाद, यश चोपड़ा ने डर शुरू की। फ़िल्म के लिए

ऋषि कपूर पहली पसंद थे, जिन्होंने *चांदनी* में काम किया था। लेकिन फिर ऋषि कपूर, मिथुन चक्रवर्ती और जैकी श्रॉफ़ ने ये ऑफ़र ठुकरा दिया। अंत में सनी देओल को ये रोल मिला। ऐसा कहा जाता है कि डर में दिव्या भारती को लिया जाना था लेकिन मामला बन नहीं पाया। जूही चावला को साइन कर लिया गया। जो रोल शाहरुख़ को मिला, उनसे पहले सुदेश बेरी के पास गया था लेकिन उन्होंने उसे मना कर दिया था। आमिर ख़ान से जुड़ी कंट्रोवर्सी ने भी इस फ़िल्म को ख़ूब हवा दी थी क्यूंकि उन्होंने कोई भी नेगेटिव रोल करने से मना कर दिया था। शाहरुख़ लोनावला में शूटिंग कर रहे थे और यश चोपड़ा वहां पहुंचे और उन्हें साइन कर लिया। शाहरुख़ के लिए ये बहुत बड़ा मौक़ा था।'[12]

'जब *बाज़ीगर* रिलीज़ हुई, हर किसी ने मुझसे यही कहा कि मेरा कैरियर ख़त्म हो जायेगा। जो मुझे सबसे ज्यादा चाहते थे, उन्होंने भी कहा कि एक महिला को मारने के बाद मैं कभी भी हीरो नहीं बन पाऊंगा।'

1989 की थ्रिलर फ़िल्म डेड *काम* में एक शादीशुदा जोड़ा दिखाया जाता है जो नाव में सवार होकर घूमने निकला था और एक अपराधी उनकी इस यात्रा पर ग्रहण लगा देता है। यही कहानी डर का आधार बनी। इस फ़िल्म के बारे में एक तथ्य ये भी है कि इसे ऋतिक रोशन और उदय चोपड़ा ने ढूंढा था और आदित्य चोपड़ा को इसके बारे में बताया था। और तो और, डर शीर्षक ऋतिक से आया था, जो इसी नाम से एक छोटी सी फ़िल्म बना रहे थे। जब आदित्य ने तय किया कि वो ये फ़िल्म बनायेंगे तो ये शीर्षक उन्होंने ले लिया।

डर में शाहरुख़ के किरदार का नाम राहुल था। ये हिंदी फ़िल्मों के ठेठ मुख्य किरदारों से कोसों दूर था, जिसमें एक ऐसा लड़का दिख रहा था जो अकेला था, अवसादग्रस्त था और अठारह बरस पहले मर चुकी अपनी मां से बात करता रहता था। वो एक लड़की के पीछे पड़ा है लेकिन सबकुछ तब एक भयानक मोड़ ले लेता है, जब उसका एकतरफ़ा प्यार हिंसा में बदलना शुरू कर देता है। डर के क्लाइमैक्स में राहुल, हनीमून पर गए हुए सुनील (सनी देओल) और किरन (जूही चावला) को ढूंढ निकालता है, सुनील पर जानलेवा हमला करता है किरन के साथ जबरन शादी करने की कोशिश करता है। फ़िल्म अपने चरम पर तब पहुंचती है जब सुनील पलटवार करता है, राहुल को बल भर पीटता है और अंत में उसे गोली मार देता है।

नेटफ़्लिक्स की सीरीज़ द *रोमांटिक्स* में शाहरुख़ डर के अपने अनुभव पर बात करते हैं। वो *लम्हे* देख रहे थे, जब उनके मैनेजर ने उन्हें बताया कि यश चोपड़ा उनसे मिलना चाहते थे। शाहरुख़ ने इससे पहले उनसे कभी मुलाक़ात नहीं की थी और उन्हें लगता था कि वो एक लम्बे कद के, लम्बे बाल वाले, लगभग हिप्पी से दिखने वाले होंगे। लेकिन जब उनके सामने एक सादा-साधारण सा दिखने वाला बेहद विनम्र सा व्यक्ति आया तो वो चौंक गए। यश चोपड़ा ने शाहरुख़ से कहा, 'मुझे लगता है कि तुम कमाल के एक्टर हो। ये एक बुरे आदमी का रोल है।' चोपड़ा ने बगैर किसी लाग-लपेट के उन्हें बताया कि वो ये रोल पहले किसी और को देना चाहते थे, लेकिन वो उपलब्ध नहीं है इसलिए उन्हें लगता है कि शाहरुख़ इस रोल के लिए एकदम मुफ़ीद थे। शाहरुख़ उस रोल के लिए तैयार हो गये और उन्होंने बताया कि वो अच्छे आदमी के रोल से कुछ अलग करना चाहते थे, जो उन्हें लगातार ऑफ़र किये जा रहे थे। उन्होंने हाल ही में रॉबर्ट डि नीरो की *केप फ़ियर* देखी थी और वो उनके किरदार को आक्रामक और गंभीर तरीक़े से निभाने के क़ायल हो गए थे। बाद में उन्होंने कहा, 'मुझे लगता है कि अगर आज के समय में मैंने ऐसा रोल कर दिया तो मुझे जेल में डाल दिया जायेगा।'

2009 में, उदय चोपड़ा के साथ इंटरव्यू की एक सीरीज़ में यश चोपड़ा ने डर का विश्लेषण किया था। उन्होंने कहा, 'मैं आमतौर पर रोमांटिक फ़िल्में बनाता रहा। मेरे पास बस एक ही शब्द था – एक जुनूनी आशिक। फिर संजय दत्त, अजय देवगन की बात हुई... फिर मैं शाहरुख़ ख़ान के पास गया। मैंने उससे कहा, "ये एक नेगेटिव रोल है।" उसने कहा, "इससे पहले कि आप कहानी सुनाओ, मैं आपको बता दूं कि मैं पहले से ही दो ऐसी फ़िल्में कर रहा हूं जिसमें मैं नेगेटिव हीरो हूं। तो आप मेरी कहानियां सुन लो और अगर वो आपकी कहानी से मिलती हों तो मुझे मत सुनाओ।" वो उस वक़्त *अंजाम* कर रहा था और रवीना टंडन के साथ एक और थी जो बन नहीं पायी। एक अच्छा एक्टर होने के अलावा वो एक बहुत अच्छा इंसान भी है। वो दूसरों की मुश्किलें समझता है और अगर उसे समझ में आता है कि कोई इंसान उससे बहुत प्यार करता है तो वो उसके लिए अपनी जान लगा देता है।'[13]

शाहरुख़ ने हमेशा यही कहा कि डर एक साइक्लोजिकल फ़िल्म है। उनके लिए वो किसी भी मौके पर एक लव-स्टोरी नहीं थी। और इसी वजह से वो फ़िल्म ऐसी दिखती है और शाहरुख़ की परफ़ॉरमेंस में वो चीज़ें दिखीं जिस पर उन्होंने काम किया और जिन्हें

अपनी ओर से उन्होंने जोड़ा। द *रोमांटिक्स* में उन्होंने कहा, 'मेरा कैरेक्टर अलग और अजीब है। ये ऐसा किरदार है जो मैंने कभी भी नहीं किया है और ये संभव है कि ऐसा कुछ दोबारा अपने जीवन में कभी न करूं।'

शाहरुख़, यश चोपड़ा और आदित्य चोपड़ा ने इसके बाद एक लम्बा साथ निभाया जिस दौरान उन्होंने अनेकानेक मौकों पर साथ काम किया। डर बनाने के दौरान ही शाहरुख़ और आदित्य चोपड़ा में अच्छी दोस्ती हो गयी। शुरुआत में शाहरुख़ को मालूम ही नहीं था कि आदित्य असल में यश चोपड़ा के बेटे हैं। वो आदित्य को महज़ चीफ़ असिस्टेंट डायरेक्टर ही समझते थे। शाहरुख़ ने सुझाया था कि वो अपने किरदार को हकलाता हुआ दिखायेंगे क्यूंकि उन्होंने इसी विषय पर एक शोध पढ़ा था। इस पर आदित्य ने सलाह दी थी कि उनका किरदार सिर्फ़ तभी हकलाये जब वो 'किरन' का नाम लेता है।

द *रोमांटिक्स* में शाहरुख़ बताते हैं कि आदित्य चोपड़ा उनके सलाहकार के रूप में काम आते हैं। शुरुआत में ही उन्हें ये समझ में आ गया था कि आदित्य के साथ काम करते हुए, उनके साथ हर तरह के आईडिया पर बात की जा सकती थी, हर तरह का विश्लेषण किया जा सकता था। शाहरुख़ याद करते हुए बताते हैं कि उन्होंने कुछ ऐसी सलाहें दीं जो अजीब सी लग सकती थीं, जैसे वो उल्टा लटके हुए एक फ़ोन कॉल करेंगे। इसके जवाब में आदित्य ने कहा कि उनके पिता ये आईडिया ख़ारिज कर देंगे। दोनों एक-दूसरे के लिए फ़िल्टर का काम करते थे। शाहरुख़ ने द *रोमांटिक्स* में कहा, 'यश जी के मामले में हम दोनों एक-दूसरे की मदद करते थे। डर ने अच्छा किया, लोगों को वो बहुत पसंद आयी। वो फ़िल्म अपने आप में एक घटना बन गयी...'

डर और *बाज़ीगर* की शूटिंग एक साथ चल रही थी। ये एक बुरा अनुभव भी हो सकता था। अगर ये किरदार और परफ़ॉरमेंस ठीक काम नहीं करते तो शाहरुख़ कुछ ही दिनों में फ़िल्म इंडस्ट्री से गायब हो जाते। दोनों फ़िल्में एक-दूसरे से एक महीने के अंतर पर रिलीज़ हुईं और जब तक उन्हें बॉक्स-ऑफ़िस हिट घोषित किया जाता, शाहरुख़ ने हिंदी फ़िल्म के हीरो की छवि को बदलकर रख दिया था। अमिताभ बच्चन के एंग्री यंग मैन वाले अवतार की तरह ये एंटी-हीरो का एक नया अवतार था। ये हीरो चाशनी में डूबा हुआ नहीं बल्कि जुनूनी, अनैतिक, स्वार्थी और हिंसक था। *किंग ऑफ़ बॉलीवुड* में शाहरुख़ कहते हैं, 'हिंदी फ़िल्मों का हीरो बदल चुका है। अब वो लोगों को मार सकता है। हमें उसे पसंद नहीं करना है, उसकी कहानी को करना है, जो वो सुना रहा है।'

1994 में रजत शर्मा के शो *आप की अदालत* में शाहरुख़ से पूछा गया था कि क्या उन्होंने सोचा था कि उनकी फ़िल्मों का लोगों पर क्या असर पड़ेगा। शो के दौरान ही शाहरुख़ को एक मैगज़ीन द्वारा उनके नेगेटिव किरदारों को लेकर देशभर में किये सर्वे के बारे में बताया गया। रजत शर्मा ने शाहरुख़ से कहा कि अगर ऐसे किरदारों को विलेन कहा जाए, फिर तो समझ में आता है, लेकिन अगर उन्हें हीरो कहा जाए तो ये आपत्तिजनक बात होगी।

शाहरुख़ ने समझाया कि कैसे कुछ रोल ऐसे होते हैं जिन्हें काले या सफ़ेद में नहीं बांटा जा सकता। ऐसे किरदारों को 'ह्यूमैन कैरेक्टर' कहते हैं न कि अच्छे या बुरे में बांट पाते हैं। ऐसे किरदार सच और झूठ, अच्छा और बुरा, सब अपने भीतर लेकर चलते हैं। उन्होंने स्वीकारा कि इन किरदारों में कुछ अच्छे और कुछ बुरे गुण होते हैं और कैसे इन फ़िल्मों में प्रेम का एंगल इस्तेमाल किया जाता है, जो ये दिखाता है कि अमुक किरदार इतनी शिद्दत से किसी से प्यार करता था कि वो उसके लिए किसी को मारने से भी नहीं हिचकता। शाहरुख़ ने ये भी कहा कि ऐसी फ़िल्मों में इन किरदारों का अंत इस तरह से होता है कि आपकी सहानुभूति उनके प्रति नहीं हो सकती।

उनसे पूछा गया कि क्या *बाज़ीगर* हत्या को और *अंजाम* प्रताड़ना को बढ़ावा देती हैं। उन्होंने कहा कि बढ़ावा दिया जाना तब माना जायेगा, जब ऐसा करने वाला बच निकले। लेकिन, इन फ़िल्मों में अंत में किरदारों की अफ़सोसजनक मौत हो जाती है। उन्होंने इस बात को माना कि फ़िल्में बच्चों पर नकारात्मक प्रभाव डाल सकती हैं लेकिन उन्होंने ये भी कहा कि एक ओर पुरुषों ने उनकी फ़िल्मों को बकवास कहा तो कई महिलाएं इन फ़िल्मों से प्रभावित हुईं और इन्हें असरदार माना। उन्होंने कहा, '*बाज़ीगर* के बाद, मैंने देखा कि कई आदमी कह रहे थे कि ये फ़िल्म नहीं चलेगी। महिलाएं निकलीं तो रो रही थीं। उन्हें फ़िल्म पसंद आयी।'

लड़कियों का पीछा करने के बारे में उन्होंने कहा कि एक एक्टर के रूप में, वो उन हरकतों की ज़िम्मेदारी नहीं ले सकते थे जो उनका किरदार करता है। उन्होंने कहा कि वो किरदार मानसिक रूप से अस्थिर बताया गया था और साफ़ कहा गया था कि इस तरह की हरकतें सामान्य नहीं होतीं। उन्होंने कहा कि हिंदी फ़िल्मों का हीरो अक्सर एक महामानव की परछाई लिए होता है जिसके गुण उस एक्टर में कतई नहीं होते। 'वो एक

मानसिक रूप से अस्थिर, विक्षिप्त कैरेक्टर था। कोई भी नॉर्मल इंसान ऐसा कुछ नहीं करेगा जैसा वो करता है। एक फ़िल्म लोगों पर क्या बुर असर डाल सकती है, ये मैं समझ सकता हूं। लेकिन मैं ये भी समझता हूं कि किसी भी हिंदी फ़िल्म का सबसे बड़ा विलेन हीरो ही होता है क्यूंकि वो एक महामानव सा दिखाया जाता है। मैं वो इंसान नहीं हूं।'

उनके पहले की मुख्यधारा के हीरो के लिए, एक एक्टर जनता का ग़ुलाम होता है। लेकिन शाहरुख़ को ऐसा नहीं लगता था। 'मैं जनता का ग़ुलाम नहीं हूं। मैं एक अदाकार हूं, मेरा काम है आपका मनोरंजन करना। मैं आपको वो जोक नहीं सुनाऊंगा जो आप मुझे सुनाने को कहेंगे। मैं आपको वो जोक सुनाऊंगा, जिसके बारे में मुझे लगता है कि वो आपको हंसायेगा। अगर आप नहीं हंसते हैं, ऊप्स आय ऐम सॉरी! मैं एक और कोशिश करूंगा। मैं वो काम नहीं करूंगा जो कोई मुझसे करने को कहेगा। आप मुझे देखने के लिए पैसे दे रहे हैं, ख़ुद को देखने के लिए नहीं। आप मुझसे ये नहीं कह सकते कि "मेरे चाचा की तरह नाचो।" मुझसे ये नहीं कहा जा सकता कि नेगेटिव किरदार मत निभाओ। मैं आपका ग़ुलाम नहीं हूं। न ही आप मेरे ग़ुलाम हैं। आप ढाई घंटे मुझे पर्दे पर देखने के लिए पैसे दे रहे हैं और हो सकता है कि मैं आपको वो न दे सकूं जो आप देखने आये थे। ऐसा हो सकता है कि आप एक ऐसे लड़के को देखने आये हों, जो एक लड़की को बड़े प्यार से रखता है। हो सकता है आपको ऐसा लड़का देखने को मिले जो उस लड़की को तीसरी मंज़िल से नीचे फेंक देता है और उसे ख़ुशी मिलती है। लेकिन जब आप वापस जा रहे हों, तब आपको लगना चाहिए कि आपकी शाम अच्छी गुज़री।'[14]

डर के बारे में सच्चाई ये है कि इस फ़िल्म को महिलाओं ने ख़ूब पसंद किया था। ये पहली फ़िल्म थी जिसने महिलाओं का पीछा करने और उन पर हक़ जताने के बारे में बात की थी। इस फ़िल्म ने देशभर में इन मुद्दों पर बहस शुरू की और कई लोगों ने अपने अनुभव बताने शुरू किये। अभी तक मुख्यधारा की मीडिया में ऐसी बहसें नहीं हुआ करती थीं।

इस फ़िल्म ने वो खाका भी तैयार किया जिसके चलते बॉलीवुड फ़िल्मों ने डार्क थीम और उलझे हुए किरदारों के बारे में सोचना शुरू किया। अभी तक ऐसे काम स्वतंत्र सिनेमा तक ही सीमित हुआ करते थे।

इस फ़िल्म को उस साल राष्ट्रीय पुरस्कारों में सर्वश्रेष्ठ फ़िल्म घोषित किया गया (संपूर्ण मनोरंजन प्रदान करने वाली लोकप्रिय फ़िल्म)। 1993 में, डर ने अंतर्राष्ट्रीय बॉक्स-ऑफ़िस पर पकड़ बनाए रखी और 5.58 करोड़ रुपये कमाये। दुनियाभर में इस फ़िल्म

ने कुल 21.31 करोड़ रुपये कमाये जो 2017 की महंगाई दर के हिसाब से 366 करोड़ रुपये बनते हैं। इंडिया में भी, डर फ़िल्म ने अच्छा बिज़नेस किया। देश में इसने 15.73 करोड़ कमाये और इसकी कुल कमाई 10.74 करोड़ की हुई। महंगाई दर को देखते हुए 2017 के हिसाब से ये रक़म होती है 184.4 करोड़ रुपये।[15]

लोग सोच सकते हैं कि डर जैसी एक 'समस्याग्रस्त' फ़िल्म महिलाओं के बीच कैसे पसंद की जा सकती है। शास्त्रीय नर्तकी मीरा नायर ने मीडियम पर एक पोस्ट में समझाया, 'अपने कॉलेज के क्लासरूम में, दो दिन पहले ही एक प्रोजेक्टर पर मैंने डर फ़िल्म देखी। ये पहला मौका था जब मैं शाहरुख़ को किसी फ़िल्म में विलेन के रोल में देख रही थी और इस फ़िल्म को रिलीज़ हुए 30 साल हो चुके थे। शुरुआत में, मेरे लिए शाहरुख़ को ऐसे रोल में देखना कुछ मुश्किल था। क्यूंकि फ़िल्म देखने से पहले हमारे प्रोफ़ेसर और हमने ये डिस्कस किया था कि लड़कियों का पीछा करने वाला अपने काम पर किस कदर केन्द्रित रहता है, जो बेहद परेशान करने वाला था। जब मैं फ़िल्म देख रही थी तब मुझे समझ में आया कि क्यूं शाहरुख़ ने कहा था "फ़िल्म में ये किरदार उनमें से एक है जिसे उस वक़्त महिलाओं ने बहुत पसंद किया..." बॉलीवुड के हीरो को अक्सर सदाचारी और सम्माननीय दिखाया जाता है, जो न्याय और प्रेम के लिए लड़ते हैं। लेकिन शाहरुख़ का ये किरदार इस खाके को धराशायी कर देता है। उन्होंने ऐसा किरदार निभाया जिसमें ढेरों समस्याएं थीं और जो बेहद अनैतिक था। वो हीरो नहीं बल्कि विलेन था। और इसके बावजूद, उन्होंने ऑडियंस की संवेदना अपने साथ कर ली थी।'[16]

शाहरुख़ का किरदार एक दर्दनाक मौत मरता है। लिहाज़ा, ऐसा नहीं कहा जा सकता है कि स्क्रीन पर दिख रहे उसके सभी क्रियाकलापों को सही ठहराया गया। यश चोपड़ा ने शुरू से ही सोचा हुआ था कि इस किरदार को अंत में मरना होगा। लेकिन उनके मुख्य एक्टर शाहरुख़ ने इस किरदार को इतना मानवीय बना दिया था कि उसे एंटी-हीरो कहना ही पड़ा।

डेली ओ के एक कॉलम में इसे बिल्कुल ठीक से समझाया गया है। 'डर ने ये स्थापित किया कि राहुल के पागलपन के पीछे की वजह क्या थी। बॉलीवुड में कितनी ही कहानियां हैं जिसमें दिखाया जाता है कि एक बुरे आदमी के दिल में कितनी अच्छाइयां कैद होती हैं। लेकिन राहुल के दिल में कोई अच्छाई नहीं थी। लेकिन, इसमें राहुल की कोई ग़लती नहीं थी और ऐसा फ़िल्म बनाने वालों ने ढंग से बताया भी। ग़लती थी उसके बचपन में

मिले आघातों की और उस पिता की, जो उसे नज़रंदाज़ करता आया था। क्या ये डिप्रेशन के बारे में बात करने की शुरुआत थी? मुझे तो ऐसा ही लगता है।'[17]

सतही तौर पर ऐसा लग सकता है कि हर कोई राहुल के लिए बहानेबाज़ी कर रहा था, लेकिन असल में, इस फ़िल्म ने मुख्यधारा की फ़िल्मों में कहानियों के हर एंगल पर काम करने की शुरुआत की। एक किरदार बस एक किरदार ही था जो अपना काम करता जा रहा था और अपने अन्जाम तक पहुंच रहा था। शायद हिंदी फ़िल्मों के इतिहास में ऐसा पहली बार हो रहा था कि दर्शक एक बुरे किरदार की मानसिक स्थिति के बारे में जानकारी पा रहे थे। ये कहानी अच्छे और बुरे के नियमित खांचे से निकलकर उस बातचीत पर आयी जिसके चलते लोगों को मालूम चला कि कोई जो कुछ भी करता है, वो क्यूं करता है। उपन्यासकार ग्रेगरी डेविड रॉबर्ट्स ने 2003 में अपने बेस्टसेलिंग नॉवेल *शांताराम* में अच्छे और बुरे लोगों के बारे में सबकुछ बताया है। उन्होंने लिखा है, 'सच तो ये है कि अच्छे और बुरे लोग होते ही नहीं हैं। उनके काम में अच्छाई और बुराई होती है। काम अच्छे होते हैं और बुरे भी होते हैं। इंसान तो बस इंसान होता है। वो क्या करते हैं या क्या करने से इंकार कर देते हैं, वही उन्हें अच्छाई या बुराई से जोड़ देता है। सच तो ये है कि बात चाहे किसी महान इंसान की हो या किसी दुष्ट की, उसके भीतर सच्चे प्रेम के जूनून से भरे एक क्षण में, उसके जीवन का पूरा उद्देश्य, सभी प्रक्रियाएं और जीवन का अर्थ सिमटा होता है।'

2016 में, एक वेब सीरीज़ पर काम शुरू हुआ, जिसका नाम था 'डर 2.0'। अगस्त 2016 में यूट्यूब पर एक टीज़र ट्रेलर भी आया था जिसे देखकर ऐसा मालूम पड़ रहा था कि ये पांच एपिसोड की मिनीसीरीज़ होने वाली थी। ये डर फ़िल्म का एक आधुनिक संस्करण होने वाली थी और ये टेक्नोलॉजी के स्याह पक्ष को दिखाने वाली थी, जिसमें साइबरस्टॉकिंग और डिजिटल क्राइम पर फ़ोकस किया जाना था। यश राज फ़िल्म्स के युवा संभाग, वाय-फ़िल्म्स के पास इसे प्रोड्यूस करने की ज़िम्मेदारी थी। बिकास चंद्रा इसे डायरेक्ट करने वाले थे। निखिल तनेजा और शुभम योगी इसका स्क्रीनप्ले और डायलॉग लिखने वाले थे। लेकिन ये प्रोजेक्ट बंद कर दिया गया। सभी की समझ में आ गया था कि आज की जागरूक जनता ऐसे एंटी-हीरो की टांगें तोड़कर रख देगी। 2020 में, राहुल का प्यार में सफल हो जाना असंभव काम था। उसकी बखिया उधेड़ दी गयी होती।

हैदराबाद से आने वालीं दिव्या त्रिपाठी शाहरुख़ की फ़ैन हैं और डर को अपनी सबसे पसंदीदा फ़िल्म बताती हैं और उनका मत ऐसा नहीं है। उन्होंने मुझसे कहा, 'मुझे लगता है कि ये एक परफ़ेक्ट फ़िल्म है। राहुल 2020 में भी सफल हो सकता है, बस लिखावट और एक्टिंग ओरिजिनल फ़िल्म की तरह एकदम कसी हुई हो। राहुल को कहीं भी सही नहीं दिखाया गया है। वो एक बुरा इंसान है जो मारा जाता है। उसका लेखन ऐसा था कि मुझे राहुल की ज़िंदगी और उसके दिल में बसा खालीपन अच्छी तरह से समझ आ सकता था। शाहरुख़ और यश चोपड़ा ने उसे कहीं भी हीरो जैसा नहीं दिखाया। वो ही इसका खलनायक था। और हां, मैं इससे इंकार नहीं कर सकती हूं कि ये मेरी फ़ेवरिट फ़िल्म है। ये फ़िल्म दिखाती है कि एक्टर कुछ ख़तरनाक करने का ज़ोखिम उठाने की ताक़त रखता है। हम कहते हैं कि हम सिनेमा से बोर हो चुके हैं और लोग थियेटर नहीं जाते। क्यूं जायेंगे? क्या आप रिस्क ले रहे हैं और कुछ ऐसा बना रहे हैं जो अभी तक देखा ही नहीं गया? नहीं, आप ऐसा नहीं कर रहे हैं। जो लोग बड़े रिस्क लेते हैं, उन्हें बड़ी जीत मिती है। डर, *बाज़ीगर* और *अंजाम* ऐसी ही फ़िल्में थीं। सिनेमा का काम है कि वो आपके भीतर कुछ जगाये। अगर वो एकदम सामान्य रहा तो उसे आम ज़िंदगी कहते हैं।'

शाहरुख़ ने पारंपरिक हीरो जैसी छवि या यूं कहें कि किसी भी तरह के स्टीरियोटाइप को नहीं अपनाया और इसके पीछे एक गहरा कारण था। एनडीटीवी के शो *स्पॉटलाइट* पर जब उन्होंने अपने शुरुआती संघर्षों के बारे में बात की, तो उन्होंने कहा कि डर और *बाज़ीगर* जैसे दूसरों के ठुकराए हुए रोल उन्होंने इसलिए किये क्यूंकि उन्हें लगता था कि वो हीरो बनने लायक दिखते नहीं हैं, इसलिए बेहतर है कि विलेन बन जाएं और कोई काम मिल जाए।

उनके शुरुआती प्रोड्यूसरों ने उनसे तरह-तरह की बातें कहीं। जैसे, 'तुम्हारे बाल ठीक नहीं हैं', 'तुम स्टार जैसे नहीं लगते', 'तुम बहुत तेज़ बोलते हो।' शाहरुख़ ने ये भी बताया कि एक डायरेक्टर ने उन्हें 'साधारण और बदसूरत' कह दिया था। शाहरुख़ ने कहा, 'एक मेरे अच्छे दोस्त हैं जो डायरेक्टर भी हैं। उन्होंने मुझे देखकर कहा, "तुम तो बहुत ही आम और बदसूरत लगते हो।" उन्होंने मुझसे साफ़-साफ़ कहा कि "तुम्हारा इस्तेमाल मैं किसी दिलचस्प चीज़ के लिए कर सकता हूं" और मुझे ये बात सही लगी।

इसलिए नहीं कि उन्होंने कहा, बल्कि इसलिए कि मैं खुद भी यही मानता हूं। मैंने ये रोल इसलिए किए क्यूंकि मुझे सिर्फ़ एक्टिंग करनी थी। आप वही कीजिए जो आप वाकई में करना चाहते हैं... और मुझे लगता है कि फिर सबकुछ ठीक हो जाता है।'

एक तरह से देखा जाए तो समझ में आता है कि शाहरुख़ अहंकारी हैं, ऐसा समझे जाने की धारणा उनके आत्मविश्वास और स्पष्ट सोच से जुड़ी हुई थी। एक पुराने इंटरव्यू में उन्होंने इस टैग पर बात करते हुए कहा था, 'मुझे आज तक समझ नहीं आया कि लोग मुझे घमंडी क्यूं कहते हैं। मुझे और कोई टैग तो नहीं दे सकते। रंगीन मिज़ाज कह नहीं सकते, शराबी कह नहीं सकते, ड्रग्स लेने वाला कह नहीं सकते, बदतमीज़ कह नहीं सकते, कुछ भी नहीं कह सकते। तो उन्होंने सोचा, चलो इसको घमंडी कह देते हैं। मेरे अंदर कोई भी बुरी बात नहीं है, बस एक बात है कि मैं सिगरेट पीता हूं। जो कि एक खराब आदत है, और किसी को नहीं करनी चाहिए। तो मुझे नहीं पता लोग मुझे घमंडी क्यूं कहते हैं। मुझे नहीं लगता कि मैं घमंडी हूं।'

लेकिन सच्चाई इतनी सीधी नहीं थी। लोग कोई झूठ नहीं गढ़ रहे थे। वो बस शाहरुख़ जैसे इंसान को समझ नहीं पा रहे थे। फ़िल्म इंडस्ट्री हमेशा लोगों को लेबल करने को तैयार रहती है। और इंडस्ट्री असल में समाज का ही एक छोटा रूप है। जो चीज़ उसकी तयशुदा परिभाषाओं में फ़िट नहीं बैठती, उसे किसी न किसी नाम से पुकारना ज़रूरी समझा जाता है। शाहरुख़ को नाम मिला 'अहंकारी'। इंडस्ट्री उन्हें अपने अनुसार बांधकर नहीं रख पा रही थी। वो अपने नियम ख़ुद बना रहे थे, पुराने तोड़ रहे थे और मज़े में जी रहे थे। उनके निभाए हीरो के किरदार आमतौर पर हीरो जैसे नहीं थे। उनकी शुरुआती फ़िल्में लोगों को ये दिखाने के लिए नहीं बनी थीं कि वो कितने अच्छे हैं। और ऊपर से उनकी चाल-ढाल, उनका आत्मविश्वास लोगों को पसंद आ रहा था।

जो लोग उनके खिलाफ़ थे, उनके पास भी कहने को ज़्यादा कुछ नहीं था। वो सारी कहानियां जो अब तक 'काम करती आई थीं', शाहरुख़ ने ग़लत साबित कर दी थीं। भले ही उन्हें उस वक़्त उतनी बड़ी कामयाबी न मिली हो, जितनी अब मिल रही है, पर वो तब भी जानते थे कि उन्हें क्या चाहिए और उसी के पीछे लगे रहे। उन्होंने इस दौरान इस बात की ज़रा भी परवाह नहीं की कि लोग क्या कह रहे थे। स्ट्रगल के दौर में भी, वो किसी के रहम-ओ-करम पर नहीं थे। 2024 के लोकार्नो फ़िल्म फ़ेस्टिवल में उन्होंने कहा था, 'मैं बॉम्बे सिर्फ़ एक साल के लिए आया था। एक लाख रुपये कमाने और एक घर

ख़रीदकर वापस दिल्ली जाने के लिए। लेकिन मैं आज तक वापस नहीं गया।' उन्होंने ये भी कहा कि वो वापस जाकर पत्रकार बनना चाहते थे।[18]

ये एक ऐसा शख़्स था जो अपनी क़ीमत जानता था। पैसे ने उसे लुभाया नहीं। डर और *बाज़ीगर* की सफलता के बाद उन्होंने साफ़ कर दिया कि जहां कई एक्टर्स पैसे, शोहरत और ताकत कमाने के लिए आते हैं और फिर उसका घमंड भी दिखाते हैं, वहीं शाहरुख़ सिर्फ़ एक्टिंग करना चाहते थे। और वो भी संतुलित जीवन के साथ। वो कहते थे, 'इस पेशे के साथ जो दिखावा आता है, उसमें मेरी कोई दिलचस्पी नहीं है। मैं रास्ता भटककर, दूसरों की तरह ख़ुद को इस दुनिया में खोना नहीं चाहता। मैं हक़ीक़त से जुड़ा रहना चाहता हूं। ख़ुद से जुड़ा रहना चाहता हूं।'

उन्हें क्या पता था कि *बाज़ीगर* के एक साल बाद उनकी हक़ीक़त इतनी बड़ी हो जाएगी जितनी उन्होंने कभी कल्पना भी नहीं की होगी। 1995 में आयी *दिलवाले दुल्हनिया ले जाएंगे*, जिसे भारत की सबसे बड़ी हिट फ़िल्म कहा जा सकता है।

बड़े बड़े देशों में ऐसी छोटी छोटी बातें होती रहती हैं, सेन्योरीटा

दिलवाले दुल्हनिया ले जायेंगे, 1995

6

एक राज तो हर किसी को चाहिए

'मैं तो हैरान था। मुझे समझ में ही नहीं आ रहा था कि क्या बोलूं। उन्होंने कोई अजीब सी फ़िल्म की कहानी सुनायी। वो उससे प्यार करता है और उस लड़की के साथ भागता भी नहीं है। असल में, बात पसंद या नापसंद की थी ही नहीं। ये वैसी फ़िल्म ही नहीं थी जैसी मैं सुनना चाहता था।' ये कहना था नेटफ़्लिक्स के शो द *रोमांटिक्स* में शाहरुख़ ख़ान का और वो बात कर रहे थे उस फ़िल्म के बारे में जिसने उन्हें ग्लोबल सुपरस्टार बना दिया – *दिलवाले दुल्हनिया ले जायेंगे* (डीडीएलजे)।

डर बनाने के दौरान शाहरुख़ और आदित्य कई आइडियाज़ पर काम कर रहे थे और साथ-साथ सोच रहे थे कि इन्हें यश चोपड़ा के सामने कैसे रखा जाएगा। डर पूरी हुई और रिलीज़ होने के बाद सफल भी साबित हुई और आदित्य चोपड़ा बतौर डायरेक्टर अपने पदार्पण के बारे में सोचने लगे। उन दिनों में उन्होंने शाहरुख़ के साथ *औज़ार* नाम की एक फ़िल्म के बारे में बात की। ये वो समय था जब शाहरुख़ 'बुरा है तो अच्छा है' वाले मोड में चल रहे थे और उन्हें लगा था कि इस फ़िल्म में उनका किरदार 'माचो कूल ड्यूड' वाला होगा। फ़िल्म का शीर्षक भी यही सुझा रहा था। लेकिन, 1994 में, आदित्य चोपड़ा ने उन्हें आश्चर्य में डालते हुए *डीडीएलजे* में राज का मुख्य रोल दे दिया।

शाहरुख़ इस मूड में नहीं थे कि वो आदित्य की फ़िल्म में अच्छे स्वभाव वाले हीरो का रोल करें। उस वक़्त, इंडस्ट्री के दो बड़े नाम, आमिर और सलमान बेहद सफल थे और ऐसी ही फ़िल्में कर रहे थे। सूरज बड़जात्या की *हम आपके हैं कौन...!* हाल ही में सफल

हुई थी और आमिर ने *क़यामत से क़यामत तक* से बतौर हीरो, इंडस्ट्री में कदम रखा था और ऐसी ही फ़िल्में करते आ रहे थे। अगर उन्हें अलग दिखायी देना था तो उन्हें अलग काम भी करना था। वो अभी तक सफल भी होते आ रहे थे क्यूंकि वो अलग तरह का काम कर रहे थे। ऐसे में, उन्हें उसी तरह का काम करते रहना होगा जो इंडस्ट्री के उनके साथी करने के बारे में सोच भी नहीं रहे थे।

पहले छह महीने तो शाहरुख़ आदित्य को टालते रहे। आदित्य अपनी ओर से पूरी कोशिश कर रहे थे। वो हर हफ़्ते, शाहरुख़ की फ़िल्म के किसी दूसरे सेट पर आते और शाहरुख़ उनसे मिलते, बात करते लेकिन फ़िल्म के लिए हां नहीं कहते। असल में उन्हें समझ में ही नहीं आ रहा था कि अपने दोस्त को न कैसे कहें। शाहरुख़ ने *डीडीएलजे* के शुरुआती वक़्त को याद करते हुए द *रोमांटिक्स* में कहा, 'मैं बहुत ही शर्मीला हूं और मुझे नहीं लगता है कि मैं इसमें अच्छा हूं। असल में, मुझे इस तरह के रोमांस में विश्वास नहीं है।'

आदित्य चोपड़ा का धैर्य जवाब दे रहा था और उन्हें समझ में आ गया था कि उन्हें शाहरुख़ पर दबाव डालकर एक नतीजे पर पहुंचना ही होगा। वो *त्रिमूर्ति* के सेट पर उनसे मिलने पहुंचे। शॉट के बाद शाहरुख़ से मिलने के लिए उनके फैंस वहां इकट्ठे थे। द *रोमांटिक्स* में आदित्य इस बारे में बताते हैं, 'वहां एक बूढ़ी महिला थीं। उनकी उम्र लगभग अस्सी बरस की होगी। उन्होंने शाहरुख़ से कहा, "बेटा तू बहुत अच्छा है। तू अच्छा काम करता है और मुझे बहुत पसंद है। पर तू हर फ़िल्म में मरता है और हर फ़िल्म में तेरा ख़ून होता है। मुझे अच्छा नहीं लगता।"' पंद्रह मिनट के बाद, शाहरुख़ और आदित्य एक कोने में मिले। आदित्य ने उनसे कहा कि वो समझ रहे थे कि शाहरुख़ उन्हें फ़िल्म के लिए मना करने में झिझक रहे थे। लेकिन इसके साथ ही उन्होंने ये भी समझाया कि उन्हें लव स्टोरी वाली फ़िल्म में काम करने से ख़ुद को यूं रोकना नहीं चाहिए। आदित्य चोपड़ा ने शाहरुख़ से कहा कि इस देश में हर सुपरस्टार में कुछ ऐसी खूबियां होती हैं जिससे हर मां को उसमें अपना बेटा, हर बहन को उसमें अपना भाई और हर कॉलेज की लड़की को उसमें अपना सपना नज़र आये।

उस दिन की बातचीत में कुछ तो ऐसा था कि शाहरुख़ सोचने पर मजबूर हो गए। उस वृद्ध महिला की बातों में काफ़ी वज़न था। अगली बार जब शाहरुख़ और आदित्य की मुलाक़ात हुई, शाहरुख़ ने फ़िल्म में काम करने के लिए हामी भर दी।

डीडीएलजे पूरी तरह से एक एंटी-कास्टिंग फ़िल्म थी। इससे पहले की चौदह फ़िल्मों में, शाहरुख़ न ही पारंपरिक हीरो की तरह से दिखे थे और न ही रोमांटिक अवतार में। यहां

तक कि डर, *बाज़ीगर* और *अंजाम* में तो वो ऐसे रोल में थे जिसे पसंद ही नहीं किया जा सकता था। 1995 में उन्होंने एक ऐसी फ़िल्म साइन की थी, जिसमें दो-दो हीरो थे – *करण अर्जुन*, जिसमें ड्रामा और भरपूर मसाला था। लेकिन आदित्य चोपड़ा ने उनसे कहा कि वो उन पर विश्वास करें और शाहरुख़ ने उन पर आंख मूंदकर विश्वास किया।

2016 के एक इंटरव्यू में शाहरुख़ ने ये माना कि अपने कैरियर की शुरुआत में उन्हें फैसले लेने में मुश्किल होती थी। 'कई बार मैं निर्णय नहीं ले पाता हूं। और कई बार मैं अपने फैसलों के बारे में ग़लत भी साबित हुआ हूं।' उन्होंने कहा कि इसमें एक बहुत बड़ा फैसला *करण अर्जुन* से जुड़ा हुआ था। इस फ़िल्म में ढेर सारी मारधाड़ थी और बहुत सारा ड्रामा था। ऐसी फ़िल्मों से शाहरुख़ अभी तक दूर ही रहे थे। वो इस फ़िल्म से जुड़ाव महसूस नहीं कर पा रहे थे और उनकी समझ में नहीं आ रही थी। लेकिन डायरेक्टर राकेश रोशन ने उन्हें समझाया कि ये फ़िल्म ऑडियंस के साथ ज़रूर जुड़ेगी। और फिर शाहरुख़ ने वो फ़िल्म डिस्ट्रिब्यूटर्स के साथ देखी और उन्हें लोगों की प्रतिक्रिया देखकर आश्चर्य हुआ। ऐसा कोई भी मौका नहीं था जब फ़िल्म देख रहे लोग तालियां नहीं बजा रहे थे या रो नहीं रहे थे। ये फ़िल्म शाहरुख़ के लिए बेहद सफल साबित हुई। इस अनुभव से उन्हें समझ में आया कि वो हर मौके पर इस बात का अनुमान नहीं लगा सकते थे कि फ़िल्म अच्छा करेगी या नहीं। बाद में, शाहरुख़ को *स्वदेस* (2004) को लेकर भी ऐसा ही लगा था। वो इस फ़िल्म के बारे में ये मानते थे कि ये अच्छा नहीं करेगी। इसकी जगह वो आशुतोष गोवारिकर के साथ *जोधा अकबर* (2008) में काम करना चाहते थे। उन्होंने आशुतोष से ये कहा भी था कि *स्वदेस* अच्छी फ़िल्म थी लेकिन वो शायद पैसे के लिहाज़ से अच्छा न करे। लेकिन, आशुतोष इसको लेकर निश्चिंत थे और हर हाल में ये फ़िल्म बनाना चाहते थे क्यूंकि ये उनके पिता का सपना था। आशुतोष की निजी चाहत के चलते शाहरुख़ इस रोल के लिए राज़ी हो गए। वो चाहते थे कि आशुतोष को अपने पिता की ये ख्वाहिश ज़रूर पूरी करनी चाहिए।[1]

शाहरुख़ अगर फ़िल्म करने के लिए हां कह देते हैं तो ये ज़्यादातर इसलिए होता है क्यूंकि उनका मन ऐसा कह रहा था। वो बहुत सवाल नहीं पूछते हैं। अगर उन्हें पसंद आ जाए तो वो बगैर मार्केट के दबाव और संसाधनों की चिंता किये उसे करने को राज़ी हो जाते हैं। लेकिन 1995 में शाहरुख़ *डीडीएलजे* को लेकर कतई आश्वस्त नहीं थे। उनका दिल उस फ़िल्म पर अटका हुआ था, जो आदित्य चोपड़ा बनाने के बारे में बात कर चुके

थे। इसके साथ ही *डीडीएलजे* का जो मूल विचार था, वो अभी तक भारतीय जनता के लिए अनजान था। साथ ही, राज, जो फ़िल्म का हीरो था, वो बॉलीवुड के पारंपरिक हीरो जैसा नहीं था। उस वक़्त तक रोमांटिक हीरो की छवि का मतलब *हम आपके हैं कौन...!* का प्रेम बन चुका था और *डीडीएलजे* का राज उससे कैसे भी मेल नहीं खाता था। क्या महिलाओं को वाकई कुछ और चाहिए था?

शुरुआत से ही शाहरुख़ इस कहानी को लेकर पक्के नहीं थे। राज मल्होत्रा में वो पारंपरिक खूबियां नहीं थीं जो किसी हीरो में होती हैं। और वो कोई 'ग्रे' कैरेक्टर भी नहीं था। वो आदमी कुछ अजीब तरह से बेवकूफ़ भी था और प्यारा भी। फ़िल्म के शुरुआती ड्राफ़्ट्स में राज एक कैसानोवा भी था, जो सिमरन के पापा की दुकान पर जाकर कंडोम ख़रीदता है और फिर एक रंगीन रात की शुरुआत करता है। अब पीछे मुड़कर देखने पर लगता है कि इससे सीनियर का उसके प्रति ग़ुस्सा जायज़ लगता। लेकिन आदित्य को लगा कि ये ज़माने से थोड़ा आगे की चीज़ हो जाएगी। अंत में, फ़िल्म में सिर्फ़ बीयर रह गई।

लेकिन फ़िल्म के जिस हिस्से में शाहरुख़ को सबसे ज़्यादा यक़ीन था, वो था क्लाइमेक्स, जिसमें सिमरन के पिता अपनी बेटी का हाथ राज को सौंप देते हैं। असल में, क्लाइमेक्स का एक्शन सीक्वेंस आदित्य ने लिखा ही नहीं था। ये सब शाहरुख़ ने यश चोपड़ा को मना-मनाकर फ़िल्म में डलवाया। शाहरुख़ ने नेटफ़्लिक्स की सीरीज़ द *रोमांटिक्स* में बताया, 'अनुपम खेर को शूटिंग पर आना था, लेकिन वो कहीं फंस गए। तो मैं यश जी और आदि के पास गया और कहा, "क्या मैं एक एक्शन सीन कर सकता हूं फ़िल्म में?" उन्होंने कहा, कोई ज़रूरत नहीं है। मैंने कहा, "प्लीज़ मुझे शूट करने दो, बाद में चाहो तो हटा देना।" यश जी मुझसे बहुत प्यार करते थे, तो मना नहीं कर पाए। बोले, "ठीक है, एक घंटा है तुम्हारे पास।" एक घंटे बाद यश जी बोले, "हो गया अब। अब वो फ़िल्म बनाएं जो बनानी है?"'

जब लोगों को पता चला कि शाहरुख़ एक रोमांटिक फ़िल्म कर रहे हैं, तो उन्हें चेतावनी मिली: कोई भी तुम्हें रोमांटिक हीरो के तौर पर स्वीकार नहीं करेगा।

और ऐसा हो भी सकता था। उन्होंने *बाज़ीगर* में शिल्पा शेट्टी के कैरेक्टर को ऊंची इमारत से नीचे फेंक दिया था और पूरी डर फ़िल्म में जूही चावला का पीछा करते रहे थे।

शाहरुख़ ने 2020 में एक इंटरव्यू में कहा, 'कई लोगों ने मुझसे कहा कि मेरी शक्ल हीरो जैसी नहीं है और मैं फ़िल्म के मुख्य किरदार की तरह लगता ही नहीं हूं। मुझे लगा कि मैं इतना हैंडसम नहीं हूं और जैसा कि लोग कहते हैं "चॉकलेटी" नहीं दिखता हूं, तो शायद मैं रोमांटिक रोल्स के लिए फ़िट न हो पाऊं। मुझे नहीं पता था कि ऐसे रोल्स कैसे किए जाते हैं या मैं उन्हें अच्छी तरह कर भी पाऊंगा या नहीं। लेकिन फिर मुझे लगा कि मैं इस रोल को कर सकता हूं... अगर मैं उसे अपने असली स्वभाव से जोड़ दूं। इसीलिए इसमें आपको मेरी कुछ असली आदतें, हाव-भाव और मज़ाक करने का अंदाज़ भी दिखेगा। मुझे हमेशा लगता था कि मैं अपनी शक्ल की वजह से थोड़ा हटकर किरदार निभा सकता हूं, लेकिन *डीडीएलजे* ने इस सोच को ग़लत साबित कर दिया। और पिछले पच्चीस सालों से मैं यही सोचकर स्ट्रगल कर रहा हूं कि कोई मुझे सिर्फ़ रोमांटिक और स्वीट ही न समझे और मैं एक माचो और दबंगई वाला कैरेक्टर कर पाऊं। और शायद ये ऐसा संघर्ष है जिसमें हारकर भी मुझे ख़ुशी मिलती है...'[2]

जब लोगों को पता चला कि शाहरुख़ एक रोमांटिक फ़िल्म कर रहे हैं, तो उन्हें चेतावनी मिलीः कोई भी तुम्हें रोमांटिक हीरो के तौर पर स्वीकार नहीं करेगा। और ऐसा हो भी सकता था। उन्होंने *बाज़ीगर* में शिल्पा शेट्टी के कैरेक्टर को ऊंची इमारत से नीचे फेंक दिया था और पूरी *डर* फ़िल्म में जूही चावला का पीछा करते रहे थे।

करण जौहर ने इस फ़िल्म में आदित्य चोपड़ा का साथ दिया था और वो उनका दाहिना हाथ बनकर काम कर रहे थे। ये प्रोजेक्ट इंडस्ट्री में उनके कैरियर की शुरुआत थी और ये वो चीज़ थी, जिसके बारे में उन्होंने उस साल तक सोचा भी नहीं था। दिलचस्प बात ये है कि करण उस समय तक शाहरुख़ के फ़ैन नहीं थे और उन्हें आमिर ख़ान ज़्यादा पसंद थे। करण ने ये बात क़ुबूल की थी कि उन्हें शाहरुख़ *दीवाना* में अच्छे नहीं लगे थे। वो और उनके दोस्त अपूर्व मेहता (जो अब धर्मा प्रोडक्शंस के सीईओ हैं) इस बात पर बहस भी किया करते थे। अपूर्व करण से एक ही सवाल पूछते थे, 'आमिर इतना बोरिंग है, उसमें

तुम्हें क्या पसंद है?' दोनों की ये बहसें इस कदर तीखी होती थीं, मानो वो अपने-अपने परिवार के सदस्यों का बचाव कर रहे थे।

करण को एक पारसी दोस्त की बात भी याद है, जिसने एक बार उनसे कहा था कि शाहरुख़ की कमर बहुत आकर्षक है और उनका ऐडम्स एप्पल (टेंटुआ) बेहद दिलकश है। जब करण सेट पर शाहरुख़ से मिले, तो उन्होंने ये बात उनसे कह दी और शाहरुख़ को 'लेवाइस' की जींस भी दी। इसके साथ ही, करण ने शाहरुख़ को ये सुझाव भी दिया कि वो अपनी शर्ट के ऊपरी कुछ बटन खोलकर रखा करें ताकि उनका ऐडम्स एप्पल नज़र आए। करण ने बताया कि उनके दोस्त का मानना था कि शाहरुख़ की बॉडी बहुत अच्छी है, लेकिन वो उसे सही से दिखाते नहीं हैं। शाहरुख़ ये सब सुनकर चौंक गए और शर्मिंदा भी हुए, जबकि आदित्य चोपड़ा हंसते-हंसते सोफ़े से गिर ही पड़े। करण ने अपनी किताब *ऐन अनसुटेबल बॉय* में लिखा, 'शाहरुख़ शर्म से लाल हो गए थे। लेकिन ये देखना बहुत मज़ेदार होता है कि ज़िंदगी में चीज़ें कैसा मोड़ लेती हैं।'[3] इत्तेफ़ाक से, करण के पास अपनी पहली फ़िल्म *कुछ कुछ होता* है से ज़्यादा यादें *डीडीएलजे* की हैं। चाहे वो *'मेरे ख़्वाबों में जो आये'* की शूटिंग का दिन हो, जो फ़िल्मिस्तान में हुआ था या फ़िल्म का प्रीमियर, जहां पर्दे पर घट रहे जादू को देखते हुए वो रोते ही चले गये।

इस फ़िल्म की कास्ट में सतीश शाह, अमरीश पुरी, फ़रीदा जलाल और नयी-नयी आयीं मंदिरा बेदी और परमीत सेठी जैसे कलाकार शामिल थे। सबके बीच एक गहरा कनेक्शन बन गया था। 90 के दशक में अभिनेता अपने अहंकार को थोड़ा किनारे रखकर साथ में काम किया करते थे, जिससे उन्हें एक-दूसरे से भावनात्मक तौर पर जुड़ने का मौका मिलता था। स्क्रीन से दूर, इन सभी के बीच जोगर्मजोशी थी, वही इस फ़िल्म की जान थी और इस पूरी टीम के लिए ये अनुभव सिर्फ उनके पेशे को ही नहीं, बल्कि ज़िंदगी बदल देने वाला था।

जब फ़िल्म की शूटिंग शुरू हुई तब तक लीड स्टार्स शाहरुख़ और काजोल बड़े स्टार बन चुके थे। सेट पर मंदिरा बेदी ही केवल एक नयी कलाकार थीं। और सबसे पहले उन्हें ही शाहरुख़ की ये ख़ूबी नज़र आयी कि वो अपने आस-पास के लोगों को सहज महसूस कराते हैं। '*डीडीएलजे* मेरी डेब्यू फ़िल्म थी, और शाहरुख़ ने मुझे बहुत ख़ास महसूस कराया। एक सीन था जहां हम अंताक्षरी खेल रहे हैं और ग़लती से शाहरुख़ मेरा हाथ पकड़ लेते हैं क्यूंकि उन्हें लगता है कि वहां काजोल बैठी थी। मुझे उस सीन में शर्माना

था, जो मेरे लिए बहुत मुश्किल था। मैंने आदित्य से कहा भी। शाहरुख़ ने उस सीन को कई बार रिहर्स किया ताकि मैं ठीक से एक्सप्रेशन दे सकूं।'

उनके लिए *'मेहंदी लगाके रखना'* करना और भी मुश्किल था। मंदिरा उस गाने को शाहरुख़ के साथ लीड कर रही थीं और डांस स्टेप्स और लुक की ज़िम्मेदारी उन्हीं पर थी। करण ने उन्हें ठुमके सिखाये ताकि सरोज ख़ान नाराज़ न हो जाएं। मंदिरा ने एक इंटरव्यू में बताया, 'मेरे लिए *'मेहंदी लगाके रखना'* एक बुरे सपने जैसा था, क्यूंकि वो पहली चीज़ थी जो मुझे शूट करनी थी। मैं एक साउथ मुंबई की लड़की हूं और मुझे लटके-झटके करने नहीं आते थे। जब मैं डांस करती, तो कंधे हिलते थे, कमर नहीं (हंसते हुए)। मुझे यकीन है सरोज ख़ान ने मुझे देखकर हार मान ली होगी। मैंने बीस दिन शूट किया और वो मेरी ज़िंदगी का सबसे नर्वस समय था। करण ने मुझे घर बुलाया, लंच करवाया और डांस सिखाया।'[4]

एक ओर तो ये फ़िल्म, परंपरा और आधुनिकता का मेल थी, वहीं सेट पर भी पुरानी और नई सोच आमने-सामने थीं। सिनेमैटोग्राफ़र मनमोहन सिंह को फ़िल्म का क्लाइमैक्स पसंद नहीं आया था। '*डीडीएलजे* के क्लाइमैक्स को लेकर हमारे विचार नहीं मिल रहे थे। यश जी और मुझे वो सीन बहुत घिसा-पिटा हुआ लगा। आदित्य को भी ऐसा ही लगा, लेकिन वो उसी अंदाज़ में फ़िल्म ख़त्म करना चाहते थे, जिसमें अमरीश पुरी काजोल को शाहरुख़ के साथ जाने देते हैं। उन्होंने हमसे कहा कि कोई बेहतर क्लाइमैक्स सुझाओ, लेकिन मैं और यश जी कुछ नया नहीं ला पाये। आज जब मैं पीछे पलटकर देखता हूं तो लगता है कि ये भारतीय सिनेमा का सबसे अच्छा क्लाइमैक्स है।'

फ़रीदा जलाल मानती हैं कि असल जादू उसी क्लाइमैक्स में था। '*डीडीएलजे* आज भी मौजूं लगती है क्यूंकि उसमें एक अलग सी ऊर्जा है। कोई फ़िल्म ऐसा क्लाइमैक्स नहीं दे सकी है। आमतौर पर आप देखते हैं कि लड़का लड़की को भगा ले जाता है। लेकिन यहां एक मां अपनी बेटी से वादा करती है कि वो उसे वैसा दुख नहीं झेलने देगी जैसा उसने ख़ुद झेला था। और शाहरुख़-काजोल की जोड़ी बिल्कुल सही थी। कोई और ये फ़िल्म नहीं कर सकता था। अमरीश जी का वो क्लासिक डायलॉग *"जा सिमरन... जी ले अपनी ज़िंदगी"* बहुत से असली बापों ने भी इस्तेमाल किया होगा। उस एक लाइन ने कई लोगों की ज़िंदगी बदल दी।'[5]

फ़िल्म की क़ामयाबी अप्रत्याशित थी। इसकी विषय-वस्तु पारंपरिक धारणाओं को तोड़ती थी, इसलिए बहुतों को इसकी इतनी बड़ी हिट बनने की उम्मीद नहीं थी। कास्ट

में शायद केवल सतीश शाह ही थे, जिन्हें पूरा यकीन था कि फ़िल्म सुपरहिट होगी। 'मैंने पहले ही कह दिया था कि *डीडीएलजे* सुपरहिट होगी। एक बार हम *"मेहंदी लगाके रखना"* का शूट कर रहे थे और यश जी सेट पर आए। मैंने उनसे कहा, "यश जी, ठीक एक साल पहले मैं इसी स्टूडियो में *हम आपके हैं कौन...!* की शूटिंग कर रहा था और वो फ़िल्म बड़ी हिट हुई थी। *डीडीएलजे* में भी वही वाइब आ रही है। मुझे यकीन है ये फ़िल्म बड़ी हिट होगी।" यश जी उस समय माने नहीं... बाद में फ़िल्म की रिलीज़ के बाद उन्होंने मुझसे कहा, "यार तू तो भगवान है। शूटिंग के वक़्त ही बता दिया था कि ये फ़िल्म सुपरहिट होने वाली है।" और फिर उन्होंने मुझे कसकर गले लगा लिया।'

2023 में, *दिलवाले दुल्हनिया ले जायेंगे* के 25 साल पूरे होने पर इसे दोबारा रिलीज़ किया गया और दर्शकों का ज़बरदस्त प्यार मिला। पहले ही दिन हज़ारों फैंस थियेटर्स में जमा हुए ताकि इस यादगार फ़िल्म को दोबारा देख सकें और अपने पसंदीदा डायलॉग्स को थियेटर में एक्टर के साथ बोल सकें। *डीडीएलजे* वाक़ई बॉलीवुड की वो फ़िल्म है जिसके बारे में सबसे ज़्यादा चर्चा की गयी है, और शाहरुख़ की फ़िल्मों की लिस्ट में तो ये सबसे ऊपर है। ये शाहरुख़ की ही नहीं बल्कि बॉलीवुड की भी, थियेटरों में सबसे ज़्यादा दिनों तक चलने वाली फ़िल्म है।

इस दोबारा हुई रिलीज़ की सबसे दिलचस्प बात ये थी कि जब इसे भारत भर के मल्टीप्लेक्स में वेलेंटाइन्स डे वीकेंड पर फिर से दिखाया जा रहा था, उसी समय शाहरुख़ की नयी रिलीज़ हुई *पठान* भी बॉक्स ऑफ़िस पर ज़बरदस्त कमाई कर रही थी। शाहरुख़ ने मस्ती करते हुए ट्वीट किया, 'अरे यार, इतनी मुश्किल से एक्शन हीरो बना... और तुम लोग फिर से राज को वापस ला रहे हो... उफ्फ!! ये कंपटीशन तो मार डालेगा!!! मैं तो *पठान* देखने जा रहा हूं... राज तो घर का है।'

मुंबई के मराठा मंदिर थियेटर के मालिक मनोज देसाई ने कहा है कि जब तक उनका थियेटर रहेगा, *डीडीएलजे* चलती रहेगी। मनोज ने बताया, 'कुछ दर्शकों ने तो ये फ़िल्म इतनी बार देखी है कि उन्हें हर डायलॉग याद है।'

इस फ़िल्म का टिकट 40 रुपये का है और इसे अब भी सुबह 11:30 बजे वाले प्रीमियम स्लॉट में दिखाया जाता है। दर्शकों में ज़्यादातर कॉलेज के छात्र और हाल ही

में डेटिंग शुरू करने वाले युवा जोड़े होते हैं। मनोज देसाई बताते हैं कि वीकेंड्स पर अब भी कई बार शो हाउसफुल हो जाता है। 'आप सोचेंगे कि अब कोई इस फ़िल्म को नहीं देखना चाहेगा। लग सकता है कि ये पुरानी हो गई है, लेकिन लोग अब भी इसे देखने आते हैं। कई बार तो बड़ी संख्या में।'

2015 में ख़बर आयी थी कि इस फ़िल्म को बंद कर दिया जाएगा। लेकिन लोगों ने इतना हल्ला काटा कि मनोज देसाई को ये फैसला वापस लेना पड़ा। और तबसे लेकर कोविड के दौरान लगभग एक साल थियेटर बंद रहने के बावजूद, फ़िल्म लगातार चल रही है। अब मराठा मंदिर का नाम *डीडीएलजे* के साथ जुड़ गया है। 'कुछ लोग अपने बच्चों को दिखाने लाते हैं कि उनके मम्मी-पापा कॉलेज में ये फ़िल्म देखा करते थे। कुछ लोग अपने मम्मी-पापा को साथ लाते हैं ताकि वहीं बैठकर फ़िल्म देखें जहां उन्होंने पहली बार देखी थी। और फिर आती है नयी पीढ़ी, जो बस ये समझने आती है कि आख़िर इस फ़िल्म में ऐसा क्या है जो ये पच्चीस साल से चल रही है। सबसे ज़्यादा मुझे यही युवा पीढ़ी चौंकाती है। उन्हें समझ नहीं आता कि आख़िर इस फ़िल्म में ख़ास क्या है। ये वो लव स्टोरी नहीं है जो "जेन-ज़ी" को समझ आती है। लेकिन फिर अगले हफ़्ते वो फिर से अपने दोस्तों को लेकर आते हैं, और सब कोशिश करते हैं इसे समझने की। ये सिलसिला चलता रहता है और अब उन्हें राज भी अच्छा लगने लगता है और सिमरन भी क्यूट लगती है।'

मनोज देसाई के थियेटर को उसकी लोकेशन की वजह से भी फ़ायदा मिलता है। बॉम्बे सेंट्रल स्टेशन के ठीक सामने मौजूद इस थियेटर में कई थके हुए मुसाफ़िर दिन के बीच फ़िल्म देखने रुकते हैं। आसपास के डॉक्टर भी दिन में थकान मिटाने के लिए फ़िल्म देखने चले आते हैं क्यूंकि यहां उन्हें सुकून और अपनापन मिलता है। मनोज ने बताया, 'ये उनके लिए एक कंफ़र्ट वॉच है। एक थकाऊ दिन के बीच सुकून का वक़्त।' कई बार तो ये जगह उन लोगों के लिए पहली पसंद बन जाती है, जो दोपहर में बस जतिन–ललित की उस जानी-पहचानी यूकलेली धुन के बीच एक छोटी सी झपकी लेना चाहते हैं।

मनोज देसाई *डीडीएलजे* की लोकप्रियता को लेकर कोई अतिशयोक्ति नहीं कर रहे हैं। पिछले साल भी इस फ़िल्म के टिकट शानदार बिके थे। 10 फ़रवरी को, *डीडीएलजे* ने पीवीआर, आईनॉक्स और सिनेपोलिस, सभी को मिलाकर 2.5 लाख रुपये की कमाई की थी। अगले दिन ये कमाई 300% उछलकर 10 लाख रुपये हो गयी। रिपोर्ट्स के

मुताबिक़ 11 फ़रवरी को भी ऐसे ही आंकड़े की उम्मीद थी। तीन दिन के उस वीकेंड में इसने कुल मिलाकर 22.5 लाख रुपये की कमाई की।

जब फ़िल्म पहली बार रिलीज़ हुई थी, तब इसने पूरी दुनिया में करीब 2 अरब रुपये (6 करोड़ अमेरिकी डॉलर) की ज़बरदस्त कमाई की थी। महंगाई को ध्यान में रखते हुए, ये अब भी सबसे ज़्यादा कमाई करने वाली हिंदी फ़िल्मों में गिनी जाती है। उस दौर में फ़िल्म की घरेलू नेट कमाई 53.3 करोड़ रुपये थी, जो आज के हिसाब से लगभग 461.3 करोड़ रुपये (6 करोड़ अमेरिकी डॉलर) बैठती है।

1990 के शुरुआती दौर में, इस देश में एक राजनीतिक तूफ़ान चल रहा था। बाबरी मस्जिद गिरायी गयी, जिससे देश में दंगे भड़के और फिर बॉम्बे में बम ब्लास्ट हुए। ऐसे समय में *डीडीएलजे* ने दर्शकों को बेहद ज़रूरी राहत दी। इस फ़िल्म ने बड़ी खूबसूरती से भारत की परंपरा और आधुनिकता के सफ़र को एक साथ लाकर उसे संतुलित बनाकर रखा। शाहरुख़ का किरदार राज, पूर्व और पश्चिम, दोनों संस्कृतियों का बेहतरीन मेल था। वो अलग-अलग पहचानों को अपना लेता है और इसके लिए उसे कोई अतिरिक्त प्रयास नहीं करना पड़ता है और हर तरह के दर्शकों को पसंद आता है। राज भारतीय मूल्यों को दिल से मानता है, लेकिन कभी भी ऐसा नहीं लगता कि उसकी बातें उपदेश दे रही हों। वो परंपरा और आधुनिकता के बीच एक ऐसा संतुलन बनाता है, जो 90 के दशक के कई शहरी भारतीयों की असली जद्दोजहद हुआ करती थी। आदित्य चोपड़ा की इस सिनेमाई दृष्टि में अतीत और वर्तमान, अमीरी और गरीबी, शहरी और ग्रामीण और वैश्विक व स्थानीय पहचानें शांति से साथ-साथ रहती हैं और एक-दूसरे को समृद्ध करती रहती हैं।

डीडीएलजे कई वैचारिक बदलावों से गुज़री। ये फ़िल्म कभी प्रवासियों की अकेलेपन की कहानी थी, तो कभी भारत लौटने की उनकी चाहत की कहानी बनी और कभी विदेश में भारतीय मूल्यों की मज़बूती दिखाने वाली फ़िल्म बनी। हालांकि इस फ़िल्म के केंद्र में एक प्रेम कहानी थी, लेकिन इसका मूल स्वरूप रूढ़िवादी था। बाद में होने वाली सांस्कृतिक और नैतिक मूल्यों की बहाली इसका मुख्य आकर्षण था। फ़िल्म की शुरुआत में अमरीश पुरी एक ऐसे बुज़ुर्ग प्रवासी के रूप में दिखाई पड़ते हैं, जो लंदन में रहते हैं लेकिन कबूतरों को दाना डालते हैं और भारत को याद करते हैं और अपने देश में लौटने की इच्छा रखते हैं।

1990 के दशक में ऐसी फ़िल्मों की संख्या बढ़ी जो प्रवासी भारतीयों को ध्यान में रखकर बनायी गयीं। 1991 में भारत की आर्थिक उदारीकरण की नीति ने मिडिल-क्लास को ताक़त दी और उस दौर की सांस्कृतिक दिशा भी तय की। एनआरआई समुदाय की मुश्किलें, जैसे पूंजीवाद और सांस्कृतिक झटकों से जूझना, कई लोगों को छू गयीं और ये लगातार बनी हुई सामाजिक चुनौतियों का प्रतीक बन गयीं।

आदित्य चोपड़ा मानते हैं कि भारतीय फ़िल्में दुनियाभर के भारतीयों को जोड़ने का माध्यम हैं। ये फ़िल्में न केवल प्रवासियों के गर्व और सांस्कृतिक भावनाओं को संतुष्ट करती हैं, बल्कि सांस्कृतिक शोधकर्ताओं को भी अपनी ओर खींचती हैं।

90 के दशक में प्रवासी भारतीय एक लाभदायक दर्शक वर्ग बन गया था, जिससे फ़िल्मकार उनकी ज़िंदगी पर आधारित कहानियों की ओर आकर्षित हुए। ये फ़िल्में भारतीय नज़रिए से विदेशी जगहों को दिखाती थीं और भारत की वैश्विक पहचान और आधुनिकता को अपनाने का मंच बन गयी थीं। साथ ही, देखने वालों को वो अपनापन भी देती थीं।

लंदन में बसी हुई इस फ़िल्म की कहानी दो बिल्कुल अलग प्रवासी भारतीयों के इर्द-गिर्द घूमती है। ये थे राज और सिमरन। राज एक अमीर और पश्चिमी सोच वाला पार्टी लवर लड़का है, जबकि सिमरन परंपरावादी परिवार से आती है और ज़मीन से जुड़ी लड़की है। एक सीन में सिमरन का सख़्त पिता राज से कहता है, 'तुम अपने आपको हिंदुस्तानी कहते हो? तुम भारत का नाम ख़राब करते हो।' लेकिन जब सिमरन अपनी तय हो चुकी शादी के लिए भारत लौटती है, तब राज और सिमरन दोनों मिलकर सिमरन के पिता को मनाने की कोशिश में लग जाते हैं। इस फ़िल्म के केंद्र में रखी प्रेम कहानी के अलावा, ये फ़िल्म देशभक्ति और परिवार के जुड़ाव को लेकर दर्शकों के दिल में जगह बना लेती है। प्रवासियों के दिल में भारत को लेकर भावनात्मक लगाव को फ़िल्म में बहुत संवेदनशीलता से दिखाया गया है। चौधरी बलदेव सिंह (अमरीश पुरी) बार-बार भारत और पंजाब को 'अपना देश' और 'अपना पंजाब' कहते हैं।

द *न्यू यॉर्क टाइम्स* के एक लेख में, बर्मिंघम इंस्टिट्यूट ऑफ़ मीडिया एंड इंग्लिश के प्रोफ़ेसर राजिंदर डुडराह, जो खुद भी एक एनआरआई हैं, कहते हैं, '*डीडीएलजे* उन एनआरआई लोगों के साथ गहराई से जुड़ती है जो कई संस्कृतियों के बीच अपनी पहचान तलाश रहे हैं।' डुडराह ने फ़िल्म की थीम को *'दिल है हिंदुस्तानी'* बताया। और कहा कि भले ही कोई कहीं भी रह रहा हो, भारतीय मूल के लोग भारत से गहराई से जुड़े रहते हैं।[6]

फ़िल्म में पंजाब के देहात के दृश्य और लंदन के आधुनिक माहौल को एकसाथ रखकर, दोनों संस्कृतियों की पहचान को सामने रखा गया है। बलदेव सिंह का भारतीय और पश्चिमी कपड़ों का मेल, उनके लंदन वाले विदेशी जीवन को दर्शाता है और उसी का असर उनके परिवार के पालन-पोषण पर भी पड़ता दिखता है।

बलदेव सिंह की अपनी राष्ट्रीय पहचान के साथ जद्दोजहद तब सामने आती है, जब वो अपनी बेटी की शादी पंजाब में करवाना चाहते हैं। दूसरी तरफ़, शाहरुख़ का किरदार ज़्यादा आधुनिक और समृद्ध परिवेश से आता है, लेकिन भारतीय मूल्यों के प्रति उसकी निष्ठा भी उतनी ही गहरी है। सिमरन का अपने पिता से ट्रिप पर जाने की इजाज़त मांगना एक बेहद भारतीय मसला था, जिससे 1995 में फ़िल्म देखने वाले एनआरआई बच्चे खुद को जोड़ पाए।

हालांकि, दोनों ही किरदार दूसरी पीढ़ी के एनआरआई थे, लेकिन पूरी फ़िल्म में राज और सिमरन भारतीय नैतिकता और सांस्कृतिक मूल्यों के प्रति सम्मान दिखाते हैं। राज भारतीय रीति-रिवाज़ों का पालन करता है, खासकर इज़्ज़त और शादी के मामलों में, और सिमरन के पिता से उनकी बेटी का हाथ मांगता है। सिमरन एक आदर्श भारतीय बेटी की तरह दिखती है जो अपनी विरासत और पारिवारिक अपेक्षाओं का पालन करती है। इसी वजह से वो शुरू में एक अनजान लड़के से शादी के लिए हां कर देती है।

आदित्य की ये फ़िल्म शाहरुख़ की असल ज़िंदगी की प्रेम कहानी से प्रेरित थी, जिसमें उन्होंने गौरी के परिवार का दिल जीता था। लेकिन राज का किरदार कैसा होगा, ये स्क्रिप्ट लिखने के दौरान ही तय कर दिया गया था। उस किरदार की मासूमियत और शरारत शाहरुख़ की अपनी थी। शाहरुख़ की परफ़ॉर्मेंस में एनआरआई दर्शकों को राज एक ऐसा किरदार लगा जो आधुनिक तो है लेकिन साथ ही साथ परिवार और परंपरा को भी उतना ही मानता है।

फ़िल्म में प्रवासी भारतीयों को एक ऐसे समुदाय के रूप में दिखाया गया है जो पश्चिमी प्रभावों के बावजूद भारतीयता को अपने भीतर संजोकर रखता है और इन्हीं बातों के चलते *डीडीएलजे* को एनआरआई दर्शकों के बीच बड़ी क़ामयाबी हासिल हुई।

सांस्कृतिक प्रभावों के अलावा, *डीडीएलजे* इसलिए भी मशहूर हुई क्यूंकि उसमें स्विट्ज़रलैंड के रोमांटिक नज़ारे थे। आज भी वहां 'डीडीएलजे ट्रेल' नाम का एक टूरिस्ट रूट है। ट्रैवल इन्फ़्लुएंसर शिवांगी जौहरी और साकेत सक्सेना पहली बार 2019 में वहां गये थे। शिवांगी से मेरी जब बात हुई तब वो नॉर्वे में थीं। उन्होंने कॉल पर बताया, 'उस

साल हम ट्रेन से ट्रैवल कर रहे थे और डीडीएलजे की कई लोकेशन ऐसी थीं जो बगैर निजी वाहन के हमारी पहुंच से बाहर थीं।' ये मान लेना स्वाभाविक था कि वो शाहरुख़ की फैन थीं, लेकिन उन्होंने कहा, 'असल में, मेरे पति साकेत शाहरुख़ खान के दीवाने हैं। उन्होंने *डीडीएलजे* हज़ार बार देखी है। 'डीडीएलजे ट्रेल' पर जाना उनका सपना था। जब 2019 में हम ऐसा नहीं कर पाये तो वो बहुत निराश थे। पिछले साल हमने तय किया कि दोबारा स्विट्ज़रलैंड जाकर लिस्ट के हर एक स्पॉट पर जाएंगे। उनके चेहरे पर एक बच्चे जैसी खुशी थी। मैंने उन्हें कभी इतना खुश नहीं देखा।'

उन्होंने ज़्वाईसिमेन (जहां से काजोल ने ट्रेन छूटने से पहले घंटी ख़रीदी थी) से लेकर ग्स्टाड (जहां *'ज़रा सा झूम लूं मैं'* शूट हुआ), फिर लाउनेन एंगे और लाउनेन रोहरब्रुके (*'हो गया है तुझको तो प्यार सजना'* वाला सीन), फिर लौएननेज़े (यश चोपड़ा लेक) से ज़ानेन (जहां 'पलट' वाला सीन शूट हुआ), फिर मॉन्टबोवोन (चर्च सीन) से इंटरलाकेन (लाल गुलाब वाला सीन) तक का सफ़र किया।

शिवांगी कहती हैं कि उस ट्रिप में उन्होंने कई ऐसे भारतीयों से मुलाकात की, जो सिर्फ़ इस वजह से स्विट्ज़रलैंड आए थे क्यूंकि उनकी पसंदीदा फ़िल्म वहीं शूट हुई थी। 'इस फ़िल्म ने दर्शकों पर बहुत गहरा असर डाला है। रोमांस को देखने का नज़रिया इस फ़िल्म ने बदल दिया। हमारी ट्रिप में भी हमने ऐसे कई लोगों से मुलाकात की जो सिर्फ़ राज और सिमरन का जादू महसूस करने वहां आये थे। दुनियाभर से आए लोग, ख़ासकर भारतीय, एक अनजान देश में *डीडीएलजे* के गाने गा रहे थे और एक-दूसरे से अपने पसंदीदा सीन और गानों के ज़रिए जुड़ रहे थे। ये मेरी सबसे यादगार ट्रिप्स में से एक रही।'

सिनेमैटोग्राफ़र मनमोहन सिंह मानते हैं कि *डीडीएलजे* ने स्विट्ज़रलैंड को फ़िल्मी लोकेशन की मुख्यधारा में ला दिया। पहले जहां विदेशी लोकेशन का इस्तेमाल महज़ ड्रीम सीक्वेंस के लिए किया जाता था, अब फ़िल्म की कहानी भी वहां शूट होने लगी है। उन्होंने कहा, '*डीडीएलजे* की शूटिंग में सबसे ख़ास बात ये थी कि ज़्यादातर स्विट्ज़रलैंड ट्रेन और सड़क के सफ़र के ज़रिए दिखाया गया है, जैसा कि काजोल और शाहरुख़ ने किया है। आमतौर पर, यश चोपड़ा की फ़िल्मों में स्विट्ज़रलैंड सिर्फ़ गानों में दिखता था। लेकिन इस बार मैंने *"तुझे देखा तो ये जाना सनम"* को गुड़गांव के सरसों के खेतों में शूट करके ज़्यादा मज़ा लिया (हंसते हुए)। आज भी कई फ़िल्ममेकर इसे दोहराने की कोशिश करते हैं।'

अगर ऐसा कहा जाए कि *डीडीएलजे* ने हिंदी सिनेमा में रोमांस और देसी कलेवर की कहानी कहने के अंदाज़ को पूरी तरह से बदल दिया, तो इसमें कोई ग़लत बात नहीं होगी। 1995 में रिलीज़ हुई इस फ़िल्म ने भारत में आधुनिक प्रेम कहानियों के लिए एक तरह का मापदंड तय कर दिया और उसके बाद आयी कई फ़िल्मों के लिए ये एक नक्शा सरीखी फ़िल्म बन गयी।

सत्तर और अस्सी के दशक के गुस्से से भरे 'एंग्री यंग मैन', अर्थात, अमिताभ बच्चन के 'विजय' की जगह अब एक हल्का-फुल्का हीरो था, जो खुद को लेकर सहज था, मॉडर्न था, दुनियादारी देख चुका था और फिर भी अपनी जड़ों से गहराई से जुड़ा हुआ था। चाहे इसे 90 के दशक की आशावादिता कह लीजिये या उस दौर में भारत की नयी ऊर्जा, लेकिन *डीडीएलजे* ने ज़ोर-शोर से ऐलान किया कि एक नया हीरो आ चुका था और वो कहीं जाने वाला नहीं था।

शाहरुख़ का किरदार राज किसी डोले-शोले से लैस रहस्यमयी इंसान की तरह नहीं, बल्कि पड़ोस में रहने वाले एक प्यारे लड़के का था। वो मज़ाकिया था, आकर्षक था और जब तक वो दिखता रहता था, आपको अच्छा लगता था। इस फ़िल्म में वो कई परंपरागत जेंडर भूमिकाओं को भी चुनौती देता है। वो घर की औरतों से दोस्ती करता है, बुआओं से तारीफ़ें पाता है, मां के साथ सब्ज़ियां छीलता है, गर्लफ्रेंड की बहन का दोस्त बनता है और करवा चौथ का व्रत भी रखता है। ये सब बातें बाद में पॉपुलर कल्चर का हिस्सा बन गयीं। 2013 में *इंडियाटाइम्स* में छपे एक लेख 'हाउ एसआरके रुइंड करवा चौथ फ़ॉर हस्बैंड्स' में लिखा था: 'बेचारे पतियों के पास, सिवाय मुस्कराने और सहते जाने के, अब दूसरा कोई चारा नहीं बचा। क्यूंकि आपको शायद ये विश्वास न हो कि भगवान देख रहा है, लेकिन हम गारंटी से कह सकते हैं कि आपकी पत्नियों और गर्लफ्रेंड्स में से कुछ (या ज़्यादातर) ने शाहरुख़ खान को देखा है। और अब, जब स्तर इतना ऊपर चला गया है, तो आपके पास सिवाय इसके कोई चारा नहीं कि आप उसके किसी हिस्से बराबर ही सही, उसके जैसा फ़िल्मी पति बनने की कोशिश करें।'

राज का यूं संवेदनशील, भावुक और फिर भी मज़बूत होना, सिमरन के पिता और मंगेतर जैसे पात्रों के पुरुषवादी रवैये के विपरीत खड़ा था। और इसने उस दौर के आधुनिक भारतीय पुरुष की पहचान को नये सिरे से परिभाषित किया।

फ़िल्म समीक्षक भारद्वाज रंगन के ब्लॉग की एक पोस्ट कहती है, 'इस फ़िल्म में असल कमाल शाहरुख़ और काजोल के अभिनय ने किया। उन्होंने हीरो-हीरोइन की पारंपरिक छवि को तोड़ा और एक नया आकर्षण पैदा किया, जो असामान्य होकर भी बेहद सम्मोहक था।' लेखक अमन बाशा लिखते हैं कि ये फ़िल्म परंपराओं की अनदेखी करते हुए, घर से भागकर अपनी शर्तों पर जीवन जीने वाली फ़िल्मों से अलग थी। सिमरन राज से बार-बार कहती है कि वो उसे भगा ले जाए, लेकिन राज मना कर देता है। ये परंपरा का पालन भी था और पितृसत्ता को चुनौती भी थी। अगर सिमरन भाग जाती, तो उसके पिता बलदेव का डर और ज़्यादा मज़बूत हो जाता और वो शायद घर की बाकी औरतों, लज्जो और छुटकी पर और भी ज़्यादा ज़ुल्म करता। बाशा कहते हैं कि बलदेव जैसे इंसान के सामने राज और सिमरन उसी तरीके से खड़े हुए थे, जैसे गांधी अंग्रेज़ों के सामने हुए थे। निहत्थे और शांतिपूर्ण ढंग से। राज और सिमरन बलदेव का सीधा विरोध नहीं करते, बस उन्हें सहते हैं और प्रेम से अपना पक्ष रखते हैं। राज ने सिमरन की मां से जो बातें कहीं, उनमें भी यही भाव झलकता है कि सही रास्ता चुनना बेहद ज़रूरी है। बाशा का निष्कर्ष है कि जैसे गांधी का चार्म था, वैसे ही शाहरुख़ के राज ने दर्शकों पर गहरा असर छोड़ा।[7]

पितृसत्ता के खिलाफ फ़िल्म की ये बग़ावत बहुत ही शांत और महीन थी। बाशा लिखते हैं, 'ऐसी बगावत में ये स्वाभाविक हो जाता है कि राज को घर की औरतों के बीच ज़्यादा अपनापन महसूस हो। अबतक की किसी भी हिंदी फ़िल्म में कोई पुरुष किरदार स्त्रियों के पारंपरिक दायरे में इतना ज़्यादा नहीं दिखता। शायद यहीं से हिंदी सिनेमा के मर्द पात्रों की नई परिभाषा शुरू होती है, जो बाद में शाहरुख़ के लगभग हर किरदार में दिखती है।'

फ़िल्म का दूसरा हिस्सा पंजाब में घटित होता है, जहां जेंडर पर आधारित काम साफ़-साफ़ बंटे हुए हैं। औरतें रसोई और घर के कामों में व्यस्त हैं, तो मर्द शिकार, कैम्पिंग और शतरंज खेलते हैं। लेकिन राज इन सब नियमों को तोड़ता है। वो सिमरन और उसके परिवार के बीच रहने के लिए औरतों के बीच घुल-मिल जाता है। शादी की तैयारियों में हाथ बंटाता है, खाने की थाली उठाता है, कपड़ों पर राय देता है और एक नारी-प्रधान डांस सीक्वेंस में हिस्सा भी लेता है। और ये सब वो सिर्फ़ करने के लिए नहीं करता। उसे इस सबमें वाक़ई मज़ा आता है।

रेवरी मैगज़ीन के लेख 'ए जेंडर्ड पर्सपेक्टिव ऑन डीडीएलजे' में लिखा गया: 'राज उन कामों में निपुण है और उन्हें पसंद करता है जिन्हें भारतीय संस्कृति में औरतों से जोड़ा

जाता है। और फ़िल्म किसी भी मौके पर ये नहीं दिखाती कि इससे उसकी मर्दानगी कम हो जाती है। इसके विपरीत, सिमरन का मंगेतर पूरी तरह पारंपरिक मर्द है। वो लंबा, गठीला, शिकारी स्वभाव वाला है। लेकिन अंत में फ़िल्म यही बताती है कि राज ही असली और बेहतर इंसान है। वो औरतों की खुशियों को महत्व देता है, उनकी बातों में रुचि लेता है। इसी वजह से वो न सिर्फ़ बेहतर प्रेमी है, बल्कि बेहतर इंसान भी है।'[8]

राज जैसे किरदार उस दौर के सिनेमा में नये थे, जहां मर्द आमतौर पर स्त्री-द्वेष से भरे होते थे, पितृसत्ता के कारण परिवार की इज़्ज़त के लिए लड़ते थे, या किसी स्त्री के बलात्कार का बदला ले रहे होते थे। लेकिन राज एक अलग किस्म का हीरो था। वो नाचता था, रोता था, अपनी प्रेमिका के लिए व्रत रखता था, उसकी इच्छाओं को महत्व देता था। वो मर्दानगी की उस छवि को तोड़ रहा था जो केवल ताक़त और ग़ुस्से से जुड़ी थी। उसने भावुकता, सम्मान और प्रेम को भी मर्दानगी में शामिल किया। उसने दिखाया कि एक पुरुष संवेदनशील होकर भी प्रेरणादायक और शक्तिशाली हो सकता है। राज का ये नया रूप आज भी कई कलाकारों को प्रेरित करता है और एक्टर्स और दर्शकों की उम्मीदों को भी प्रभावित करता है। और शायद यही वजह है कि *डीडीएलजे* और उसका हीरो आज भी हमारे भीतर ज़िंदा है।

इस फ़िल्म का प्रभाव तब मालूम पड़ता है जब आप इसके रूपकों और प्रतीकों को भारतीय सिनेमा के तमाम दूसरे मौक़ों पर देखते हैं। आकर्षक और ख़ामियों से भरे नायक को दिखाने से लेकर यूरोप की तमाम सुंदर जगहों पर शूटिंग होना, ये सब *डीडीएलजे* की ही छोड़ी छाप है और बॉलीवुड की तमाम रोमांटिक फ़िल्मों में इसे देखा जा सकता है। इस फ़िल्म के कई ऐसे दृश्य या सीक्वेंस हैं जो कई पीढ़ी के दर्शकों के ज़हन में क़ैद हैं, जिसमें ट्रेन वाला क्लाइमैक्स और फ़िल्म के गाने प्रमुख हैं।

कई हिंदी फ़िल्मों के सीन और कई फ़िल्मों का पूरा प्लॉट ही *डीडीएलजे* पर आधारित है। फ़िल्म *जब वी मेट* को आदित्य चोपड़ा की इस फ़िल्म का आध्यात्मिक उत्तराधिकारी माना जा सकता है। ट्रेन *डीडीएलजे* में एक अहम भूमिका निभाती है और इसे *जब वी मेट* की गीत के किरदार के लिए इस्तेमाल किया गया है। वो कहती है, 'एक अजीब सा डर लग रहा था... बेचैनी सी। जैसे कुछ ग़लत हो रहा है। जैसे कोई ट्रेन छूट रही है।'

इम्तियाज़ अली ने फ़िल्म में एक ऐसा सीक्वेंस डाला हुआ है, जिसमें शाहिद कपूर का किरदार आदित्य, गीत को ट्रेन में चढ़ने में मदद करता है और इससे *डीडीएलजे* के संदर्भ को और भी मज़बूती मिल जाती है।

2013 में रोहित शेट्टी ने अपनी एक्शन-कॉमेडी फ़िल्म *चेन्नई एक्सप्रेस* में *डीडीएलजे* के उस ट्रेन वाले सीन को दोबारा जीवित करने की कोशिश की थी और अपने चिरपरिचित अंदाज़ में उसे एक नाटकीय मोड़ भी दे दिया था। इस सीन से दीपिका पादुकोण की फ़िल्म में एंट्री होती है और राहुल (शाहरुख़ ख़ान) अपना हाथ बढ़ाकर मीना (दीपिका पादुकोण) को चलती ट्रेन में चढ़ाने की कोशिश करता है और फिर अगले ही पल वो चार गुंडों को भी उसी चलती ट्रेन में, उसी तरह हाथ बढ़ाकर बिठा लेता है। इस पूरे दौरान, बैकग्राउंड में *डीडीएलजे* की जानी-पहचानी धुन बजती रहती है।

दीपिका इस सीन को लेकर ख़ासी उत्साहित थीं। 'मुझे मौका मिला कि मैं *डीडीएलजे* का वो पल शाहरुख़ के साथ जी पायी। हर लड़की का ये ख़्वाब होता है कि वो राहुल और राज के साथ ऑन-स्क्रीन रोमांस कर सके और मुझे इस फ़िल्म में ऐसा ही करने का मौक़ा मिला।'

2018 में, *हफ़िंग्टन पोस्ट इंडिया* को दिये एक इंटरव्यू में काजोल, जो राज की सिमरन थीं, ने बताया कि उस मशहूर सीन को कैसे शूट किया गया था। उन्होंने कहा, 'सच कहूं तो हम लोग गर्मी से परेशान थे और हर कोई चिड़चिड़ा हो रखा था। मेरे बाल इधर-उधर हो रहे थे। ट्रेन उस स्पीड में नहीं दौड़ रही थी, जिसमें उसे दौड़ना चाहिये था। हम रीटेक नहीं कर सकते थे क्यूंकि उस केस में ट्रेन को आगे जाकर फिर वापस आना होता और इसमें बीस मिनट निकल जाते। वहां अफ़रातफ़री का माहौल था। मुझे तो लगता है कि बेहतर होता कि राज चेन खींचकर ट्रेन रोक देता और मैं उसमें बैठ जाती। फिर मुझे इतना दौड़ना नहीं पड़ता।'[9]

चेन्नई एक्सप्रेस के अलावा एक और फ़िल्म है, जो *डीडीएलजे* के चलते अस्तित्व में आयी। ये थी 2014 में करण जौहर के प्रोडक्शन हाउस से निकली, आलिया भट्ट और वरुण धवन की *हम्प्टी शर्मा की दुल्हनिया,* जिसे शशांक खेतान ने डायरेक्ट किया था। इस फ़िल्म के लगभग सभी पहलुओं पर *डीडीएलजे* की छाप थी और क्लाइमैक्स में तो एक बड़ी समानता था। फ़िल्म के अंत में आलिया भट्ट के किरदार ने वरुण धवन के किरदार को वैसे ही प्रपोज़ किया था, जैसे राज ने किया था। फ़िल्म के ट्रेलर लॉन्च के दौरान

करण जौहर ने कहा, 'ये फ़िल्म *डीडीएलजे* के प्रति सम्मान ज़ाहिर करते हुए बनी है और उसकी कॉपी नहीं है। इसमें लोगों को *डीडीएलजे* की एक झलक मिल सकती है लेकिन इसकी लव-स्टोरी काफ़ी अलग है। हमने इस फ़िल्म को पूरी ईमानदारी, आत्मीयता के साथ, लोगों का मनोरंजन करने के उद्देश्य से बनाया है। हम ऐसा कोई दावा नहीं कर रहे हैं कि इस फ़िल्म में सबकुछ ओरिजिनल है या ऐसे मौक़े हैं जो आपको पहले कभी देखने को नहीं मिले। पहले फ्रेम से लेकर आख़िरी दृश्य तक, इस फ़िल्म की विशेषता यही है कि ये हर तरह से आपका मनोरंजन करने की ईमानदार कोशिश करती है। हमने *डीडीएलजे* का वो फ्रेम इसलिए लगाया है क्यूंकि फ़िल्म बनाने वाले की ये ख़्वाहिश थी कि वो अपनी बनायी हुई पहली फ़िल्म में *डीडीएलजे* का कोई एक छोटा सा हिस्सा इस्तेमाल कर सके।'[10]

करण, *डीडीएलजे* में असिस्टेंट डायरेक्टर थे और वो शशांक खेतान के साथ इसी फ़िल्म के चलते जुड़े थे। करण ने कहा, 'मेरी सबसे ज़्यादा यादें असल में *दिलवाले दुल्हनिया ले जायेंगे* से जुड़ी हैं। मेरे कैरियर की शुरुआत उस फ़िल्म से हुई है। मेरे कैरियर का बहुत बड़ा हिस्सा इस फ़िल्म से जुड़ा रहेगा। इस फ़िल्म ने एक महान लव-स्टोरी का ऐसा मानक तय कर दिया था कि उसे कोई भी क्रॉस नहीं कर पाया है। जब शशांक मुझे मिले थे तो उन्होंने कहा कि वो इस फ़िल्म को साथ लेकर बड़े हुए हैं। मैं ऐसे कितने ही नये लोगों से मिलता हूं जो ऐसा ही कहते हैं। इस पीढ़ी में न जाने कितने ऐसे लोग हैं जिनके लिए प्यार का मतलब *दिलवाले दुल्हनिया ले जायेंगे* ही है। शाहरुख़ का आकर्षण और काजोल का भोलापन और मासूमियत हमेशा याद रखा जायेगा।'[11]

2015 में, *डीडीएलजे* की रिलीज़ के बीस साल पूरे होने पर एक बहुत बड़ा समारोह हुआ। इसके हज़ार हफ़्ते पूरे होने के मौके पर यशराज फ़िल्म्स ने मराठा मंदिर में एक खास स्क्रीनिंग रखी। शाहरुख़ और काजोल ने एक प्रेस कॉन्फ्रेंस भी की, जिसमें उन्होंने फ़िल्म के साथ बन चुके अपने रिश्ते के बारे में सभी को बताया। शाहरुख़ ने कहा, 'ये बड़ा ही अजीब है, लेकिन हम सब इस फ़िल्म से अब अलग हो चुके हैं। सबको एहसास हो गया है कि अब ये फ़िल्म हमारी नहीं रही। ये अब लोगों की हो चुकी है... उन्होंने इसे अपना बना लिया है। ये किसी सपने जैसा है।'[12]

वाक़ई, ये फ़िल्म अब फैंस की है। कोलकाता की एक ग्राफ़िक डिज़ाइनर अरुंधति घोष कहती हैं, 'मैं कभी शाहरुख़ से मिलना नहीं चाहती। मेरे लिए वो राज हैं। मेरे दिमाग़ में एक बबल है जो मैंने फ़िल्म में उन्हें देखकर बनाया है। मैं उसी इमेज को बनाए रखना चाहती हूं।'

हमारी पीढ़ी की अधिकतर महिलाओं की रोमांस की उम्मीदों को राज ने ही खाद-पानी दिया है। किसी के लिए वो एक सपना है, किसी के लिए बहुत दूर की चीज़ और बहुतों के लिए एक आदर्श। 18 साल की डॉली दुबे कहती हैं कि उनकी मां पिंकी दुबे ने हमेशा यही चाहा कि उनके पति एक दिन *डीडीएलजे* के राज जैसे बन जाएं। 'मां की उम्र चालीस के करीब है और पापा पचास पार कर चुके हैं। मां पटना में घरेलू काम करती हैं और पापा लकड़ी का काम करते हैं। मैंने बचपन से देखा है कि मेरी मां ये फ़िल्म हर हफ़्ते देखती आयी हैं। वो अब मज़ाक में कहती हैं, "तुम्हारे पास तुम्हारे पसंद आने वाले शानदार कार्टून हैं, मेरे पास ये फ़िल्म है।" मां की शादी तब हो गयी थी, जब वो सिर्फ़ 15 साल की थीं। मेरे पापा एक आम भारतीय आदमी की तरह हैं। मैं नहीं मानती कि ज़्यादातर मर्द राज बन ही सकते हैं। मां समझ नहीं पातीं कि पापा थोड़ा-थोड़ा राज जैसे क्यूं नहीं हो सकते, या कम से कम थोड़ा बेहतर क्यूं नहीं हो सकते। एक बार मेरी मौसी हमारे घर आयी थीं और उस दिन पूजा के लिए सब्ज़ी काटनी थी। पापा ने मदद नहीं की, तो मां ने अपनी बहन से कहा, "ऐसे आदमी कभी राज मल्होत्रा बन ही नहीं सकते। शिक्षा ही गलत मिली है उन्हें।" आज भी घर

फैंस के लिए, शाहरुख़ और राज एक जैसे हो गए हैं। और असल में, दोनों में बहुत कुछ ऐसा है, जो उन्हें एक जैसा बनाता है। दोनों ही अपनी संवेदनशीलता दिखाने से नहीं डरते, महिलाओं का सम्मान करते हैं और अपने आस-पास के लोगों को ये अहसास कराते हैं कि उन्हें ही देखा और समझा जा रहा है। ये दोनों ही, वैसे लोग हैं जिन्हें हम पसंद करते हैं, जिनकी हम तारीफ़ करते हैं, ज़रूरी नहीं है कि हम उन्हें कामुक नज़रों से देख रहे हों। ये वो पुरुष हैं, जिन्हें हम अपने घर ले जा सकते हैं और निश्चिंत रह सकते हैं कि वो हमारे माता-पिता को भी पसंद आयेंगे।

में हर हफ़्ते *डीडीएलजे* चलती है, और मां मुझे हमेशा याद दिलाती हैं, "ऐसा आदमी खोजना जो तुम्हारी इज़्ज़त करे।" वो ग़लत नहीं हैं। प्यार तो वक़्त के साथ फीका पड़ जाता है, पर इज़्ज़त रहनी चाहिए। बस पिछले हफ़्ते उन्होंने मुझे बताया कि पापा ने पहली बार उनके लिए चाय बनाई। स्वाद भले ही अच्छा न रहा हो, पर कोशिश की तारीफ़ ज़रूर हुई।'

फ़िल्म के हज़ार हफ़्ते पूरे होने पर जो आयोजन हुआ, उसमें शाहरुख़ ने बताया कि पूरी टीम ने कभी सोचा ही नहीं था कि वो सभी मिलकर दुनिया बदलने जा रहे थे। वो तो बस एक कहानी कह रहे थे, जो उन्हें सच्ची लगती थी। उन्होंने कहा, 'ये सब उस प्यार, जुनून और सादगी का नतीजा है जो आदित्य के सपनों के भारत, उसके लड़कों, उसकी लड़कियों में है। आदित्य अपनी फ़िल्मों में कभी विलेन नहीं दिखाते। सब अच्छे हैं, बस परिस्थितियां गड़बड़ होती हैं। और फ़िल्म बनाते हुए, सबकुछ बेहतर होता चला जाता है।'

और फ़ैंस उन पर पूरा भरोसा करते हैं।

ये एक अजीब बात लगती है कि ख़ुद शाहरुख़ ने ये फ़िल्म बहुत बार नहीं देखी है। नेटफ़्लिक्स की सीरीज़ *द रोमांटिक्स* में वो बताते हैं कि उन्होंने पहली बार इसे जयपुर के राज मंदिर में देखा था, जब वो *चाहत* की शूटिंग कर रहे थे और पूजा भट्ट, महेश भट्ट और अनुपम खेर साथ में फ़िल्म देख रहे थे। 'रिलीज़ को आठ दिन हो चुके थे और आदित्य को लगता था कि आख़िरी हिस्सा थोड़ा लंबा था। जब मैंने फ़िल्म देखी, तो मुझे लगा कि लोग हॉल में बातें कर रहे थे। मैं तो वापस जाकर आदित्य से कहने ही वाला था कि हमें फ़िल्म को थोड़ा क्रिस्प बनाना चाहिये। लेकिन फिर भट्ट साहब ने कहा, "वो बात नहीं कर रहे, वो फ़िल्म के डायलॉग दोहरा रहे हैं।"'

करीब तीन दशक बाद आज भी इस फ़िल्म के डायलॉग्स लोगों की ज़ुबान पर हैं। मुझे याद है कि मैं एक बार पेरिस में एक कैब ड्राइवर से मिली। उनका नाम पैट्रिक हाइन्स था। वो मुझे और तीन दूसरे जर्नलिस्ट को एयरपोर्ट से होटल ले जा रहे था। हम यशराज फिल्म्स की *बेफ़िक्रे* के एक कार्यक्रम के लिए शहर में थे। कुछ ही मिनटों में उन्हें पता चल गया कि हम भारतीय थे। उन्होंने पहला सवाल यही पूछा, 'क्या आप शाहरुख़ ख़ान के देश से हैं?' मैंने पूछा कि उन्हें शाहरुख़ ख़ान के बारे में कैसे पता चला। उन्होंने टूटी-फूटी हिंदी में *डीडीएलजे* का डायलॉग दोहराया, "राज, अगर वो तुमसे प्यार करती है तो वो एक बार पलट के ज़रूर देखेगी... पलट... पलट।"' अगले एक हफ़्ते में हम

उनसे दो-तीन बार और मिले और *डीडीएलजे* को लेकर बातें करते रहे। उन्होंने एक बात कही जो आज तक मेरे साथ रहती है: 'मर्दों को लगता है कि बदतमीज़ होना कूल है, पर ऐसा है नहीं। मुझे *डीडीएलजे* इसलिए पसंद है क्यूंकि इसमें एक ऐसा हीरो है जो लोगों को बताता है कि वो उनकी परवाह करता है, प्यार करता है। औरतें ऐसे लड़कों को पसंद नहीं करतीं जो कभी गरम, कभी नरम हो जाते हैं। ऐसा करने से उन्हें असुरक्षित महसूस होता है। भले ही तुम ऐसे किसी से शादी कर लो, तुम खुश नहीं रहोगे। फिर तुम कहोगे वो नाक में दम करती है। क्यूं करती है? क्यूंकि तुम उसे भरोसे में नहीं ले रहे। तुम उसे अपने प्यार को लेकर डांवाडोल महसूस करा रहे हो। एक सच्चा मर्द राज जैसा होता है। मैं भी वैसा ही आदमी हूं और अपने दोस्तों से कहता हूं कि वो ये फ़िल्म देखें ताकि उन्हें पता चले कि एक औरत से कैसे प्यार किया जाता है। अच्छा इंसान बनना बहुत मुश्किल नहीं है।'

काजोल और शाहरुख़ सही कहते हैं कि लोग इस फ़िल्म को उन दोनों से बेहतर याद रखते हैं। काजोल ने कहा, 'हमें डायलॉग याद नहीं रहते। पर लोग हमें आके हमारे डायलॉग्स बोलते हैं।' लोग उन शब्दों को याद रखते हैं और उस अहसास को भी, जो उन शब्दों से आता है।

मराठा मंदिर में फ़िल्म के हज़ार हफ़्ते पूरे होने पर आयोजित समारोह में शाहरुख़ ने एक बात कही, जो शायद इस फ़िल्म की सबसे सच्ची बात है: 'काजोल और मेरे, कुल मिलाकर पांच बच्चे हैं और इनमें से कोई भी *डीडीएलजे* से बड़ा नहीं है। हमारा सबसे अच्छा बच्चा *डीडीएलजे* ही है।'

डीडीएलजे के उस मशहूर और चिर-परिचित पोस्टर की भी अपनी एक कहानी है। काजोल ने 'कर्ली टेल्स' को दिये एक इंटरव्यू में बताया, 'शाहरुख़ मुझे कंधे पर उठाने वाले थे। मुझे बहुत बुरा लग रहा था और मैं बार-बार पूछ रही थी कि वो संभाल पाएंगे या नहीं। मुझे लगता है कि इससे उनकी मर्दानगी को ठेस लग गयी। उन्होंने कहा, "तुम ऐसा कैसे कह सकती हो? मैं मर्द हूं।"' काजोल इस किस्से को याद करते हुए ज़ोर से हंसती हैं। 'बाद में उनका कंधा जाम हो गया था।'[13]

ये एक इत्तेफ़ाक की ही बात है कि जिस साल *डीडीएलजे* के दो दशक पूरे हो रहे थे, उसी साल ये जोड़ी रोहित शेट्टी की *दिलवाले* की शूटिंग कर रही थी। रोहित शेट्टी ने फ़िल्म के उस पोस्टर को फिर से ज़िंदा किया जिसमें शाहरुख़, काजोल को कंधे पर उठाए हुए

हैं। शाहरुख़ ने वो तस्वीर ट्विटर पर शेयर करते हुए लिखा, 'सब ख़ुश थे कि मैंने फिर से काजोल को उठा लिया।'

ये फ़िल्म और राज, दोनों अब उन लोगों के हैं जिन्होंने इन्हें इतना बड़ा बनाया। हर किसी को याद है कि उन्होंने ये फ़िल्म पहली बार कहां देखी थी और राज ने उनके लिए क्या किया था। जब ब्रॉडवे पर *डीडीएलजे* के लिए ऑस्टिन कोल्बी को राज का रोल मिला, तो फैंस को ये बात पसंद नहीं आई। वे ग़ुस्से में थे। एक फ़ैन ने ट्विटर पर लिखा, 'उम्मीद है कि आपको मालूम होगा कि कोई भी गोरा आदमी, कभी भी शाहरुख़ नहीं बन सकता।'

फैंस के लिए, शाहरुख़ और राज एक जैसे हो गए हैं। और असल में, दोनों में बहुत कुछ ऐसा है जो उन्हें एक जैसा बनाता है। दोनों ही अपनी संवेदनशीलता दिखाने से नहीं डरते, महिलाओं का सम्मान करते हैं और अपने आसपास के लोगों को ये अहसास कराते हैं कि उन्हें ही देखा और समझा जा रहा है। ये दोनों ही, वैसे लोग हैं जिन्हें हम पसंद करते हैं, जिनकी हम तारीफ़ करते हैं, ज़रूरी नहीं है कि हम उन्हें कामुक नज़रों से देख रहे हों। ये वो पुरुष हैं, जिन्हें हम अपने घर ले जा सकते हैं और निश्चिंत रह सकते हैं कि वो हमारे माता-पिता को भी पसंद आयेंगे।

यही वजह है कि फैंस के लिए किसी नये राज को स्वीकार करना लगभग नामुमकिन है। उनकी प्रतिक्रिया हमेशा भावनात्मक होती है। ब्रॉडवे पर *डीडीएलजे* को औसत रिव्यू मिले। क्यूंकि वो जादू नहीं था। किसी किरदार से उसके अदाकार को अलग करना आसान नहीं होता। और अगर करना भी हो, तो दर्शकों के लिए उसे अपनाना, अपने आप में एक बेहद मुश्किल प्रक्रिया होती है।

2005 में, एनडीटीवी के साथ एक बातचीत में शाहरुख़ ने बड़े आराम से बताया कि क्यूं *डीडीएलजे* जैसी फ़िल्म दोबारा नहीं बनायी जा सकती। उन्होंने कहा, '(हमारी ज़िंदगी में वो ऐसा समय था जब) हम सभी या तो दोस्त थे या दोस्त बन रहे थे। कुछ लोग एक-दूसरे को पहले से जानते थे और आज, दस साल बाद भी हम वैसे ही दोस्त हैं। मुझे लगता है कि हर किसी को जो आराम मिल रहा था, सिर्फ़ हीरो-हिरोइन को ही नहीं, वो अभूतपूर्व था। हंसते-खेलते कुछ बन गया और मुझे लगता है कि यही वो चीज़ है जो *दिलवाले दुल्हनिया ले जायेंगे* को स्पेशल बनाती है। मुझे नहीं लगता है कि *डीडीएलजे* दोबारा बनायी जा सकती है और इसमें मैं ख़ुद को भी शामिल कर रहा हूं, जब तक आपके पास उसी लेवल की दोस्ती और खुशियां नहीं मौजूद होगी।'[14]

बाज़ीगर की ख़ुशनुमा मुहूर्त पार्टी में फ़िल्म की कास्ट। शायद सभी जानते थे कि वो कितनी बड़ी हिट देने जा रहे थे!

यस बॉस से *ड्रीम्ज़ अनलिमिटेड* तक। जूही और शाहरुख़, कैमरे के सामने और उसके पीछे, अच्छे साथी रहे।

चाहे वो *दिल तो पागल है* में राहुल-पूजा हों या देवदास-चंद्रमुखी हों, शाहरुख़ और माधुरी दीक्षित की जोड़ी स्क्रीन पर बेहद सुंदर लगती है।

शाहरुख़ के बिखरे बालों और गाल पर पड़ते गड्ढों का अपना ही एक फ़ैन क्लब है|

चाहे वो मीर फ़ाउंडेशन के ज़रिये हो या ख़ुद से ही, शाहरुख़ ने हमेशा लोगों की मदद करने में विश्वास जताया है| यहां, उन्होंने 1995 में जूनियर आर्टिस्ट्स के लिए एक फ़ंडरेज़र का आयोजन करवाया था|

दो सुपरस्टार और उनकी एक शानदार यारी।
शाहरुख़ और सलमान, 90 के दशक के उत्तरार्ध में, एक पार्टी के दौरान।

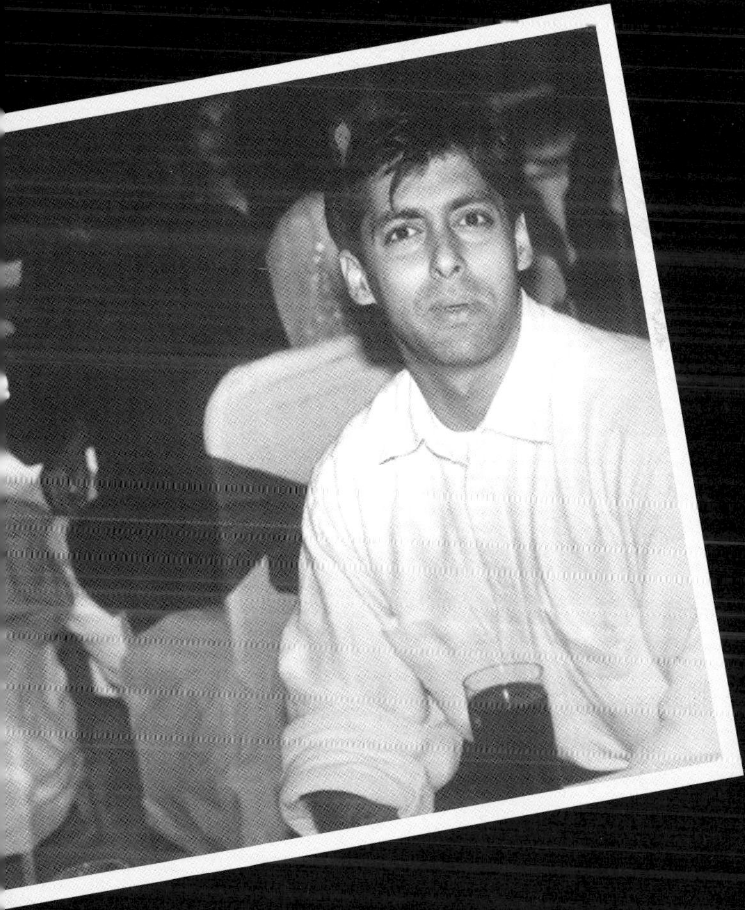

शाहरुख़ आर अमिताभ बच्चन| बॉलीवुड का बादशाह और शहंशाह| दोनों को एकसाथ देखने का मौका इतना कम मिलता है कि उन्हें देखने के लिए पूरी दुनिया अपने कदम रोक देती है|

जब फ़राह ख़ान कोरियोग्राफ़ी कर रही होती हैं, शाहरुख़ दिल खोलकर डांस करते हैं। ये ऐसी जोड़ी है जो दो दशकों से भी ज़्यादा वक्त से साथ काम कर रही है।

चलते चलते के प्रमोशन के दौरान, शाहरुख़, रानी मुखर्जी और अज़ीज़ मिर्ज़ा।

ओम शांति ओम से शुरु करते हुए शाहरुख़ और दीपिका पादुकोण, एक के बाद एक, हिट फ़िल्में देते जा रहे हैं|

रोमांस के बादशाह (यश चोपड़ा) और बॉलीवुड के बादशाह (शाहरुख़), पटौदी के नवाब (सैफ़ अली ख़ान) के साथ।

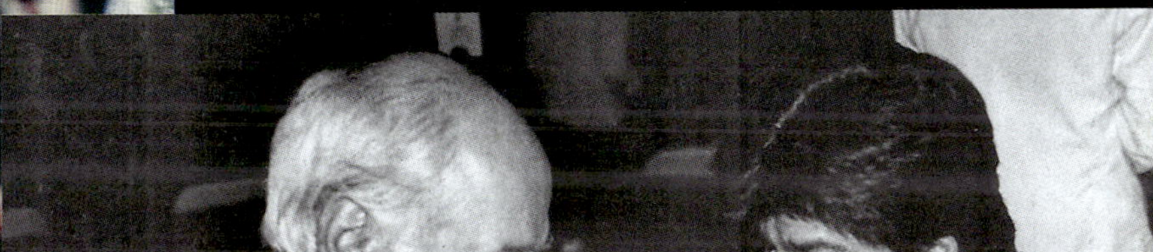

हर बादशाह को एक किंगमेकर की ज़रूरत होती है| शाहरुख़ और यश जौहर ने

शाहरुख़, सुभाष घई, संजय दत्त और जैकी श्रॉफ़, 90 के दशक में, एक पार्टी के दौरान।

कैमरे के पीछे: *करण अर्जुन* के सेट पर काजोल और शाहरुख़ का 'जाती हूं मैं' मूमेंट। साथ में डायरेक्टर राकेश रोशन।

शाहरुख़ और संजय लीला भंसाली, *देवदास* की शूटिंग के दौरान। दोनों ने अपने सहज स्वैग से ऐसा शिल्प गढ़ा जो हमेशा जीता रहेगा।

स्वदेस के सेट पर शाहरुख़ और आशुतोष गोवारिकर ने साबित किया कि महान फ़िल्में हमेशा अच्छी सामूहिक कोशिशों से शुरू होती हैं।

90 के दशक की ड्रीम टीम और जिगरी दोस्त।
शाहरुख़, गौरी और करण जौहर स्टाइलिश लुक्स में।

दिलीप कुमार और शाहरुख़ के बीच हमेशा पिता-पुत्र का भाव रहा।

आदित्य चोपड़ा की कल्ट फ़िल्म *दिलवाले दुल्हनिया ले जायेंगे*। शूटिंग के बाद का एक पल, जब शाहरुख़ के किरदार राज ने परमीत सेठी के किरदार कुलजीत की जान बचायी थी।

राकेश रोशन की *कोयला* में शाहरुख़, अपने किरदार शंकर के रूप में|

वन 2 का 4 में, शाहरुख़ और जैकी श्रॉफ़ ने पुलिसिया एक्शन को एक नया रंग दिया।

लेफ़्ट: ट्विंकल खन्ना शाहरुख़ को ये समझाते हुए कि फ़िल्म का नाम भले ही *बादशाह* हो, असली ताकत उनके पास है|

राइट: पहली बार प्रोड्यूसर और एक्टर के रुप में| *फिर भी दिल है हिंदुस्तानी में*, शाहरुख़, अजय बक्शी के किरदार में|

ज़िंदगी का नशा: शाहरुख़ और गौरी, एक-दूसरे के साथ का लुत्फ़ उठाते हुए|

ईद पर लालारुख की एक झलक मिलते ही, सुहाना, शाहरुख़, गौरी और आर्यन के साथ फ़ैमिली फ़ोटो पूरी हुई।

क्या किसी ने कहा, रब ने बना दी जोड़ी ?

अपनी जान को अपनी बाहों में समेटे। शाहरुख़ और उनको सबसे प्यारी, उनकी बेटी सुहाना।

रेशम बादुड़ी मुंबई से हैं, अभी यूएस में रहती हैं और एक कम्युनिकेशंस एग्जीक्यूटिव के साथ-साथ शाहरुख़ ख़ान की बहुत बड़ी फ़ैन भी हैं। उन्हें भी ऐसा ही लगता है कि *डीडीएलजे* दोबारा नहीं बनायी जा सकती है, इसलिये नहीं कि एक्टर्स वैसे नहीं रहे बल्कि इसलिये क्यूंकि फैंस बर्दाश्त नहीं करेंगे। वो बताती हैं कि तलाक़ लेने के बाद, डेटिंग पूल में जाने में उन्हें कितनी दिक्कतों का सामना करना पड़ा। इस क्रम में वो राज जैसे किसी साथी के आने की उम्मीद और फिर उस उम्मीद के टूटने के बीच झूलती रहती हैं। ऐसे में, उन्हें समझ में आता है कि *डीडीएलजे* उनके लिए एक टाइम कैप्सूल बन चुकी थी। 'हम अब "राज" की दुनिया में नहीं रहते बल्कि हर तरफ एनिमल्स हैं। ऐसी दुनिया में, जहां ग्रीन फ़्लैग्स का अकाल पड़ा हुआ है, राज एक फ़ंतासी बन चुका है। हर कोई कहता है कि *डीडीएलजे* देखकर सुकून मिलता है। ऐसा इसलिए होता है क्यूंकि इस फ़िल्म के ज़रिये हम ऐसे समय में वापस जा पाते हैं जो जा चुका है और हम जब तक ज़िंदा रहेंगे, वापस नहीं आयेगा। लोग पहले जैसे हुआ करते थे, अब उससे बहुत बदल चुके हैं। रोमांस पर सोशल मीडिया का साया पड़ चुका है। मैं अव्वल दर्जे की रोमांटिक हूं और मुझे लगता है कि किसी न किसी दिन मुझे मेरा राज मिल ही जायेगा। लेकिन उस दिन तक, मैं इस फ़िल्म का अनुभव बचाकर रखूंगी। मैं नहीं चाहती हूं कि इस फ़िल्म को दोबारा बनाया जाए। मैं किसी और को राज के किरदार में नहीं देखना चाहती। किसी गोरे को तो कतई नहीं। इसे क्यूं बदलना? इसे बनाने वालों को और एक्टर्स को इस बात पर गर्व होना चाहिये कि उन्होंने ऐसी कमाल की फ़िल्म बनायी जिससे आगे निकलना असंभव सा काम लगता है। कभी, जब मेरी बेटी होगी तो मैं उसे मराठा मंदिर लेकर जाऊँगी और राज से मिलवाउंगी। वो एक आदमी था जिसने मुझे हर बुरे दिन से, ये भरोसा देते हुए बाहर निकाला कि प्यार कहीं तो ज़िंदा है।'

“कहते हैं अगर किसी चीज़
को दिल से चाहो, तो पूरी
क़ायनात उसे तुमसे मिलाने
की कोशिश में लग जाती है”

ओम शांति ओम, 2007

7

दुनिया उसकी जेब में

ये कहना कतई ग़लत नहीं होगा कि फ़िल्म *दिलवाले दुल्हनिया ले जायेंगे* ने शाहरुख़ को ग्लोबल स्टारडम की राह पर जा खड़ा कर दिया। वो ख़ुद भी यही कहते हैं कि इस फ़िल्म ने उनकी ज़िंदगी बदलकर रख दी थी। शाहरुख़ में जो आकर्षण था, बगैर जाने-समझे उसका एक ऐसा पैकेज तैयार हो चुका था जिसकी बाज़ार में भयानक मांग उठने वाली थी। *वल्चर* मैगज़ीन में एक लेख छपा, जिसका टाइटल था: 'द थॉरली गूफ़ी, अनडिनायेबली सिडक्टिव, ऑल-इन-वन चार्म ऑफ़ शाहरुख़ ख़ान'। इसमें लिखा था, 'वो बॉलीवुड के सबसे बड़े और सबसे बहुमुखी हीरो बन चुके हैं, एक ऐसा सितारा बन गये हैं, जिसके पास दुनिया के किसी भी मौजूदा अभिनेता से कहीं ज़्यादा फ़ैन फ़ॉलोविंग है। वो ऐसे एक्टर हैं, जो मनोवैज्ञानिक थ्रिलर करते हैं, मज़ेदार कॉमेडी करते हैं, रोमांस भरी फ़िल्में करते हैं, हल्की-फुल्की रोमांटिक कॉमेडी भी करते हैं, गंभीर बायोपिक करते हैं और हाल ही में, हाई-ऑक्टेन एक्शन फ़िल्म भी की है। कहा जाता है कि उनकी लम्बाई पांच फ़ीट सात इंच है, जो उनकी कुछ साथी महिला कलाकारों से कम है। उनके बाल अब भी लहराते हैं और शरीर मज़बूत और फुर्तीला है और एक डांसर की सी चाल-ढाल है। मानो जीन केली ने स्टेरॉइड्स का इस्तेमाल कर लिया हो। 57 की उम्र में भी उनमें 1990 के दशक के बॉलीवुड सुपरस्टारडम की एक भोली मासूमियत झलकती है, जब सोना बिल्कुल अच्छा माना जाता था और शोहरत एक विवाद-रहित वरदान हुआ करती थी।'[1]

जिस वक़्त शाहरुख़ उभर रहे थे, ठीक उसी दौर में बॉलीवुड को भारत देश के बाहर भी देखा जाने लगा था, जिसमें विदेशों में बसे भारतीयों की एक बड़ी संख्या शामिल थी। 90 के दशक में युवा भारतीयों ने देश के बाहर जाकर बसना शुरू किया और इसने शाहरुख़ की ग्लोबल छवि में इज़ाफ़ा किया। ये पेशेवर युवा और छात्र विदेश जाकर पैर जमा रहे थे और बॉलीवुड फ़िल्मों का प्रेम भी अपने साथ रख रहे थे। *डीडीएलजे* इसमें एक बड़ा नाम थी। इस शानदार फ़िल्म ने विदेश में रह रहे भारतीयों को गहराई से छुआ और उन्हें एक पहचान दिलायी।

विदेश में विस्तार ले रहे भारतीय समुदाय ने अंतर्राष्ट्रीय बाज़ार में बॉलीवुड फ़िल्मों की मांग रखनी शुरू की और दुनिया के सामने भारतीय फ़िल्मों को ले जाने के क्रम में सबसे आगे शाहरुख़ ख़ान खड़े दिखायी दे रहे थे। इस बढ़ी हुई मांग के चलते फ़िल्मों के डिस्ट्रिब्यूशन में विस्तार हुआ और यूएस, यूके, कनाडा और मिडिल ईस्ट जैसे देशों में ज़्यादा से ज़्यादा फ़िल्में दिखायी जाने लगीं।

डीडीएलजे पहले ही ये साबित कर चुकी थी कि पश्चिमी देश न केवल फ़िल्मों की स्क्रिप्ट के लिए एक आकर्षक मंच बन सकते थे, बल्कि कमाई के लिहाज़ से भी बेहद फ़ायदेमंद साबित हो सकते थे। यूके और अमेरिका ऐसे बाज़ार बन गए जिनके इर्द-गिर्द पूरी की पूरी कहानियां गढ़ी जाने लगीं और करोड़ों दर्शक डॉलर और पाउंड में टिकट ख़रीदकर ये फ़िल्में देखने लगे। 2000 के दशक के शुरुआती वर्षों तक जितनी हिंदी फ़िल्मों की कहानियां दिल्ली में सेट हो रही थीं, उतनी ही न्यूयॉर्क में होने लगी थीं।

जैसे-जैसे अंतर्राष्ट्रीय बाज़ार ने पांव पसारे, जानकार डायरेक्टरों ने ख़ासतौर पर प्रवासी दर्शकों को ध्यान में रखकर फ़िल्में बनानी शुरू कर दीं। इन 'ओवरसीज़-फ्रेंडली फ़िल्मों' में बड़े स्टार्स, आकर्षक म्यूज़िकल नंबर, भव्य सेट, रोमांटिक कहानियां और कम से कम एक्शन डाला जाता था। ये वो वक़्त था, जब फ़िल्म बनाने वालों ने हिंसा और खून-खराबे से दूरी बना ली थी और पारिवारिक मूल्यों को आगे रखना शुरू कर दिया था। एनआरआई दर्शकों को ऐसी फ़िल्मों से सुकून मिलता था। लेखक सुकेतु मेहता ने इसे बहुत अच्छी तरह से समझाया है: 'प्रवासी भारतीय, अपने देश की एक शहरी, अमीर, चमचमाती छवि देखना चाहते हैं। वो वही भारत देखना चाहते हैं जिसे वो उन्होंने जिया था या जिसमें वो जीना चाहते हैं। उन्हें ऐसी "लव-स्टोरी" चाहिए जिनमें टकराव कम हो, प्रतिद्वंद्वियों के बीच भी।'[2]

डीडीएलजे का असर आगे आने वाली हिंदी फ़िल्मों पर दिखने लगा था। 1997 में आयी यश चोपड़ा की *दिल तो पागल है*। शाहरुख़ ने इस बार राहुल की भूमिका निभायी, जो एक तेज़-तर्रार तबीयत वाला नाटककार और थियेटर डायरेक्टर था और मुंबई के एक स्टूडियो अपार्टमेंट में रहता था। हालांकि मुंबई में कई स्टूडियो अपार्टमेंट हैं, लेकिन उन्हें जैसा मैनहैटन सरीखा इस फ़िल्म में दिखाया गया है, वैसे कतई नहीं होते। ये अपार्टमेंट कुछ-कुछ वैसा ही था, जैसा सुभाष घई की *परदेस* में शाहरुख़ का अपार्टमेंट था। *परदेस* में शाहरुख़ एक एनआरआई का किरदार कर रहे थे जो यूएस में रह रहा था। *दिल तो पागल है* में राहुल एक ऐसा इंसान है, जो प्यार में यक़ीन नहीं करता लेकिन संयोग से पूजा (माधुरी दीक्षित) से प्यार कर बैठता है, जिसका रोमांस में अटूट विश्वास है। पूजा के इस विश्वास और राहुल की व्यावहारिक सोच के बीच का टकराव ही इस फ़िल्म की जान है। फ़िल्म ये कहने की कोशिश करती है कि हर किसी के लिए कोई-न-कोई जन्म-जन्म का साथी बनकर आयेगा ही। *दिल तो पागल है* ज़बरदस्त हिट फ़िल्म साबित हुई और शाहरुख़ को 'फ़ील-गुड सिनेमा' के चेहरे के रूप में स्थापित कर दिया गया।

फ़िल्म ने पहले हफ़्ते में, पूरे भारत में 100 प्रतिशत कलेक्शन दर्ज किया। दूसरे हफ़्ते में भी यही रफ़्तार रही और तीसरे हफ़्ते में सिर्फ़ 3 प्रतिशत की ही गिरावट आयी। भारत में इसने 59.82 करोड़ रुपये (लगभग 164.7 लाख अमेरिकी डॉलर) और अंतर्राष्ट्रीय स्तर पर 12.04 करोड़ रुपये (33 लाख अमेरिकी डॉलर) कमाये। कुल मिलाकर, फ़िल्म का वर्ल्डवाइड कलेक्शन 71.86 करोड़ रुपये (197.7 लाख अमेरिकी डॉलर) रहा, जबकि इसकी लागत सिर्फ 9 करोड़ रुपये (24.8 लाख अमेरिकी डॉलर) थी, जिसमें प्रिंट और प्रमोशन का ख़र्चा शामिल था। *बॉर्डर* और *कोयला* के बाद, ये साल की तीसरी सबसे बड़ी ओपनिंग वाली फ़िल्म भी थी और विदेश में सबसे ज़्यादा कमाई करने वाली फ़िल्म बनी।[3]

फ़िल्म का पॉप कल्चर पर भी बड़ा असर पड़ा। मानसिक स्वास्थ्य की वक़ालत करने वाले और युवाओं पर केन्द्रित मंच 'युवा' के को-फ़ाउंडर और मेंटल हेल्थ एक्टिविस्ट निखिल तनेजा लिखते हैं, 'मुझे याद है कि करिश्मा कपूर के ग्लैमर से मुझे बचपन से जवानी में पहुंचने का एहसास हुआ था। जब माधुरी दीक्षित और शाहरुख़ ख़ान के होंठ करीब आते थे, तो मेरा दिल धड़कना भूल जाता था। मुझे अफ़सोस होता था कि काश किसी और दुनिया में अक्षय कुमार और करिश्मा कपूर की जोड़ी को भी हैप्पी एंडिंग

मिल जाती। और मुझे याद है कि कई बार मैंने रियल लाइफ़ में *"राहुल... नाम तो सुना होगा"* लाइन बोलकर कई बार मुंह की खाई।'

दिल तो पागल है ने फ़िल्म बनाने के लिहाज़ से भी कुछ अलग करने की कोशिश की। ये उन चुनिंदा फ़िल्मों में से एक थी, जिसमें हीरो और हीरोइन की पहली मुलाकात इंटरवल के करीब होती है। यश चोपड़ा ने ये सुनिश्चित किया था कि राहुल-निशा और पूजा-अजय की दोस्तियों को सिर्फ़ फ़ुटनोट की तरह न दिखाया जाए, बल्कि पहले हाफ़ में उन्हें गहराई दी जाए ताकि बाद में टकराव का आधार मज़बूत बन सके।

फ़िल्म के गाने भी हिट रहे। कुछ वक़्त पहले एक वीडियो वायरल हुआ था जिसमें अमेरिकी रेसलर जॉन सीना जिम में *'भोली सी सूरत'* गा रहे थे। रेसलर गर्व सिहरा ने ये वीडियो एक्स (पहले ट्विटर) पर शेयर किया था। जॉन सीना शाहरुख़ के बड़े फ़ैन हैं और वो सोशल मीडिया पर शाहरुख़ को लेकर कई पोस्ट शेयर कर चुके हैं। उनके इस वीडियो पर शाहरुख़ ने जवाब दिया: 'थैंक यू बोथ... लव इट एंड लव यू जॉन। मैं तुम्हें अपने नये गाने भेज रहा हूं और अब मुझे तुम दोनों का डुएट चाहिए!!! हा हा।'[4]

अनंत अंबानी और राधिका मर्चेंट की शादी में जॉन सीना को शाहरुख़ से मिलने का मौका मिला। डब्लूडब्लूई सुपरस्टार ने इंटरव्यू में कहा, 'ये एक बहुत ही भावुक पल था क्यूंकि मैं उस शख़्स से मिलकर उससे हाथ मिला पा रहा था जिसने मेरे जीवन को बहुत ही ज़्यादा प्रभावित किया और मैं उन्हें ये सबकुछ बता भी सका। उन्होंने एक टेड टॉक दी थी, जिसे मैंने अपनी ज़िंदगी के बिल्कुल सही मौक़े पर देखा और उनके शब्दों ने मुझे प्रेरणा दी, मेरी सोच को बदला। उस बदलाव के बाद से, मैं अपनी ज़िंदगी में मिलने वाली हर अच्छी चीज़ को पहचानने की कोशिश करता हूं, उन सभी चीजों के लिए एहसानमंद रहता हूं और हरसंभव कोशिश करता हूं कि उन्हें बेकार न जाने दूं।'[5]

सुभाष घई की *परदेस* भी उसी साल आयी, जब *दिल तो पागल है* रिलीज़ हुई। लेकिन इस फ़िल्म की तबीयत *डीडीएलजे* से ज़्यादा मेल खाती दिख रही थी। इसमें भी प्रवासी बच्चों की पहचान से जुड़ी उलझनों को दिखाया गया। शादी का मामला एक युद्ध की शक्ल लेता गया, जहां ये बच्चे, जो दो संस्कृतियों के बीच पले-बढ़े थे, अपने मां-बाप की पारंपरिक उम्मीदों और अपने मॉडर्न, प्यार-भरे सपनों के बीच जूझ रहे थे।

ये संघर्ष केवल एनआरआई परिवारों तक सीमित नहीं था। *डीडीएलजे* में दिखाया गया है कि असल में पूरे भारत के लिए ये एक बड़ा सवाल है: ग्लोबल होते जा रहे

भारत में भारतीय होना क्या मतलब रखता है? ये संकट अब केवल भूगोल की सीमा में नहीं बंधा है बल्कि ये सबका संकट बन चुका था। *डीडीएलजे* एनआरआई के संकट को पूरे भारत की पहचान के संकट के रूप में पेश करती है। फ़िल्म बार-बार ये जताती है कि भारत का जो फ़ैमिली-सिस्टम है, वही वो बुनियाद है जिससे भारतीय होना तय होता है, चाहे आप कहीं भी रहें। तमाम मुश्किलों के बीच, परिवार ही वो एक चीज़ है जो सबकुछ बांधकर रखता है और परम्पराओं और निजी चाहतों को एकसाथ लेकर चलने में मदद करता है। *डीडीएलजे* एक आशावादी फ़िल्म है और दिखाती है कि विदेश में भी भारतीयता को अपने साथ लेकर चलना चाहिए, वहीं *परदेस* के भीतर कुछ और छिपा था। *डीडीएलजे* जहां ये कहती है कि भारत लौटने से पहचान मजबूत होती है, वहीं *परदेस* दिखाती है कि पश्चिमी दुनिया का मोह और भ्रष्टाचार कैसे एक प्रवासी की आत्मा को तोड़ सकता है।

> **यहां, सपनों के शहर में, शाहरुख़ की यात्रा शुरू हो चुकी थी और ये एक अभियान के रूप में दिख रही थी जिसके साथ उनका आकर्षक व्यक्तित्व मेल खा रहा था और ये सबकुछ मिलकर उन्हें एक ग्लोबल स्टार बनाने वाला था। उनके व्यक्तित्व की तरह ही उनकी ज़िंदगी ने भी आम बातों को किनारे कर रखा था और वो भारत की विविधता को चित्रित करने लगे गये थे।**

ये फ़िल्म एक प्रवासी की दुविधाओं को दिखाती है। वो भारत से भावनात्मक रूप से तो जुड़ा है लेकिन अमेरिका की चकाचौंध और आराम को भी वो तज नहीं पा रहा है। इन दोनों फ़िल्मों की समानताएं दिखाते हुए पेट्रीशिया ओबेरॉय ने एक पेपर पब्लिश किया जिसका टाइटल है ' द डायस्पोरा कम्स होम: डिसिप्लिनिंग डिज़ायर इन डीडीएलजे'। इसमें वो कहती हैं कि प्रवासियों के संघर्ष को *विमेन्स एरा* मैगज़ीन में बेहद अच्छे ढंग से समझाया गया है: 'प्रवासियों को दोनों दुनिया की चाह होती है। वो भारत की भावनात्मकता भी चाहते हैं और अमेरिका की आर्थिक स्थिरता भी।'[6]

परदेस का अंत ये दिखाने की कोशिश करता है कि विदेश में भी अपने भीतर भारत को बचाये रखा जा सकता है, मगर ये फ़िल्म इस बात में यक़ीन करती हुई मालूम देती है कि आपकी पहचान उस जगह पर निर्भर करती है जहां आप मौजूद होते हैं और अगर

आप किसी जगह को छोड़कर कहीं और बसते हैं तो आपके भीतर उस जगह का ह्रास होना तय है।

एक ओर ये फ़िल्में भारत और भारतीयों के लिए आधार बनती चली गयीं, उधर शाहरुख़ भी भारत और इसके लोगों के साथ घुलते गये और एक हो गये।

1998 में पहली बार ये समझ में आया कि भारतीय फ़िल्में वैश्विक स्तर पर क्या कमाल कर सकती थीं। मौक़ा था मणिरत्नम की *दिल से...* का। असम में फैले उग्रवाद की पृष्ठभूमि में पकी इस फ़िल्म की कहानी में रेडियो में काम करने वाले अमर (शाहरुख़ का किरदार) को दिखाया गया है, जो अपनी एक यात्रा के दौरान मेघना (मनीषा कोइराला) को देखता है और मंत्रमुग्ध हो जाता है। शाहरुख़ के लिए मणिरत्नम की फ़िल्म में काम करना एक बड़ी बात थी। हालांकि फ़िल्म में उनका आना बहुत स्वाभाविक नहीं था। जब मणिरत्नम से शाहरुख़ के बारे में पूछा गया तो उन्होंने कहा, 'मुझे बस कुछ लगा। मैंने उसकी बहुत फ़िल्में देखी नहीं थीं। आपको लगता है कि इसमें किसी ऐसे एक्टर को होना चाहिए, जो आम आदमी सा लगे, जो ऑल इंडिया रेडियो का चेहरा भी बन सके क्यूंकि वो इस देश में आम आदमी की आवाज़ का प्रतिनिधित्व करता है और वो इस सबके साथ इस फ़िल्म को अपने कंधों पर लेकर चल भी सके। मैं किसी ऐसे एक्टर को चाहता था जो हमारे काम को पूरा कर सके। इस फ़िल्म का विषय भी कुछ मुश्किल था। हमें आज़ाद हुए 50 साल हो रहे थे और देश के कुछ कोनों में अभी भी चीज़ें साफ़ नहीं थीं। हम इसे ही कवर करने की कोशिश कर रहे थे और ये फ़िल्म उन धुंधली बातों को पढ़ने की कोशिश कर रही थी। और हम चाहते थे कि उस पहलू को एक ख़ुशनुमा मूड में रखा जाये। उसने किसी तरह से इस मूड को सामने लाकर रखा।'[7]

शाहरुख़ और मणिरत्नम एक दूसरी कहानी पर काम कर रहे थे जो तमिल फ़िल्म होने वाली थी, जिसका नाम था, *अलाई पायुधे*। बाद में इसे हिंदी में *साथिया* के नाम से बनाया गया। पहले पहल ये फ़िल्म शाहरुख़ के साथ बनने वाली थी। ये शहर में बसी, एक सादी सी लव स्टोरी थी लेकिन इसकी स्क्रिप्ट उस जगह नहीं पहुंच सकी जहां इस पर सभी की रज़ामंदी हो सके। इसलिए ये दोनों किसी और कहानी पर चले गये और कुछ इस तरह से, ये फ़िल्म अस्तित्व में आयी।

दिल से... वो एकमात्र फ़िल्म है जिसमें शाहरुख़ और मणिरत्नम ने एकसाथ काम किया। उस वक़्त, प्रोड्यूसर्स को ये डर था कि कहीं इसकी कहानी का दुखद अंत लोगों को इस फ़िल्म से दूरी बनाने पर मजबूर न कर दे। फ़िल्म में आने वाला गाना *'छैय्यां छैय्यां'* इसकी हाईलाईट था और प्रोड्यूसर्स को लग रहा था कि वो ये गाना देखने के बाद थियेटर से निकल जायेंगे। इसकी काट निकालने के लिए उन्होंने तय किया कि वो फ़िल्म के अंत में ये गाना फिर से चलाएंगे। राम गोपाल वर्मा इस फ़िल्म के एक प्रोड्यूसर थे और उन्होंने बताया कि वो लोग कैसे इस फ़िल्म को ख़त्म करना चाह रहे थे। 'भरत शाह ने मुझसे कहा कि "बहुत गड़बड़ हो गया है। फ़िल्म को एक ही तरह से बचाया जा सकता है।" उनके अनुसार, जब शाहरुख़ और मनीषा कोईराला गले लगते हैं, उसके आगे का सीन हम काट देंगे और वहां *छैय्यां छैय्यां* गाना चला देंगे। उनका कहना था कि ये फ़िल्म का सबसे पसंद किया जा रहा गाना था और दर्शक जब इसे दूसरी बार देखेंगे तो ख़ुश हो जायेंगे।'[8]

जब रामू ने मणिरत्नम को कॉल करके ऐसा कहा तो वो गुस्से में आगबबूला हो गये। 'मणि बहुत गुस्सा हुआ। उसने मुझसे एक वाजिब सवाल पूछा, "शाहरुख़ मनीषा को गले लगा रहा है तो वो उस वक़्त मलाइक अरोड़ा को कैसे सोचने लगेगा?!"'

मणिरत्नम की बात सौ टका सही थी और इस सुझाव को कूड़ेदान में डाल दिया गया। फ़िल्म को हिंदुस्तान में बहुत सफलता नहीं मिली लेकिन ये पहली बॉलीवुड फ़िल्म बन गयी जिसने यूके के टॉप टेन चार्ट में जगह बनायी। एरा न्यू होराईज़न्स और हेलसिंकी इंटरनेशनल फ़िल्म फ़ेस्टिवल जैसे बड़े फ़िल्म समारोहों में दिखाये जाने के बाद इसे अंतर्राष्ट्रीय स्तर पर अच्छी पहचान मिली। फ़िल्म ने यूएस में 9,75,000 अमेरिकी डॉलर और यूके में 5,37,000 पाउंड कमाये। ये फ़िल्म जापान तक भी पहुंची, जहां इसे ख़ूब सराहा गया।

1998 ही वो साल था जब करण जौहर ने *कुछ कुछ होता है* के साथ फ़िल्म बनाने की दुनिया में कदम रखा। शाहरुख़ और करण की मुलाक़ात पहले तो *करण अर्जुन* के सेट पर हुई और फिर तो *डीडीएलजे* के सेट्स पर दोस्त बन गये। करण के पिता जब 1994 में शाहरुख़ से मिलने और उन्हें फ़िल्म *डुप्लीकेट* ऑफ़र करने गये थे तो करण साथ ही

थे। वहां तारीख और फ़ीस के बारे में भी चर्चा होनी थी। अपने संस्मरण *ऐन अनसूटेबल बॉय* में करण ने बताया है कि कैसे वो पहली बार *करण अर्जुन* के सेट पर मिले थे, जहां यश जौहर शाहरुख़ को *डुप्लीकेट* के लिये साइन करने गये थे।

करण को उस मुलाक़ात के बारे में याद है कि शाहरुख़ ने चटकीली नारंगी रंग की लेवाइस की टीशर्ट पहनी हुई थी। 2023 में एक इंटरव्यू में उन्होंने कहा था, 'आपको तो मालूम ही होगा कि कैसे आप एक फ़िल्म स्टार के बारे में अपनी एक धारणा बना लेते हैं और फिर वो कैसे निकलते हैं। मुझे ऐसा लगता था कि फ़िल्म स्टार्स अलग तरह के लोग होते हैं क्यूंकि मेरे पिता प्रोड्यूसर थे और उन्होंने बहुत सारों के साथ काम किया था। शाहरुख़ के बारे में ख़ूब बातें हो रही थीं कि वो बहुत घमंडी है... घमंडी नहीं बल्कि उसे मालूम था कि वो क्या कर रहा था क्यूंकि वो ड्रामा और थियेटर के बैकग्राउंड से आया था। लेकिन एक ही मिनट में शाहरुख़ के जादू ने मुझ पर असर कर दिया था। वो आपकी आंखों में देखता है और आपसे बात करता है। और ये शाहरुख़ के बारे में सबसे ख़ूबसूरत बात है।'[9]

ये तो साफ़ है कि शाहरुख़ को उनके शिष्ट किरदारों के बावजूद घमंडी कहा जा रहा था और करण को भी ऐसा ही लगने लगा था। लेकिन ये तबकी बात थी, जब तक करण ने उनके साथ काम नहीं किया था। अपने संस्मरण में उन्होंने इस बारे में बात की कि कैसे वो शाहरुख़ को लगभग घमंडी युवा एक्टर माना करते थे लेकिन फ़िल्म सिटी में हुई पहली मुलाक़ात के बाद उनकी ये धारणा पूरी तरह से बदल गयी। शाहरुख़ की गर्मजोशी और उनके दोस्ताना स्वभाव ने उन पर गहरा असर छोड़ा और जब उन्होंने करण के पिता के लिए गाड़ी का दरवाज़ा खोला तो कोई शक़ नहीं रह गया कि वो अभी तक ग़लत सोच रहे थे। ये मुलाक़ात असल में दस मिनट से ज़्यादा नहीं चलने वाली थी लेकिन बातें होती गयीं और दो घंटे निकल गये। इस दौरान शाहरुख़ जिस इज़्ज़त के साथ उनके पिता के साथ पेश आ रहे थे, वो करण का दिल भी जीत चुके थे। करण जौहर ने बीते सालों में देखा था कि कैसे उनके पिता इंडस्ट्री के कई लोगों से दूरी बना चुके थे। लिहाज़ा, वो अपने पिता को लेकर संवेदनशील थे और इस बात का ख़ास ख़्याल रखते थे कि उनसे कौन कैसे बात करता था। शाहरुख़, इंडस्ट्री के लिए बाहरी थे और फ़िल्मी दुनिया में नये ही माने जाते थे, लेकिन वो अपने अलग तौर-तरीक़ों के लिए जाने जाते थे। करण उस वक़्त आमिर ख़ान के बहुत बड़े फ़ैन थे, लेकिन वो शाहरुख़ के आकर्षण, ह्यूमर और संवेदनशीलता से खासे प्रभावित हो गये थे।[10]

आगे चलकर शाहरुख़ और करण बॉलीवुड के सबसे बड़ी एक्टर-डायरेक्टर की जोड़ी बन गये। आज दोनों एक-दूसरे को अपने परिवार का हिस्सा मानते हैं। लेकिन शाहरुख़ के चलते करण को वो स्वीकार्यता मिली जो अब तक उन्हें अपने ही परिवारजनों और दोस्तों से नहीं मिली थी। *बी अ मैन, यार!* नाम के चैट शो पर करण ने बताया कि कैसे शाहरुख़ ने उन्हें सहज महसूस करवाया। ये एक ऐसी चीज़ थी जो अभी तक उनके जीवन में नहीं हुई थी। यहीं से समझ में आता है कि इन दोनों की दोस्ती का आधार इतना मज़बूत क्यूं है। उन्होंने कहा, 'पहला इंसान, जिसने मुझे महसूस करवाया कि मैं बिल्कुल ठीक था, वो शाहरुख़ ही थे। वो एक तरक़्क़ी पसंद माहौल में पले-बढ़े थे। उन्होंने थियेटर किया हुआ था और हर तरह के लोगों के साथ काम कर चुके थे। मेरे मां-बाप ही मुझे नहीं समझ पा रहे थे। मेरे भीतर का "स्त्रैण पक्ष" जो बाहर आता दिख रहा था, उसका मज़ाक उड़ाया जाता था। जब मैं बड़ा हुआ, लोग चुप तो होते गये लेकिन फिर भी हर ओर इसको लेकर बातचीत तो चल ही रही थी। शायद वो मेरे चलने का तरीका था या मेरे बोलने का लहजा (जैसा मुझे लगता है)। शाहरुख़ वो पहला आदमी था जिसने मुझे छोटा नहीं महसूस करवाया। उसने मुझे बराबर का इंसान समझा। उसने उसे स्वीकार किया, जिसका उन दिनों में मज़ाक उड़ाया जाता था, जनाना कहा जाता था। वो इस सबको लेकर बहुत कूल था। वो मुझसे खुलकर बातें करता था। जब भी मुझे अपने व्यक्तित्व और सेक्शुएलिटी को लेकर बातें कहनी होती थीं, मैं उसी से राय लेता था। वो पहला इंसान था जिसके चलते मुझे लगा कि मेरे पास भी कोई सपोर्ट है।'

इन दोनों के बीच जैसा समीकरण है, जब उस पर नज़र डालते हैं तो समझ में आता है कि शाहरुख़ ने ऐसे वक़्त में *कुछ कुछ होता है* के लिए हां क्यूं कहा जब स्क्रिप्ट तैयार भी नहीं थी। जनवरी 1996 में करण अपनी पहली फ़िल्म का आइडिया शाहरुख़ के साथ शेयर करने वाले थे लेकिन उनके पास कुछ भी तैयार ही नहीं था। उस साल के मार्च-अप्रैल में, जब शाहरुख़ जयपुर में *चाहत* फ़िल्म की शूटिंग कर रहे थे, शाहरुख ने करण से कहा कि वो फ़िल्म की कहानी सुनाएं। करण अभी भी तय नहीं कर पाये थे कि वो शाहरुख़ को क्या सुनायेंगे। उन्हें अंग्रेज़ी भाषा की एक फ़िल्म याद आयी, जिसमें एक आदमी की पत्नी, बेटी को जन्म देने के दौरान मर जाती है और आगे चलकर उस आदमी को अपनी बेटी के साथ रिश्ता मज़बूत करना होता है और एक नयी जीवनसाथी भी ढूंढ लेता है। इससे ही प्रभावित होकर करण ने एक कहानी सोची जिसमें शाहरुख़ का किरदार अपनी

पत्नी को खो चुका होता है और उसे अपनी बेटी को पालना होता है और परिवार पूरा करने की ख़ातिर एक नयी पार्टनर ढूंढनी होती है।

करण ने यात्रा के दौरान एक सीन सोचा जिसमें एक बच्ची को चिट्ठी मिलती है, जिस पर 'मां' लिखा होता है। शाहरुख़ से मीटिंग के दौरान करण ने इस सीन को मौके पर ही और बढ़ाया। उन्होंने बताया कि वो बाप अपनी बेटी को मां के प्यार और उसकी अहमियत को समझाता है। इस सीन की संवेदनशीलता ने करण और शाहरुख़, दोनों को भावुक कर दिया। शाहरुख़ को देखकर लग रहा था कि उन्हें इस सीन ने छू लिया था, शायद अपनी मां को सोचते हुए।

बातचीत ख़त्म होने तक शाहरुख़ ने इस प्रोजेक्ट के लिए हामी भर दी थी। उन्होंने सलाह दी कि वो लव-स्टोरी लिखें और इसमें काजोल को रखें। मुंबई लौटकर करण ने सबसे पहले काजोल से ही बात की और वो राज़ी हो गयीं। उन्होंने कहा कि करण जब भी ये फ़िल्म बनायेंगे, वो इस फ़िल्म में काम करेंगी। अब शाहरुख़ और काजोल के नाम फ़ाइनल हो गये थे और जैसे ही अक्टूबर 1997 की तारीखें निश्चित हुई, करण ने फ़िल्म लिखने का काम शुरू कर दिया।

फ़िल्म की शूटिंग अक्टूबर 1997 में शुरू हो गयी। इसकी रिलीज़ से कुछ वक़्त पहले ही करण के पिता की फ़िल्म *डुप्लीकेट* रिलीज़ हुई थी और अच्छा नहीं कर पायी थी। अब *कुछ कुछ होता है* को लेकर डिस्ट्रीब्यूटर्स कुछ आशंकित हो गये। उन्हें इस फ़िल्म को लेकर भी संशय होने लगा था। ऊटी में हो रही *कुछ कुछ होता है* की शूटिंग के दौरान जब यश जौहर को इन बातों के बारे में मालूम चला तो वो बहुत परेशान हो गये। अच्छी बात ये रही कि यश चोपड़ा को *कुछ कुछ होता है* में कई संभावनाएं दिख रही थीं। जब डिस्ट्रीब्यूटर्स ने हाथ खींचना शुरू किया तो यश चोपड़ा आगे आये। उन्होंने कहा कि वो इस फ़िल्म को देश और विदेश में डिस्ट्रीब्यूट करेंगे। फ़िल्म में उनका जो विश्वास था, उसके चलते मामला बन गया और *डुप्लीकेट* से हुए नुकसान की भी *कुछ कुछ होता है* ने भरपाई कर दी।

असल में, 1997 में, आदित्य चोपड़ा के ज़ोर देने पर, यश चोपड़ा ने यूके में एक डिस्ट्रीब्यूशन का ऑफ़िस खोल दिया था। वहां उनकी पहली रिलीज़ ने 10 लाख पाउंड (लगभग 9.3 करोड़ रुपये) का मुनाफ़ा कमाया था। ये आंकड़ा किसी भी हिंदुस्तानी फ़िल्म के लिए बहुत बड़ी और एकदम नयी बात थी। एक साल बाद, उन्होंने यूएस में

नया ऑफ़िस खोला और उसका श्री गणेश करण जौहर की फ़िल्म *कुछ कुछ होता है* से हुआ। इस फ़िल्म ने सभी रिकॉर्ड तोड़ डाले और इसने 70 लाख अमेरिकी डॉलर (57 करोड़ रुपये) का मुनाफ़ा कमाया। *कुछ कुछ होता है* ने यूके के टॉप टेन चार्ट्स में भी नौवें नंबर पर अपना नाम लिखवाया।

अब दुनिया बॉलीवुड का स्वागत भी कर रही थी और ख़ूब देख भी रही थी।

शाहरुख़ ने इस बात को क़बूलने में कभी कोई झिझक नहीं दिखायी कि उन्हें पैसा ख़ूब पसंद है। उतना ही, जितने उन्हें अपने सिद्धांत पसंद हैं। हालांकि उनके साथ ढेर काम कर चुके लोगों ने, जिसमें यश चोपड़ा से करण जौहर तक शामिल हैं, यही बताया कि शाहरुख़ उनसे तब तक एक रुपया भी नहीं लेते हैं जब तक प्रोजेक्ट पूरा नहीं हो जाता है। *मिड-डे* को 2023 में दिये एक इंटरव्यू में करण जौहर ने कहा, 'जो भी देते हैं (वो ले लेते हैं)। शाहरुख़ के साथ हमारे कॉन्ट्रैक्ट ऐसे ही बनते हैं कि "आपके साथ काम करके अच्छा लगा, शुक्रिया।" हम कोई लम्बे-चौड़े काग़ज़ तैयार नहीं करते। जो भी हो, (सब इसी बारे में होता है कि) हम एक-दूसरे से क्या अपेक्षाएं रखते हैं।'[11]

हिंदी सिनेमा के गलियारों में ये माना जाता है कि सुपरस्टार और महान हस्ती में अंतर इस बात का होता है कि कौन कितना बड़ा दांव लगा सकता है... शाहरुख़ ने फ़िल्मों को महज़ पैसा कमाने का ज़रिया नहीं समझा। उनके लिए वो एक ऐसी चाह थी जो पैसों की बातों से कहीं आगे की बात थी।

यहां तक कि शाहरुख़ ने करण जौहर की दो फ़िल्मों की शूटिंग फ़्री में की है: 2022 की फ़िल्म *ब्रह्मास्त्र* (चौदह दिन) और 2016 की फ़िल्म *ऐ दिल है मुश्किल* में उनके छोटे से रोल के लिए।

एक ऐसा इंसान, जिसने अपने शुरुआती दिनों में पैसों की तंगी झेली हो, उसके लिए पैसा और शुरुआती क़ामयाबी बेहद ज़रूरी चीज़ें हो जाती हैं। कैरियर के पहले हिस्से में शाहरुख़ ने अपने जूनून को आगे रखा और *कभी हां कभी न* सरीखी कई फिल्मों में अपना पैसा लगाया जिससे वो पूरी हो सकें। लेकिन उसके बाद, *डीडीएलजे* आयी और शाहरुख़

ने इतना पैसा बनाना शुरू किया जिसकी उन्होंने कभी कल्पना भी नहीं की होगी। और उन्होंने इस मौके को भुनाने में कोई कसर नहीं छोड़ी। आगे चलकर, इसी सबके चलते वो अपने सपनों का घर 'मन्नत' ख़रीद सके।

हिंदी सिनेमा के गलियारों में ये माना जाता है कि सुपरस्टार और महान हस्ती में अंतर इस बात का होता है कि कौन कितना बड़ा दांव लगा सकता है। शाहरुख़ का ये फैसला कि वो फ़िल्मों में मुफ़्त में काम करेंगे, ये बताता है कि एक्टिंग के लिए वो कितने जुनूनी थे। एक ऐसी इंडस्ट्री, जिसमें मुनाफ़ा ही सबकुछ माना जाता है, ये सोचना ही नामुमकिन के बराबर था कि कोई अपने पैसे ही त्याग देगा। शाहरुख़ ने फ़िल्मों को महज़ पैसा कमाने का ज़रिया नहीं समझा। उनके लिए वो एक ऐसी चाह थी जो पैसों की बातों से कहीं आगे की बात थी। इसने उन्हें लोगों से अलग कतार में लाकर खड़ा कर दिया और उनका ऐसा कैरियर बनना शुरू हुआ जिसने बॉलीवुड में आने वाले नये लोगों को प्रेरित करना शुरू कर दिया। लोगों को समझ में आने लगा कि उन्हें इस कला में ख़ुद का निवेश करना चाहिये और बगैर किसी बड़े मुनाफ़े की आकांक्षा के ख़ुद पर दांव लगाना चाहिये।

हफ़िंग्टन पोस्ट को दिये एक इंटरव्यू में शाहरुख़ ने अपनी ज़िंदगी में पैसों की अहमियत पर बात की। 'मैं एक ग़रीब पृष्ठभूमि से आता हूं। मैंने अपने मां-बाप को ऐसा खाना खाते देखा है, जिसमें दाल से कहीं ज़्यादा पानी होता था। वो इस पर मज़ाक भी करते थे – "आज पानी वाली दाल बनाते हैं।" या मेरी मां कह देती थी "नहीं, आज मुझे भूख नहीं है। मैंने बाहर खाना खा लिया था।" हम इतने बेवकूफ़ नहीं थे कि ये नहीं मालूम हो कि उन्होंने कहीं कुछ नहीं खाया था। हमें हमारी हदें मालूम थीं। हमारा एक पढ़ा-लिखा परिवार था, बहुत सौम्यता से बातें की जाती थीं, हम सेक्युलर और ख़ुश और आपस में जुड़े हुए थे। लेकिन हम ग़रीब थे। और मुझे ये बात कतई पसंद नहीं थी।' उन्होंने एक बार मज़ाकिया अंदाज़ में कहा कि एक दार्शनिक या टीचर होना तभी सुहाता है जब आप अमीर होते हैं। शाहरुख़ ने अपनी अमीर होने की चाह की ज़िम्मेदारी अपनी मां की दी हुई सलाह पर डाली: तुम्हें थोड़ा सा प्रैक्टिकल होना पड़ेगा।[12]

और उन्होंने पैसे बनाये। 90 के दशक की उनकी लगभग सभी फ़िल्मों ने ख़ूब कमाई की। लेकिन वो यहीं तक नहीं रुके। *कुछ कुछ होता है* से इस देश के दिमाग में ये विचार बैठा कि अच्छी शादियों या रिश्तों की बुनियाद गहरी दोस्ती पर ही टिकी होती है: *प्यार*

दोस्ती है... अगर वो मेरी सब से अच्छी दोस्त नहीं बन सकती, तो मैं उससे कभी प्यार कर ही नहीं सकता, क्यूंकि दोस्ती बिना तो प्यार होता ही नहीं। सिम्पल, प्यार दोस्ती है।

इस फ़िल्म के आने तक ये विचार भारतीय समाज से ग़ायब था। रोमांस का शब्दकोष बदल रहा था। करण ने राहुल की कहानी सुनायी थी जो कमउम्र में ही अपनी पत्नी को खो देता है, जिसकी आठ साल की बेटी अपनी मरी हुई मां के ख़त पढ़कर ये ज़िम्मेदारी उठा लेती है कि वो अपने पिता को उनकी पुरानी बेस्टफ्रेंड अंजलि से मिलवाकर रहेगी। फ़िल्म का शुरुआती आधा हिस्सा एक कॉलेज में दिखाया जाता है जो देश के सबसे बड़े और मशहूर कॉलेजों जैसा भी नहीं दिखता है। ये एक ऐसी चीज़ है जिसके लिए करण जौहर की आज भी आलोचना की जाती है। ये सबकुछ किसी अमेरिकी हाई स्कूल फ़िल्म से उधार लिया हुआ मालूम दे रहा था, जहां चीयरलीडर्स भी होती हैं और छात्रों के लॉकर्स भी। भले ही ज़ेवियर कॉलेज अलग दिखायी देता था लेकिन वहां के भाव और वहां दिखायी दे रही 'कूलनेस' और युवाओं का बेफ़िक्र अंदाज़ देश के लाखों लड़कों-लड़कियों को भा गया।

एक बार फिर, शाहरुख़ को राहुल नाम के किरदार के साथ देखा गया जो कॉलेज का सबसे जाना-माना लड़का था। वो छाती से चिपकी हुई टी-शर्टें पहनता था और नेकपीस पहनता था जिसपर लिखा होता था 'C-O-O-L'। इन्स्टाग्राम की फ़िल्टर से सजी हुई दुनिया से बहुत पहले ये एक झाड़ी-पोछी दुनिया बनायी गयी थी। करण जौहर के लिए फ़ैशन एक बहुत बड़ा कारक है। एक समय था जब वो फ़ैशन की दुनिया में ही जाना चाहते थे लेकिन आदित्य चोपड़ा उन्हें फ़िल्मों में लेकर आये। अपनी पहली ही फ़िल्म में करण ने नए स्टाइल स्टैण्डर्ड स्थापित कर दिये। फ़िल्म की शूटिंग शुरू होने से पहले करण और उनके दोस्त मनीष मल्होत्रा, कॉस्ट्यूम के लिए लंदन गये।

यश जौहर को उस वक़्त ये शॉपिंग ग़ैर-ज़रूरी लग रही थी लेकिन बाद में वो 5,000 पाउंड (आज के हिसाब से 35 लाख रुपये) का बजट देने को राज़ी हो गये। बाद में ये रक़म बढ़कर 8,000 पाउंड (आज के हिसाब से 55 लाख रुपये) हो गयी। करण और मनीष ने जानबूझकर ऐसे कपड़े चुने जो मज़बूत डिज़ाइनर लेबल के साथ आते थे, जिससे दर्शकों को ये समझ में आ सके कि उन्होंने कितनी मेहनत और रक़म ख़र्च की है। अंजली के पहले सीन में वो बास्केटबॉल खेल रही होती है और उसने DKNY का ट्रैकसूट पहना हुआ है और राहुल ने पोलो स्पोर्ट और GAP के कपड़े पहने हैं।

फ़िल्म की ऐसी अलग और बड़ी सेटिंग के बाद भी, इसमें भारतीयता का भाव ख़ूब झलकता है। ये एक ऐसी चीज़ थी, जो उस दौर की भारतीय फ़िल्मों में काम भी करती थी। करण को उनकी भावप्रधान कहानियों के लिए जाना जाता है और उन्होंने इसमें कुछ ऐसे सीन डाले थे जो ज़्यादा से ज़्यादा गहरे जज़्बात पैदा कर सकें। हालांकि फ़िल्म की कहानी इंडिया में ही आधारित है लेकिन इसके किरदार, *डीडीएलजे* की तरह, मॉडर्न और स्पष्टवादी लोग हैं, जिन्होंने अपने आधुनिक पश्चिमी मुखौटे के नीचे गर्व से अपनी भारतीय पहचान बनाए रखी है। राहुल हर हफ़्ते मंदिर जाता है और लंदन में पली-बढ़ी, ऑक्सफ़ोर्ड से पढ़कर आयी टीना (रानी मुखर्जी) पश्चिमी फ़ैशन मॉडल की तरह कपड़े पहनती है लेकिन सार्वजानिक मंच पर हिंदू प्रार्थना गाती है। वो राहुल से कहती है, 'लंदन में रहने से, वहां पढ़ने-लिखने से मैं अपने संस्कार नहीं भूली। और ये तुम मत भूलना।' फ़िल्म की इक्कीसवीं सालगिरह पर करण ने एक इंटरव्यू में राहुल के किरदार की ख़ामियों पर बात की। अगर उन्हें दोबारा ये किरदार गढ़ना हो तो वो इसे और मज़बूत, और आत्मविश्वास से भरा हुआ बनाते। 'मैं उसे मज़बूत रीढ़ और भावनाएं समझने की क़ुव्वत देता। मैं कुछ और समस्याएं देता। आज राहुल, अंजलि से खुलकर बातचीत कर सकेगा। उसे मालूम होगा कि वो उसे पसंद करती है और वो उस पर अंजलि से ढंग से बात करेगा।'[13]

डीडीएलजे और *कुछ कुछ होता है* जैसी फ़िल्मों ने अप्रवासी भारतीयों को ये यक़ीन दिलाया कि वो पूरी तरह से भारतीय ही हैं और पश्चिम में रहने के चलते उन्हें उनकी जड़ों से कोई दूर नहीं कर सकता। भारतीय मूल्य परिवर्तनशील होते हैं और ये बाहरी चीज़ों को बड़े मज़े से अपना सकते हैं, जैसा कि इस फ़िल्म के किरदारों को करते देखा जा सकता है। दोनों फ़िल्मों ने एनआरआई जनता को देश की एक आदर्श स्थिति दिखायी जिसमें ग़रीबी, भ्रष्टाचार और अन्याय की कोई जगह थी ही नहीं। इसकी जगह, इन फ़िल्मों ने नॉस्टेल्जिया से भरी हुई परिस्थितियां दिखायीं, जिसमें ख़ूबसूरत घर, बड़े और ख़ुशहाल परिवार, रीति-रिवाज़, परम्परा और ऐसे बच्चे दिखाए गये, जो आधुनिक तो थे लेकिन अपने मां-बाप की हर बात मानते थे और उनसे जुड़े रहते थे।

करीब दो करोड़ प्रवासी भारतीयों के लिए हिंदी फ़िल्में सिर्फ़ मनोरंजन का ज़रिया नहीं रही हैं। कई तरीक़ों से, ये फ़िल्में समुदाय को जोड़ने का माध्यम हैं, दूर बसे वतन से भावनात्मक रिश्ता बनाए रखने का जरिया हैं और दो संस्कृतियों के बीच पले-बढ़े दूसरी

पीढ़ी के बच्चों को भारतीय संस्कृति से परिचित कराने का एक सस्ता और असरदार तरीका भी हैं।

कुछ लोगों के लिए तो शाहरुख़ ही भारत से जुड़ा उनका एकमात्र संदर्भ हैं। परवीन बंदरकर दक्षिण अफ्रीका के केप टाउन में पैदा हुईं और पूरी ज़िंदगी वहीं रहीं। उन्होंने 1990 के दशक की हिंदी फ़िल्मों के ज़रिए शाहरुख को जाना, जो उनके लोकल टीवी चैनल पर आया करती थीं। देर रात फ़ोन पर हुई हमारी बातचीत के दौरान उन्होंने कहा, 'हिंदुस्तान में मेरा कोई परिवार नहीं है। तो मेरे लिए, शाहरुख़ एक ऐसी दुनिया के लिए खिड़की बन गये, जिसमें मैं कभी जी ही नहीं सकती थी। मैं साउथ अफ्रीका की एक महिला हूं और कभी भी इंडिया नहीं गयी हूं। ऐसे में, मैं कैसे वहां के सिनेमा और भाषा के साथ कनेक्ट कर सकती हूं जो मैं बोल ही नहीं सकती? मैंने इन फ़िल्मों को देख-देखकर हिंदी सीख ली। मैंने कभी भी हिंदी की पढ़ाई नहीं की। मेरी हिंदी की पूरी समझ फ़िल्मी स्तर की है। मैं हिंदी में बातचीत नहीं कर सकती लेकिन हिंदी फ़िल्में बगैर सबटाइटल्स के देख सकती हूं क्यूंकि मैंने ये भाषा फ़िल्में देखकर ही सीखी है। जब 2015 में मैं छुट्टियां मनाने के लिए इंडिया गयी तो मैं वहां के टैक्सी ड्राइवर्स, होटल के स्टाफ़ और दुकानदारों से हिंदी में बात कर रही थी।'

परवीन पहली बार मुंबई 2010 में आयी थीं। 'मेरी दादी को अपना गांव देखना था क्यूंकि वो बूढ़ी हो रही थीं। करते-कराते वो एक फ़ैमिली ट्रिप बन गयी, जिसमें मेरे भाई, चचेरे भाई और परिवार के कुछ दूसरे सदस्य भी साथ आये थे। मैं बस एक काम करना चाहती थी – मराठा मंदिर में *डीडीएलजे* देखनी थी और मन्नत को देखना था। मैं टीनएजर थी और बहुत नखरे कर रही थी। मैं किसी को नहीं समझा पा रही थी कि क्यूं मुझे वो फ़िल्म देखनी थी जो मैं अपने जीवन के हर कुछ दिनों में देखती आ रही थी। मुझे आज भी दुख होता है कि मैं *डीडीएलजे* नहीं देख पायी लेकिन मैंने तय कर लिया था कि मुझे मन्नत देखना ही था। मेरे पापा परेशान हो गये। मैं उन्हें नहीं समझा पा रही थी कि वहां कुछ मिनट रुककर उस घर को निहारना क्यूं इतना ज़रूरी था। हर कोई मुझसे यही कह रहा था, "वहां कोई भी तुझे अंदर बुलाकर चाय नहीं पिलायेगा।" मैं बहुत रोयी और कसम खायी कि जब तक शाहरुख़ का घर नहीं देख लूंगी, वापसी की फ़्लाइट पर चढूंगी ही नहीं। इस सबकी वजह से, अगले दिन मेरे पापा को रास्ता बदलकर आना पड़ा और उन्होंने टूर गाइड से कहा कि मन्नत के बाहर उन्हें रुकना होगा। मैं कार से बाहर कूदी,

सड़क पार करके उस ओर गयी, एक मिनट तक खड़ी देखती रही और वापस दौड़कर इधर आ गयी। मेरे लिए शाहरुख़ एक भाषा है, एक ज़रिया है जिससे मैं लोगों से और ख़ासकर अपनी जड़ों से जुड़ पाती हूं। अगर वो नहीं होता तो मैं कभी भी ये नहीं जान पाती कि मैं हूं कहां से।'

ये परवीन जैसे फैंस के कारण ही हुआ कि शाहरुख़ ने 2004 में तय किया कि वो अपने टेम्प्टेशन टूर के लिए दुनियाभर में घूमेंगे। जिस वक़्त बॉलीवुड का वैश्विक स्तर पर भरपूर स्वागत किया जा रहा था, शाहरुख़ चाहते थे कि वो यहां के स्टार्स को दुनिया के तमाम शहरों में लेकर जाएं और उन्हें ग्लोबल सेंसेशन बनाएं। ये एक प्रचलित बॉलीवुड शो होने वाला था जिसमें यंग एक्टर्स अपने लोकप्रिय गानों पर लिप-सिंकिंग करते हैं और डांस करते हैं और बीच-बीच में हंसी ठिठोली और फैंस से बातचीत हुआ करती है। फ़िल्में आर्काइव करने वालीं नसरीन मुन्नी कबीर ने इस टूर की पूरी यात्रा को एक डॉक्युमेंट्री की शक्ल दी जिसका नाम था द *इनर एंड आउटर वर्ल्ड ऑफ़ शाहरुख़ ख़ान* । एक साल बाद, लेखक असीम छाबड़ा के साथ बातचीत के दौरान उन्होंने बताया कि जब वो शाहरुख़ के पास इस डॉक्युमेंट्री के लिए गयी थीं तो उनकी प्रतिक्रिया क्या थी। 'उन्होंने सबसे पहले पूछा, "मैं क्यूं?" और "क्या मैं इतना अहम हूं कि कुछ बदलाव ला सकता हूं?" शाहरुख़ यक़ीनन एक ऐसे शख़्स हैं जो भारतीय सिनेमा को एक नये लेवल पर लेकर गये हैं।'[14]

टेम्पटेशन 2004 एक ऐसा स्टेज शो था जिसमें एक से बढ़कर एक बड़ा चेहरा शामिल था। ये शो महज़ संगीत के लिए नहीं था। ये मनोरंजन का एक पूरा पैकेज था जिसमें संगीत था, डांस था और यहां तक कि एक्टर्स की कुछ स्किट्स भी थीं। दो महीने में ये टूर दुनियाभर के 22 शहरों में गया और टेम्पटेशन 2004 एक अभूतपूर्व सफलता के साथ लौटा। ये शो बहुत बड़े स्तर पर आयोजित किया गया था, जिसमें दुबई के फ़ेस्टिवल सिटी एरीना में 15,000 लोग इसे देखने आये थे। ये एक उदाहरण है जिससे समझा जा सकता है कि इसे किस तरह की प्रतिक्रिया मिल रही थी। टेम्पटेशन सीरीज़ के साथ शाहरुख़ की ये शुरुआत थी। इसके बाद उन्होंने अगले कुछ सालों में चार टूर और किये – 2004, 2005, 2006 और 2008 में।

2004 के शो में 6 बड़े स्टार थे जिसमें हर कोई अलग ही प्रलोभन देता हुआ दिख रहा था। शाहरुख़ सभी कलाकारों की अगुवाई कर रहे थे और वो प्रेम का भाव दिखाते हुए

लाल रंग के कपड़ों में दिखते थे। यूरोप, जिसमें यूके भी शामिल है, यूएस और कनाडा के कुल सोलह शहरों में ये टूर हाउसफ़ुल रहा। इन मौकों पर आयोजनस्थल की 7,000 से 20,000 दर्शकों की कैपेसिटी थी। टिकट की कीमतें 300 से 400 अमेरिकी डॉलर (आज के समय में 42,000 से 50,000 रुपये) के बीच थीं लेकिन हर वेन्यू पूरी तरह से भरा हुआ दिखता था। टोरंटो के 19,800 सीटों वाले स्कॉटियाबैंक अरीना (जिसे उस वक़्त एयर कनाडा सेंटर कहा जाता था) में टिकटों की मांग को देखते हुए तीन दिन बाद दूसरा शो जोड़ना पड़ा; इसी तरह, लंदन में एक के बाद एक, लगातार, दो दिनों में दो शो करने पड़े।

इस शो ने जो उन्माद पैदा किया, वो एल्विस के स्तर सा मालूम दे रहा था। अमेरिकी लहजे में बात करने वाले फैंस होटल की लॉबी में रात के 2 बजे तक घूम रहे थे क्यूंकि वो अपने पसंदीदा बॉलीवुड एक्टर की एक झलक पाना चाहते थे। शो के दौरान, रोती हुई लड़कियां चीख रही होती थीं, 'वी लव यू, शाहरुख़ ख़ान!' लोकल आयोजकों ने बाद में बताया कि उनके पास बैकस्टेज के पास के बदले में 2000 डॉलर तक की पेशकश आयी थीं, जिन्हें उन्हें मना करना पड़ा। अगले महीने, *टाइम* मैगज़ीन के एशियाई संस्करण के 'एशिया के हीरो' स्पेशल इश्यू में शाहरुख़ को कवर पर जगह दी गयी।[15] इसमें लिखा हुआ था कि शाहरुख़ के दो किशोर बेटियों वाले बॉडीगार्ड को इतनी बार लड़कियों ने शाहरुख़ से मिलवाने के बदले में सेक्स का ऑफ़र दिया कि वो परेशान हो गये थे।[16]

द ग्लोब एंड मेल में छपे एक आर्टिकल में, इस टूर को कवर करने वाले पत्रकार ने बताया कि टेम्पटेशन 2004 में भले ही सैफ़ अली ख़ान (ईर्ष्या), रानी मुखर्जी (वासना), अर्जुन रामपाल (बल), प्रियंका चोपड़ा (लालसा) और प्रीटी ज़िंटा (जूनून), के रूप में बॉलीवुड के पांच स्टार्स और थे, लेकिन एक जिस एक्टर के लिए लोग पगलाये हुए थे, वो थे शाहरुख़ ख़ान।[17]

जिस होटल में ये सभी स्टार्स रुके थे, उसके बाहर का दृश्य रंगबिरंगा था। बॉलीवुड फैंस वहां पर भयानक उत्साह से भरे हुए थे और अपने प्यारे शाहरुख़ और टेम्पटेशन 2004 के दूसरे स्टार्स की एक झलक पाने के लिए बेताब खड़े रहते थे। वहां दोपहर शुरू होते ही भीड़ इकट्ठा होने लगती और प्रशंसक पोस्टर और कैमरा लेकर खड़े दिखते थे। कई फैंस तो इन स्टार्स से पहले मिल चुके थे और उस मौके से जुड़ी यादगार चीज़ें अपने साथ लेकर आये थे। जैसे-जैसे दिन बढ़ता गया, भीड़ भी बढ़ती गयी। ये सभी बातें मिलकर बता रही थीं कि ये इवेंट लोगों के बीच किस कदर पॉपुलर था।

पिछली रात का शो पूरी तररह से भरा हुआ था, जिसके चलते आयोजकों ने टूर को बढ़ाने का फैसला किया। फैंस के इंटरव्यू लिए जा रहे थे और समझ में आ रहा था कि वो सभी शाहरुख़ ख़ान को कितना पसंद करते थे। मॉन्ट्रियल से आयीं उर्वशी पटेल ने कहा, 'हम शाहरुख़ को हर एक चीज़ के लिए पसंद करते हैं। वो जैसे दिखते हैं, उनकी एक्टिंग, उनकी आवाज़, सबकुछ हमें बेहद पसंद है। हम ये सुनिश्चित करते हैं कि हम हर बॉलीवुड शो में पहुंचे लेकिन ये वाला तो मिस ही नहीं किया जा सकता था क्यूंकि इसमें शाहरुख़ ख़ान हैं।' दो बच्चों की मां, दर्शना पटेल ने भी एक निजी जानकारी देते हुए बताया कि उनके बेटे का नाम राज है जो *डीडीएलजे* से शाहरुख़ के किरदार पर रखा गया था। उन्होंने बताया, 'जब ये फ़िल्म आयी थी, मैं प्रेग्नेंट थी। मैंने तभी सोच लिया था कि बेटा होगा तो उसका नाम राज रखूंगी।'

इस टूर का मुख्य आधार शाहरुख़ का रुतबा था और वो उस वक़्त तक वैश्विक स्तर पर बॉलीवुड के सबसे बड़े चेहरे बन गये थे, जिनके फैंस हर दिशा में थे। नसरीन मुन्नी कबीर ने अपनी डॉक्युमेंट्री में इस बात का ज़िक्र किया है कि शाहरुख़ ही इस टूर के केंद्र में थे और इसे इतने बड़े स्तर पर बेचे जाने का कारण भी वही थे। 'सार्वजानिक मौक़ों पर वो कुछ हद तक सादगी पसंद हैं। कई मौक़ों पर वो कहते हैं, "अगर मैं ऐसा बोलूंगा तो थोड़ा ज़्यादा हो जायेगा।" वो इस बात का ख़ूब ध्यान रखते हैं कि वो कैसे दिखायी पड़ रहे हैं। उन्हें स्टारडम रास आती है लेकिन वो उन दिनों को भी अपने दिल में रखते हैं जब उन्हें ऐसी शोहरत नहीं मिली थी। उन्होंने स्कूल में बहुत अच्छा किया। दिल्ली में उनकी मिडिल-क्लास परवरिश हुई। लेकिन उनके पास हमेशा एक आकर्षण था और ये उनकी फ़िल्मों की वजह से नहीं बल्कि वो जो हैं, उसके चलते था।'[18]

द इनर एंड आउटर वर्ल्ड ऑफ़ शाहरुख़ ख़ान में शाहरुख़ अपने बचपन का एक वाक़या याद करते हैं और ये दो बार उनकी फ़िल्मों में भी दिखा है। लड़कपन के दिनों में, बड़े उत्साह के साथ शाहरुख़ क्रिकेट के बड़े खिलाड़ी इमरान ख़ान के पास ऑटोग्राफ़ लेने पहुंचे और उन्होंने इनको झिड़क दिया। इस अनुभव ने उन पर गहरा असर डाला। शाहरुख़ अपने भयानक बिज़ी शेड्यूल के बीच फैंस को ऑटोग्राफ़ और फ़ोटो से नवाज़ना भूलते नहीं हैं।

शाहरुख़ के फैंस में बड़ी संख्या में ग़ैर-भारतीय भी शामिल हैं। कोरियाई सितारों के रोमांस और कोमलता के प्रतीक बनने से बहुत पहले, भारत ने दुनिया को शाहरुख़

खान दिया था। शाहरुख़, जो अपने फैंस को जोड़कर रखना जानते हैं, ने टेम्पटेशन टूर के दौरान लोगों को कई यादगार कहानियां दीं और इनमें से कोई भी उनकी इमरान ख़ान वाली कहानी जैसी नहीं थी।

सैन फ्रांसिस्को में रहने वाली बॉलीवुड की दीवानी स्टेसी ने अपने ब्लॉग में उस वक़्त का ज़िक्र किया है जब 2004 के टूर के दौरान उन्होंने शाहरुख़ का पीछा किया था और शाहरुख़ ने उस स्थिति को कितने अच्छे से संभाला। 'जब मैं शाहरुख़ की ओर चलने लगी तो मुझे दिख गया था कि शाहरुख़ समझ चुके थे कि एक फ़ैन उनकी शांति में ख़लल डालने को आ रही थी। उनके बॉडीगार्ड की पीठ मेरी ओर थी। मेरा दिल ज़ोर-ज़ोर से धड़क रहा था। मुझे पता था कि ये मेरी ज़िंदगी का सबसे ख़ास पल होने वाला था। किसी और सेलिब्रिटी से मुलाकात कभी इतनी बड़ी नहीं लगी थी और मैं कभी इतनी उलझन में नहीं हुई थी और ख़ुद को शब्दहीन नहीं पाया था। मैंने जितने भी वाक्य शुरू किए, उन्हें पूरा नहीं कर पाई। लेकिन शाहरुख़ तो कमाल के थे। हो सकता है उन्हें मेरी मौजूदगी से थोड़ी परेशानी हुई हो, लेकिन उन्होंने ऐसा कभी ज़ाहिर नहीं किया। वो बस अपनी सिगरेट ख़त्म कर रहे थे और मेरे वहां होने के दौरान उन्होंने दूसरी सिगरेट नहीं जलाई, जो बहुत शालीनता की बात थी। उन्होंने काले कपड़े पहन रखे थे, एक आकर्षक लॉकेट पहना हुआ था और उनके बाल आगे की ओर हल्के-फुल्के बिखरे हुए थे। फ़िल्मों में तो उनके बाल अक्सर माथे से हटे होते हैं। मैं 5 फुट 8 इंच की हूं और शाहरुख़ भी लगभग इतने ही लंबे हैं, तो हमारी नज़रें बराबर थीं। मैं ज़्यादा देर तक उनकी आंखों में नहीं देख पाई, शरमा गई थी। लेकिन वो बिल्कुल वैसे ही दिख रहे थे जैसी मैंने कल्पना की थी। शायद वो उससे भी बेहतर दिख रहे थे। उनमें एक शांत सजगता थी, जो उनके स्क्रीन वाले जोशीले अंदाज़ से बहुत अलग लग रही थी। मैं उनके पास गयी और एक माउस पैड और टेम्पटेशन कार्यक्रम की बुकलेट निकाली। मैंने उनसे कहा, 'हाय, मैं स्टेसी हूं। मेरी दोस्त ने कॉल करके बताया कि आप यहां हैं।' फिर मैंने उनसे अपने दो दोस्तों के लिए ऑटोग्राफ़ मांगा। मैंने अपने लिए नहीं माँगा, क्योंकि मुझे पता था कि मेरी एक साथी ने पहले ही मेरे लिए एक ले लिया था। तीन ऑटोग्राफ़ मांगना थोड़ा लालची भी लग सकता था। इतने में उनके बॉडीगार्ड ने मुझसे पूछा, "तुम कहां से आयी हो?" मैंने फ़ुटपाथ की ओर इशारा करते हुए कहा, "वहां से, टैक्सी से।" बॉडीगार्ड ने कहा कि मैं उसे मुश्किल में डाल दूंगी और मुझे वहां से जाने को कहा। मैंने कहा, "पर वो मेरे हीरो हैं!" हम दोनों

में बहस होने लगी। शाहरुख़ चुप थे, लेकिन उन्होंने कार्यक्रम की बुकलेट के पीछे अपने फ़ोटो पर मेरे लिए साइन कर दिया। और वो ऑटोग्राफ़ बहुत ख़ास है क्योंकि उसमें उन्होंने अपना आम "लॉट्स ऑफ़ लव" वाला मेसेज नहीं लिखा, बल्कि कुछ अलग लिखा। अच्छा हुआ उन्होंने वो साइन किया, क्योंकि मेरी साथी ने जो ऑटोग्राफ़ लिया था, वो भूरी स्याही के पेन से भूरे रंग के बैग पर लिखा गया था और कुछ महीनों में ही वो पूरी तरह मिट गया। मेरे पास आज भी वो है, लेकिन अब उस पर कुछ दिखाई नहीं देता। फिर भी मुझे पता है कि वो है। ऑटोग्राफ़ के बाद, जब मैं अभी भी बॉडीगार्ड से बहस कर रही थी, शाहरुख़ को समझ में आ गया था कि मेरा वहां होना ठीक नहीं था। या फिर उन्हें लग गया कि मैं जाने वाली नहीं थी। उन्होंने अपनी बाहें फैलाईं, उंगलियों से इशारा करके मुझे बुलाया और कहा, "आओ, गले लगो।" मैं सन्न रह गई। हम गले लगे और मैं इतनी भावुक हो गई कि मुझे उस पल का अहसास तक ठीक से याद नहीं। तब से, मैं सबको कहती आ रही हूं कि कोई मुझे हिप्नोटाइज़ करे, ताकि मैं उस पल को ठीक से याद कर सकूं।

'मैं सपने बेचता हूं, और लाखों लोगों को प्यार देता हूं... इंसानियत भी मेरे जैसी ही है। वो एक बूढ़ा होता फिल्मी सितारा, जो अपने चारों ओर की दुनिया के नयेपन से जूझ रहा है, सोच रहा है कि क्या उसने शुरुआत में सबकुछ सही किया था और फिर भी किसी तरह चमकते रहने की कोशिश कर रहा है।'

'शाहरुख़ से मेरी बहुत ही छोटी सी बातचीत हुई। ये कुछ ऐसी रही:

मैं: क्या आप सैन फ्रांसिस्को में अभी कुछ दिन और रहेंगे?

शाहरुख़: नहीं। हम कल सुबह जल्दी ही निकल जायेंगे।

मैं: ये तो बहुत बुरी बात है क्यूंकि मैंने आपके बच्चों के लिए ढेर सारी किताबें निकालकर रखी हुई हैं। द बॉर्डर्स पर। मैं वहीं काम करती हूं।

शाहरुख़: तो क्या आपने कुछ हिंदी फ़िल्में देखी हैं?

मैं: मैंने आपकी एक-एक फ़िल्म देखी है। *फ़ौजी* भी (ये उनकी पहली टीवी सीरीज़ थी और 2004 तक डीवीडी पर आयी भी नहीं थी।) अभी हम सभी "द इनर वर्ल्ड ऑफ़ शाहरुख़ ख़ान" देख रहे हैं।

शाहरुख़: ओह, उसे जिन्होंने बनाया है वो अंदर ही बैठी हैं, खाना खा रही हैं।

'बाक़ी लोग भी बाहर आने लगे और मुझे समझ में आ गया था कि अब मुझे वहां से निकलना चाहिये। मैं अपना कैमरा भूली तो नहीं थी लेकिन मैं और कुछ मांगना नहीं चाहती थी और मुझे फ़्लैश वाली फ़ोटो पसंद नहीं हैं। मैंने शाहरुख़ का शुक्रिया अदा किया और उन्हें बाय कहा। उन्होंने अपना हाथ अपने माथे तक ले जाकर मुझे आदाब कहा।'[19]

टेम्पटेशन 2004 एक ऐसा सपना था, जो ग्लोबल मंच के लिए ही बना था। मंच से लेकर कॉस्ट्यूम चेंज और पूरे प्रोडक्शन तक, ये टूर हर लिहाज़ से बेजोड़ था। इसमें अत्याधुनिक साउंड और लाइटिंग तकनीक का इस्तेमाल हुआ, जो शाहरुख़ के कैरियर, उनकी असीम ऊर्जा और बॉलीवुड की उस ताक़त का उत्सव था, जो दुनियाभर के दर्शकों को मोहित कर सकती है। कोरियोग्राफ़ी ऐसी थी कि उसकी रंगीनी ने शाहरुख़ के गानों की विविधता को दिखाया। सोचिए *'छैय्यां छैय्यां'* गाने के करामाती स्टेप्स के बीच में *कुछ कुछ होता है* के किसी नाज़ुक लव सॉन्ग की लहराती अदाओं को पिरोया गया हो।

कई मायनों में शाहरुख़ एक दूरदर्शी हैं। उन्होंने मंच के लिए एक एलसीडी ख़रीदी थी, जिसकी उन दिनों में कीमत करीब दस लाख डॉलर थी, लेकिन इसने परफ़ॉर्मेंस को देखने का नज़रिया ही बदल दिया। इस ख़र्च की भरपाई के लिए स्टार्स को एक शो बिना किसी फ़ीस के करना पड़ा, लेकिन अंत में इसने दर्शकों को चमत्कृत कर दिया।

वैसे तो टूर का ज़्यादातर हिस्सा अच्छे से चला लेकिन सितंबर 2004 में, श्रीलंका के कोलंबो में एक हादसा हुआ जिसने पूरी टीम को चौंका दिया। शो को वहां की लोकल मीडिया में ज़बरदस्त कवरेज मिली थी। जिस दिन शो हुआ, करीब 25,000 लोग जमा हुए। शाहरुख़ के साथ प्रियंका चोपड़ा परफ़ॉर्म कर रही थीं, तभी स्टैंड्स में एक बम फट गया। ठीक उनसे छह फ़ीट की दूरी पर। धमाके में कम से कम दो लोगों की मौत हो गयी और करीब अठारह लोग घायल हो गये। श्रीलंका में हो रहे इस कॉन्सर्ट का वहां के बौद्ध भिक्षुओं ने कड़ा विरोध किया था क्यूंकि ये आयोजन जिस दिन होने को था, उस दिन एक जाने माने बौद्ध भिक्षु की पुण्यतिथि थी।[20]

घटना के बाद प्रियंका ने रेडिफ़ को दिए इंटरव्यू में बताया, 'शाहरुख़ और मैं स्टेज पर शो के आख़िरी गाने *'ले जा ले जा' (कभी ख़ुशी कभी ग़म)* पर डांस कर रहे थे

और माहौल बहुत जोशीला था। अचानक एक ज़ोरदार आवाज़ सुनाई दी।' शुरुआत में उन्हें लगा कि वो कोई स्मोक बम था, लेकिन जल्दी ही समझ आ गया कि ये कुछ ज़्यादा ख़तरनाक था। जैसे ही वो बैकस्टेज जाने लगीं, उन्होंने चारों ओर अफ़रा-तफ़री देखी, ज़मीन पर गिरे हुए लोग देखे और पुलिस को हालात संभालते हुए देखा। वो असमंजस में थीं कि ये असली बम था या स्मोक बम, लेकिन उन्हें शाहरुख़, प्रीति ज़िंटा, सेलिना जेटली, ज़ाएद ख़ान और सैफ़ अली ख़ान के साथ तुरंत एक कार में बिठाया गया और वे सीधे कोलंबो एयरपोर्ट की ओर निकल गए। प्रियंका की मां, जो अक्सर शो में फ्रंट रो में बैठती थीं, उस रात बैकस्टेज में थीं। चूंकि रानी और अर्जुन रामपाल पहले से किसी और कमिटमेंट में व्यस्त थे, इसलिए ज़ाएद और सेलिना ने उनकी जगह परफ़ॉर्म किया था। बाद में, प्रियंका ने ये सोचकर राहत की सांस ली कि वो और शाहरुख़ उस धमाके से सिर्फ़ छह फ़ीट दूर थे। ये हादसा उन्हें भीतर तक झकझोर गया। उन्होंने कहा कि अनुभव इतना भयावह था कि मुंबई लौटने के बाद उन्होंने पूरा दिन बिस्तर पर ही बिताया।[21]

लेकिन टेम्पटेशन थमा नहीं। इस दुर्भाग्यशाली घटना के बावजूद, ये टूर आगे भी चलता रहा। 2013 में, सिडनी में इसका नया सीज़न हुआ, जिसे 'टेम्पटेशन रीलोडेड' नाम दिया गया। लेकिन सवाल ये है कि टेम्पटेशन की सफलता का रहस्य क्या था? और ये टूर बाकी ग्लोबल बॉलीवुड आयोजनों से इतना आगे कैसे निकल पाया?

2013 में एबीसी चैनल को दिए एक इंटरव्यू में शाहरुख़ ने बताया कि उन्हें क्यों लगता है कि बॉलीवुड ग्लोबल हो गया था। उन्होंने कहा, 'ये सौ साल पुरानी इंडस्ट्री है। मुझे लगता है ये दुनिया की सबसे पुरानी इंडस्ट्री में से एक है। हम अपने सिनेमा के ज़रिये जो सपने और खुशियां देते हैं, वो नौकरी मिलने या कार ख़रीदने या ख़ुशहाल तरीक़े से परिवार बसाने जैसी सच्ची होती हैं। ऐसा नहीं है कि हम कोई उल्का पिंड उड़ा देते हैं जो धरती को तबाह करने आ रहा है। हमारे पास अभी सुपरहीरोज़ नहीं हैं। हमारे हीरो वही सुपरहीरो हैं जो सिस्टम से लड़ते हैं। ये उस समाज की गहराई को दर्शाता है जो इन सबसे गुज़र रहा है।'[22]

या फिर वजह ये थी कि शाहरुख़ सपने बेचते हैं? उन्होंने 2017 के अपने टेड टॉक में कहा था, 'मैं सपने बेचता हूं, और लाखों लोगों को प्यार देता हूं... मैंने ये सीखा है कि जो भी चीज़ तुम्हें भीतर से हिला देती है, जो तुम्हें कुछ बनाने, गढ़ने, खड़ा रहने की

ताक़त देती है और असफल होने से बचाती है, वो शायद इंसानियत की सबसे पुरानी और सबसे आदर्श भावना है। और वो है प्यार... इंसानियत भी मेरे जैसी ही है। वो एक बूढ़ा होता फिल्मी सितारा, जो अपने चारों ओर की दुनिया के नयेपन से जूझ रहा है, सोच रहा है कि क्या उसने शुरुआत में सबकुछ सही किया था और फिर भी किसी तरह चमकते रहने की कोशिश कर रहा है।'[23]

प्यार तो बहुत लोग करते हैं... लेकिन मेरे जैसा प्यार कोई नहीं कर सकता... क्यूंकि किसी के पास तुम जो नहीं हो

***कल हो न हो*, 2003**

8

शाहरुख़ ख़ान: सभी का चहेता, सभी की चाहत

इतिहास गवाह है कि पुरुषों ने हरसंभव प्रयास किया है, जिससे उन्हें मालूम चल सके कि महिलाएं क्या चाहती हैं। हॉलीवुड में *व्हाट विमेन वांट* नाम की एक कॉमेडी फ़िल्म बनी थी, जिसमें मेल गिब्सन के किरदार को महिलाओं के दिमाग में चल रहे विचार सुनायी देते थे। उधर, *सेक्स एंड द सिटी* की महिलाओं के वो किरदार भी सामने आये, जिसमें मैनहैटन की चार महिलाएं अपनी प्रेम कहानियों और कैरियर से गुज़र रही थीं और इसी दौरान वो दुनिया को बताती हैं कि उनके दिमाग में क्या चल रहा है। पॉप कल्चर में लगातार इस एक सवाल का जवाब ढूंढने की कवायद होती आयी है: महिलाएं आख़िर चाहती क्या हैं?

मशहूर फ़िल्म आलोचक रॉजर ईबर्ट ने मेल गिब्सन की फ़िल्म के बारे में लिखा था, 'महिलाएं क्या चाहती हैं, ये आसान है: एक आदमी, जिससे जब वो बात करें, तो वो उनकी बात सुने। वो और भी बहुत सी चीज़ें चाहती हैं, लेकिन शुरुआत के लिए ये काफ़ी होगा। हमें *व्हाट विमेन वांट* से यही सीखने को मिला है। ये कॉमेडी फ़िल्म एक आदमी की कहानी है, जिसे बिजली का झटका लगता है और वो महिलाओं के दिमाग में क्या चल रहा है, ये पढ़ने लगता है।'[1]

आप ये सोच रहे होंगे कि मैं शाहरुख़ पर केन्द्रित इस किताब में इन सभी बातों का ज़िक्र क्यूं कर रही हूं। पढ़ते जाइये, क्यूंकि आपको सब समझ में आ जायेगा।

मैं 90 के दशक में पली-बढ़ी हूं। डॉट-कॉम के हाहाकार को देखा है, याहू और हॉटमेल के चैटरूम, ऑरकुट और फ़ेसबुक से होते हुए डेटिंग ऐप्स और इन्स्टाग्राम की लत लगने के इस दौर तक, 'महिलाएं क्या चाहती हैं' का मेरा जवाब एक ही रहा है। और जब मैं इस किताब के बारे में रिसर्च कर रही थी और दुनियाभर की महिलाओं से बात कर रही थी तो मुझे उस एक बात का एहसास हुआ जिसकी जानकारी मुझे हमेशा से थी।

महिलाओं को शाहरुख़ ख़ान की तरह का एक आदमी चाहिये।

और मैं यहां राहुल, राज या समर की बात नहीं कर रही। मैं तो उस शख़्स को बात कर रही हूं जो इन किरदारों को स्क्रीन पर जी रहा था। एक आदमी, जो एक सार्वजनिक आयोजन में अपनी पत्नी की ड्रेस का ख्याल रख सके, वो आदमी, जो हमारी मांओं के साथ किचन में काम करते हुए उनके साथ घुल-मिल सकता है, जो दूसरों के लिए दरवाज़ा खोलता है, जो अपनी बेटियों को बिगाड़ता है, जो उस वक़्त प्रेम करना चाहेगा जब ऐसा करना असंभव मालूम होगा, जो इस दुनिया को बदलने के लिए अपना सबकुछ न्योछावर करने को तैयार रहेगा और जो इतना 'माचो' भी नहीं होगा कि स्नेह दिखाने से मना कर दे। कितनी ही ऐसी तस्वीरें दिख जायेंगी, जिसमें शाहरुख़ को लोगों को झप्पियां देते और उन्हें चूमते हुए देखा जा सकता है। ये याद दिलाता हैं कि शारीरिक स्नेह का ऐसा खुलकर किया गया इज़हार कितना खूबसूरत होता है।

इस किताब की रिसर्च के दौरान, मैंने दुनियाभर में रहने वाले शाहरुख़ के कई फैंस से बात की। इन लोगों में पुरुष, महिलाएं, क्वीयर, दक्षिण एशियाई, अमेरिकी, ब्रिटिश, यूरोपीय लोग थे जो हर उम्र के थे। एक बात, जो सभी में समान थी, वो थी शाहरुख़ के लिए उनका प्यार। और ये प्यार सिर्फ़ उनकी फ़िल्मों या उनके किरदारों के लिए नहीं, बल्कि उनके जैसा इंसान होने के लिए था।

ऐसे दौर में, जब इंस्टाग्राम फ़ीड से लेकर पापाराज़ी की हर तस्वीर तक, एक्टर्स हर जगह मौजूद हैं और उनके अंदरूनी जीवन तक की बातें हमें मालूम हैं, तो ऐसा क्या है जो शाहरुख़ को बाकियों से अलग बनाता है? वो ऐसा क्या करते हैं जो कोई और नहीं करता?

'अभी कुछ दिन पहले ही हमने *"लड़की बड़ी अनजानी है"* गाना चलाया और मैं टीवी के सामने डांस कर रही थी। वो स्क्रीन को देख रही थी और मैंने स्क्रीन की ओर इशारा

करते हुए कहा, "वो हैं तुम्हारे अंकल शाहरुख़ ख़ान।" मेरे भाई को बहुत गुस्सा आया और वो बोला, "प्लीज़ मेरी बेटी को भी अपने जैसा पागल फ़ैन मत बनाओ।" लेकिन बहुत देर हो चुकी थी!'

कोई शाहरुख़ से प्यार करता है, ऐसा सबसे पहले मुझे मेरे बचपन की दोस्त तितास मित्रा ने कही थी। तब वो सिर्फ़ पांच साल की थी। वो ये तय नहीं कर पाती थी कि लंच में क्या खाना है, लेकिन उसे ये ज़रूर पता था कि वो शाहरुख़ ख़ान से प्यार करती है।

हम मध्य प्रदेश के सिंगरौली शहर में रहते थे और वो उस दिन मेरे घर आयी हुई थी। उस हफ़्ते मेरे पापा कोलकाता के सिम्फनी ऑडियो स्टोर से हमारे लिए ऑडियो कैसेट्स लाये थे। 1996 में, सिंगरौली जैसे छोटे शहरों में बेहद ज़रूरी चीजों के अलावा और कुछ नहीं मिलता था। वहां कुछ किराना स्टोर, कुछ मेडिकल स्टोर होते थे, हर हफ़्ते लगने वाली एक मंडी थी और एक छोटा सा अस्पताल था।

हर महीने, जब पापा या मम्मी, कोलकाता, बनारस या दिल्ली जैसे बड़े शहर जाते थे, हम उन्हें अपनी पसंद की कैसेट्स की लिस्ट पकड़ा देते थे। मुझे याद है कि तितास ने बड़े उत्साह के साथ *परदेस* का कैसेट उठाया और उस पर दिख रहे शाहरुख़ के चेहरे को चूम लिया। हमने अपने स्टीरियो सिस्टम में वो कैसेट चलायी। हम *'ये दिल... दीवाना'* गाने पर डांस कर रहे थे, ये जाने बिना कि वो दिल टूटने वाला गाना था।

हाल ही में मैंने उसे ये बात एक फ़ोन कॉल के दौरान याद दिलायी तो वो ज़ोर से हंसी। 'मुझे आज भी नहीं पता कि मैंने शाहरुख़ से प्यार करना कब और क्यों शुरू किया। मैं सिर्फ़ पांच साल की थी। मुझे प्यार का मतलब भी नहीं पता था, लेकिन मुझे पता था कि मैं उससे प्यार करती हूं। सबकुछ *बाज़ीगर* से शुरू हुआ। मैं अजय शर्मा का साथ देती थी। मुझे आज भी मदन चोपड़ा से नफरत है। जब वो किरदार मरा, मैं बहुत रोई थी। जो उसके साथ हुआ, वो गलत था। अब मैं जानती हूं कि वो निगेटिव किरदार था, लेकिन तब मुझे उसका गुस्सा समझ आता था, क्योंकि उसके पिता और बहन मर चुके थे। उस फ़िल्म के बाद मैं पूरी तरह उसकी टीम में आ गयी थी। मैं बर्दाश्त नहीं कर सकती कि कोई उसे गलत समझे। और तब से आज तक मैं शाहरुख़ की ही टीम में हूं। ऐसा कोई सेलिब्रिटी नहीं है, जिससे मैं इतना प्यार करती हूं, या आगे कभी करूंगी। मुझमें उसके लिए एक तरह की वफ़ादारी है। अगर मुझे उसकी कोई फ़िल्म पसंद नहीं भी आए, तो भी मैं उसके

बारे में कुछ बुरा नहीं कहूंगी। *मेरे बचपन का प्यार है, रिफ़त बी*।' और *कुछ कुछ होता है* के इस डायलॉग के साथ वो हंसने लग जाती है।

सालों बाद, कॉलेज में मैंने मेरी दोस्त, प्रेरणा सान्याल से एक ऐसी बात सुनी, जिसने मेरे दिल को छू लिया। तब तक हम शाहरुख़ से प्यार करते हुए एक दशक बिता चुके थे। अब हम उनके किरदार और सार्वजनिक छवि को थोड़े और परिपक्व नज़रिए से देखना शुरू कर चुके थे। इस वक़्त तक हम अपने पहले क्रश, पहली मोहब्बत और पहली बार दिल टूटने का सामना कर चुके थे और इस सबके बाद ख़ुद को शाहरुख़ से और जुड़ा हुआ पाने लगे थे।

हम दिसंबर की एक शाम को कोलकाता की पार्क स्ट्रीट पर टहल रहे थे। हममें से एक ब्रेक-अप से गुज़र रहा था और हम बात कर रहे थे कि हम जिन लड़कों के आसपास थे, उनमें क्या-क्या खामियां थीं। ये ऐसी बातचीत थी जो घंटों, हफ़्तों, महीनों या सालों तक चल सकती थी। मुझे प्रेरणा की ज़्यादा बातें याद नहीं, बस एक बात याद है, जब उसने मेरी ओर देखा और पूरे विश्वास के साथ कहा, 'भारत का 90 के दशक का ऐसा कोई बच्चा नहीं है, जो कभी न कभी शाहरुख़ से प्यार में न पड़ा हो... और वही तो है, जिसे हम ढूंढ रहे हैं।'

हमारी उस बातचीत को कई साल हो चुके हैं। जब मैंने ये चैप्टर लिखना शुरू किया तो मैंने उसे फोन किया और पूछा कि उसने ऐसा क्यों कहा था। उसने 2017 के TED टॉक्स इंडिया के लॉन्च के दौरान शाहरुख़ की कही बात का ज़िक्र किया। 'मैं दुनिया का सबसे अच्छा प्रेमी नहीं हूं (जैसा मेरी फ़िल्मों में दिखाया गया है), मैं ख़ुद प्यार हूं।' इसके आगे प्रेरणा ने कहा, 'सलमान ने भी कई रोमांटिक फ़िल्में की हैं, लेकिन वो रोमांस बॉय नहीं थे, क्योंकि उनकी फ़िल्मों में बाक़ी रिश्तों को भी ज़्यादा जगह मिलती थी। जैसे *हम आपके हैं कौन...!* में माधुरी दीक्षित और रेणुका शहाणे या सलमान और मोहनीश बहल का रिश्ता। लेकिन *डीडीएलजे* जैसी कोई फ़िल्म नहीं थी, जिसमें पूरा फ़ोकस सिर्फ़ इस बात पर था कि राज, सिमरन के लिए क्या कर सकता है और कितनी दूर तक जा सकता है। शाहरुख़ की दीवानगी कुछ और ही थी। सलमान ने भी *मैंने प्यार किया* में बहुत सारी चीज़ें कीं। लेकिन जिस शानदार तरह से शाहरुख़ ने ये पक्का किया कि वो जिस लड़की से प्यार करता था, वो उसके साथ हो जाये और इसमें उस लड़की के पिता की रज़ामंदी भी शामिल हो, ऐसा पहले कभी नहीं देखा गया था। उस दौर में मर्द अक्सर दूरी बनाकर

रखा करते थे और औरतें चाहती थीं कि कोई मर्द इस तरह की शिद्दत से उन्हें चाहे। 90 के दशक के बच्चों ने दो तरह के मर्द देखे। एक, जो शाहरुख़ जैसे बिल्कुल नहीं थे, और दूसरे, जो बिल्कुल शाहरुख़ जैसे थे। ये एक्टर जिस तरह से भावनात्मक रूप से अपने आसपास के लोगों की ज़िंदगी में शामिल हो जाता है, वही हमारे लिए आदर्श बन गया था। *डीडीएलजे* के बाद उनकी ज़्यादातर फ़िल्मों का आधा हिस्सा इसी बात पर केन्द्रित रहता था कि वो लड़की से कैसे प्यार करते हैं। जैसे, मुझे *कभी खुशी कभी ग़म* से यही शिकायत थी कि मैं, शाहरुख़ और काजोल की और भी कहानी देखना चाहती थी। जब कोई आदमी दुनिया से लड़कर अपने प्यार को चुनता है, तब उसके साथ क्या होता है, ये दिखाया जाना चाहिए। इसके साथ ही, ये प्यार बहुत कुछ बदलता है। हमें देखने को मिलता है कि इस प्यार के चलते उनके साथ रहने वाली महिला कैसे बदलती है। और ये बदलाव ज़बरदस्ती नहीं लाया गया था बल्कि यूं आया था जिससे वो महिला अपनी एक शख्सियत तैयार कर सके।'[2]

मेरी मौसी, देबजानी मित्रा, इस बात से थोड़ा चिढ़ती हैं कि 90 के दशक के बच्चों ने जैसे शाहरुख़ पर अपना दावा जमा लिया है। वो खुद को 80 के दशक की ओरिजिनल शाहरुख़ फैन कहती हैं। उन्होंने मुझसे लगभग नाराज़ होकर पूछा, 'तुम लोगों ने तो उसकी शुरुआती चीजें देखी ही नहीं हैं। क्या तुमने *दूसरा केवल* देखा है? *फ़ौजी? सर्कस?* मुझे याद है, जब *दीवाना* रिलीज़ हुई थी... हम कॉलेज की लड़कियां (भागलपुर, बिहार में) मिलकर फ़र्स्ट डे-फ़र्स्ट शो देखने गयी थीं। हम शाहरुख़ के शुरुआती चीयरलीडर्स हैं... तुम लोग तो बस इस फ़ौज में बाद में शामिल हुए हो।'

शाहरुख़ के लिए ये प्यार एक ऐसी परम्परा बन चुका है, जो कई पीढ़ियों में फैली हुई है और इसे बहुत से लोगों ने नोटिस किया है। *जवान* की रिलीज़ के वक्त, मैंने पाकिस्तानी पत्रकार मुज़ीरा अमीन का एक लेख पढ़ा था, जो *डॉन* अख़बार मे छपा था। उन्होंने लिखा, 'मैं उन औरतों में से हूं जो दशकों से शाहरुख़ ख़ान से प्यार करती रही हैं। मेरी नानी के लिए डर, मेरी मां के लिए *डीडीएलजे* और मेरे लिए *माय नेम इज़ ख़ान* पसंदीदा फ़िल्में हैं। इसलिए, उनकी फ़िल्मों से परे, किंग ख़ान के लिए मेरा प्यार हमेशा बना रहेगा।'[3] शाहरुख़ अब महज़ एक स्टार नहीं हैं, वो एक एहसास हैं, जो औरतों को आपस में जोड़ता है।

मैंने मुज़ीरा को फ़ोन किया और पूछा कि शाहरुख़ को यूं सामूहिक रूप से प्यार करने का कारण क्या था। उन्होंने कहा, 'हम तीनों के लिए बात ये थी कि वो एक ऐसा मर्द है

जो हमें पूरी स्पेस देता है। हम सभी औरतें हैं जिन्होंने मर्दों के साथ बहुत अच्छे रिश्ते नहीं देखे। ऐसे मर्द को देखकर बहुत संतोष होता है जो हमारी इज़्ज़त करता है। उनकी फ़िल्मों में घर जैसा सुकून मिलता है और इनसे हमें वो सब मिलता हुआ महसूस होता है, जो हमारे पास नहीं है। मेरी नानी और मैं, *वीर-ज़ारा* लगातार देखते हैं। मेरी मां को *डीडीएलजे* बहुत पसंद है। मेरी मां की शादी सत्रह की उम्र में हो गयी थी। उन्होंने मेरे साथ ही ज़िंदगी जी। जब मैं आठ साल की थी, मेरे पिता ने नियम बना दिया था कि रात 11 बजे के बाद टीवी नहीं देखना है। तो हम दोनों चोरी-छिपे, उठकर शाहरुख़ की फ़िल्में लगाते थे और साथ में देखते थे। *कभी अलविदा न कहना* फ़िल्म जैसी थी, उसके चलते मेरे पापा वो देखने नहीं देते थे। हम दोनों आधी रात को उठकर तीन बजे तक वो फ़िल्म देखते रहे और रोते रहे। मैं तो अगली सुबह स्कूल भी नहीं जा पायी थी। लेकिन *डीडीएलजे* ने इस प्यार को पक्का कर दिया। वो एक फैंटेसी है जिसे हम जीना चाहते हैं, कि अपनी आज़ादी छिनने से पहले एक आख़िरी छुट्टी पर जाएं और वहां ऐसा मर्द मिले जैसा हमने कभी न देखा हो। वो तुम्हारे लिए सबकुछ छोड़कर तुम्हारे देश आ जाता है और तुम्हारे परिवार की मंज़ूरी पा लेता है। मैं अब तक सिंगल हूं और इसके लिए मैं शाहरुख़ को दोष देती हूं। मेरी उम्मीदें बहुत ज़्यादा हैं। और बात सिर्फ़ रोमांस की नहीं है। मुझे एक ऐसा रिश्ता चाहिए जिसमें मैं ख़ुद को बराबरी पर पाऊं। आख़िरी इंसान से, जिससे मैं डेट कर रही थी और उससे जब झगड़ा हुआ, तो मैं चाहती थी कि वो ख़ूब सारे कार्ड्स लेकर मेरे सामने आ जाए। लेकिन ऐसा नहीं हुआ। शाहरुख़ होता तो वो ऐसा करता, फिर ये बाक़ी लोग ऐसा क्यूं नहीं कर सकते? मुझे भी वही चाहिए जो शाहरुख़ करता है।'

उन्होंने जो कहा, ठीक वही बात *वोग इंडिया* के एक आर्टिकल में भी बेहद ख़ूबसूरती से कही गयी थी। उसमें लेखक ने लिखा, 'शाहरुख़ ख़ान औरतों को उस पारंपरिक मर्दों की नज़र (मेल गेज़) से नहीं देखते, जैसे कि वो उनकी इच्छा की वस्तु हों, बल्कि उन पर सौम्य निगाह डालते हैं जो अपने आपमें बहुत कुछ कह जाती है। फ़िल्मों और असल जीवन के पुरुषों से उलट, वो उन महिलाओं को जीतना नहीं चाहते बल्कि ख़ुद को उनके द्वारा जीत लिया जाना चाहते हैं। उनकी आंखों में एक श्रद्धा से भरा दीवानगी का भाव है, जो उन महिलाओं को मोह लेता है, जिन्हें पूरा जीवन यही कहा गया है कि उन्हें मर्दों की मर्ज़ी का पालन करते रहना होगा। इसके उलट, शाहरुख़ उन औरतों के आगे ख़ुद को समर्पित करने के लिए हमेशा तैयार रहते हैं और एक पितृसत्तात्मक समाज में ये बेहद रोमांटिक बात है।'[4]

महिलाओं के दिल में शाहरुख़ को लेकर जो प्यार है, वो एक पीढ़ी से अगली पीढ़ी में जा रहा है, मानो वो कोई पुश्तैनी जागीर हो। जैसे मराठा मंदिर के मनोज देसाई ने बताया था कि महिलाएं और उनकी बेटियां उनके थियेटर में *डीडीएलजे* देखने एक साथ आती हैं।

पश्चिम बंगाल के आसनसोल में रहने वाली गृहणी संजू गुप्ता कहती हैं कि उनकी बेटी को शाहरुख़ से प्यार की भावना विरासत में मिली है। 'ये एकदम वैसा ही कहना है कि ये एक ऐसी चीज़ है जिससे मैं बहुत प्यार करती हूं और आशा करती हूं कि तुम भी इसे उतनी ही शिद्दत से पसंद करोगी। शाहरुख़ से प्यार की भावना यूं ही एक पीढ़ी से दूसरी में आती है। जैसे-जैसे महिलाएं बड़ी होती जाती हैं, उन्हें अकेले, घरेलू कोनों में धकेल दिया जाता है। जब मेरी बेटी पैदा हुई थी, मुझे लगा कि अब मेरे हमेशा साथ रहने वाला एक ऐसा दोस्त आ गया है जो साथ में शाहरुख़ की फ़िल्में देखेगा। मुझे याद है कि जब फ़िल्म *डंकी* में तापसी पन्नू ने शाहरुख़ से कहा था, *"बंदा है तू मेरा..."* तब मेरी बेटी कितनी ख़ुश हो गयी थी। किसी से भी पहले वो हमारा बंदा है। मैंने अपनी बेटी की आंखों में शाहरुख़ के लिए वही प्यार देखा जो मेरी आंखों में है।'

परवीन बंदरकर के लिए भी ये कोई बहुत अलग बात नहीं थी। ये साउथ अफ़्रीका की वही डॉक्युमेंट्री और विज्ञापनों की प्रोड्यूसर हैं जिनके बारे में हमने पहले बात की है। परवीन हमें बताती हैं कि वो ये सुनीश्चित करेंगी कि उनके परिवार की छोटी बच्चियां उस एक शख़्स से ज़रूर वाक़िफ़ रहें जो उनके जीवन में इतनी अहमियत रखता है। 'हम सभी के लिए कुछ फ़िल्में ऐसी होती हैं जो आराम पहुंचाती हैं और कुछ वो होती हैं जो रुलाती हैं। मेरी भतीजी अब नौ महीने की हो चली है और मैंने सुनिश्चित कर दिया है कि वो शाहरुख़ को देखते ही पहचान ले। अभी कुछ दिन पहले ही हमने *"लड़की बड़ी अनजानी है"* गाना चलाया और मैं टीवी के सामने डांस कर रही थी। वो स्क्रीन को देख रही थी और मैंने स्क्रीन की ओर इशारा करते हुए कहा, "वो हैं तुम्हारे अंकल शाहरुख़ ख़ान।" मेरे भाई को बहुत गुस्सा आया और वो बोला, "प्लीज़ मेरी बेटी को भी अपने जैसा पागल फ़ैन मत बनाओ।" लेकिन बहुत देर हो चुकी थी! वो इसी जानकारी के साथ बड़ी होगी कि उसके अंकल शाहरुख़ ख़ान कौन हैं, जबकि वो 2024 में पैदा हुई है। और चिंता मत करिए, जब वो किशोरावस्था में होगी, तब वो *डीडीएलजे* के डायलॉग्स बोल रही होगी।'

वो छोटी बच्ची इससे बच भी नहीं सकती क्यूंकि उसकी बुआ परवीन ने शाहरुख़ की फ़िल्म *चक दे! इंडिया* का एक बड़ा सा कट-आउट पोस्टर अपने बेडरूम में लगाया हुआ

है, जिसे वो एक लोकल थियेटर से मिन्नतें करके ले आयी थीं। और अब, जब भी कोई उनके कमरे में घुसता है, उनसे पहले शाहरुख़ उस व्यक्ति का स्वागत करते दिख जाते हैं।

कई बार, जब शाहरुख़ से उनकी महिला फैंस से मिलने वाले प्यार के बारे में पूछा जाता है तो शब्द उनका साथ छोड़ देते हैं। उन्होंने कई बार प्रेस से कहा है, 'मुझे मालूम है कि मुझे मेरे राज और राहुल के किरदारों के लिए जाना जाता है लेकिन मैं कतई रोमांटिक नहीं हूं।'[5] लेकिन अगर किसी शख़्स को पूरी दुनिया की महिलाएं, हर उम्र की महिलाएं, दशकों से पसंद करती आ रही हों, तो वो कुछ न कुछ तो एकदम ठीक कर ही रहा होगा।

फ़िल्म *जब हैरी मेट सेजल* के प्रमोशन के दौरान एक इंटरव्यू में उन्होंने समझाया, 'मैं औरतों की इज़्ज़त करना, उन्हें मान देना जानता हूं...'[6]

अपनी फ़िल्मों में, वो पूरी कोशिश करते हैं कि महिलाओं को आज़ाद और सम्मान के साथ दिखायें, उनकी भावनाओं को मज़बूती दें। वो मानते हैं कि डिनर डेट्स, सनसेट वॉक्स या शेरो-शायरी के पारंपरिक तरीक़ों की बजाय, इस तरह से उन्हें इज़्ज़त देना ही रोमांस की असली पहचान है। उनका वो बेहद जाना-पहचाना पोज़, जिसमें वो बाहें फैलाए खड़े दिखते हैं, इस बात का प्रतीक है कि वो सभी महिलाओं को अपनाते हैं और उनकी भावनाओं का भरपूर सम्मान करते हैं। उनका मानना है कि यही उनकी रोमांटिक अपील का मूल है। 'मैं एक महिला से यूं प्रेम करता हूं कि उसे अपनी पूरी आज़ादी मिले और वो जो चाहे कर सके। कम से कम मेरी फ़िल्मों में ऐसा ही दिखाया गया है। महिलाओं को भावनात्मक रूप से पूरी तरह से सशक्त कर देना चाहिये। यही मुझे रोमांटिक दिखाता है। मुझे लगता है कि असली रोमांस इसी बात से आता है कि आप एक महिला की भावनाओं की इज़्ज़त करें और उसका पूरा मान रखें। मेरे हाथ (फैले हुए) यही कहते हैं कि आपके जितने भी इमोशंस हैं, वो सब मुझे क़ुबूल हैं और मैं उनकी बहुत इज़्ज़त करता हूं।'[7]

2014 में, *फ़िल्मफ़ेयर* ने उनकी कुछ महिला कलाकार साथियों से ये जानने के लिए बात की कि आख़िर वो क्या बात है जो शाहरुख़ को ख़ास बनाती है। काजोल जैसी कुछ के लिए वो ज़िंदगी भर के दोस्त बन चुके हैं। उन्होंने कहा, 'शाहरुख़ के बारे में सबसे अच्छी बात ये है कि हम जब भी मिलते हैं, वो बेहद गर्मजोशी से पेश आते हैं। हम बिल्कुल वहीं से सबकुछ शुरू करते हैं, जहां हमने अपनी बातचीत आख़िरी बार ख़त्म की थी।'[8]

दूसरे लोगों का ये भी कहना है कि शाहरुख़ वो सहकर्मी हैं जो ये सुनिश्चित करते हैं कि उनके साथ काम करने वाले भी ख़ूब चमकें। करिश्मा कपूर ने *दिल तो पागल है* के एक सीन की शूटिंग का ज़िक्र किया। शूटिंग जर्मनी के बाडेन-बाडेन शहर में हो रही थी, जहां उन्हें एक लम्बा डायलॉग बोलना था और शाहरुख़ को उनके सामने खड़े रहकर बस चुप रहना था। इस सीन के दौरान ढेरों रीटेक लेने पड़े और बारिश के चलते बीच में कई बार रोकना पड़ा। लेकिन डायरेक्टर यश चोपड़ा जब भी 'एक्शन!' कहते, शाहरुख़ पूरी तन्मयता के साथ सीन के लिए काम करते। जैसे-जैसे करिश्मा झुंझलाती जा रही थीं, शाहरुख़ उन्हें समझाते रहे कि उन्हें हिम्मत नहीं हारनी चाहिए और सीन अच्छे से हो जायेगा। 'वो मुझसे यही कहते रहे, "हो जायेगा यार..."'

शिल्पा शेट्टी के लिए शाहरुख़ पहले को-स्टार थे। उन्होंने बताया कि शाहरुख़ ने लोगों को इस पेशे की तरक़ीबें सिखायी हैं। *बाज़ीगर* के गाने *'ऐ मेरे हमसफ़र'* की शूटिंग के दौरान उन्होंने शिल्पा को सलाह दी कि वो कैमरा को दर्शकों की तरह मानें और ये एक ऐसी बात है जिसे आज तक वो अपनी परफ़ॉरमेंस में लागू करती हैं।

माधुरी दीक्षित ने कहा, 'मैं आज ये कह सकती हूं कि वो इस इंडस्ट्री में सबसे शानदार इंसान हैं।' उन्होंने शाहरुख़ की मेहनत, दृढ़ता और संकल्प की तारीफ़ की और कहा कि उन्होंने ख़ुद को इस क़ाबिल बनाया है और ऐसी ग़ज़ब की सफलता हासिल की है। उन्होंने कहा कि वो सही मायनों में जेंटलमैन हैं और बताया कि उन्होंने कभी भी फ़िल्म का सेट तब तक नहीं छोड़ा है, जब तक वो ये सुनिश्चित नहीं करवा लेते थे कि उनकी साथी महिला कलाकारों को सुरक्षित घर ड्रॉप कर दिया गया है। माधुरी ने उनके सरल स्वभाव, अच्छे सेंस ऑफ़ ह्यूमर की तारीफ़ की और *अंजाम, कोयला* और *दिल तो पागल है* के दौरान साथ काम करते हुए मिलने वाले बेहतरीन अनुभवों का ज़िक्र किया। उन्होंने याद किया कि कैसे फिल्म *कोयला* के एक सीन में तवांग की भयानक ठंड के बीच शाहरुख़ एक बनियान और धोती पहनकर शूट कर रहे थे और उन्होंने इसी बीच माधुरी की मेहनत की तारीफ़ करते हुए एक कार्ड दिया। शाहरुख़ की ये हरकत माधुरी को छू गयी।

एक थैंक यू नोट, गाड़ी का दरवाज़ा खोलना, बैठकर समझाते हुए बात करना, महिलाओं को ये हरकतें ख़ूब भाती हैं। और शाहरुख़ की सभी महिला साथी कलाकारों के पास, उनके बारे में ऐसी ढेरों कहानियां हैं। सालों-साल से ये कहानियां ऐसी ही रही हैं। ये सभी कहानियां उनके व्यक्तित्व को और बड़ा करती जाती हैं और उनके बारे में ये

तो मशहूर है ही कि उनके पास से अद्भुत ख़ुशबू आती है। चाहे वो अनुष्का शर्मा हों या माहिरा ख़ान उनकी सभी साथी कलाकारों ने बताया है कि वो बहुत ही अच्छा महकते हैं। माहिर ने कहा, 'शाहरुख़ के बारे में एक बात है कि उनसे कमाल की ख़ुशबू आती है!'[9]

जीक्यू मैगज़ीन को दिये एक इंटरव्यू में शाहरुख़ ने अपने सीक्रेट को ज़ाहिर किया, 'मेरे लिए बेहद ज़रूरी है कि मुझसे अच्छी ख़ुशबू आये। मैं दो ख़ुशबुएं मिलाता हूं। एक डनहिल सेंट है, जो उनके लंदन के स्टोर पर ही मिलता है और दूसरी डिप्टीक की है।'[10]

मेरी बावन वर्षीय दोस्त नेहा पांडे (बदला हुआ नाम) ने हाल ही में अपनी तीन दशक लम्बी शादी ख़त्म की है और उन्होंने सबसे पहले मुझे बताया था कि शाहरुख़ से कितनी अच्छी ख़ुशबू आती है। वो उनसे दिल्ली में 2014 में एक फ़ैन इवेंट में मिली थीं। उन्होंने कहा था, 'ज़्यादातर भारतीय औरतें ऐसे आदमियों के साथ शादीशुदा हैं जो अपनी निजी साफ़-सफ़ाई पर बहुत ध्यान नहीं देते... ये विचार एकदम बकवास है कि पसीने से तर आदमी सेक्सी लगते हैं। ख़ुद को स्पोर्टी कहने वाले आदमियों से पसीने की महक आनी चाहिए। कहते हैं कि ये जीत की महक होती है मुझे ये सभी बातें एकदम बकवास लगती हैं।' उन्होंने मुझसे कहा कि उनके और उनके पति के बीच दिक्कतों की एक बड़ी वजह साफ़-सफ़ाई थी। 'मुझे मालूम है कि लोग इसे एक छोटी सी बात समझते हैं। लेकिन जब लोगों के बीच और भी समस्याएं होती हैं, तब ये चीज़ें एक बड़ा रूप ले लेती हैं। मैं कई बार मज़ाक में ये कहती हूं कि शाहरुख़ को कोचिंग क्लासेज़ शुरू कर देनी चाहिएं और सिखाना चाहिए कि एक मर्द कैसे बना जा सकता है। और फिर इस देश की आधी से ज़्यादा महिलाएं अपने पार्टनर का उसमें एडमिशन करवा देंगी!'

'मुझे लगता है कि असली रोमांस इसी बात से आता है कि आप एक महिला की भावनाओं की इज़्ज़त करें और उसका पूरा मान रखें। मेरे हाथ (फैले हुए) यही कहते हैं कि आपके जितने भी इमोशंस हैं, वो सब मुझे क़ुबूल हैं और मैं उनकी बहुत इज़्ज़त करता हूं।'

लेकिन, शाहरुख़ ने अपने विशाल व्यक्तित्व को और भी बड़ी चीज़ों के लिए इस्तेमाल किया है। इनमें से एक चीज़ है बॉलीवुड में फैला लिंगभेद (सेक्सिज़्म)। कुछ साल पहले, बीबीसी के एक इंटरव्यू में, ब्रिटिश एंकर ने बॉलीवुड को सेक्सिस्ट बताया और पूछा कि क्या उन्होंने इसका हल निकालने के लिए कोई कदम उठाया था।

'पर्सनली, जब मैं कोई फ़िल्म बना रहा होता हूं या उसमें काम भी कर रहा होता हूं, तो मैं महिलाओं के प्रति सभी के रवैये को लेकर बेहद सचेत रहता हूं। यहां तक कि टाइटल में उनका नाम पहले आने की छोटी-छोटी चीज़ों तक।' उन्होंने आगे कहा, 'मेरे सेट पर महिलाओं से बेअदबी करने की हिम्मत कोई नहीं कर सकता। मैं इस पर एकदम साफ़ हूं। मैं जिन महिला साथियों के साथ काम करता हूं, उनके बेहद क़रीब होता हूं। मैं अपनी पूरी उम्र, महिलाओं के इर्द-गिर्द ही रहा हूं फिर चाहे वो मेरी मां हों, बहन, मेरी को-स्टार्स हों, सबकुछ महिलाओं के इर्द-गिर्द ही रहा है और अपनी हर फ़िल्म में मैं महिलाओं के इर्द-गिर्द ही रहा हूं।'[11]

एक और इंटरव्यू में, शाहरुख़ ने अपने कैरियर में आने वाली साथी महिला कलाकारों का ज़िक्र किया, '(महिलाएं) हमसे कहीं ज़्यादा मेहनत करती हैं। वो मेरे सेट पर पहुंचने से, चार-पांच घंटे पहले पहुंच जाती हैं। कुछ ऐसा है कि फिल्म की इस दुनिया में उन्हें दोयम ही समझा जाता है। ये आदमियों की एक दुनिया है। और अंत में, फ़िल्म की सफलता का श्रेय मुझे मिलता है और मैं ही सबसे बड़ा सुपरस्टार बन जाता हूं। इस बात की ख़ूबसूरती ये है कि ये जानते हुए कि ये कितनी बेजा बात है, उन्होंने कभी भी ख़ुद को विक्टिम घोषित नहीं किया।'

उन्होंने आगे कहा, 'उनके पास हिम्मत है, साहस है और इतनी ताक़त है कि वो ये समझती हैं कि "फ़िलहाल ऐसा ही है। मैं शाहरुख़ से कहीं ज़्यादा काम करती हूं। मैं शाहरुख़ से कहीं ज़्यादा बेहतर हूं। और अगर वो अभी दावोस में बैठकर ये भाषण दे रहा है तो ठीक है।" उन्हें मालूम है कि सबसे ज़्यादा ताक़तवर वही हैं।' जाते-जाते उन्होंने कहा, 'मैं अपने दोनों बेटों को बताता हूं कि मैं बड़ा होकर महिला बनना चाहता हूं।'[12]

काम करने वाली महिलाएं अपने साथ शाहरुख़ जैसा सहकर्मी पाने के लिए कुछ भी कर सकती हैं। मैंने पी.एस. (नाम न उजागर करने की गुज़ारिश पर) नाम की पत्रकार से बात की जिन्होंने अपने बुरे दौर में, शाहरुख़ में सुकून ढूंढा। 'मुझे वो इंटरव्यू याद है और मुझे याद है कि मैंने यही सोचा था कि शायद मुझे भी एक दिन एक सुरक्षित काम करने की जगह या उनके जैसा बॉस मिलेगा।'

उस पत्रकार ने चार साल एक पुरुष सम्पादक के साथ काम किया था और इस दौरान उस आदमी ने उन्हें कई बार इशारों में कहा था कि अगर वो सेक्सुअल फ़ेवर देंगी तो उनकी तेज़ी से तरक्की होती रहेगी। 'मैं तो ये आस ही छोड़ चुकी थी कि पुरुष अच्छे भी हो सकते

हैं। मैं वो नौकरी छोड़ भी नहीं सकती थी और ऐसा जीवन जी भी नहीं सकती थी। वो बहुत ही ख़राब परिस्थिति थी। आठ घंटे, जब मैं काम पर रहती थी तो मेरा कलेजा मेरे मुंह को आया होता था। इसलिए, हर दिन घर जाकर कोई एक फ़िल्म देखना मेरे रूटीन का हिस्सा बन गया। भारत में अब अच्छी रोमांटिक फ़िल्में तो बनती नहीं हैं, इसलिए मुझे 90 या 2000 के शुरुआती दौर की फ़िल्में देखनी पड़ती थीं। कई बार तो मैं एक या दो हफ़्ते तक एक ही फ़िल्म देखा करती थी। फिर एक नयी नौकरी तलाश कर और बॉस के मामले को संभालने के लिए, एचआर को बीच में लाकर, मैं उस स्थिति से बाहर निकली। लेकिन शाहरुख़ की फ़िल्मों ने ये सुनिश्चित कर दिया था कि मैं नफ़रती न बनूं, कड़वाहट और निराशा से भर जाऊं। मैं इस विश्वास से भर गयी थी कि हर आदमी एक जैसा नहीं होता और शायद किसी रोज़ मेरे आस-पास ऐसे लोग होंगे जो बेहतर होंगे। आज के वक़्त में, मेरे साथ पुरुषों से ज़्यादा महिलाएं काम करती हैं और जो पुरुष हैं, वो स्त्रीवादी भी हैं। हर महिला ये डिज़र्व करती है कि वो ऐसी जगह काम करे जहां उसके साथी पेशेवर हों, न कि कुंठित।'

पी.एस. ने इसके साथ ही ये बताया कि यौन उत्पीड़न की मुख्य वजह यही है कि पुरुष शिकार करने और धोखेबाज़ी करने के हिसाब से ही बने हैं। उन्होंने कहा, 'पुरुष ख़ुद को एक नरभक्षी की तरह देखते हैं और वो महिलाओं को अपना शिकार समझते हैं। वो एक शिकारी की तरह हैं जिसे हम "बिग बॉय्ज़ क्लब" कहते हैं। वो महिलाओं को लेकर ऐसे मज़ाक करेंगे जो महिलाएं नहीं सहन कर सकतीं। वो हमें हॉर्मोनल कहेंगे, अगर हम उनकी इन हरकतों पर आवाज़ उठाएंगे। वो हमें एक समस्या बनाकर पेश कर देंगे, अगर हम उनके हिसाब से "सहज" नहीं हो सकेंगे। और ये एक पुरुष की समस्या नहीं है। ये उत्पीड़न और ज़ोर-ज़बरदस्ती का एक पूरा कल्चर बन चुका है। इससे निकलने का सबसे पहला कदम यही होगा कि हम ये मान लें कि ऐसा कुछ होता है और ये पूरी तरह से ग़लत है।'

उन्होंने याद दिलाया कि शाहरुख़ इस बात पर एकदम साफ़ रहे हैं कि वो 'लड़कों के लड़के' नहीं हैं बल्कि महिलाओं के पुरुष (विमेन्स मैन) हैं। शुरुआत से ही उन्होंने इस बात को कभी नहीं अपनाया कि एक्टर्स फ़िल्मों के सेट पर मनमानी कर सकते हैं। पी.एस. ने कहा, 'आप सोचिये कि शाहरुख़ के लिए कितना मुश्किल रहा होगा। वो कमिटेड थे, इसके चलते उन्हें गे तक कह दिया गया था।'

90 के दशक की मैगज़ीन, फ़िल्मी सितारों के अफ़ेयरों की कहानियों से भरी रहती थीं। शाहरुख़ ज़ाहिर और सार्वजनिक तौर पर अपनी पत्नी के साथ थे और अपनी साथी

महिला कलाकारों की भरपूर इज़्ज़त करते थे, जिसके चलते ऐसी अफ़वाहों को खूब हवा मिलने लगी। जब ऐसा पहली बार हुआ तो उन्होंने ये पक्का कर दिया कि ऐसा दोबारा कभी न हो। जब उनके पुरुष सहकर्मी 'मज़े कर रहे थे', शाहरुख़ काम ख़त्म करके अपने घर जाना चाहते थे। 2010 में, उन्होंने ट्विटर पर कहा था, 'गम्प की एक बात ध्यान में रखते हुए अपने परिवार को लेकर मैं बेहद वफ़ादार रहा हूं। जब भी मुझे पीस ऑफ़ ऐस और पीस ऑफ़ माइंड में चुनाव करना होगा तो मैं बाद वाला ही चुनूंगा।'[13]

शायद, वो महिलाओं को जिस नज़र से देखते हैं, वहीं से उनके ये विचार आते हैं। शाहरुख़ ने कहा, 'मैंने कभी भी महिलाओं को किसी चीज़ की तरह नहीं देखा। मैंने कभी नहीं सोचा, "यार, मैं एक लड़की से मिला, तो बहुत आकर्षक है, उसके साथ सो लेता हूं।" किसी महिला को देखकर जो पहला ख्याल मेरे मन में आता है वो ये है कि वो बहुत सुन्दर है, जबकि मैं उसके साथ सोने वाला नहीं होता हूं। मेरे बच्चे मुझसे पूछते हैं, "आपने सचमुच उस लड़की को उस फ़िल्म में किस किया था? क्या आप सच में रानी आंटी और काजल आंटी और जूही आंटी से प्यार करते हैं?" हां, मैं उन्हें प्यार करता हूं। मेरे बच्चे ये हमेशा कह सकेंगे कि हां मेरे पापा इस महिला को प्यार करते हैं। लेकिन मेरे पापा ने कभी भी मेरी मां को छोटा महसूस नहीं करवाया।'[14]

शाहरुख़ के आकर्षण का ये एक पहलू है। दूसरा ये है कि वो अपने पुरुषत्व को लेकर बेहद सजग और सुरक्षित हैं और उन्हें ऐसा कतई नहीं लगता है कि उन्हें लोगों को ये अहसास दिलाने की ज़रूरत है कि वो कितने मर्दाना हैं। वो कभी भी ज़बरदस्ती ख़ुद को मर्दाना दिखाते हुए 'मेन विल बी मेन' जैसी बातचीत का हिस्सा नहीं बनते। वो एक बाथटब में घुसकर, बुलबुलों में डूबे रहते हुए, हेमा मालिनी, जूही चावला, करीना कपूर और श्रीदेवी सरीखी हिंदी सिनेमा की शानदार अदाकारों से घिरे रहने में पूरी तरह से सहज महसूस कर सकते हैं। लक्स के एक विज्ञापन ने शाहरुख़ की मेट्रोसेक्सुअल अपील का भरपूर फ़ायदा उठाया। द *टाइम्स ऑफ़ इंडिया* से उन्होंने कहा, 'मैं टब में घुसना चाहता था, न कि बस किनारे रहकर किसी लड़की को उसमें जाते हुए देखूं... मुझे लगता है कि वो एक आदमी के नज़रिये से आम सी बात होती कि ऐड ऐसे ही बनते हैं। मैं इसे ढंग से करना चाहता था।' 1995 में पॉल न्यूमैन के बाद शाहरुख़ वो दूसरे पुरुष थे, जो लक्स का चेहरा बने थे।[15]

किसी टब में जाने और अपनी ख़ूबसूरती के पीछे के राज़ के बारे में बात करने में पुरुषों को अपना पौरुष कम होता हुआ मालूम देता है। आस्था सक्सेना, जो मुंबई में

एक रियल स्टेट ब्रोकर हैं, कहती हैं, 'मुझे नहीं समझ में आता है कि क्यूं आदमियों को अपने मर्दपने को लेकर इतनी असुरक्षा महसूस होती है। एक बार मैंने अपने बॉयफ्रेंड से कहा कि वो मेरे साथ बाथटब में आ जाए, तो उसने कहा कि इससे बेहतर होगा कि वो जाकर फ़ुटबाल देख ले। कुछ ऐसा है कि टब में आने की बात उनकी सेक्सुअलिटी पर आ जाती है। इस विज्ञापन के बाद शाहरुख़ को भी लड़कियों जैसा कहा जाने लगा था। मुझे ये बहुत बुरी बात लगती है कि पुरुष आज भी ख़ुद का पूरी तरह से ख्याल नहीं रखते हैं। सोचिये कि ये कैसा जीवन होगा जिसमें आदमी एक पूरा दिन, वाइन पीते हुए, टब में बुलबुलों से घिरे रहकर, अच्छा जैज़ म्यूज़िक सुनते हुए नहीं गुज़ार देता।'

शाहरुख़ को ख़ुद की सेक्स अपील के बारे में बहुत अच्छे से मालूम है। 'मैं इतना सेक्सी हूं कि मुझमें वासना हो। मुझे लगता है कि वो लोग, जो ख़ुद को भीतर से सेक्सी नहीं समझते, वही वासना में लिप्त होते हैं। मुझे वाक़ई ऐसा लगता है कि मैं एक बहुत, बहुत सेक्सी आदमी हूं।' 2006 के एक इंटरव्यू में उन्होंने कहा।[16]

'महिलाओं को दयालुता और मधुरता पसन्द है। पारंपरिक रूप से मर्दाना आदमी उतनी ख़ूबसूरती से अपनी मधुरता नहीं दिखा सकते हैं। जब मैं उसे देखती हूं तो यही समझ में आता है... वो एक ऐसा आदमी है जो अपना साथी लगता है। मांओं को लगता है कि वो एक ऐसा लड़का है जिसे वो पाल सकती थीं। उसमें असुरक्षित होने की एक चाह और बेवकूफी करने की योग्यता भी है।'

और एक सच्चे ग्लोबल सुपरस्टार की स्टाइल में, शाहरुख़ की सेक्स अपील भी देश की सीमाएं लांघ चुकी है। मेइयफ़ कीटिंग-फ़िट्ज़पैट्रिक एक आयरिश महिला हैं, जो लंदन में रहती हैं। उन्हें पहली बार बॉलीवुड के बारे में जानकारी तब मिली थी, जब सलमान ख़ान और कटरीना कैफ़ डबलिन के ट्रिनिटी कॉलेज में फ़िल्म *एक था टाइगर* के एक गाने की शूटिंग कर रहे थे। इसके चलते उन्होंने शाहरुख़ ख़ान की एक फ़िल्म देखी और वहां से उनके जीवन ने एक नया मोड़ ले लिया। 'मैं आकर्षण में कैद हो गयी थी। मेरी दोस्त जमीला ने ये ज़िम्मेदारी ले ली कि वो मुझे और भी फ़िल्में दिखाएगी और वो सभी 90 के दशक की शाहरुख़ की फ़िल्में थीं। मैंने उन्हें देखना शुरू किया और मुझे वो बहुत पसंद आयीं। मैं *डीडीएलजे, दिलवाले, के3जी, कुछ कुछ होता*

है और *जब तक है जान* देख चुकी हूं। मैंने *डॉन* सीरीज़ की सारी फ़िल्में देखी हैं। कई फिल्में अभी भी बची हुई हैं, लेकिन जिसमें काजोल होती है वो बहुत अच्छी होती हैं। मुझे दूसरे एक्टर्स की फ़िल्में भी पसंद आयीं इसलिए आप सोचेंगे कि शाहरुख़ ही क्यूं या उनके बारे में ऐसा क्या ख़ास है। ऐसा क्या है जो मुझे ऐसी फ़िल्म देखने पर मजबूर कर देता है, जिसकी भाषा मुझे समझ में नहीं आती, सबटाइटल्स का सहारा लेना पड़ता है, ताकि मैं इस एक आदमी को देख सकूं? महिलाओं को दयालुता और मधुरता पसन्द है। पारंपरिक रूप से मर्दाना आदमी उतनी ख़ूबसूरती से अपनी मधुरता नहीं दिखा सकते हैं। जब मैं उसे देखती हूं तो यही समझ में आता है। पुरुष पितृसत्तात्मक होते हैं, कठोर और क्रूर होते हैं। वो एक ऐसा आदमी है जो अपना साथी लगता है। मांओं को लगता है कि वो एक ऐसा लड़का है जिसे वो पाल सकती थीं। उसमें असुरक्षित होने की एक चाह और बेवकूफी करने की योग्यता भी है। वो एक ऐसा आदमी लगता है, जो आपके पक्ष में खड़ा दिखता है। मेरे जीवन के ज़्यादातर लोगों को शाहरुख़ के बारे में नहीं मालूम है लेकिन उसके चेहरे को पहचानते हैं क्यूंकि वो दुनियाभर में मशहूर है। लेकिन उसका प्यार दुनिया में सबसे अलग है, क्यूंकि वो हमारे जैसा लगता है और इसमें वो पूरी तरह सहज भी महसूस करता है।'

लेकिन जो बात सबसे चौंकाने वाली है, वो ये कि इतने सेक्सी माने जाने के बावजूद, औरतें जो एहसास शाहरुख़ के लिए रखती हैं, वो सिर्फ वासना नहीं है। रेहाना ख़ान (बदला हुआ नाम), जो जॉर्डन के अक़ाबा की मुख्य मार्केट में एक दुकानदार हैं, मुझसे शाहरुख़ की बात करने लगीं जब उन्हें पता चला कि मैं भारत से हूं। उसी सुबह, अक़ाबा बे पर कुछ नाव मालिकों ने मेरे और मेरे दोस्त के लिए *'बोले चूड़ियां'* (*कभी खुशी कभी ग़म* से) चलाया, जब उन्हें पता चला कि हम भारतीय हैं। मेरा अंतर्राष्ट्रीय यात्रा का अनुभव बताता है कि शाहरुख़ एक बेहतरीन बातचीत की शुरुआत बनते हैं। जर्मनी में लोगों ने शाहरुख़ को 2006 में *कभी ख़ुशी कभी ग़म* की रिलीज़ के बाद जाना और फिर उन्होंने वहां *डॉन* की शूटिंग भी की। बीबीसी में शाहरुख़ की वैश्विक लोकप्रियता पर एक लेख छपा था, जिसमें एक सिनेमा हॉल के कर्मचारी ने कहा, 'अगर आप जर्मनी में बॉलीवुड की बात कर रहे हैं, तो आप शाहरुख ख़ान की बात कर रहे हैं।'

और कई बार शाहरुख़ की वजह से अच्छे-ख़ासे डिस्काउंट भी मिल जाते हैं। जैसे, रेहाना ने बातचीत के बाद मुझे डिस्काउंट दिया। उन्होंने मुझसे पूछा, क्या आप कभी

शाहरुख़ से मिली हैं? मैंने कहा, हां। उन्होंने कहा कि वो भी एक दिन मिलना चाहती हैं। रेहाना ने कहा, 'आप जानती हैं, हम औरतें कभी शाहरुख़ को देखकर नहीं सोचतीं कि "अरे, मैं इसके साथ सोना चाहती हूं।" औरतों की बनावट ही अलग होती है, मुझे लगता है। हम उन्हें प्यार करते हैं। और इस प्यार का मतलब है कि मैं उनसे एक घंटा बात करना चाहती हूं। मैं उनसे पूछू कि वो कैसा महसूस कर रहे हैं, आज उन्हें क्या बुरा लगा। ये वासना नहीं है। ये सच्चा प्यार है। जब मैं उन्हें उनकी पत्नी के साथ देखती हूं, तो मुझे बहुत अच्छा लगता है। वो अपनी बेटी के साथ बहुत प्यारे लगते हैं।'

क्या आप यकीन करेंगे कि दुनिया में सबसे पसंद किये जाने वाले पुरुष सुपरस्टार्स में से एक होने के बावजूद, शाहरुख़ के पास कभी किसी औरत ने आकर छेड़खानी या फ़्लर्ट नहीं किया? 'औरतें मुझसे प्यार करती हैं! मुझे यकीन है, और मैं भी उन्हें प्यार करता हूं। लेकिन शायद मेरे तौर-तरीकों में कोई ऐसी रेखा है, जो किसी को मुझे प्रपोज़ करने का ख्याल भी नहीं लाने देती। शायद सिर्फ़ मेरी पत्नी ही फंस गईं। किसी औरत ने आज तक मुझसे फ़्लर्ट नहीं किया। अफ़सोस। और मैं खुद बहुत शर्मीला हूं, कभी किसी औरत से फ्लर्ट नहीं कर पाया।'[17] उन्होंने कहा कि स्क्रीन पर रोमांटिक हीरो की छवि के बावजूद, असल ज़िंदगी में रोमांटिक बातचीत करना उनके लिए हमेशा मुश्किल रहा है। उनकी कई महिला दोस्त हैं और उन्हें उनके बच्चों के साथ समय बिताना पसंद है। लेकिन वो कभी भी किसी महिला के पास जाकर कोई रोमांटिक, फ़्लर्टिंग या इंटरेस्टिंग बात नहीं कर पाए। और न ही किसी महिला ने उनके साथ ऐसा किया। 'मैं उनके बच्चों के साथ खेलता हूं। लेकिन मैं कभी किसी औरत के पास जाकर कोई अच्छी, प्यारी, रोमांटिक, दिलचस्प या आप जानती हैं, सेक्सी बात नहीं कह पाया। और किसी औरत ने भी मेरे साथ ऐसा कभी नहीं किया।'

उन्हें अपनी महिला फैंस से उतना ही सम्मान मिलता है, जितना वो उन्हें देते हैं। एक बार ट्विटर पर किसी यूज़र ने उनसे पूछा कि किसी लड़की को कैसे पटाएं। उन्होंने जवाब दिया, 'शुरुआत इस बात से करो कि "पटाना" शब्द का इस्तेमाल मत करो। थोड़ी नर्मी और इज़्ज़त से शुरुआत करो।'[18]

शाहरुख़ हमेशा अपनी ज़िंदगी की औरतों को ये श्रेय देते हैं कि उन्होंने उन्हें अच्छे संस्कार दिए। 2018 में वर्ल्ड इकोनॉमिक फ़ोरम की सालाना मीटिंग में क्रिस्टल अवॉर्ड लेते हुए उन्होंने कहा, 'मैं ये कैसे कहूं कि गलत न लगूं? मैं ज़्यादा वक्त मर्दों की संगत में

नहीं बिताता। मुझे औरतों की ओर स्वाभाविक झुकाव है। मेरी मां बहुत मज़बूत थीं। मैं एक मूवी स्टार हूं, जो किसी भी औरत के लिए एक मुश्किल दुनिया है। मेरी पत्नी इसे बड़े ही सलीके और सहजता से संभालती हैं। वो बेहद मजबूत हैं। मैं अपनी बहन, पत्नी और बेटी का शुक्रिया अदा करता हूं कि उन्होंने मुझे अच्छे संस्कार दिये। उन्होंने मुझे ये सिखाया कि औरतों पर ख़ुद को थोपने की बजाय, विनती से, निवेदन करते हुए उनकी रज़ा मांगनी चाहिए।'[19]

वो जैसे पिता हैं, ये अक्सर महिलाओं को आकर्षक लगता है। *फ़ेमिना* मैगज़ीन को दिये एक पुराने इंटरव्यू में उन्होंने उन उम्मीदों की लिस्ट दी थी, जो वो सुहाना को डेट करने वाले लड़के से रखते हैं। उन्होंने कहा, 'वो मेरी प्रिंसेज़ है, तुम्हारी फ़तह नहीं।'[20] लेकिन वो एक 'कूल' पिता भी हैं। बाद में उन्होंने माना, 'ये सब झूठी अकड़ है। मैं जानता हूं कि जब असल में वक़्त आएगा, जब मेरी बेटी को कोई पसंद आएगा, तो मैं कुछ नहीं कह पाऊंगा और मुझे चुपचाप उसे अपनाना होगा। इससे पहले कि ऐसा हो, मैंने सोचा कि मैं ये सब कह दूं, क्या पता कोई पढ़े और सोचे कि उसे मेरी थोड़ी और इज़्ज़त करनी चाहिए, और इस बात को गंभीरता से ले। लेकिन मुझे नहीं लगता कि इसमें कोई गंभीरता है।'[21]

द फैबुलस लाइव्स ऑफ़ बॉलीवुड वाइव्स के पहले सीज़न के आख़िरी एपिसोड में, अभिनेता संजय कपूर की पत्नी महीप कपूर कहती हैं, 'शाहरुख़ बच्चों को संभालते थे (जब गौरी अपनी सहेलियों के साथ पार्टी करती थीं)। हम लोग अपने बच्चों को उनके हवाले कर देते थे। मुझे याद है कि हम वापस लौट रहे थे और शनाया रो रही थी क्योंकि हमें एक दिन पहले ही निकलना था। वो बच्चों के लिए कपड़े ख़रीदते थे और ट्रैक पैंट्स लेकर आते थे। वो शनाया को हेमलीज़ ले गए और उससे पूछा, "क्या चाहिए?" शनाया को एक ख़ास डॉल चाहिए थी।' शाहरुख़ ने वो गुड़िया ढूंढ निकाली, और जब वो मुंबई लौटे, तो उन्होंने वो गुड़िया उसे भिजवाई।

एक पिता के रूप में उनका जो व्यक्तित्व है, वही उनकी ख़ासियत को और भी निखारता है। हैदराबाद की एक गृहिणी, बेला रमन, इस बात को बहुत ख़ूबसूरती से समझाती हैं। 'जिस आधार पर पुरुष प्यार करते हैं, वो उन वजहों से बहुत अलग होती हैं जिनके चलते महिलाएं किसी पुरुष से प्यार करती हैं। यही बात हमारे सेलेब्रिटीज़ के प्रति प्रेम में भी झलकती है। ज़्यादातर पुरुष, जिनमें मेरे पति भी शामिल हैं, श्रीदेवी को पसंद करते हैं। उन्हें उनकी ख़ूबसूरती, मासूमियत और बड़ी-बड़ी आंखों वाली मासूम

शक्ल पसंद थी। लेकिन जब मैं या बाक़ी महिलाएं ये बताती हैं कि हम शाहरुख़ को क्यों पसंद करते हैं, तो हम कभी भी उनकी शारीरिक बनावट की बात नहीं करते। हम ये बताते हैं कि वो औरतों की कितनी इज़्ज़त करते हैं। मुझे इस बात की बहुत तारीफ़ करनी है कि वो एक अच्छे पिता हैं। मुझे याद है, मैंने यूटीवी स्टार्स पर एक इंटरव्यू देखा था, जहां उनकी मैनेजर ने कहा था कि शाहरुख़ अपने बच्चों की पढ़ाई में रोज़मर्रा की भागीदारी रखते हैं। मेरे पति को तो ये तक याद नहीं रहता था कि हमारे बच्चे किस क्लास में हैं! शाहरुख़ की ज़िंदगी पर बनी एक डॉक्यूमेंट्री में हम देखते हैं कि वो आर्यन के साथ फ़ुटबॉल खेलते हैं, सुहाना को प्यार से चूमते हैं। मुझे मेरे पापा ने कभी नहीं चूमा। मेरा बेटा कभी भी अपने पापा के साथ कोई खेल नहीं खेला। हर रविवार, मेरे पति टीवी के सामने बैठ जाते थे और हमसे कोई बात नहीं करना चाहते थे। उन्हें अपना अकेले का वक़्त चाहिए होता था क्योंकि उनका हफ़्ता बहुत व्यस्त और थकाऊ होता था। मैंने कभी झगड़े में ये बात नहीं कही, लेकिन मन में सोचती थी कि भला वो शाहरुख़ से ज़्यादा व्यस्त कैसे हो सकते हैं? उन्होंने अपनी आदतें नहीं बदलीं, लेकिन उनके बीच शाहरुख़ को लेकर मज़ाक ज़रूर चलता रहा कि वो मर्द नहीं हैं। या कि वो गे हैं। शायद इसलिए कि अगर कोई पुरुष ये बुनियादी चीज़ें भी करता है, तो लोग उसे "कम मर्द" मानने लगते हैं।'

ये एक दूसरा पहलू भी है। शाहरुख़ ने अपने कैरियर की शुरुआत से ही अपनी सेक्सुअलिटी को लेकर सवालों का सामना किया है। वो बाक़ी मर्दों से अलग थे। *ए रूड लाइफ़* नाम की अपनी किताब में, वीर सांघवी ने उस वक़्त का ज़िक्र किया है जब उन्होंने शाहरुख़ से सीधे पूछ लिया था कि क्या वो गे या बाइसेक्सुअल हैं, जैसी कि फ़िल्म इंडस्ट्री में अफ़वाहें चल रही थीं। वीर ने लिखा, 'ये सवाल उनसे किसी ने पहले उनके सामने नहीं पूछा था, लेकिन उन्होंने बिल्कुल सहजता से जवाब दिया और हम अगले विषय पर बढ़ गए। मुझे लगा कि पूरा इंटरव्यू बहुत अच्छा गया, लेकिन लोगों को बस वो गे वाला सवाल ही याद रहा। शाहरुख़ से महीनों तक यही सवाल पूछा गया। ख़ासतौर पर उन पत्रकारों द्वारा, जो पहले कभी इतनी हिम्मत नहीं जुटा पाए थे। लेकिन शाहरुख़ ने बहुत ही कूल अंदाज़ में जवाब दिया। एक पत्रकार ने जब उनसे पूछा कि वीर सांघवी ने उनसे ऐसा सवाल क्यों पूछा, तो शाहरुख़ ने हंसते हुए कहा, "मुझे नहीं पता। शायद अगर मैंने हां कह दिया होता, तो वो मुझे डिनर पर ले जाने के लिए कह देते।"'[22]

उन्हें ये सवाल उतना ही बेवकूफ़ाना लगता है, जितना उनके फैंस को। लेकिन उन्होंने इस पर अपनी बात साफ़ कही है: 'मैं संवेदनशील हूं, इसलिए शायद थोड़ा स्त्रैण लगता हूं। मैं न ही गे हूं, न बाइसेक्सुअल। मैं ये बात बार-बार इसलिए नहीं दोहराना चाहता क्योंकि अगर मेरी हैसियत वाला कोई इंसान कहता है कि वो गे नहीं है, तो क्या इसका मतलब ये है कि गे होना ग़लत है?'[23]

जब उन्होंने एक और *फ़िल्मफ़ेयर* इंटरव्यू में कहा, 'ये सब बकवास है। मैं मर्दों के साथ नहीं हूं। मैं औरतों के साथ नहीं हूं। मैं अपनी पत्नी से बहुत प्यार करता हूं,' तो अफ़वाहें फिर भी रुकी नहीं। फिर उन्होंने मज़ाक किया, 'मुझे वो लाइन बहुत पसंद है, *सेक्स एंड द सिटी* से: "I'm try-sexual. I try anything that's sexual." ठीक है, मैं ट्राय-सेक्सुअल हूं (हंसते हैं)। नहीं, अरे, ये काट देना!'[24]

इरम रिज़वी (बदला हुआ नाम), जो सत्रह साल की एक युवा फ़ैन हैं, मानती हैं कि ज़ेन-ज़ी की लड़कियां भी शाहरुख़ को बहुत पसंद करती हैं। उन्होंने कहा, 'मुझे लगता है कि उनका जन्म ग़लत समय पर हुआ। अगर वो आज के दौर में बड़े होते, तो लोग उन्हें "ग्रीन फ़्लैग" कहते, गे नहीं! मेरी मम्मी की सहेलियां उन्हें एक पूरा पैकेज मानती हैं। वो सज्जन हैं। अपने परिवार की रक्षा करते हैं। और संवेदनशील भी हैं। लड़कों को अब अपने पैटर्न्स से बाहर निकलना चाहिए और अपनी कमियों को सुधारना चाहिए, बजाय इसके कि अच्छे इंसानों पर सवाल उठाए।'

'मुझे लगता है कि उनका जन्म ग़लत समय पर हुआ। अगर वो आज के दौर में बड़े होते, तो लोग उन्हें "ग्रीन फ़्लैग" कहते... मेरी मम्मी की सहेलियां उन्हें एक पूरा पैकेज मानती हैं। वो सज्जन हैं। अपने परिवार की रक्षा करते हैं। और संवेदनशील भी हैं।'

इस हफ़्ते इरम और उनकी दोस्त ऋषिता और जूनी, बेंगलुरु स्थित उनके घर पर एक स्लीपओवर कर रही हैं और इस दौरान मूवी मैराथन नाइट होगी। इस लिस्ट में *कल हो न हो* भी शामिल है। 'हमारे दो मेल फ्रेंड्स भी आने वाले हैं। हम जानना चाहते हैं कि रोहित और अमन के बारे में उनका क्या सोचना है। उस फ़िल्म में उनकी सेक्सुअलिटी को लेकर बहुत सारे इशारे हैं। लेकिन मैं चाहती हूं कि हमारे मेल फ्रेंड्स शुरू से ही समझें कि एक-दूसरे की परवाह करना उनकी सेक्सुअलिटी से कोई ताल्लुक नहीं रखता। वे

अच्छे लड़के बन सकते हैं, ज़रूरी नहीं कि भयानक मर्दवादी मर्द बनें। ये एक सीधा सा चुनाव है। बाद वाला रूप तो बिल्कुल भी आकर्षक नहीं है और मैं सोच भी नहीं सकती कि मेरे आसपास की कोई भी लड़की ऐसी बातों के चक्कर में पड़ जाए।'

इस किताब के दौरान, जिन-जिन लोगों से मैं मिली, उन्होंने मुझे शाहरुख़ के दूसरे फ़ैंस से मिलवाया। अंत तक आते-आते, मेरे पास शाहरुख़ के फ़ैंस का एक पूरा नेटवर्क बन चुका था और इसमें हर उम्र, जातीयता और हर तरह का काम करने वाले लोग थे।

मेइयफ़ ने मुझे लंदन में रहनेवाली अपनी पाकिस्तानी दोस्त जमीला ख़ान से मिलवाया। यूके में रहने वाली एक प्रवासी के तौर पर, शाहरुख़ की फ़िल्मों की लाइब्रेरी ही उन्हें अपने घर से जोड़े रखती है। 'जब मैं यूनिवर्सिटी गयी, तो उनकी फ़िल्में देखना मेरी आदत बन गई थी। मैं घर से दूर थी और मुझे कुछ सुकून चाहिए था।' उस दौर में उन्होंने समझा कि शाहरुख़ औरतों के लिए इतने आकर्षक क्यों हैं। वजह थी उनका माफ़ी मांगने का अंदाज़ और उसमें पायी जा रही सच्चाई, जो उनकी फ़िल्मों से लेकर उनकी शख्सियत तक में दिखती है। उन्होंने देखा कि मर्द अक्सर ईमानदारी से माफ़ी मांगने में हिचकते हैं। ये बात उन्हें बिल्कुल पसंद नहीं है और वो सलाह देती हैं कि औरतें मर्दों की माफ़ी तभी स्वीकार करें जब वो केवल एक शब्द न हो, बल्कि उनकी वास्तविकता भी साबित हो। 'मैंने अपने आसपास के सभी लोगों को उनकी फ़िल्मों से मिलवाया, क्यूंकि मेरे इमोशन्स तक पहुंचने का सबसे आसान रास्ता उनकी फ़िल्में हैं। जब वो रोते हैं, तो पूरी दुनिया रोती है। शाहरुख़ में ये ज़िद है कि वो किसी को खुद को साबित करना चाहते हैं। कई बार महिला किरदार उनसे नाराज़ होती हैं, लेकिन वो हार नहीं मानते जब तक वो ये यक़ीन न दिला दें कि उन्हें वाकई अफ़सोस है। बहुत सारी औरतें इस बात को तरसती हैं कि कोई मर्द हमेशा उन्हें मनाने और वापस जीतने की कोशिश करता रहे। उनकी कई फ़िल्मों में उनके किरदार ये साबित करने की पूरी कोशिश करते हैं कि औरत को प्यार किया गया है, वो चाही गयी है और लड़का उसे मनाने के लिए कुछ भी कर सकता है। कोशिश करना एक खूबसूरत बात है। बहुत से मर्द ये नहीं जानते कि वो क्या चाहते हैं। हम एक ऐसे दौर में जी रहे हैं जहां मर्दों और औरतों, दोनों के पास बहुत ऑप्शन्स हैं। कमिटमेंट की कमी है और लोग ऐसे लोगों को तरसते हैं जो रिश्ते निभाना जानते हैं। शाहरुख़ यही दिखाते हैं। अगर आप *मैं हूं न* देखें, तो वो अपने भाई से मिलने के लिए भेस बदलकर जाते हैं। वो आग में कूद

सकते हैं, बस ये यक़ीन दिलाने के लिए कि जिन्हें वो प्यार करते हैं, वो जान लें कि वो उनसे प्यार करते हैं।'

इसी तरह, सैन फ्रांसिस्को से आने वाली एक फ़ैन स्टेसी, जिन्होंने टेम्पटेशन टूर के अपने अनुभव के बारे में लिखा था, ने मुझे कैरोलिन हॉनिग से मिलवाया, जो कैलिफ़ोर्निया के बे एरिया में रहती हैं। वो और स्टेसी दशकों से दोस्त हैं। वजह हैं शाहरुख़ ख़ान। मुझे हमेशा हैरानी होती है जब कोई ग़ैर-भारतीय या ग़ैर-दक्षिण एशियाई शख्स बॉलीवुड का दीवाना हो जाए। जब मैंने कैरोलिन से बात की, तो मैंने यही पूछा। उन्होंने कहा कि उन्हें गाने और डांस पसंद हैं। उन्हें बॉलीवुड से लगाव तब हुआ जब *लगान* को 2002 में ऑस्कर के लिए नॉमिनेट किया गया। और फिर वो शाहरुख़ की वजह से बॉलीवुड की फ़िल्में देखते रहीं। 'मेरी पहली शाहरुख़ फ़िल्म *अशोका* थी। असल में, स्टेसी और मैं, एक हिंदी सिनेमा हॉल (फ्रेमोंट) में *पहेली* देखने के लिए लाइन में खड़ी दो एकमात्र गोरी महिलाएं थीं। उस पल में ही एक तरह की नज़दीकी बन गयी। मैंने उन्हें घर छोड़ा और फिर देखिए, इतने साल बाद भी हम साथ हैं। हम एक दशक से एक साथ रह रही हैं। इसके बाद मैंने शाहरुख़ की सारी फ़िल्में देखना शुरू कर दिया। बर्कले, कैलिफ़ोर्निया में एक वीडियो स्टोर मिला। मैं वहां जाती और दुकानदार मुझे एक बार में पांच वीडियो देता। ये हर हफ़्ते का रिवाज़ बन गया। जब मैंने एक नॉन-फ़ैन के साथ *देवदास* देखी, तो वो उस फ़िल्म और उसके अंत से बहुत दुखी हो गए। *देवदास* मेरी पहली ख़रीदी हुई डीवीडी थी। मेरे पास *कभी ख़ुशी कभी ग़म, कल हो ना हो, कभी अलविदा ना कहना* और *दिल से* भी हैं। अब मैं नेटफ़्लिक्स पर सबकुछ देखती हूं। अगर मैं कहूं कि शाहरुख़ से मुझे पहली नज़र का प्यार हो गया था, तो मैं झूठ कहूंगी। ऐसा नहीं था। शुरुआत में मुझे वो अजीब से दिखते थे। लेकिन वो इतने चार्मिंग हैं कि धीरे-धीरे दिल जीत लिया। मुझे पता भी नहीं चला कि कब वो मेरे फ़ेवरिट बन गये। वो मेरे लिए उस कल्चर का गाइड बन गए जिसे मैं नहीं जानती थी। उस समय मैं गंभीरता से सोच रही थी कि अमरीकियों के लिए एक बॉलीवुड गाइडबुक लिखूं। इसमें डायरेक्टर, एक्टर,

'हम एक ऐसे दौर में जी रहे हैं जहां मर्दों और औरतों, दोनों के पास बहुत ऑप्शन्स हैं। कमिटमेंट की कमी है और लोग ऐसे लोगों को तरसते हैं जो रिश्ते निभाना जानते हैं। शाहरुख़ यही दिखाते हैं।'

टाइमलाइन और किस्सों के आधार पर वर्गीकरण होता और सबकुछ क्रॉस-रेफ़रेंस होता। मेरे पास सारा डेटा था लेकिन मेरा कंप्यूटर क्रैश हो गया। अब मैं 52 साल की अमेरिकी महिला हूं जिसे बॉलीवुड और शाहरुख़ से प्यार है। बॉलीवुड की वजह से ही मैं भारतीय खाने से जुड़ी, मैंने इंडियन रेस्टोरेंट्स में खाना शुरू किया, अलग-अलग करीज़, बिरयानी ट्राई कीं। मेरे फ़ेवरिट हैं गुलाब जामुन, खीर, जलेबी और लड्डू। जो थोड़ा-बहुत हिंदी मैं जानती हूं, वो सब बॉलीवुड से सीखी है। मैं ख़ुद को देवनागरी लिपि सीखने के लिए तैयार नहीं कर पायी। मेरे घर के पास एक भारतीय रेस्टोरेंट था, जो मिठाइयां पाउंड के हिसाब से बेचता था और मैं हर हफ़्ते वहां से अपना स्टॉक लेती थी। मैं एक बॉलीवुड क्रूज़ पर भी जा चुकी हूं, जो मायामी से चला था और न्यू यॉर्क में रुका था। जब मैं टर्मिनल पहुंची तो लोगों ने समझा कि मैं गलत लाइन में खड़ी हूं। मुझे वो क्रूज़ बेहद पसंद आया। मैंने उस पर डांडिया किया और डांसर्स के साथ रूम शेयर किया। वो मुझे बार-बार कॉफ़ी ऑफ़र कर रहे थे और मुझे उन्हें बताना पड़ा कि मुझे एक देसी लड़की की तरह चाय ही पसंद है।'

मैं किसी का दिल नहीं तोड़ना चाहती, मगर शाहरुख़ ख़ुद कहते हैं कि वो कोई आदर्श इंसान नहीं हैं, जिनके पीछे महिलाएं भागें। वो गाहे-बगाहे अपने फैंस को अपनी ख़ामियों के बारे में बताते रहते हैं। हर इंसान की तरह, उनमें कुछ ख़ामियां हैं भी। वो परफ़ेक्ट नहीं हैं। और वो कहते हैं कि रिश्तों के मामले में वो बहुत ख़राब हैं। वो ख़ुद को विरक्त लेकिन भावुक, गोपनीयता और एकांत पसंद करने वाला बताते हैं।

श्रेष्ठा ऐयर ने मुझसे कहा, 'ये एकदम वही है, जो शाहरुख़ ने *पहेली* फ़िल्म के बारे में कहा था। एक परफ़ेक्ट इंसान, जो प्रशंसा करता है, पूजता है और प्यार करता है, असल में एक मिथ्या है। बिल्कुल यही बात *पहेली* दिखाने की कोशिश करती है। एक महिला की चाहतों, आकांक्षाओं और उनके प्रेम की भरपाई करना एक आदमी के बस की बात नहीं है। शाहरुख़ के सभी फैंस उनमें मौजूद कमियों के बारे में जानते हैं, क्यूंकि वो एक इंसान के रूप में कैसे हैं, इस बारे में लगातार बात करते रहते हैं। ख़ुद को लेकर वो इतने जागरूक हैं और ये बात लोगों को भाती है। इसके साथ ही वो ख़ुद में सुधार करने की कोशिश में भी लगे रहते हैं। *पहेली* एक बहुत बड़ा उदाहरण है कि शाहरुख़ कैसे मर्दवाद की ख़ामियों को देखते हैं और महिलाओं को बंधनमुक्त करने को किस कद्र ज़रूरी समझते हैं।

वो भले ही ख़ुद को विरक्त पाते हों, लेकिन बतौर कलाकार, वो जिस तरह से समाज में बदलाव देखना चाहते हैं, उसकी वाक़ई ख़ूब तारीफ़ की जानी चाहिए।

शाहरुख़ कहते हैं कि जो वो नहीं हैं, उसका नाटक करते हुए उसे स्क्रीन पर दिखाना बहुत आसान है। 'ज़रूरी नहीं है कि मैं उन बातों में विश्वास करूं। मुझे विश्वास आपको दिलाना है और ये हमेशा ही एक चुनौती भरा काम होता है। एक एक्टर हमेशा कुछ ऐसा कर रहा होता है, जो वो ख़ुद नहीं होता है। ये एक संकरी गली सा है। मैं बैटमैन, स्पाइडरमैन बनना चाहता हूं, फ़ायरफ़ाइटर, बुरा-क्रूर डॉन बनना चाहता हूं और इस दुनिया का सबसे ज़्यादा पसंद किया जाने वाला प्रेमी बनना चाहता हूं। और मैं इनमें से कुछ भी नहीं हूं। इसीलिए ये सब मुझे उत्साहित करता है।'[25] उन्होंने तो अपने ट्रेन वाले सीक्वेंस की भी हंसी उड़ायी। 'मैं आपसे ये नहीं कह रहा हूं कि आप एक ट्रेन के पीछे दौड़ें और चलती ट्रेन में चढ़ें। असल जीवन में मैं ट्रेन रोकने की कोशिश करूंगा या बोलूंगा कि चलो, अगले स्टेशन पर मिलते हैं। मैं असल जीवन में, उसके होने वाले पति को मारने के बाद, हाथ बढ़ाकर उसे ट्रेन में नहीं चढ़ाऊंगा। *कुछ कुछ होता है* में नीचे लड़की की शादी होने वाली है और मैं उसके पास जाकर कहता हूं "आय लव यू"। ये वाकई में बहुत अजीब है।'[26]

शाहरुख़ जैसे किसी इंसान की चाहत रखना कोई बहुत व्यावहारिक आकांक्षा नहीं है। उनके व्यक्तित्व के ढेरों पहलू बहुत ही ज़्यादा अतिश्योक्तियों से भर दिए गए हैं और ऐसा बॉलीवुड फ़िल्मों के चलते हुआ है। और उनके फैंस को ये सच्चाई अच्छे से जान भी लेनी चाहिए। कैमिएल हू, जो सिंगापुर में रहती हैं और ख़ुद को शाहरुख़ की यथार्थवादी और नपी-तुली फ़ैन बताती हैं, ने मुझसे कहा, 'मैं अंधी होकर शाहरुख़ को पसंद नहीं करती हूं। मैं समझ सकती हूं कि वो थोड़े विरक्त हैं। सफलता कई बार आपको अकेला कर देती है। इसके चलते आप लोगों से बिछड़ सकते हैं। और जब आपको ये दुनिया इस कद्र प्यार करती है और आप बहुत ताक़तवर हो जाते हैं तो आप वास्तविकता से दूर भी हो सकते हैं। ये बहुत हद तक संभव है। ढेरों फैंस का मतलब ये होता ही है कि आपको सर-माथे पर बिठा लिया जाएगा। मैं अक्सर सोचती हूं कि शाहरुख़ इस ऊंचाई से कभी गिरते क्यूं नहीं दिखे। क्यूंकि जो जो भी हैं, जैसे भी हैं, वो होने का नाटक नहीं कर रहे। वो थोड़े बड़बोले बन जाते हैं, जब कहते हैं कि वो आख़िरी स्टार हैं। लेकिन वो आख़िरी स्टार इसलिए हैं क्यूंकि वो कुछ भी फ़ेक नहीं कर रहे हैं। उसमें कोई भी बेईमानी नहीं है। अपनी हर बातचीत में, हर पब्लिक अपियरेंस में, दिन पर दिन, लगातार तीस साल

कोई कैसे नाटक कर सकता है? किसी न किसी मोड़ पर आपकी सच्चाई बाहर आ ही जाएगी। 2023 में उन्हें जो कुछ भी झेलना पड़ा, उसके बावजूद, शाहरुख़ सभी के सामने हैं, अपनी असलियत के साथ, अपने ज़ख्म साथ लेकर चलते हुए, सर ऊंचा रखे हुए। वो आज भी उसी ऊंचाई पर खड़े हैं, हारे नहीं हैं और वो झुकने वाले भी नहीं हैं और यही वो बातें हैं जो लोगों को बेहद पसंद आती हैं। महिलाओं को, और किसी चीज़ से ज़्यादा, वो इंसान प्यारा लगता है जिसकी रीढ़ मज़बूत हो।'

ये हमारी कमज़ोर सोच, या जानकारी में अभाव का नतीजा है कि हम यही समझे बैठे हैं कि सिर्फ़ लड़कियां ही शाहरुख़ पर मरती हैं। मुझे इस बात का अहसास तब हुआ, जब मैंने ट्रैवेल इन्फ़्लुएंसर शिवांगी जौहरी से बात की, जिनका ज़िक्र मैंने पहले भी किया है। मुझे याद है कि मैंने उने पूछा था, 'क्या आप शाहरुख़ की बड़ी फ़ैन हैं?' इस पर उनका जवाब था, 'मेरे पति तो मुझसे भी कहीं ज़्यादा बड़े फ़ैन हैं।' मुझे आश्चर्यजनक रूप से ख़ुशी हुई थी कि इस दुनिया में एक आदमी ऐसा भी है जो शाहरुख़ को इतना पसंद करता है जितना उसकी पत्नी भी नहीं करती।

हालांकि, पुरुष, शाहरुख़ को बिल्कुल दूसरी वजहों से ही चाहते हैं। कुछ उनके कभी हार न मानने वाले जज़्बे से प्रेरित होते हैं, कुछ इस बात से प्रभावित हैं कि कैसे दिल्ली के एक मिडिल क्लास लड़के ने ज़ीरो से शुरुआत करके इतना बड़ा साम्राज्य खड़ा कर दिया और कुछ उन्हें उस इंसान के तौर पर देखते हैं जिसने मर्दानगी से जुड़ी ज़हरीली धारणाओं को तोड़कर नये रास्ते तैयार किये।

मेरे दोस्त अभिमन्यु सुरेका बताते हैं कि शाहरुख़, पुरुषों के लिए भी, एक आदर्श पुरुष की परिभाषा हैं। 'एक ऐसा इंसान जो साधारण शुरुआत से आया और इतना आगे बढ़ा कि आज वो भारत का अंतर्राष्ट्रीय चेहरा बन चुका है। लोग आएंगे और जाएंगे, लेकिन कोई शाहरुख़ को पछाड़ नहीं पाएगा। लेकिन उनकी कामयाबी की सिर्फ़ एक वजह है कि पुरुष भी उन्हें आदर्श मानते हैं। दिलीप कुमार की अंतिम यात्रा का एक वीडियो है, जिसमें वो भीड़ को संभालने के लिए मौजूद मुंबई पुलिस के गार्ड्स को नमस्ते करते दिखते हैं। उन्हें ऐसा करने की कोई ज़रूरत नहीं थी, लेकिन उन्होंने ऐसा किया। वो विनम्र हैं। वो किसी पार्टी में हों और अगर अमिताभ बच्चन जैसे इंडस्ट्री के किसी सीनियर से

टकरा जाएं, तो उन्हें प्रणाम करते हैं। वो जया बच्चन को भी हंसा सकते हैं। वो शालीन हैं। मेरी जान-पहचान की हर महिला उन्हें आधुनिक शालीनता का मापदंड मानती है। वो वही इंसान हैं जैसा हर माता-पिता अपने बेटे को बनते देखना चाहते हैं। मुझे बचपन में कहा गया था, "शाहरुख़ जैसे तमीज़दार बनो, बड़ों की इज़्ज़त करो, औरतों का सम्मान करो, बच्चों से स्नेह करो।" देखिए कैसे वो अपने परिवार और बच्चों की रक्षा करते हैं। ये क़ाबिल-ए-तारीफ़ है। ख़ासतौर पर उस दौर के बाद, जिससे उनका परिवार गुज़रा। परिवार का मुखिया अपने परिवार के साथ चट्टान की तरह खड़ा रहा और उन्हें किसी मुसीबत में नहीं पड़ने दिया, ये बात मेरी पीढ़ी के पुरुषों के लिए बेहद प्रेरणादायक है। वो रक्षा करते हैं लेकिन ख़ुद को थोपेंगे नहीं। वो आदर्श पुरुष का ऐसा रूप हैं जिसमें भारतीय मूल्य गहराई से बसे हुए हैं।'

'ढेरों फैंस का मतलब ये होता ही है कि आपको सर-माथे पर बिठा लिया जाएगा। मैं अक्सर सोचती हूं कि शाहरुख़ इस ऊंचाई से कभी गिरते क्यूं नहीं दिखे। क्यूंकि वो जो भी हैं, जैसे भी हैं, वो होने का नाटक नहीं कर रहे। वो थोड़े बडबोले बन जाते हैं, जब कहते हैं कि वो आख़िरी स्टार हैं। लेकिन वो आख़िरी स्टार इसलिए हैं क्यूंकि वो कुछ भी फ़ेक नहीं कर रहे हैं।'

महिला फैंस की तरह ही पुरुष फैंस की भी अपनी सपनों से भरी कहानियां हैं कि शाहरुख़ उनके लिए क्या मायने रखते हैं। शाहरुख़ के किसी पुरुष फ़ैन की सबसे मोहक कहानी शायद नयनदीप रक्षित की है, जो मेरे जानने वालों में, शायद शाहरुख़ के बड़े फ़ैन हैं। वो आज एक चैट शो होस्ट और मशहूर फ़िल्म इन्फ़्लुएंसर हैं, लेकिन मैं उन्हें तबसे जानती हूं, जब वो अठारह साल के थे और हम दोनों कोलकाता में नये-नवेले रिपोर्टर थे। हम पार्क स्ट्रीट के फ़्लरीज़ कैफ़े में कई बार चाय पीने गये और फ़िल्मों के बारे में बातें कीं। लेकिन पहली मुलाक़ात में ही मैंने जान लिया था कि अगर कोई चीज़ उन्हें फ़िल्मों से भी ज़्यादा प्यारी है, तो वो हैं शाहरुख़ ख़ान। कई साल बाद हमारी मुंबई में मुलाक़ात हुई क्यूंकि मुझे इस किताब के लिए उनका इंटरव्यू करना था। हम शाहरुख़ के खार स्थित ऑफ़िस के नीचे वाली कॉफ़ी शॉप में बैठे थे। उन्होंने फिर से अपनी कहानी सुनायी। 'मैंने टीटीआईएस (द टेलीग्राफ़ इन स्कूल्स) में काम करना बस इसलिए शुरू किया था कि एक दिन शाहरुख़ से मिल सकूं।

मैं एक बार कोलकाता में स्टेज पर उनसे मिल चुका था और फिर एयरपोर्ट पर भी। 17 अप्रैल 2011 की बात है, मैं दम-दम एयरपोर्ट (अब नेताजी सुभाष चंद्र बोस एयरपोर्ट) पर उनका इंतज़ार कर रहा था। उन दिनों वो शहर में मैच देखने आते थे। मैंने उन्हें देखा और फ़ोटो खींचने के लिए आगे बढ़ा। तभी उनकी सुरक्षा में लगे एक पुलिसवाले ने मुझे ज़ोर से धक्का दे दिया। मैं लगभग दीवार से टकरा गया। उन्होंने अपने बॉडीगार्ड को ये देखने भेजा कि मैं ठीक था या नहीं। मुझे आज भी याद है कि उन्होंने उस पुलिसवाले पर चिल्लाते हुए कहा, "किसी को ऐसे कैसे धक्का दे सकते हो?" फिर उन्होंने मुझे बुलाया और कहा, "इधर आओ बेटा।" उन्होंने पूछा कि मैं ठीक था या नहीं और फिर मेरे साथ तस्वीर खिंचवायी। आज मैं शाहरुख सर को अपनी ज़िंदगी में आई बहुत सारी अच्छी चीज़ों के लिए धन्यवाद देता हूं। मुंबई के लिए, अपने कैरियर के लिए, मैं उन्हें शुक्रिया कहता हूं।'

नयनदीप हमेशा से मुंबई आना चाहते थे ताकि शाहरुख़ से मिल सकें। 'जब मैं शिफ़्ट हुआ, तो अपने परिवार से कहा कि जिस दिन शाहरुख सर मुझे नाम से पहचानेंगे, मैं वापस चला आऊंगा।'

मुझे नयनदीप के मुंबई आने के शुरुआती कुछ महीने बहुत अच्छे से याद हैं। हल्के में कहूं, तो वो काफ़ी उथल-पुथल भरे दिन हुआ करते थे। उन्हें घर की याद सताती थी, रूममेट पसंद नहीं थे, बॉस सख़्त थे और एक वयस्क बनकर ज़िंदगी जीना मुश्किल साबित हो रहा था। हर कुछ दिन में वो मुझसे कहते, 'मैं वापस जाना चाहता हूं। *आर पार्ची ना* (अब और नहीं सह सकता)।' मुझे 2014 की एक बरसात भरी शाम याद है, जब मैं उसी कॉफ़ी शॉप के बाहर खड़ी थी और उन्हें लौटकर कोलकाता चले जाने से रोकने की कोशिश कर रही थी। मैंने कहा था, 'नयन, देखो तुम कहां खड़े हो। ये शाहरुख़ की बिल्डिंग है। तुम यहां तक आ चुके हो। क्या अब वाक़ई वापस जाना चाहते हो?' उन्होंने रुकने का फैसला किया। उस दिन उन्होंने कसम खाई, 'एक दिन शाहरुख़ सर मुझे ज़रूर जानेंगे।'

13 अक्टूबर 2014 को उन्होंने पहली बार शाहरुख़ का इंटरव्यू किया। 'मैं शाहरुख सर से *हैप्पी न्यू ईयर* के इंटरव्यू के लिए मिला। मेरे पास एक किताब थी। उस पर उन्होंने ऑटोग्राफ़ देते हुए लिखा: ख़ुश रहो और हमेशा मुस्कुराते रहो। उन्होंने मुझे जो भी बातें कही हैं, वो मेरे लिए बहुत अनमोल हैं। एक बार उन्होंने मुझे मैसेज किया था: "अपनी

मासूमियत को बनाए रखना। दुनिया की सख़्ती को अपने ऊपर हावी मत होने देना।" वो जो भी किसी से कहते हैं, यूं ही नहीं कहते। उनका हर शब्द मायने रखता है। वो आपसे बात करते हैं, आपको महसूस होता है कि आप उनके लाखों फैंस में से एक नहीं, बल्कि आप उनके लिए अलग हैं। आप कुछ मायने रखते हैं।'

बीते कुछ सालों में, शाहरुख़ ने बेहद ज़ाहिर तौर पर प्रेस से बातचीत करनी लगभग बंद कर दी है। इस साल, लगभग पांच साल बाद नयनदीप की उनसे मुलाक़ात हुई। 'मैं ज़ी सिने अवॉर्ड्स की रेड कारपेट होस्ट कर रहा था और मुझे देखते ही जो सबसे पहली चीज़ उन्होंने मुझसे पूछी, वो थी, "कैसे हो तुम, बेटा?" मैं बहुत इमोशनल हो गया। मैं बस कुछ ही मिनट उनसे मिल पाया। मैंने उनके स्वास्थ्य के बारे में पूछा। उन्होंने मुझसे पूछा, "तुम ख़ुश हो?" ये बेहद बेसिक चीज़ है लेकिन ज़्यादातर लोग ये सब पूछना भूल जाते हैं। उनका दिल फैंस के लिए हमेशा खुला है। वो वाक़ई एक इमोशन हैं। फैंस कभी भी समझ नहीं पाएंगे कि ऐसा क्यूं है। ये एक जादू की तरह है। वो जिस इंसानियत के साथ हर किसी से मिलते हैं, मैं उसके चलते उनसे जुड़ा हुआ महसूस करता हूं। उनके लिए जो प्यार है, वो उनकी ऑन-स्क्रीन छवि के चलते शुरू हुआ लेकिन फिर जब आप उनसे मिलते हैं तो समझ में आता है कि वो जो हैं, क्यूं हैं। अगर वो एक अच्छे इंसान नहीं होते तो मैं इतने लम्बे वक़्त तक उनके प्यार में नहीं पड़ा रहता। एक पत्रकार होने के नाते, आप फ़िल्म स्टार्स से मिलते रहते हैं। एक समय के बाद उनकी नो-स्क्रीन छवि गायब हो जाती है और आप जानने लगते हैं कि अमुक शख़्स असल में है कैसा। और मैंने देखा कि शाहरुख़ किस तरह के इंसान हैं। संजीदा, दिल से नेक, आदमियों, औरतों, बच्चों और जानवरों, सभी के लिए बेहद संवेदनशील। एक असली आदमी की ठीक यही परिभाषा होती है। आप कौन हैं, कहां से आये हैं और क्या बन गये हैं, ये सोचे बगैर

'2023 में उन्हें जो कुछ भी झेलना पड़ा, उसके बावजूद, शाहरुख़ सभी के सामने हैं, अपनी असलियत के साथ, अपने ज़ख्म साथ लेकर चलते हुए, सर ऊंचा रखे हुए। वो आज भी उसी ऊंचाई पर खड़े हैं, हारे नहीं हैं और वो झुकने वाले भी नहीं हैं और यही वो बातें हैं जो लोगों को बेहद पसंद आती हैं। महिलाओं को, और किसी चीज़ से ज़्यादा, वो इंसान प्यारा लगता है जिसकी रीढ़ मज़बूत हो।'

वो आपसे प्यार करते हैं। जब मैं बस एक फ़ैन था, जब मैं एक छोटा सा रिपोर्टर था और अब जब लोग मुझे जानते हैं और मेरी कुछ पहचान बन गयी है, इसी पूरे दौरान उन्होंने मुझसे एक जैसी ही बातचीत की और उनके प्रेम में कोई अंतर नहीं आया। उनके दिल में मेरे लिए इज़्ज़त में कोई बदलाव नहीं आया है। ऐसा बहुत लोग नहीं कर पाते हैं। जब मैं बच्चा था और फ़िल्मों में कोई शाहरुख़ को मारता था तो मुझे रोना आता था। और आज, इतने सालों के बाद भी, जब बात शाहरुख़ की आती है तो मैं वही बच्चा बन जाता हूं जो शाहरुख़ सर के ख़िलाफ़ कुछ भी बर्दाश्त नहीं कर सकता है।'

नयनदीप इसके बाद एक बेहद ज़रूरी सवाल पर आते हैं: असली मर्द कौन होता है?

शाहरुख़ के संदर्भ में, इस बात पर कई बार चर्चा की जा चुकी है। दुनिया के हिसाब से एक आकर्षक पुरुष जैसा लगता है, शाहरुख़ की शक़्ल-सूरत उससे बहुत मेल नहीं खाती है। मिल्स एंड बून ने हमारे दिमाग़ में ये विचार रख दिया है कि एक लम्बे, गहरे रंग के हैंडसम आदमी को ही आकर्षक कहा जा सकता है। 90 के दशक में बॉलीवुड ने हमें बताया कि संजय दत्त जैसे माचो, हट्टे-कट्टे आदमी ही आकर्षक कहलाये जा सकते हैं। और फिर आये शाहरुख़ ख़ान और उन्होंने सभी के सामने ये साबित किया कि 'एक असली मर्द' को एक ही तरह से परिभाषित नहीं किया जा सकता है। 90 के दशक के अंत में काम करने वाले एक मॉडल ने बताया कि शाहरुख़ ने उसके जैसों के लिए भी कई दरवाज़े खोल दिये। वो और शाहरुख़ थियेटर के दिनों के साथी थे। चूंकि उन्होंने अब एक दूसरी इंडस्ट्री में अपना नाम बना लिया है, इसलिए वो अपना नाम ज़ाहिर नहीं होने देना चाहते। उन्होंने कहा, 'मुझे मेरे एजेंट ने बताया कि मैं एक मॉडल बनने के लिहाज़ से कुछ छोटे कद का था। मुझे बहुत दुबला-पतला भी बताया गया। मिलिंद सोमन जैसे समकालीन मॉडल कुछ अलग तरह से बने थे। मेरे शरीर की बनावट के चलते मेरे भीतर कई बातें चलने लगीं। ऐसी बातों से मैं आज भी जूझता हूं। मैं ऋतिक रोशन या फ़वाद ख़ान जैसा दिखने वालों से यूं ही नफ़रत करने लग जाता हूं। ये अब एक आदत जैसी बात हो गयी है। लेकिन फिर शाहरुख़ ने आकर एक आदमी की ख़ूबसूरती के पैमाने को बदल दिया। वो पारंपरिक रूप से अच्छे दिखने वाले पुरुष नहीं थे। उन्होंने साबित किया कि आपका व्यक्तित्व, आपके रंग-रूप से कहीं ज़्यादा मायने रखता है। आपका चेहरा-मोहरा ऐसी चीज़ नहीं है जिस पर आपका वश हो। व्यक्तित्व ख़ुद बनाया जाता है। मुझे बहुत ख़ुशी है कि इंडस्ट्री का विस्तार हुआ और इसी के साथ ख़ूबसूरती के मायनों में भी

परिपक्वता आयी। शाहरुख़ सफल और मशहूर हुए और इसने पुरुषों को अपने आपमें सहजता से रहना सिखाया।'

इन्होंने मुझे एक और मॉडल से मिलवाया, जिन्हें शाहरुख़ की सफलता के चलते बहुत फ़ायदा हुआ था। उन्होंने मुझे बताया, '2005 में, जब एक बहुत अच्छे दिखने वाले सुपरमॉडल ने अपना नाम वापस ले लिया तो मुझे अपना पहला मेनस्ट्रीम शो मिला। डिज़ाइनर ने मुझे देखा और कहा, "तुम इस शो के लिए मेरी पहली पसंद तो नहीं हो लेकिन अभी तुम्हीं से काम चलाना पड़ेगा। शाहरुख़ को देखो। वो सुष्मिता सेन के साथ रोमांस कर रहा है। तो मुझे लगता है कि तुमसे भी ये काम करवाया जा सकता है!" उस वक़्त *मैं हूं न* का भौकाल था और उन्होंने उस शो के लिए इस फ़िल्म के एक गाने पर परफ़ॉर्म भी किया था। मैं इस चीज़ को लेकर बहुत इनसिक्योर रहता था कि मैं हट्टा-कट्टा नहीं था। मैं दुबला था लेकिन फ़िट था। और फिर कुछ सालों में मुझे ये समझ में आया कि अगर मैं दर्शकों की भीड़ से कनेक्ट कर ले जाऊं तो ये सब, कुछ भी मैटर नहीं करता है।'

शो के बाद, उन्होंने अपने लिए एक चमकती हुई, सुनहरी शर्ट ख़रीदी। एकदम वैसी, जैसी शाहरुख़ ने *'तुमसे मिलके दिल का...'* गाने में पहनी थी। 'अपने शरीर और रंग-रूप को लेकर मॉडल कभी भी सहज नहीं हो पाते हैं। कम से कम मैं तो कतई नहीं हूं। अगर मुझे कुछ भी गड़बड़ लगता है तो मैं अपनी वो गोल्डन शर्ट पहनता हूं और उस बुरे दिन से उबरने के लिए *मैं हूं न* देखने बैठ जाता हूं।'

शाहरुख़ के ढेरों फैंस इस बात के दीवाने हैं कि वो किस तरह से ज़हर से भरी पितृसत्ता के मानकों को तोड़ते रहते हैं। सिसजेंडर हीट्रोसेक्शुअल पुरुष अक्सर स्क्रीन पर उनके सकारात्मक पौरुष को देखकर प्रभावित होते हैं। चैट शो होस्ट और प्रोड्यूसर निखिल तनेजा ने अपने इन्स्टाग्राम के एक पोस्ट में लिखा था, 'शाहरुख़ की फ़िल्मों के मेरे पसंदीदा मौक़ों में से एक *कुछ कुछ होता है* फ़िल्म से है। राहुल और टीना मंदिर के बाहर खड़े हैं और वो कहते हैं, मैं अपने जीवन में तीन महिलाओं को पूजता हूं: देवी मां, उनकी ख़ुद की मां और तीसरी वो महिला जो उनके सामने खड़ी थी, जिससे वो प्यार करते हैं। तबसे लेकर अब तक, शाहरुख़ ने अनगिनत मौक़ों पर दिखाया है कि पौरुष, जिस व्यक्ति से आप प्यार करते हैं, उसे आत्मीयता के साथ और सकारात्मक तरीक़े से "पूजने" के बारे में भी हो सकता है। ऐसा नहीं है कि शाहरुख़ की फ़िल्मों में कभी कोई समस्या भरे

मौक़े नहीं आये हैं। लेकिन अपने इंटरव्यू में वो हमेशा ही महिलाओं के सम्मान के बारे में बात करते आये हैं।'[27]

उनके शो *बी अ मैन, यार!* में कई सेलिब्रिटी शाहरुख़ पर प्यार लुटा चुके हैं। विक्की कौशल ने कहा कि शाहरुख़ के पास 'बेस्ट रिज़ गेम' (रोमांस करने की सबसे शानदार कला) है।[28]

शाहरुख़ को लेकर ये प्रेम देश की सीमाओं तक ही सीमित नहीं है। *हैरी पॉटर* सीरीज़ के नायक और टोनी अवॉर्ड विजेता डैनिएल रैडक्लिफ़ से 2010 में *डीएनए* में जब उनके पसंदीदा भारतीय एक्टर के बारे में पूछा गया, तो उन्होंने कहा, 'शाहरुख़ ख़ान ब्रिटेन में बहुत मशहूर हैं और मैं उन्हें पसंद करता हूं। वो स्टाइल और क्लास के मामले में मील का पत्थर हैं!'[29]

नयनदीप के अनुभव से हमें शाहरुख़ के मानवीय पहलू के बारे में जानने को मिलता है और ज़्यादातर आदमियों को उनकी मेहनत और सफलता की भूख वो एक चीज़ है जो भाती है। मेरे दोस्त आशीष अग्रवाल बताते हैं कि कोलकाता के मिडिल-क्लास परिवार से आने के नाते, उन्हें शाहरुख़ की महत्वाकांक्षाओं ने प्रभावित किया है। वो शाहरुख़ के 2011 के एक इंटरव्यू का ज़िक्र करते हैं जो द *लॉस एंजेल्स टाइम्स* को दिया गया था। शाहरुख़ ने कहा था, 'मैं एक बार इंडिया की छोटी सी सड़क पर ड्राइव कर रहा था और अचानक ही मुझे याद आया कि 20 साल पहले जब मैं उसी रोड पर चल रहा था तो मेरी जेब में 10 या 20 डॉलर थे। इस दौरान मेरे साथ जो भी हुआ, मुझे उस पर विश्वास ही नहीं हो रहा था। मैं जो भी हासिल कर पाया, उसको लेकर मैं ख़ुद को किस्मतवाला भी मान रहा था और अपराधबोध भी हो रहा था।'[30] आशीष ने मुझसे कहा, 'मैं व्यापारियों के परिवार से आता हूं। मैं मारवाड़ी हूं। ऐसी बातें ही मुझे प्रेरित करती हैं। ये विचार कि *चांद तारे तोड़ लाऊं, सारी दुनिया पर मैं छाऊं, बस इतना सा ख्वाब है...* मैं इसी को जीना चाहता था। और शाहरुख़ की ख़ूबसूरती यही है कि उनकी पूरी यात्रा में सच्ची मेहनत दिखायी पड़ती है। ये कहीं से भी कृत्रिम या बनावटी नहीं है। उन्होंने मुझे जी लगाकर काम करना सिखाया। मुझे इस बात पर विश्वास हुआ कि अगर आपने मन लगाकर काम किया तो आपको वो सब मिलेगा जो आप चाहते हैं। मेरे काम करने के उसूल, मेहनत करने का विचार, जो भी काम है उसे ईमानदारी से करने की बात, सबकुछ शाहरुख़ से ही आया है। मुझे मालूम है कि मैं शाहरुख़ नहीं बन सकता हूं। असल में, मैं शाहरुख़ जैसा

होना भी नहीं चाहता लेकिन मैं उतनी ही मेहनत से काम करना चाहता हूं जितनी मेहनत से शाहरुख़ करते हैं और अपने काम में बेस्ट बन जाना चाहता हूं।'

आशीष ने मुझसे पूछा कि क्या मैं उनके लिए शाहरुख़ का ऑटोग्राफ़ ला सकती हूं, जिसे वो अपने काम करने की मेज़ पर रखेंगे। 'जब भी कभी रुकावट महसूस होगी तो मैं चाहता हूं कि मेरे सामने ही कुछ ऐसा हो जिससे मुझे प्रेरणा मिल सके। ज़्यादा कुछ नहीं, बेसिक सा: "मेहनत करना मत बंद करो... विद लव, शाहरुख़" मुझे मालूम है कि यही वो सकारात्मक ऊर्जा है जो मुझे चाहिये।'

'लोग आएंगे और जाएंगे, लेकिन कोई शाहरुख़ को पछाड़ नहीं पाएगा। लेकिन उनकी कामयाबी की सिर्फ़ एक वजह है कि पुरुष भी उन्हें आदर्श मानते हैं।'

2011 में बीबीसी ने शाहरुख़ का इंटरव्यू किया ताकि ये समझा जा सके कि वो क्या है जो उन्हें 'दुनिया का सबसे मशहूर फ़िल्म स्टार' बनाता है। उनके फैंस का एक बहुत बड़ा तबका ऐसा है जो उन्हें बॉलीवुड का राजा कहते हैं। वो पूरी विनम्रता के साथ कहते हैं, 'मुझे आश्चर्य होता है कि वो मुझे ये कहकर बुलाते हैं (राजा या बादशाह) और मुझे दिल ही दिल में ऐसा लगता है कि मैं इस सबके लायक़ नहीं हूं। मैं बहुत एहसानमंद हूं और मुझे बहुत अजीब भी लगता है। मुझे तो ये समझ में भी नहीं आता है कि लोग मुझे इतना ज़्यादा पसंद क्यूं करते हैं।'[31]

वो कहते हैं कि वो अपने अटपटेपन को छुपाने के लिए एक्टिंग करते हैं। उन्हें एक्टिंग करना पसंद करते हैं लेकिन कभी अपनी फ़िल्में नहीं देख पाते हैं क्यूंकि उन्हें ख़ुद को देखकर शर्म आती है। वो ऐसी फ़िल्में बनाने का सपना देखते हैं जो देश की खुशियां पूरी दुनिया तक पहुंचा सकती हैं। ऐसी फ़िल्में, जो दूर देशों तक जाएंगी और पश्चिम में भी पसंद की जायेंगी। 'मैं इस दिशा में हर वक़्त काम करना जारी रखूंगा। मैं देश की ग़रीबी और सपेरों वाले देश की छवि को बेचना नहीं चाहता। मैं इस देश के पढ़े-लिखे मिडिल क्लास लोगों की कहानियां सुनाना चाहता हूं। मैं दुनिया को दिखाना चाहता हूं कि यहां कितने कमाल के, अक्लमंद लोग रहते हैं, कितनी विविधता है और कितनी ख़ुशहाली है। मैं इस देश के दुखों को बेचना नहीं चाहता। मैं इस देश की ख़ुशियां बेचना चाहता हूं।'[32]

एक आदमी, जो इस दुनिया के कितने ही लोगों के लिए कितना मायने रखता है, लगातार तीन दशक तक, बगैर थके, कैसे काम कर सकता है? शाहरुख़ के पास इसका सीधा-सादा सा जवाब है, 'मुझे बेहद ख़ुशी है कि भगवान ने मुझे इस लायक़ बनाया कि मैं यहां आऊं और कुछ और बनकर दिखाऊं। मुझे बस यही करना है और मैं हर सुबह उठकर यही करता हूं। मेरा परिवार मुझसे पूछता है कि मैं ऐसा कैसे कर लेता हूं। मैं कहता हूं, "मुझे इस सबसे प्यार है। मैं बहुत ख़ुश हूं कि मैं एक्टिंग करता हूं।"'[33]

शाहरुख़ ख़ुद को एक सुपरस्टार की तरह देखते ही नहीं हैं। वो कहते हैं कि वो शाहरुख़ ख़ान नाम के एक मिथ की नौकरी कर रहे हैं। और दर्शक उनके बॉस हैं। अगर वो अपने बॉस को ख़ुश नहीं कर सकेंगे तो उन्हें नौकरी से निकाल दिया जायेगा। उन्हें कुछ दिनों के लिए निकाला भी गया था, फिर 2023 में उन्होंने कुछ अच्छी परफ़ॉरमेंस से दिल जीत लिया।

एक इंसान, जिसे इतना चाहा जाता है, वो अपनी विरासत को किसी ऐसे शख़्स को कैसे समझायेंगे, जो उनके बारे में जानता ही नहीं है। वो ख़ुद को कुछ यूं बयां करते हैं: 'इंडिया में किसी जगह पर पाया जाने वाला ऐसा एक्टर जिसने काम करने की कोशिश की और अभी भी पूरी मेहनत करते हुए कोशिश कर रहा है।'[34] शाहरुख़ 'विरासत' शब्द को ठीक नहीं मानते हैं। 'आप विरासत छोड़ते नहीं हैं। विरासत तो बनती है।'[35] लेकिन वो युवाओं के लिए एक विचार छोड़कर जाना चाहते हैं: 'मैं चाहूंगा कि मैं अच्छे ह्यूमर के साथ ख़ूब मेहनत से काम करने का कल्चर देना चाहता हूं। अपनी सफलता को टीशर्ट की तरह पहनो, टक्सीडो की तरह नहीं। मेहनत से काम करो, मज़े करो, हंसी-ठिठोली करो और अगर तुम एक स्टार बन जाओ तो खुलकर सामने आओ। अगर ये सब तुम्हें स्टार नहीं बना पाता तो कम से कम तुमने कोशिश की। तुमने ढेर सारी मेहनत की, आनंद लो।'[36]

लेकिन वो किसी से भी झूठे वादे नहीं करते। आपको ऐसा लग सकता है कि जब कोई इतनी ऊंचाई पर पहुंच जाता है तो ये एक ऐसा अनुभव होगा कि उसे कुछ और चाहिए ही नहीं होगा। लेकिन शाहरुख़ के साथ ऐसा नहीं है। वो पूरी दुनिया के उन लोगों को खुशियां देते हैं, जो उनसे न ही कभी मिले हैं और कभी मिल भी नहीं पायेंगे। लेकिन शाहरुख़ ये कबूल करते हैं कि शाहरुख़ होने में बहुत अकेलापन है। 'बाहर से ऐसा लग सकता है कि मैं लोगों का इस्तेमाल करता हूं, चालाकी करता हूं, विरक्त हूं, अजीब हूं, अपने में रहता

हूं और घमंडी हूं। लेकिन जो लोग मेरे जीवन में शामिल हैं उन्हें सच मालूम है... ऐसे दिन आते हैं जब मैं भीतर से अकेला महसूस करता हूं। मुझे लगता है कि मैं ऐसा ही हूं।'[37]

एक बार किसी ने उनसे पूछा कि वो भीतर से अकेला क्यूं महसूस करते हैं, जिसपर उन्होंने कहा, 'मैं अकेला इसलिए नहीं हूं क्यूंकि मैं दुखी हूं बल्कि बात ये है कि मेरा काम बहुत समय ले लेता है। आपकी ज़िंदगी दूसरों के लिए निकलने लगती है। मुझे एक दिन में न जाने क्या-क्या करना होता है। मैं चाहता हूं कि मैं जाकर अपने दोस्तों के साथ बैठूं, लेकिन जब मैं कहीं जाता हूं तो 40 लोग आ जाते हैं जो मुझसे मिलना चाहते हैं। ऐसे में मुझे अपना निजी समय, लोगों को देना पड़ता है।'[38]

शाहरुख़ एक ऐसे शख़्स हैं, जिन्होंने अपने फैंस को ख़ूब प्यार दिया है और ये फैंस उनके लिए सबकुछ हैं। इस नाते, जब वो सोने को जाते हैं तो उन्हें ये ज्ञात होता है कि उनका स्टारडम बदलेगा और एक दिन ख़त्म भी हो जायेगा। ऐसा उन्हें ज़िंदगी के शुरुआती दौर में ही मालूम चल गया था। 1997 के एक इंटरव्यू में उन्होंने कहा, 'मुझे लगता है कि मुझे मालूम है कि सब हमेशा नहीं रहेगा। लेकिन अभी मैं इस बात से ख़ुश हूं कि लोग मेरा नाम पुकार रहे हैं और मेरे लिए ढेर सारे फूल आ रहे हैं और मैं किंग ख़ान हूं... मैं अपनी मां को याद करता हूं और स्टारडम को छोड़कर, हर वो अच्छी बात याद करता हूं जो मेरे साथ हमेशा रहेगी।'[39]

मैं जब वो आख़िरी वाक्य टाइप कर रही थी, मेरा ध्यान 'स्टारडम' शब्द पर गया। उनके पचासवें जन्मदिन पर मन्नत के बाहर का दृश्य याद हो आया। लोगों का एक समुद्र था जो उनका नाम चिल्ला रहा था। लोग ख़ुशी के मारे रो रहे थे। बीते दशकों में मैंने मशहूर हस्तियों के लिए अनाप-शनाप पागलपन देखा है। अमिताभ बच्चन, सलमान ख़ान और यहां तक कि फ़वाद ख़ान और वरुण धवन के लिए भी। लेकिन शाहरुख़ के फैंस की दुनिया में कोई तो बात है जो बहुत ही अलग है। लॉकडाउन के दौरन, जब एक साल तक लोगों की भीड़ नहीं जुट रही थी तो ये इस बात की बानगी थी कि दुनिया के साथ वाक़ई कुछ बहुत गड़बड़ चल रहा था। शहर में जो भी आता हे, उसके लिए मन्नत इस बात का प्रतीक है कि सपने सच होते हैं। ये इस बात का सबूत हे कि मुंबई सपनों का शहर है। मन्नत के बाहर खड़े लोग और रैम्प पर खड़े होकर उनका अभिवादन करते

शाहरुख़ का दृश्य बैंडस्टैंड का उतना ही बड़ा हिस्सा बन चुका है जितना वहां शाम को ढलते सूरज का दृश्य।

इस साल, ईद के मौक़े पर मैं मन्नत के पास बगैर रिक्शा के खड़ी थी और मैंने एक बार फिर उस पागलपन को सामने से देखा। किसी ने आवाज़ लगायी, 'ख़ान साब आ गये हैं!' और झक्क सफ़ेद कपड़ों में आये लोग उनके घर की ओर दौड़ पड़े। उनके चेहरों पर ख़ुशी साफ़ दिखायी पड़ रही थी। मैंने मन्नत के बाहर जमा होती भीड़ को कम होते हुए आजतक नहीं देखा।

ये चैप्टर अनंतकाल तक चल सकता है, क्यूंकि हर फ़ैन और भी फैंस को जानता है और इनमें से हर कोई ख़ुद को दूसरे से बड़ा फ़ैन बताता है। शाहरुख़ के शब्द मेरे कानों में गूंज रहे हैं: मैं उन सभी अच्छी बातों के बारे में सोचता हूं, जो मेरे साथ रह जायेंगी... अब स्टारडम के साथ ऐसा ही है। सभी अच्छी चीज़ें साथ रह ही जाती हैं...

‘डरने में कोई बुराई नहीं है. बस अपने डर को इतना बड़ा मत बना दो कि तुम्हें आगे बढ़ने से रोक ले।’

माय नेम इज़ ख़ान, 2010

9

2000 की निराशा

एक सुपरस्टार के जीवन की बहुत बड़ी त्रासदी ये होती है कि वो एक खांचे में फ़िट कर दिये जाते हैं। लेकिन शाहरुख़ ऐसे एक्टर नहीं बनना चाहते थे, जो बहाव के साथ बहते चलें। टाइपकास्ट होने के ख़िलाफ़ उन्होंने हमेशा ही विरोध किया और उन्हें ये बात बहुत अच्छे से मालूम थी कि ये सुपरस्टारडम का अंत लेकर आएगा। हफ़िंग्टन पोस्ट इंडिया को दिये एक इंटरव्यू में उन्होंने कहा, 'मुझे फ़िल्म में इसलिए लीजिये क्यूंकि मैं टैलेंटेड हूं। मुझे इसलिए लीजिये क्यूंकि मैं जब चाहूं, एक भद्दा या ख़ूबसूरत रोल कर सकता हूं। मैं एक एक्टर हूं। जहां तक मेरी बाहें फैल सकती हैं, जहां तक मेरी सांस पहुंच सकती है, वो मेरी जगह है।' उन्होंने बताया कि वो मणि रत्नम के सिनेमा की दुनिया से निकलकर टीम कुक जैसे दुनिया की टॉप ग्लोबल शख्सियतों और बेटे अबराम की नैनी से बातचीत करने के बीच कितनी बेफ़िक्री से ख़ुद को ढाल सकते हैं। शाहरुख़ इस बात पर ज़ोर देते हैं कि किसी भी लेखक, डायरेक्टर या फ़िल्मकार को उन्हें एक ही तरह के रोल या शैली में बांधकर नहीं सोचना चाहिए। *कभी हां कभी न* से लेकर *चक दे! इंडिया*, *रा.वन* और *चेन्नई एक्सप्रेस* तक, शाहरुख़ अपने काम की विविधता को बड़े गर्व से दिखाते हैं। इनके ज़रिये वो ये बताते है कि वो अलग-अलग तरह के रोल और कहानियों पर काम कर सकते हैं। उन्होंने कहा, 'मैं शाहरुख़ ख़ान हूं और मैं सबकुछ कर सकता हूं।'[1]

शायद ये इसी आत्मविश्वास का असर था कि वो फ़िल्म प्रोडक्शन में उतर आये। अब वो ऐसी फ़िल्में ख़ुद बना सकते थे, जिनमें काम करने का मौक़ा उन्हें दूसरे प्रोड्यूसरों के

चलते नहीं मिल पा रहा था। अपनी पीढ़ी में, शाहरुख़ पहले शख़्स थे जिन्होंने प्रोडक्शन में कदम रखा।

साल 1999 में, शाहरुख़, जूही चावला और अज़ीज़ मिर्ज़ा ने मिलकर एक छोटी सी प्रोडक्शन कंपनी बनायी। उस वक़्त पर ये एक बहुत ही अच्छा आईडिया मालूम दे रहा था। आख़िर, दोस्ती को एक पेशेवर संबंध में बदलने से बेहतर और क्या हो सकता था? अज़ीज़, शाहरुख़ के जीवन के सबसे पहले डायरेक्टर में एक थे (*सर्कस*)। वो और उनकी पत्नी, निर्मला ने शाहरुख़ को उस दौर में अपने घर पर रखा था, जब वो नए-नये मुंबई आये थे। दोनों ने *राजू बन गया जेंटलमैन* के ज़रिये फ़ीचर-फ़िल्मों की दुनिया में कदम रखा था और इसमें जूही चावला ने महिला लीड किरदार निभाया था। एक ऐसी इंडस्ट्री, जिसमें बॉक्स ऑफ़िस के आंकड़ों के उतार-चढ़ाव का असर लोगों के बीच के रिश्तों पर पड़ता हैं, शाहरुख़, जूही और अज़ीज़ मिर्ज़ा ने लम्बी दोस्ती रखी। उन्होंने लगातार साफ़-सुथरी, सादी कहानियां पेश कीं जिनसे समाज को संदेश भी मिलता था। इन तीनों को ये विश्वास था कि अपना प्रोडक्शन हाउस होने से उन्हें रचनात्मक आज़ादी मिलेगी और वो बगैर कोई समझौता किये वो फ़िल्में बना सकेंगे जो वो बनाना चाहते थे। शाहरुख़ ख़ुद को 'ग़रीबों का राज कपूर'[2] कहते थे। मार्केट भी धड़ल्ले से चल रहा था, लिहाज़ा प्रोडक्शन में घुसने का ये एकदम सही वक़्त भी दिख रहा था। थियेटर में रिलीज़ होने वाली फ़िल्मों के अलावा, म्यूज़िक सैटेलाईट और विदेशी मार्केट से भी गाढ़ी कमाई हो रही थी।

कंपनी बनाने का विचार एक आम सी बातचीत के दौरान दिमाग में आया था। असल में, अज़ीज़ को शाहरुख़ के साथ एक फ़िल्म बनानी थी और वो नहीं चाहते थे कि वो शाहरुख़ को कम पैसे दें और उनकी दोस्ती में खटास आये। उन्होंने ज़ोर दिया कि वो फ़िल्म के लिए अपने मार्केट रेट के हिसाब से ही पैसे लें और मुनाफ़े का भी एक हिस्सा लें। शाहरुख़ ने इसके बाद सीधे उन्हें पार्टनर बनने का सुझाव दे डाला। शाहरुख़ के साथ जो शुरू हुआ, कुछ ही वक़्त में एक ट्रेंड बन गया। अजय देवगन और आमिर ख़ान सरीखे एक्टर्स ने अपनी कम्पनियां खड़ी कर दीं।

राजू बन गया जेंटलमैन के बाद जब वो दोबारा साथ काम करने को आये तो 1997 में, *यस बॉस* नाम की मज़ेदार फ़िल्म बनकर निकली। इस फ़िल्म में शाहरुख़ एक महत्वाकांक्षी नौकरीपेशा किरदार में थे जो अक्सर अपने बॉस को ख़ुश करने के लिए, महिलाओं का 'बंदोबस्त' करता था। फ़िल्म ने ठीक-ठाक बिज़नेस ही किया और ये

तिकड़ी सोचने लगी कि शायद उनकी पसंद की कहानियां, उतनी लाभकारी न हो पाएं, जितना वो सोचकर बैठे हुए थे।

प्रोडक्शन में उनका उतरना आकस्मिक था। रतन जैन उनके दोस्त हैं जो इंडस्ट्री से जुड़े नहीं थे। शाहरुख़ की उनसे बातचीत चल रही थी और उसी दौरान *यस बॉस* जैसी प्रोड्यूस करने की बात आयी। इस बेहद अनौपचारिक बातचीत से शाहरुख़ के भीतर उनकी, जूही और अज़ीज़ की तिकड़ी की ताक़त में एक विश्वास जागा। और उन्होंने कहा कि अगर एक इंडस्ट्री के बाहर का इंसान उनमें इतना विश्वास दिखा सकता है वो उन्हें ख़ुद में भी विश्वास होना ही चाहिए। जब अज़ीज़ ने प्रोडक्शन कंपनी बनाने के बारे में सोचा, तो उन्होंने शाहरुख़ और जूही को पार्टनर बनाने के बारे में भी सोचा। और इस तरह से उनकी कंपनी की शुरुआत हुई।

ऐसी ही एक हल्की-फुल्की चर्चा के दौरान 'ड्रीम्ज़ अनलिमिटेड' (Dreamz Unlimited) नाम तय हुआ। शुरुआत में उन्होंने 'Dreams' नाम सोचा था लेकिन शाहरुख़ ने कहा कि वो उसमें कुछ नयापन लाने के लिए 'z' अक्षर लेकर आयेंगे। तीनों जनों ने पांच-पांच लाख रुपये लगाये और इस तरह से *यस बॉस* के साथ ये कंपनी शुरू हुई। यश जौहर ने आकर प्रोडक्शन संभाला और जूही चावला के पति जय मेहता ने काग़ज़ी काम देखना शुरू कर दिया। करण जौहर और मनीष मल्होत्रा जैसे दोस्तों ने भी जो योगदान दिया, वो बहुमूल्य था। आदित्य चोपड़ा और जतिन-ललित ने फ़िल्म का टाइटल सॉन्ग तैयार किया। इस फ़िल्म के म्यूज़िक के अधिकार सोनी ने और किशोर लुल्ला ने विदेश के अधिकार लिए, जिससे न केवल आर्थिक बल मिला बल्कि ढेर सारा आत्मविश्वास भी जागा।

शाहरुख़ प्रोड्यूसर बनने की अपनी अप्रत्याशित यात्रा को गर्व के भाव के साथ बताते हैं। उन्होंने इस कंपनी को एक आम बिज़नेस से अलग, एक ऐसा परिवार बताया जिसके सदस्य एक-दूसरे के बेहद क़रीब थे। वो आशा कर रहे थे कि ये बिज़नेस उनके एक्टिंग कैरियर की तरह ही एक ऊंची उड़ान भरेगा। उन्हें प्रोडक्शन और एक्टिंग के बीच तालमेल बिठाना पड़ रहा था। मसलन, उस वक़्त उन्हें आदित्य चोपड़ा और डेविड धवन के साथ कुछ प्रोजेक्ट्स को टालना पड़ा था। इस सबके बीच, वो नयी चुनौतियों के लिए तैयार थे और उन्होंने पूरी तरह से प्रोड्यूसर के रोल को अपना लिया था। 'मैंने अपने जीवन में सबसे ज़्यादा मेहनत, बतौर प्रोड्यूसर ही की है। हम सभी ने इसमें बहुत मेहनत की है।

लेकिन जूही को और मुझे अपनी-अपनी दिखावट का भी ध्यान रखना था क्यूंकि इस काम की पूरी मथापच्च्ची के बाद, हमें किसी दूसरी फ़िल्म के लिए, कैमरे के सामने भी होना होता था। मैंने अपनी फ़िल्मों की वजह से, आदि और डेविड की फ़िल्मों को कुछ महीनों के लिए आगे खिसकवा दिया था। लेकिन मेहनत कितनी भी करनी पड़े, मैं अगली फ़िल्म के लिए तैयार रहता हूं।'[3]

उन्होंने एक चार मंज़िला बिल्डिंग ख़रीदी और एक स्टाइलिश दफ़्तर बनाया। शाहरुख़ के दफ़्तर के बाहर जो नेम-प्लेट लगी थी, उस पर लिखा था 'सुपरस्टार'। कंपनी ने बड़े-बड़े प्लान बनाये थे, जिसमें महज़ फ़िल्में ही नहीं बल्कि टीवी शो और ऐड फ़िल्में भी शामिल थीं। शाहरुख़ हमेशा से ही तकनीकी तौर पर कौतुक से भरे शख़्स रहे हैं। वो चाहते थे कि उनकी टीम के पास सबसे अच्छे संसाधन होने चाहिएं। उनका मानना था कि बेहतर तकनीक के ज़रिये बेहतर फ़िल्में बनायी जा सकेंगी। इसीलिए, एक और कंपनी बनायी गयी और दुनिया के सबसे अच्छे उपकरण मंगवाये गये। मुख्य विचार ये था कि आगे चलकर इन सभी कंपनियों को एक में मिलाकर, एक भव्य स्टूडियो कॉम्प्लेक्स बनायेंगे जिसमें पोस्ट-प्रोडक्शन की सुविधा भी होगी, उपकरण भी होंगे, क्रिएटिव ऑफ़िस भी होंगे, फ़ाइव स्टार होटल भी होगा, मल्टीप्लेक्स और बोलिंग ऐली भी होगी। जब बात तकनीक की आती थी, शाहरुख़ हमेशा से चाहते थे कि बॉलीवुड को हॉलीवुड के स्तर का काम करना चाहिए। उन्होंने कहा था, 'मैं इतने पैसे कमा लेना चाहता हूं कि *फिर भी दिल है हिंदुस्तानी* के लिए जो उपकरण ख़रीदे थे, उसके अलावा और नए उपकरण ख़रीद सकूं... मैं नयी तकनीक लाना चाहता हूं और किसी दिन अंतर्राष्ट्रीय स्तर की फ़िल्में इंडिया में बनाना चाहता हूं। मैं उस दिन का सपना देखता हूं, जब शेखर कपूर को अपनी फ़िल्में बनाने के लिए हॉलीवुड नहीं जाना पड़ेगा। वो उन्हें यहीं बना सकें।'[4]

किसी भी पार्टनर को बिज़नेस शुरू करने के बारे में कोई आइडिया नहीं था। जय मेहता, कॉर्पोरेट पृष्ठभूमि से आते थे। उन्होंने कम्पनी रजिस्टर करने और काम आगे बढ़ाने का खाका तैयार करने में शाहरुख़ की मदद की। यश जौहर के पास फ़िल्म बनाने की अस्थिरता भरी दुनिया में, पचास साल का अनुभव था। उन्होंने प्रोडक्शन मैनेज करना शुरू किया। जूही चावला के भाई संजीव को प्रोडक्शन एग्जीक्यूटिव के रूप में लाया गया और उन्हें यश जौहर के हवाले कर दिया गया। हालांकि शाहरुख़, जूही और अज़ीज़

मिर्ज़ा और बाक़ी के लगभग बीस लोग प्रोडक्शन में अनुभवहीन थे, सभी ये आशा कर रहे थे कि शाहरुख़ की स्टार-पॉवर और इंडस्ट्री में अच्छी पहुंच और पकड़ के चलते, उन्हें अच्छे नतीजे मिलेंगे। लेकिन ये सबकुछ कहां काफ़ी होता है? ख़ासकर, फ़िल्म बनाने जैसी अशांत इंडस्ट्री में।

अज़ीज़ मिर्ज़ा ने *फिर भी दिल है हिंदुस्तानी* बनायी थी जो बिली वाइल्डर की जानी-मानी फ़िल्म द *फ्रंट पेज* का भारतीयकरण थी। ये दो टीवी पत्रकारों की कहानी बताती है, जो प्रतिस्पर्धी चैनलों के लिए काम करते हैं और अच्छी रेटिंग्स पाने के लिए कुछ भी कर गुज़रने को तैयार रहते हैं। उन दिनों, हाल ही में हुए तहलका के स्टिंग ऑपरेशन्स से ये फ़िल्म प्रभावित थी और ऐसे ही एक ऑपरेशन को फ़िल्म में जगह भी मिली थी। दोनों पत्रकारों ने अपने लालची मालिकों, भ्रष्ट राजनेताओं और पुलिस से लोहा लिया। फ़िल्म में सही राह पर चलने की गुस्से से भरी चाह थी और ये बता रही थी कि क्यूं मीडिया का सच दिखाना इतना ज़रूरी है।

शायद ये इसी आत्मविश्वास का असर था कि वो फ़िल्म प्रोडक्शन में उतर आये। अब वो ऐसी फ़िल्में ख़ुद बना सकते थे, जिनमें काम करने का मौक़ा उन्हें दूसरे प्रोड्यूसरों के चलते नहीं मिल पा रहा था। अपनी पीढ़ी में, शाहरुख़ पहले शख़्स थे जिन्होंने प्रोडक्शन में कदम रखा।

1999 के एक इंटरव्यू में शाहरुख़ ने अपने पहले प्रोडक्शन के काम के बारे में बात की थी। 'एक एक्टर होते हुए मैं कभी भी रिलीज़ के वक़्त नहीं डरा था। उसके बाद फ़िल्म पर किसी का वश नहीं चल सकता... लेकिन हां, मैं अब प्रोड्यूसर के तौर पर थोड़ा सहमा हुआ हूं और एक्टर के नाते मैंने ऐसा कभी महसूस नहीं किया था। फ़िल्म के पोस्ट-प्रोडक्शन और पब्लिसिटी में मैं ख़ास रुचि ले रहा था। मैं फ़िल्म की भव्य पब्लिसिटी के अमेरिकी स्टाइल में विश्वास रखता हूं। मैं दुनिया को ये तो नहीं बताऊंगा कि ये इस दुनिया की सबसे शानदार फ़िल्म है लेकिन ये तो तय है कि मैं इसकी पब्लिसिटी तो ऐसे ही करूंगा जैसे ये दुनिया की सबसे बेहतरीन फ़िल्म है।'[5]

1990 के दशक के दौरान सैटेलाईट टीवी ने भारतीय मीडिया की तस्वीर को पूरी तरह से बदल दिया। 1999 आते-आते, जो दर्शक ख़ुद को दो चैनलों तक सीमित पाते थे, अब पचास से ज़्यादा चैनल बदल सकते थे। इसी बीच डॉट कॉम बूम भी आया। इन

सभी को देखते हुए अज़ीज़ को लगा कि उदारीकरण के बाद, भौतिकवादी होते भारत देश में, मीडिया का व्यापारीकरण होता दिखा रही फ़िल्म अच्छा काम करेगी।

इधर, करण और आदित्य, इस फ़िल्म को लेकर कतई सहज नहीं थे। उनके लिए सिनेमा का मतलब था आर्थिक सफलता। और इन दोनों को *फिर भी दिल है हिंदुस्तानी* अच्छा महसूस नहीं करवा रही थी। लोग फ़िल्में देखने आते हैं, ताकि वो अपनी सच्चाई से दूर जा सकें, न कि उनसे रूबरू हो सकें। ऐसी विचित्र फ़िल्म क्यूं बनानी, जिससे लोग ख़ुद को जोड़ ही न सकें।

लेकिन कंपनी के पार्टनरों ने इसपर काम जारी रखा। एक ओर अज़ीज़ मिर्ज़ा और जूही चावला इस फ़िल्म पर होने वाले ख़र्चे को लेकर कुछ संकोची थे, उधर शाहरुख़ बड़े दिल वाले प्रोड्यूसर बने हुए थे। वो चाहते थे कि उनकी प्रोड्यूस की हुई पहली फ़िल्म के हर सीन में स्टाइल और कलात्मकता दिखाई दे। उन्होंने संजीव को निर्देश दिया हुआ था कि जिसे, जो कुछ भी चाहिए हो, उसे मुहैया करवाया जाए। फ़िल्म का बजट 3 करोड़ रुपये का तय हुआ था। अव्वल काम करने वाले तकनीकी लोग बुलाये गए थे। प्रतिष्ठित सिनेमेटोग्राफ़र संतोष सिवान को बुलाया गया था। शाहरुख़ की बेहद क़रीबी दोस्त और पसंदीदा कोरियोग्राफ़र फ़राह ख़ान भी आ गयी थीं, जिन्होंने शाहरुख़ के साथ उनकी शुरुआती फ़िल्मों से काम किया था। यहां तक कि शाहरुख़ का पोज़, जो उनकी पहचान बन चुका था, जिसमें वो बाहें फैलाकर खड़े होते हैं, वो भी फ़राह ख़ान का ही सुझाया हुआ था।

फ़िल्म के प्रोडक्शन में चौबीस सेट बनाये जाने थे, जिसमें से एक शाहरुख़ के घर के भीतर था और उसका इस्तेमाल ही नहीं किया गया। *फिर भी दिल है हिंदुस्तानी* का प्रीमियर 21 जनवरी 2000 को हुआ और उसमें बॉलीवुड के दिग्गज शामिल हुए। शाहरुख़ के प्रोड्यूस किये इस पहले काम को देखने दिलीप कुमार, रेखा और जया बच्चन जैसे पुराने नाम आये। मुंबई के 'फ़ायर एंड आइस' नाम के एक ट्रेंडी नाइटक्लब में फ़िल्म की आफ़्टर-पार्टी हुई।

रिलीज़ के एक हफ़्ते के भीतर, आलोचकों ने फ़िल्म की धज्जियां उड़ा दीं और बॉक्स ऑफ़िस का कलेक्शन लगातार लुढ़कता जा रहा था और उम्मीद से कहीं कम था। 2018 में शाहरुख़ ने ट्वीट किया, 'ये ख़ास थी। ये फ़िल्म निराशाजनक साबित हुई और इसे बेहद बुरा बताया गया। हमारी असफलता ने हमें और मुझे मज़बूत बनाया। *फिर भी दिल है हिंदुस्तानी* से प्यार है...'

हम जैसे लोगों के लिए, जिनका काम ही है फ़िल्मों के व्यापार को देखना, एक और वजह रही जिससे हमें समझ में आया कि फ़िल्म काम क्यूं नहीं कर सकी। *फिर भी दिल है हिंदुस्तानी* की रिलीज़ से एक हफ़्ता पहले एक और फ़िल्म रिलीज़ हुई थी जिसका नाम था–*कहो न... प्यार* है। इस फ़िल्म से बॉलीवुड में आये सबसे ख़ूबसूरत एक्टर्स में से एक, ऋतिक रोशन लॉन्च हुए थे। डायरेक्टर राकेश रोशन ने अपने बेटे को इंडस्ट्री में लाने के लिए एकदम सही तरीका चुना था। अपनी पहली ही फ़िल्म से ऋतिक रातों-रात एक न्यूकमर से दिलों की धड़कन बन गए थे। उनके पास जवान लड़के का आकर्षण था और फ़िल्मों में आने से पहले से की गयी मेहनत के चलते बनी सुडौल और तराशी हुई देह थी। ये लुक उस दौर में एक बेहद नयी बात थी और बॉलीवुड के नायकों की परम्परागत छवि से बहुत अलग था।

लेकिन, ऋतिक के पास बस अच्छा चेहरा ही नहीं था। वो शानदार डांसर भी थे। *'एक पल का जीना'* गाने का डांस आज भी वैसे ही याद किया जाता है। उनका सहज डांस और स्टेज पर मिस न की जा सकने वाली मौजूदगी ने दर्शकों, ख़ासकर महिलाओं को मोह लिया था। लेकिन फ़िल्म ने भी दर्शकों को उतना ही मोहा। *कहो न... प्यार है* एक क्लासिक रोमांटिक ड्रामा फ़िल्म थी, जिसमें कई मज़ेदार नाटकीय मोड़ थे। ऋतिक ने इसमें डबल रोल किया था और बतौर एक्टर अपनी प्रतिभा से सभी को परिचित करवाया। एक नये तैयार हो रहे म्यूज़िशियन और दूसरे आकर्षक प्लेबॉय के किरदार ने हर तरह के दर्शक का किसी न किसी तरह से मनोरंजन किया। फ़िल्म के गाने एक और वजह थे, जिन्होंने इसे सफल बनाया। शानदार धुनें और दिल को छू लेने वाले बोलों ने भी दर्शकों पर असर छोड़ा। ऋतिक के रोहित और राज वाले डबल रोल के किरदार रोमांटिक हीरो के लिए नये मानक बन गए थे।

आलोचकों ने पुराने ढर्रे की कहानी की ओर इशारा किया लेकिन नए चेहरों, ऊर्जा से भरे संगीत और पूरे मनोरंजन की गारंटी ने लोगों को अपनी ओर खींचना बरकरार रखा। *कहो न... प्यार है* रिकॉर्डतोड़ ब्लॉकबस्टर बन गयी और इसने बॉलीवुड में ऋतिक के पैर जमा दिए। यहां से ऋतिक को लेकर दीवानगी की शुरुआत हुई।

आप बेहद स्वाभाविक अगला सवाल पूछ सकते हैं। क्या एक इकोसिस्टम में दो सुपरस्टार एक साथ नहीं रह सकते? बिल्कुल रह सकते हैं। खान कलाकार रह रहे थे और 90 के दशक में अजय देवगन और अक्षय कुमार जैसे कलाकार भी भरपूर सफलता पा

रहे थे। लेकिन नयी सदी की शुरुआत होते ही भारत के दृष्टिकोण में एक बड़ा बदलाव आता दिखा। यहां से शुरुआत हुई अतिवाद की। *इंडिया टुडे* के मार्च 2000 के संस्करण में ऋतिक को लेकर छपी कवर स्टोरी की हेडलाइन थी: 'ख़ान एक्टर्स के वर्चस्व वाले बॉलीवुड में ऋतिक रोशन अचानक बन गए राष्ट्रीय पसंद।'[6]

ये हेडलाइन बहुत दिक्कत वाली तो नहीं मालूम दे रही थी लेकिन जब दूसरे प्रकाशनों ने इसे उठाना शुरू किया तो देशभर से प्रतिक्रियाएं आने लगीं और इससे जुड़ी बुरी बातें भी दिखने लगीं।

इस लेख में श्रीनिवास सडानी की बात का ज़िक्र किया गया था, जो एल्गिन रोड, कोलकाता पर मौजूद हॉलमार्क स्टोर के मालिक हैं। 'किसी भी क्रिकेटर, फ़िल्म स्टार या पॉप म्यूज़िशियन, किसी के भी इतने पोस्टर कभी नहीं बिके हैं।' आगे उन्होंने कहा, 'लोग शाहरुख़ ख़ान को भूल चुके हैं।' इस लेख को और भी निजी बना दिया गया था, जब इसमें शाहरुख़, सलमान और आमिर को लेकर सेक्शन जोड़ दिए गए थे।

'शाहरुख़ ख़ान: उनमें ढेर सारी ऊर्जा है और शानदार आचरण है और साथ ही अच्छे अभिनेता हैं... लेकिन ऋतिक ज़्यादा प्रभावशाली हैं। फ़ाइनली आपके सामने एक ऐसा एक्टर है जो एक स्टार भी है।'

'आमिर ख़ान: वो बेहद आकर्षक तो हैं ही, साथ ही एक इंटेंस एक्टर भी हैं... लेकिन ऋतिक के पास बुद्धिमत्ता और आकर्षण, दोनों हैं। वो कॉम्प्लेक्स रोल भी कर सकते हैं और बारीकियों पर ध्यान भी देते हैं।'

'सलमान ख़ान: वो अच्छे हो सकते हैं। लेकिन जो चीज़ उन्हें सबसे अलग करती है, वो है उनकी बॉडी और ख़ुद में रहने की आदत... लेकिन ऋतिक की ईमानदारी उन्हें सभी से जोड़ती है। कैमरा उन्हें पसंद करता है।'

किंग ऑफ़ बॉलीवुड में, अनुपमा चोपड़ा शाहरुख़ के जीवन में आये एक ऐसे वक़्त के बारे में बात करती हैं, जब सबकुछ ठीक नहीं था। उस वक़्त वो लंदन में थे और *इंडिया टुडे* का एक संस्करण आया, जिसके कवर पर शाहरुख़ की प्रासंगिकता को लेकर सवाल उठाये गए थे। गौरी ने वो कवर देखा था और उन्होंने वो मैगज़ीन शाहरुख़ से दूर रखने की पूरी कोशिश की। लेकिन, ये देखकर कि उनकी एक दशक से ज़्यादा की मेहनत को इस तरह से किनारे रख दिया जा रहा था, शाहरुख़ गुस्से से भर गए थे। उन्हें ऐसा लग रहा था कि उन्हें बेमतलब ही चुका हुआ बताया जा रहा था। उनकी ऋतिक के साथ लगातार

तुलना की जा रही थी और वो तमाम समीक्षाओं का केंद्र बन चुके थे और इसने उन्हें बहुत चोट पहुंचायी थी। ऐसा लग रहा था, जैसे समूची दुनिया ने पूरी निष्ठुरता के साथ उनसे किनारा कर लिया हो।

शाहरुख़ ने इस नाराज़गी और गुस्से को अपने भीतर ही रोके रखा। वो चुप-चुप रहने लगे, जो उनकी पहचान से उलट था। वो घर पर ही रहने लगे और अपने गार्डेन में आर्यन के साथ बातें करते। शाहरुख़ अपने बेटे से पूछते, 'सबसे अच्छा कौन है?' आर्यन का जवाब आता, 'पाप, आप सबसे अच्छे हैं।' तीन साल के आर्यन को मालूम ही नहीं था कि उसके पिता क्या पूछ रहे थे और वो ऐसी तारीफ़ की अपेक्षा क्यूं कर रहे थे।[7] लेकिन शाहरुख़ ये सोचकर राहत पा रहे थे कि इस दुनिया में कम से कम एक ऐसा आदमी ज़रूर था, जो बगैर कुछ सोचे-समझे और झिझके, ये मानता था कि शाहरुख़ से आगे कोई नहीं निकल पाया था। हालांकि शाहरुख़ की तरह, आमिर की फ़िल्म *मेला* भी नहीं चली थी, लेकिन आमिर को निशाना नहीं बनाया जा रहा था। बताया जा रहा था कि एक दशक में ऋतिक वो पहले ऐसे स्टार थे जो शाहरुख़ की किंग ख़ान की गद्दी के लिए ख़तरा बन चुके थे। मीडिया की आलोचना करने वाली *फिर भी दिल है हिंदुस्तानी* की थीम के चलते शाहरुख़ की जो आलोचना हो रही थी, वो दिन पर दिन ज़हरीली होती जा रही थी। फ़िल्म प्रेस, ख़ासकर *स्टारडस्ट* ने ऐसी कहानी पर ढेर सारी ऊर्जा और समय का निवेश किया।

शाहरुख़ के इर्द-गिर्द खड़े हो रहे इस तूफ़ान में गौरी ने उनका भरपूर साथ दिया और सार्वजनिक तौर पर शाहरुख़ के साथ खड़ी नज़र आयीं। एक दमदार इंटरव्यू में उन्होंने एक सामान्य पृष्ठभूमि से आने वाले शाहरुख़ की अप्रतिम यात्रा का ज़िक्र किया। गौरी ने बताया कि कैसे शाहरुख़ ने टीवी और थियेटर से शुरुआत की और बगैर किसी फ़िल्म इंडस्ट्री के कनेक्शन के, इतने बड़े स्टार बन गए। उन्होंने बताया कि इस यात्रा के दौरान उन्हें कैसी चुनौतियों, आलोचनाओं का सामना करना पड़ा, जो मशहूर होने के साथ आपकी यात्रा का एक हिस्सा बन ही जाती हैं। उन्होंने शाहरुख़ को ये अहसास दिलाया कि ऐसे चुनौती भरे वक़्त को झेल ले जाना, चकाचौंध भरे जीवन के तमाम अनुभवों में एक होता है। उन्होंने कहा, 'स्टारडम के साथ आलोचना तो आएगी ही और आपको ये सीखना होगा कि इससे कैसे डील करें। हर किसी को ऐसी परिस्थितियों से गुज़रना पड़ता ही है।'[8]

इस वक़्त तक, गौरी ने फ़िल्म इंडस्ट्री को बहुत नज़दीक से देख-समझ लिया ही था और उन्हें मालूम था कि दो एक्टर्स को एक-दूसरे के ख़िलाफ़ खड़ा दिखाना कोई नयी

बात नहीं थी। उन्होंने शाहरुख़ और ऋतिक के बीच हो रही तुलनाओं को सिरे से ख़ारिज कर दिया और इसे तर्कहीन बताया। उन्होंने ऋतिक के टैलेंट की तारीफ़ की और ये माना कि उन्होंने इंडस्ट्री में आशाजनक रूप से कदम रखा है। लेकिन, उन्होंने सभी तुलनाओं को बकवास बताया और कहा कि ऋतिक बेहद नये थे और शाहरुख़ के लम्बे काम से तुलना के लिए अभी कच्चे थे। उन्होंने याद दिलाया कि कैसे एक वक़्त पर शाहरुख़ की तुलना अमिताभ बच्चन से की जाने लगी थी, जो अपने आप में काफ़ी अनुचित था। उन्होंने कहा, 'आप अमिताभ और शाहरुख़ की तुलना कैसे कर सकते हैं? अमिताभ कमाल के थे। ये दोनों ही दो अलग लोग हैं जिन्होंने अपने-अपने तरीक़ों से, अलग-अलग दौर में सफलता पायी है।'

शाहरुख़ ने ख़ुद को कभी भी असुरक्षा से भरा एक्टर नहीं माना। यहां तक कि *फिर भी दिल है हिंदुस्तानी* की रिलीज़ से ठीक पहले उन्होंने कहा था कि नंबर वन का स्थान असल में एक भ्रम है। 'मैं इनसेक्योर होता, अगर मैं एक खोल में रह रहा होता या दुनियावी बातों से दूर रह रहा होता। लेकिन, न ही मैं किसी खोल में घुसता हूं और न ही दुनिया की बातों से दूर जाता हूं।' उन्होंने ये भी कहा कि वो ज़मीनी इंसान हैं और अपने आस-पास की बातों से विरक्त नहीं हैं।[9]

शाहरुख़ इस बात में विश्वास रखते हैं कि उनके कैरियर की ढलान धीरे-धीरे आयेगी, अचानक नहीं। वो न ही अपने ओहदे को लेकर परेशान होते हैं, न ही उसका कोई घमंड पालकर रखते हैं। असल में, वो अपने चालू काम को लेकर आशावान बने रहते हैं और लगातार मिल रहे सपोर्ट के प्रति कृतज्ञ रहते हैं। लोगों के बीच अपनी पहचान खो देने या उन्हें देखने पर चेहरों पर मुस्कान न आने को लेकर वो विचार तो करते हैं, लेकिन उन्हें विश्वास है कि यदि वो लगातार काम करते रहेंगे तो ऐसी परिस्थिति दूर जाती रहेगी। वो अपनी सफलता को उन्हें मिलने वाले पुरस्कारों से या चार्ट पर अपनी पोज़ीशन नहीं तौलते हैं बल्कि स्वयं को सुरक्षित महसूस करवाते हैं और अपने काम पर ध्यान केन्द्रित रखते हैं।[10]

लेकिन शाहरुख़ के ख़िलाफ़ मीडिया ने कड़ा रुख अपनाना जारी रखा। और फिर शाहरुख़ असुरक्षा से घिरने भी लगे। शाहरुख़ बादशाह तो थे, लेकिन वो इंसान भी थे।

मई 2000 में वो पेप्सी के एक शैतानी भरे विज्ञापन में नज़र आये। इंडिया एफ़एम के नाम से चलने वाले एक ब्लॉग ने कहा कि शाहरुख़ ने पेप्सी के ऐड से हलचल मचा दी थी और इसने कोला कंपनियों के बीच चली आ रही खींचातानी में और मसाला छिड़क दिया। ये विज्ञापन ऋतिक के कोक के विज्ञापन की तर्ज पर बनाया गया था और इसमें शाहरुख़, ऋतिक के हमशक्ल के मज़े ले रहे थे।[11]

इस ऐड में बोतल घुमाने वाला एक खेल खेला जा रहा था एक बोलिंग ऐली में शाहरुख़ एक ख़ूबसूरत लड़की (तारा शर्मा) से कहते हैं कि हारने वाले को उस शख़्स को किस करना होगा, जिसकी ओर बोतल इशारा करेगी। जब वो बोतल घुमाते हैं तो वो ऋतिक जैसा दिखने वाले लड़के की ओर इशारा करती है और शाहरुख़ उस लड़के से कहते हैं, 'एक स्माइल हो जाए।' जब वो लड़का मुस्कुराता है तो उसके दांतों में लगे तार दिखते और चमकते हैं और लड़की मुंह बनाकर झिझक जाती है। कहना न होगा कि वो उस लड़के को नहीं बल्कि ऐड के अंत में शाहरुख़ को ही किस करती है।

इस पर जो प्रतिक्रियाएं आयीं, वो त्वरित और गंभीर थीं। मालूम चला कि ऋतिक के पिता राकेश रोशन इस ऐड को देखकर आगबबूला हो गए थे। ख़ुद ऋतिक भी बेहद नाख़ुश थे और उन्होंने पेप्सी को गुस्से से भरे ख़त लिखे और कहा कि ये ऐड वाहियात था और उनके उभरते कैरियर का अनादर कर रहा था। उनका कहना था कि लम्बे वक़्त से इंडस्ट्री में काम कर रहे स्टार्स को नये आने वाले एक्टर्स का हौसला बढ़ाना चाहिए, न कि उनका मज़ाक उड़ाने की कोशिश करनी चाहिये।

ये ऐड प्रहलाद कक्कड़ ने बनाया था और उन्होंने स्थिति को संभालने की कोशिश करते हुए ऋतिक को समझाया कि ये विज्ञापन इस स्तर की गंभीरता के लिए नहीं बनाया गया था। प्रह्लाद कक्कड़ ने ये तक कहा कि उन्होंने इसका एक टेप ऋतिक को भेजा था लेकिन ऋतिक ने कभी नहीं माना कि उन्हें ऐसा कोई टेप मिला था।

दक्षिणपंथी संगठन राष्ट्रीय स्वयंसेवक संघ के मुखपत्र *पाञ्चजन्य* ने एक लेख छापा, जिसमें उन्होंने कहा कि ऋतिक रोशन, बॉलीवुड में लम्बे वक़्त से क़ायम मुस्लिम ख़ान के प्रभुत्व का जवाब थे।[12] उन्होंने लिखा कि पेप्सी का ये विज्ञापन असल में एक कोशिश थी, जिससे ख़ान कलाकारों को चुनौती देने वाले ऋतिक को नीचे घसीटा जा सके। इस अजीबोगरीब कवर स्टोरी के जवाब में द *टाइम्स ऑफ़ इंडिया* ने मुख्य सम्पादकीय छापा। *पाञ्चजन्य* ने बॉलीवुड के टॉप तीन ख़ान, शाहरुख़, आमिर और

सलमान को दाऊद इब्राहिम का गुर्गा बताया और आरोप लगाया कि इन्होंने मिलकर एक गैंग बनाया है, जो प्रोड्यूसर्स को उन्हें साइन करवाने को मजबूर करते हैं और एक 'अंतर्राष्ट्रीय साज़िश' के तहत हिंदू कलाकारों को काम करने से रोकते हैं। *पाञ्चजन्य* ने तो यहां तक कह दिया कि मुसलमान ज़्यादातर पेप्सी ही पीते हैं क्यूंकि शाहरुख़ उसका विज्ञापन करते हैं और कोक इसलिए नहीं पीते क्यूंकि उसके विज्ञापन में ऋतिक रोशन आते हैं। *द टाइम्स ऑफ़ इंडिया* ने बताया कि किसी भी एक्टर की स्टार वैल्यू देशभर के सिनेमाप्रेमी तय करते हैं, न कि प्रोड्यूसर, डायरेक्टर या मुंबई-दुबई में रहने वाले फ़ाइनेंसर।[13]

अकेला *पाञ्चजन्य* ही नहीं था, जिसको ख़ान साज़िश की बू आ रही थी। उसी वक़्त पर शिव सेना के मुखिया बाल ठाकरे ने भी अपने समर्थकों के सामने अपनी नाराज़गी ज़ाहिर की। उन्होंने कहा, 'हमने इंडस्ट्री में इन ख़ान लोगों को बहुत लम्बे समय तक बर्दाश्त किया है। अब और कितने दिन इन्हें बर्दाश्त करना होगा?'[14]

पाञ्चजन्य के सम्पादक तरुण विजय ने इस लेख का बचाव किया। उन्होंने किसी भी तरह की धार्मिक पक्षधारिता से इंकार किया और कहा कि सारी बहस जवाहरलाल नेहरू विश्वविद्यालय के एक वामपंथी पत्रकार द्वारा शुरू की गयी थी, जिसने इस लेख के कुछ अलग ही मायने निकाल दिए थे। उन्होंने कहा कि लेख को तोड़ने-मरोड़ने के चलते पूरा ध्यान लेख के असल मकसद, फ़िल्म इंडस्ट्री में शामिल माफ़ियागिरी से हटकर आरएसएस और उसके प्रमुख के.एस. सुदर्शन से जुड़ी बहस पर चला गया था। तरुण विजय ने बताया कि इस लेख की हेडलाइन 'एमएनसी और खाड़ी के माफ़ियाओं ने बोये वैमनस्यता के बीज', असल में हमारा ध्यान बाहरी ताक़तों द्वारा पैदा किये जा रहे ख़तरों की ओर खींचना चाहती थी, न कि ऋतिक रोशन जैसे एक्टर्स के बीच व्यक्तिगत दुश्मनी पर ध्यान खींचने के लिए। लेख की शुरुआत में ये भी कहा गया था कि ऋतिक से जुड़ा विवाद शायद कुछ अन्य सितारों की जलन से उपजा हो सकता है। तरुण ने आगे साफ़ किया कि लेख में सांप्रदायिकता फैलने के ख़तरे के बारे में चेतावनी दी गयी थी और उस मूर्खतापूर्ण सोच की आलोचना की गई थी, जो ये कहती है कि सेलिब्रिटी विज्ञापनों से प्रभावित उपभोक्ता विकल्पों को किसी भी प्रकार का गंभीर सामाजिक मुद्दा मानना चाहिए। उन्होंने कहा, 'अगर कोई सिर्फ़ इसलिए कोक या पेप्सी पीता है क्योंकि शाहरुख़ या ऋतिक उसका प्रचार कर रहे हैं, तो ये हास्यास्पद बात है। असल में, पूरी कहानी ही

इस बात को लेकर है कि माफ़िया और मल्टीनेशनल कम्पनियां किस तरह समाज को बांटने का खेल खेल रही हैं और हमें उनके जाल में नहीं फंसना चाहिए।'[15]

आख़िरकार, हर विवाद की तरह ये विवाद भी शांत हो गया। और ड्रीम्ज़ अनलिमिटेड ने फिर से सपने देखना शुरू कर दिया। इस बार उसने और बड़े स्तर का सपना देखा। लेकिन अज़ीज़, शाहरुख़ और जूही को उस दौर में भावनात्मक उथल-पुथल से गुजरना पड़ा। तीनों एक-दूसरे को बारी-बारी से ढाढ़स देते और संभालते रहे। अज़ीज़ को ख़ासतौर पर इस असफलता के लिए खुद पर बहुत अफ़सोस हुआ। शाहरुख़ और जूही को उन्होंने पेशेवर और निजी, दोनों तरह से कई सालों तक मार्गदर्शन दिया था। और अब उन्हें लग रहा था कि इतने लंबे साथ के बाद पहली बार वो उन्हें निराश कर रहे थे। लगातार बनी रही मायूसी से घबराकर, तीनों ने तय किया कि मुंबई से कुछ समय के लिए निकल जाना चाहिए, ताकि इस थकाने वाले दबाव से दूर रह सकें।

इस झटके के बावजूद, उन्होंने एक ऐतिहासिक फ़िल्म पर दांव लगाने का फ़ैसला किया। ये एक तीसरी सदी के शांतिवादी सम्राट की कहानी पर आधारित थी और इस फ़िल्म का नाम था: *अशोका*।

अशोका को संतोष सिवान ने डायरेक्ट किया था, जो *फिर भी दिल है हिंदुस्तानी* के सिनेमेटोग्राफ़र थे। शाहरुख़, सिवान को प्यार से 'सैंटा' बुलाते थे और दोनों 1997 में, *दिल से* के दिनों से दोस्त थे। सिवान को लगता था कि शाहरुख़ के पास वो शिष्टता थी कि वो अशोक के किरदार में अच्छा लगेंगे। इस फ़िल्म के केंद्र में युद्ध से उपजी कुरूपता थी। इसकी कहानी एक रोमांटिक राजा के इर्द-गिर्द घूमती है, जो राजगद्दी के फेर में हिंसक हो जाता है और विजयी होने के बाद शांति की ओर चल पड़ता है। ये फ़िल्म 12.5 करोड़ के बजट पर बनने वाली थी। फिल्म बनाने वाले ने जो भी मांग रखी, प्रोडक्शन ने मंज़ूरी दे दी। इस फ़िल्म के लिए, 700 लोग, छह कैमरे का सेट-अप और शूटिंग के लिए उपलब्ध लगभग सभी आधुनिक संसाधन मांगे गए थे।

7 सितम्बर 2001 को, वेनिस फ़िल्म फ़ेस्टिवल में *अशोका* का प्रीमियर हुआ। 13 सितम्बर को ये टोरंटो फ़िल्म फ़ेस्टिवल में भी दिखायी गयी। जब ये फ़िल्म रिलीज़ हुई तो इसके बारे में बेहद अच्छी बातें लिखी जा रही थीं लेकिन बॉक्स ऑफ़िस के आंकड़े उत्साहित करने वाले नहीं दिख रहे थे। यूके में *अशोका* ने टॉप टेन चार्ट्स में जगह बना ली थी लेकिन तुरंत ही ये वहां से उतर भी गयी। इंडिया में इस फ़िल्म ने मुंबई

और दक्षिण भारत में अच्छा प्रदर्शन किया लेकिन दिल्ली, राजस्थान और उत्तर प्रदेश जैसे प्रदेशों में ये अच्छी कमाई करने में असफल रही। ड्रीम्ज़ अनलिमिटेड को 4 करोड़ रुपयों का नुकसान हुआ। विदेशी डिस्ट्रीब्यूटर होने का फैसला उनके लिए हानिकारक साबित हुआ।

लेकिन, कम्पनी ने आगे बढ़ने की ठानी और इस बार उन्होंने सुरक्षित तरीक़ा अपनाने का फैसला किया। इसके चलते, 2003 में हमें बॉक्स ऑफ़िस पर एक हिट फ़िल्म मिली, जिसका नाम था, *चलते चलते*। अज़ीज़ मिर्ज़ा द्वारा डायरेक्ट की गयी इस फ़िल्म में शाहरुख़ को एक क्लासिक रोमांटिक-कॉमेडी का हीरो दिखाया गया था, जिसकी जोड़ीदार रानी मुखर्जी थीं। इसकी कहानी में एक-दूसरे से नाराज़ पति-पत्नी थे, जो वापस एक-दूसरे के क़रीब पहुंच जाते हैं। इसकी सफलता ने कम्पनी को चलायमान रखा। शाहरुख़ ने इस फ़िल्म के बारे में कहा कि दूध का जला छाछ भी फूंक-फूंककर पीता है।

लेकिन, इस फ़िल्म के चलते कम्पनी में कलह की स्थिति पैदा हो गयी। फ़िल्म में महिला लीड के लिए पहले ऐश्वर्या राय का नाम सोचा गया था। लेकिन फिर फ़िल्म के मुहूर्त शॉट में सलमान ख़ान ने बखेड़ा खड़ा कर दिया और शाहरुख़ पर आरोप लगाया कि वो उनकी गर्लफ्रेंड (उस वक़्त पर) ऐश्वर्या राय के साथ कुछ ज़्यादा ही दोस्ताना हो रहे थे।[16] इस वाक़ये के बाद ऐश्वर्या की जगह रानी मुखर्जी आयीं। उनके आने से जूही चावला कुछ नाख़ुश हुईं लेकिन बाद में वो 'समझ गयीं' कि वो मुख्य रोमांटिक किरदार निभाने के लिहाज़ से कुछ ज़्यादा उम्र की थीं। वो अपनी शादी और मां बनने पर भी ध्यान लगा रही थीं।

कम्पनी के बंद होने पर जूही चावला ने द *टाइम्स ऑफ़ इंडिया* से बात करते हुए बताया कि सबकुछ वैसा नहीं हुआ जैसा सोचा गया था, क्यूंकि जो अनुभव मिल रहे थे, उनके लिए बहुत मुश्किल वक़्त से गुज़रना पड़ा था। उन्होंने कहा कि एक प्रोडक्शन कम्पनी को मैनेज करना फ़िल्मों में एक्टिंग करने से कहीं ज़्यादा जटिल काम है। *चलते चलते* के ज़रिये कम्पनी को जो सफलता मिली थी, उस पर साया तब पड़ गया, जब अज़ीज़ मिर्ज़ा की पत्नी चल बसीं और शाहरुख़ अपनी फ़िल्मों पर ध्यान केन्द्रित करने लगे और जूही चावला को अहसास हुआ कि उन्हें अपने एक्टिंग कैरियर पर ध्यान देने की ज़रूरत थी। उन्होंने प्रोडक्शन से अलग होने की ठानी जिससे वो आज़ाद होकर एक्टिंग की दुनिया में वापसी कर सकें, जो हमेशा ही उनकी पहली पसंद थी।[17]

उसी इंटरव्यू में उन्होंने कहा, 'मैं आमिर ख़ान के साथ तुरंत फ़िल्म कर लूंगी। आमिर किसी भी प्रोजेक्ट को शुरू करने से पहले सभी चीज़ों के बारे में सोचते हैं। लेकिन अब मैं आमिर और शाहरुख़ से इतनी जल्दी-जल्दी नहीं मिल पाती हूं। लेकिन हम जब भी मिलते हैं, अच्छे से मिलते हैं। और ये भी है कि मेरी उम्र कुछ ज़्यादा हो गयी है और वो लोग कम उम्र की हिरोइनों के साथ काम कर रहे हैं।'

किंग ऑफ़ बॉलीवुड में इस मतभेद के बारे में बात करते हुए शाहरुख़ ने कहा, 'हमने अपनी असफलता में सफलता से ज़्यादा आनंद पाया क्यूंकि मुझे लगता है कि सफलता के दिनों में हम एक दूसरे को बहुत चोट पहुंचा रहे थे।'

मार्च 2001 आते-आते, कम्पनी को हुए नुकसान का आंकड़ा करोड़ों में पहुंच चुका था। इसके चलते शाहरुख़ को इस बिज़नेस पर ताला लगाना पड़ा। जब उन्होंने अपने बत्तीस कर्मचारियों को इसकी जानकारी दी, वो रो पड़े। लेकिन कभी हार न मानने की अपनी आदत का एक और नमूना देते हुए, शाहरुख़ ने कभी भी प्रोडक्शन से हाथ नहीं खींचे। उन्होंने बस अपने अगले कदम के लिए रणनीति में कुछ बदलाव किया था।

2002 में, शाहरुख़ ने अपनी पत्नी गौरी के साथ रेड चिलीज़ एंटरटेनमेंट की आधारशिला रखी, जो आगे चलकर बॉलीवुड का सबसे सफल उद्यम बना। तबसे लेकर अबतक, रेड चिलीज़ ने शाहरुख़ की तमाम फिल्मों को प्रोड्यूस किया है और उससे इतर दूसरी सफल फ़िल्मों के लिए भी ज़िम्मेदार रहा है। ये स्टूडियो, फ़िल्म इंडस्ट्री के कई पहलुओं में शामिल रहा है, जिसमें क्रियेटिव डेवलपमेंट, प्रोडक्शन, मार्केटिंग, डिस्ट्रीब्यूशन, लाइसेंसिंग, मर्चेंडाइज़िंग और सिंडिकेशन शामिल था। ये सब घरेलू और अंतर्राष्ट्रीय स्तर पर हो रहा था। इसके साथ ही, इस प्रोडक्शन हाउस के पास अत्याधुनिक वीएफ़एक्स स्टूडियो भी था।

इस बैनर के अंतर्गत बनने वाली सबसे पहली फ़िल्म थी, फ़राह ख़ान की *मैं हूं न*। ये फ़िल्म उस साल की सबसे पहली विदेशी ब्लॉकबस्टर थी। यूनाइटेड स्टेट्स, कनाडा और ब्रिटेन में इसने अनगिनत हाउस-फ़ुल शो किये और 120 स्क्रीन्स में इसने 13 लाख डॉलर कमाये।[18]

जब डिस्ट्रीब्यूटर एरॉस ने कनाडा और यूनाइटेड स्टेट्स से आयी कुल राशि को तालिकाबद्ध किया, तो समझ में आ गया कि पहले से ही, दोबारा फ़िल्म देखने वाले आने लगे थे। यूनाइटेड स्टेट्स और कनाडा में ये फ़िल्म उन्नासी स्क्रीन्स पर दिखायी जा

रही थी जो उस वक्त किसी भी भारतीय फ़िल्म के लिए एक रिकॉर्ड था। अगले हफ़्ते में पांच स्क्रीन और जोड़ दी गयीं।[19] लोकेश धर, जो एरॉस के एक प्रतिनिधि हैं, ने कहा, 'अमूमन, हम दूसरे और तीसरे हफ़्ते में फ़िल्मों की स्क्रीन घटाते जाते हैं। लेकिन यहां तो कमाल का रिस्पॉन्स आ रहा था।'

यूनाइटेड स्टेट्स और कनाडा में, पहले दिन इस फ़िल्म ने लगभग 7,04,651 डॉलर की कमाई की, जिसमें देशभर के शनिवार के शो हाउस-फ़ुल थे। हर स्क्रीन का औसत 9,000 डॉलर था। ये फ़िल्म यूनाइटेड स्टेट्स में सबसे ज़्यादा कमाई करने वाली लिस्ट में पन्द्रहवें स्थान पर थी, जहां *मीन गर्ल्स* 2 करोड़ 40 लाख डॉलर के साथ सबसे ऊपर थी।

कमाई के बारे में बात करने वालों के मुताबिक़, यूके में, *मैं हूं न*, सप्ताहांत की कमाई के मामले में सातवें पायदान पर रही। लगभग चालीस स्क्रीन्स पर इस फ़िल्म ने 6,00,000 डॉलर कमाये। एक देश में, प्रति स्क्रीन का औसत 15,000 डॉलर था, जो सबसे ज़्यादा था। इंग्लैंड में सबसे ज़्यादा कमाई करने वाली फ़िल्म थी *किल बिल वॉल्यूम 2*, जो दूसरे सप्ताहांत में 20 लाख डॉलर लेकर आयी थी।[20]

मणिरत्नम की *दिल से...* के बाद से *मैं हूं न* इंग्लैंड में टॉप टेन ओपनिंग वाली फ़िल्मों में शुमार हुई थी। इसके साथ ही, इस फ़िल्म ने एक और रिकॉर्ड बनाया। भारत में, महिला डायरेक्टर द्वारा बनायी गयी किसी फ़िल्म ने इतनी कमाई नहीं की थी। देश की किसी भी महिला डायरेक्टर ने फ़राह ख़ान जैसी आर्थिक सफलता नहीं पायी है।

फ़राह और शाहरुख़, दोनों को मालूम था कि फ़िल्म में ऐसा क्या था, जो काम कर गया। ये ठीक वैसी ही देसी मसाला फ़िल्म थी, जो दर्शकों को चाहिए थी। फ़िल्म की लॉन्च पर उन्होंने कहा था, 'इस फ़िल्म में सबकुछ है। ये 70 के दशक की हिंदी कमर्शियल फ़िल्म है। मां-बाप मर रहे हैं, बेटा आज्ञाकारी है, रोमांस है, कॉमेडी है और ढेर सारा एक्शन है। कम शब्दों में, हिंदी फ़िल्मों में जो भी दिखता है, यहां सबकुछ है।'[21]

एक प्रोड्यूसर के तौर पर, शाहरुख़ ने फ़राह को सबकुछ दिया। उन्होंने हमेशा ही अपने डायरेक्टरों को खुली छूट दी और उसे हमेशा सपोर्ट किया। ये 70 के दशक के सिनेमा की कहानियों को एक सलाम था। शाहरुख़ को इससे कोई गुरेज़ नहीं था कि वो पुरानी कहानियों को नये फ़्लेवर के साथ नये पैकेट में बेच रहे थे। फ़िल्म के म्यूज़िक लॉन्च पर उन्होंने कहा, 'ये सभी पहलू 70 के दशक की फ़िल्मों मौजूद हुआ करते थे... वैसी फ़िल्में, जो मनमोहन देसाई बनाते थे। लेकिन मैं एक बात बता दूं, मैं फ़राह की तुलना

महान मनमोहनजी से कतई नहीं कर रहा हूं। इस फ़िल्म में वो सभी बातें हैं, जो आपको आज की फ़िल्मों में नहीं मिलेंगी।'

मैं हूं ना आख़िरकार शाहरुख़ की प्रोडक्शन की दुनिया के लिए वो गर्माहट भरी क़ामयाबी थी, जिसका उन्हें लंबे वक्त से इंतज़ार था। एक प्रोड्यूसर के तौर पर, कुछ अच्छे और तमाम बुरे अनुभवों के बाद, इस फ़िल्म ने लॉटरी जीत ली थी। शाहरुख़ अपनी लय में आ गए थे। उनके पास वो कहानी और भाव आ गए थे, जो दर्शकों को बांधकर रख रहे थे। आंकड़ों के अलावा, इस फ़िल्म ने शाहरुख़ को वो संतुष्टि दी जिसकी उन्हें कबसे तलाश थी। इससे पहले उनकी प्रोडक्शन की फ़िल्में मिली-जुली रही थीं, लेकिन ये फ़िल्म अलग थी। प्रोड्यूसर बनने के बाद, शाहरुख़ को चीज़ों को देखने का एक नया नज़रिया मिला, जिसने इंडस्ट्री में उनके लिए नये रास्ते खोल दिए। एक सुपरस्टार अभिनेता होने के साथ-साथ अब वो एक ऐसे इंसान के तौर पर देखे जाने लगे, जो किसी प्रोजेक्ट को स्क्रिप्ट से लेकर स्क्रीन तक ले जा सकता था। इस कामयाबी ने उन्हें इंडस्ट्री में एक मज़बूत 'व्यापारी' की हैसियत भी दिलायी, जिससे उनकी ताकत और प्रभाव और बढ़ गया।

लेकिन, बड़ी बात ये थी कि शाहरुख़ अब महज़ दूसरों की फ़िल्मों में एक्टिंग नहीं कर रहे थे। वो अपनी कहानी की कमान संभालकर, उसे सभी के सामने कह रहे थे।

“हर टीम में सिर्फ़ एक ही गुंडा हो सकता है... और इस टीम का गुंडा मैं हूं”

चक दे! इंडिया, 2007

10

रिस्क है तो इश्क़ है, बेबी

'क्यूं फिर से *साइको* बनाएं? *द साउंड ऑफ़ म्यूज़िक* दोबारा क्यूं बनानी? क्यूं ये हारा-किरी करनी?' ये बातें शाहरुख़ ख़ान ने *देवदास* के बारे में एक इंटरव्यू के दौरान कही थीं, जब इस फ़िल्म का यूएस में प्रमोशन किया जा रहा था। शाहरुख़ आत्म-जागरूक और सहज हैं और उनके पास एक कमाल की ताक़त है कि वो इंटरव्यू लेने वाले का दिमाग पढ़ लेते हैं और बातचीत को अपने कंट्रोल में रखते हैं। ये बताता है कि क्यूं वो ऐसी शख्सियत हैं, जिनका इंटरव्यू लेने में पत्रकारों को मज़ा आता है। जब *देवदास* बन रही थी, उन्हें मालूम था कि दुनिया ने उनके फ़िल्म में लिए जाने को एक भद्दा मज़ाक समझा हुआ था। वो ग़लत नहीं थे। शाहरुख़, हिंदी सिनेमा के पिछले देवदास, दिलीप कुमार के आस-पास भी नहीं फटकते थे। लेकिन शाहरुख़ ने ऐसी बातों का जवाब सन्नाटे से दिया; शाहरुख़ का कद बहुत बढ़ चुका था और वो तेज़तर्रार थे। फ़िल्म की कास्टिंग वैसी थी ही नहीं, जैसी दर्शकों को उम्मीद थी। आख़िर एक ऐसा इंसान, जो अभी तक ख़ुशहाल अंत वाली कहानियां परोसता आया था, अचानक त्रासदी से भरी कहानी के साथ कैसे न्यायपूर्ण रह पायेगा?

शरत चंद्र चट्टोपाध्याय का उपन्यास *देवदास* प्रेम, बिछोह और स्वयं को नष्ट करने की एक ऐसी कथा है, जिसपर समय का कोई ज़ोर नहीं है। ग्रामीण बंगाल की पृष्ठभूमि में बनी इस कहानी में देवदास नाम का एक युवा कुलीन युवक है और उसका त्रासदियों से भरा जीवन है। देवदास अपने बचपन की दोस्त पार्वती (पारो) से प्रेम करता है लेकिन

उनकी गहरी मोहब्बत सख़्त सामाजिक नियमों और कुल की शान की भेंट चढ़ जाती है। पारो से शादी न कर पाने के बाद देवदास शराब और निराशा की राह पर चल पड़ता है और चंद्रमुखी नाम की तयावाफ़ की संगत में सुकून ढूंढने की कोशिश करता है। भावनात्मक तौर पर वो टूटता जाता है और इसका कोई हल न निकालने की उसकी ज़िद, उसे लगातार गर्त में धकेलती जाती है। ये कहानी उसकी मौत पर ख़त्म होती है। अधूरे प्रेम और सामाजिक बंदिशों के विनाशकारी नतीजों की तस्वीर पेश करती *देवदास*, एक ऐसी कहानी है जो आज भी पाठकों और दर्शकों के दिलों को छूती है। और शायद इसी वजह से, ये भारत की सबसे मज़बूत और प्रतिष्ठित कहानियों में से एक मानी जाती है।

शाहरुख़, इस फ़िल्म के लिए संजय लीला भंसाली की पहली पसंद नहीं थे। पहले वो *हम दिल दे चुके सनम* के लीड एक्टर अजय देवगन को फ़िल्म में रखना चाहते थे। 2024 के एक इंटरव्यू में संजय लीला भंसाली ने कबूल किया, '(*हम दिल दे चुके सनम* में) अजय का किरदार, मेरे लिए *देवदास* बनाने की शुरुआत था। वहां से मैं ये फ़िल्म बनाने की ओर बढ़ा। लेकिन, चूंकि मैं अजय के साथ फ़िल्म बनाने का एक पूरा प्रॉसेस कर चुका था, इसलिए मुझे उनके साथ वैसे ही एक किरदार में काम करने में किसी प्रकार की चुनौती या उससे उपजने वाला उत्साह नज़र नहीं आ रहा था। कुछ नया बनाने की बजाय ये पिछले काम को आगे बढ़ाने जैसा मालूम देता। मैं चाहता था कि मेरा देवदास एक सादा, अस्थिर, लड़कपन से भरा पुरुष हो, जिसमें गुस्सा भरा हो, निष्ठुर हो, लेकिन इस सबके साथ उसकी आंखों में एक ऐसी चमक हो, जो आपको उसकी ओर खींचा करे।'[1]

भंसाली ने *देवदास* बनाने में अपना सबकुछ झोंक दिया। इससे पहले वो *ख़ामोशी* और *हम दिल दे चुके सनम* जैसी शानदार फ़िल्में बना चुके थे, लेकिन ये वो फ़िल्म थी, जिससे संजय लीला भंसाली अपने मेयार को ऊंचा उठाने वाले थे और वो बताने जा रहे थे कि एक कलाकार के तौर पर वो कौन थे। फ़िल्म की रिलीज़ की एक शाम पहले उन्होंने कहा था, 'मुझे मालूम था कि मैं इससे बेहतर लव स्टोरी नहीं बना सकता क्यूंकि इससे बेहतर कोई लव स्टोरी है ही नहीं।'

लेकिन लोगों को *देवदास* दोबारा बनाने का ये फैसला रास नहीं आ रहा था। सोचिये यदि कोई कहे कि वो *मुग़ल-ए-आज़म* को दोबारा बनाने जा रहा था। जिस तरह से, के. आसिफ ने *मुग़ल-ए-आज़म* के ज़रिये फ़िल्मी मानकों को बड़ी ऊंचाई पर स्थापित कर

दिया था, वैसा ही काम बिमल रॉय ने 1955 में *देवदास* के साथ किया था। इन कहानियों को फिर से कहना असंभव तो नहीं, लेकिन बेहद मुश्किल ज़रूर है।

एक और ऐसी बात थी, जो इस फ़िल्म के ख़िलाफ़ खड़ी दिखाई दे रही थी। नयी सदी आ चुकी थी। बीते साल ही *दिल चाहता है* जैसी फ़िल्म रिलीज़ हुई थी और उसने हिंदी सिनेमा की तस्वीर और भाषा को बदलकर रख दिया था। ये फ़िल्में कसावट से भरी हुआ करती थीं और उस दौर की कहानी बयां किया करती थीं, जिसमें इन्हें बनाया जा रहा था। अब फ़िल्मों को धीमी गति से रेंगते रहने की सहूलियत नहीं मिल सकती थी। और जैसा कि *दिल चाहता है* ने उस नये दौर की प्रेम कहानियों को लगभग परिभाषित कर दिया था, *'आज पूजा, कल कोई दूजा...'* ऐसे समय में, टूटे हुए दिल से जूझ रहा आशिक़, जो ख़ुद को शराब और दुख में डुबोता जा रहा था, भला किस आधुनिक शख़्स को जाना-बूझा सा किरदार लगेगा? नबेंदु घोष, जो बिमल रॉय की *देवदास* (1955) के स्क्रीनराइटर थे, ने भंसाली की फ़िल्म के रिलीज़ होने से पहले कहा था, 'देखिये, शरतबाबू ने देवदास को बड़ी ऊंचाई पर स्थापित कर दिया था। लोग देवदास के किरदार के प्रति आकर्षित होते हैं क्यूंकि उसके प्रेम में अद्भुत गाढ़ापन था। फ़िल्म की भाषा, जो डायलॉग्स हैं, वो कमाल के हैं। अगर वो पारो को पा गया होता तो वो अद्भुत चीज़ें करता। लेकिन ऐसा हुआ नहीं। उसने सबकुछ खो दिया लेकिन इससे उसे बहुत फ़र्क नहीं पड़ा। और उसने सबकुछ बड़ी सहजता से किया। आज, लोग रोते हैं, तड़पते हैं, शोक मनाते हैं। फिर वो सबकुछ भूल जाते हैं। लेकिन देवदास का प्रेम तो साधना और तपस्या के बारे में था।'[2]

हालांकि, संजय लीला भंसाली को यकीन था कि *देवदास* जैसी मज़बूत कहानी कई पीढ़ियों तक पहुंचाई जा सकती थी। तो ग़लत नहीं थे। सात साल बाद, अनुराग कश्यप ने इस कहानी का अपना ही संस्करण बनाया। इस फ़िल्म का नाम था *देव.डी* और इसमें प्रचुर मात्रा में रॉक एंड रोल का छौंका लगाया गया था।

देवदास की रिलीज़ से पहले, भंसाली ने कहा, 'कई लोगों ने मुझसे पूछा कि मैंने *देवदास* का रीमेक क्यूं बनाया। मैं एक ऐसी फ़िल्म बनाना चाहता था, जो भव्यता और लावण्य से भरी हो। गांधीजी शारीरिक रूप से बहुत सुदृढ़ नहीं थे लेकिन जब वो सड़क पर चलते थे तो लोग पलटकर उन्हें देखते थे। ऐसा क्यूं होता है कि जब किसी कमरे में लता जी (लता मंगेशकर) घुसती हैं तो हर कोई खड़ा हो जाता है। ये उनका ऑरा है

जिसके चलते सभी उनका सम्मान करते हैं। ये सभी चीज़ें उनमें शामिल हैं, जिसके चलते लोग उनकी पूजा करते हैं। इसी तरह से, शरत बाबू (शरत चंद्र चटर्जी) के उपन्यास की कुछ बातें ऐसी हैं, जो समय से परे हैं। एक बात और ये है कि प्रेम कभी भी समय का मोहताज नहीं होता!'[3]

सेट डिज़ाइन और सिनेमेटोग्राफ़ी के मामले में भंसाली ने दिल खोलकर काम किया। सबकुछ बेहद विराट, भावनात्मक रूप से नाटकीय और दिखने में भव्य था। आगे चलकर, ये फ़िल्म, उनकी आने वाली फ़िल्मों का ब्लूप्रिंट बन गयी। ये फ़िल्म महंगी और हर मामले में उदारता से भरी हुई थी और यहां से ये दो बातें उनकी हर फ़िल्म में पायी जाने लगी। उन्होंने *देवदास* के जो दृश्य अपने मन में गढ़े थे, वो 1980 और 1990 के दशक की कहानियों से कहीं आगे के थे। भंसाली की *देवदास* में चंद्रमुखी के कोठे को एक आलीशान महल के रूप में दिखाया गया था, जिसपर 12 करोड़ रुपये ख़र्च हुए थे। चंद्रमुखी की भूमिका निभा रहीं माधुरी दीक्षित ने *'काहे छेड़ मोहे'* गाने के लिए 30 किलो का लहंगा पहना था। पारो के घर को 1,57,000 रंगीन कांच की कलाकृतियों से सजाया गया था, जो उसकी नाज़ुक सुंदरता का प्रतीक था और इस पर 3 करोड़ रुपये ख़र्च किये गए थे। फ़िल्म के हर गाने को एक भव्य सेट पर फ़िल्माया गया था, जिसके लिए भारी रिहर्सल और दर्जनों डांसर्स की ज़रूरत थी। फ़िल्म का अंतिम बजट 50 करोड़ रुपये तक पहुंच गया। भंसाली ने ख़ुद माना कि लगभग 60 करोड़ की लागत बहुत ज़्यादा हो गयी थी, जिसमें नितिन देसाई द्वारा डिज़ाइन किए गए सेट थे और ऐश्वर्या राय के लिए नीता लुल्ला, माधुरी दीक्षित व शाहरुख के लिए अबू जानी और संदीप खोसला द्वारा डिज़ाइन किए गए कपड़े थे। प्रोडक्शन 275 दिनों तक चला, जिससे लागत और भी बढ़ती गयी। एक-एक गाने की शूटिंग में 13 से 15 दिन लगे और हर फ्रेम की लाइटिंग पर घंटों का समय लगा। ऐसी भारी लागत के बावजूद, टीम उत्साहित और समर्पित बनी रही। 'इस फ़िल्म में हमारी सबसे बड़ी पूंजी इंसानी श्रम है। मेरी टीम ने फ़िल्म में बहुत मेहनत की है। और यही सबसे बड़ी लागत है, जिसकी कोई क़ीमत नहीं लगाई जा सकती।'[4]

मसालेदार कमर्शियल फ़िल्मों के दौर में एक क्लासिक कहानी को फिर से बुनने का जोखिम भंसाली को डरा नहीं सका। 'मुनाफ़ा कमाना हमारा पहला उद्देश्य नहीं था। हम कुछ ऐसा बनाना चाहते थे जिसमें हम यक़ीन करते थे। एक छोटे से छोटा म्यूज़िकल पीस

भी हमने बड़े ऑर्केस्ट्रा और कोरस के साथ विस्तार से बनाया है। कुछ गाने इतने भव्य हैं कि दर्शक उन्हें देखकर दंग रह जाएंगे। मुझे लगता है कि इस तरह की सच्चाई और ईमानदारी व्यर्थ नहीं जा सकती।'[5]

देवदास की इतनी बड़ी लागत उस दौर में चर्चा का विषय बन गयी थी। सेट का एक हिस्सा आग में जल भी गया था और निर्माता भरत शाह को अंडरवर्ल्ड से कथित संबंधों के आरोप में गिरफ़्तार कर लिया गया। शूटिंग के दौरान फ़िल्म को कई समस्याओं का सामना करना पड़ा, जिससे आलोचक इसे 'मनहूस फ़िल्म' कहने लगे। वाइल्ड फ़िल्म्स इंडिया को दिये एक इंटरव्यू में भंसाली ने कहा, 'लोगों ने कहा कि ये फ़िल्म मनहूस है, इससे नेगेटिव वाइब्स आती हैं, इसे बंद कर देना चाहिए, ये घाटे में जाएगी। सेट पर आग लग गयी, भरत भाई (निर्माता भरत शाह) मुसीबत में थे, मैं ख़ुद परेशान था, शाहरुख़ ख़ान भी मुश्किल में थे। हम सब परेशान थे। ज़िंदगी में कुछ भी आसानी से नहीं मिलता। मेहनत करनी पड़ती है। शायद वक़्त सही नहीं था या शायद ये एक इम्तिहान था कि हम अपने जुनून को कितनी देर तक कायम रख सकते हैं।'[6]

भंसाली से अक्सर कहा जाता था कि *देवदास* एक हारे हुए व्यक्ति की कहानी थी। लेकिन जिस तरह से ये फ़िल्म बनायी गयी और जो कुछ भी इसने हासिल किया, उसने उन्हें और उनकी पूरी टीम को विजेता के रूप में स्थापित कर दिया। 'अब ये किसी हारे हुए शख़्स की कहानी नहीं है। ये हम सभी की जीत की कहानी है।'[7]

और जैसा शाहरुख़ ने खुद *डीडीएलजे* के बारे में कहा था कि महान फ़िल्में प्लान नहीं की जातीं, वो बस बन जाती हैं। *देवदास* एक ब्लॉकबस्टर साबित हुई, जिसने 70 करोड़ रुपये कमाए।

भंसाली पहली बार ये फ़िल्म शाहरुख़ के पास *फिर भी दिल है हिंदुस्तानी* की रिलीज़ के बाद लेकर गए थे। इन वर्षों में, शाहरुख़ देश के रोमांटिक प्रेम का पोस्टर बॉय बन चुके थे। कहीं न कहीं वो ख़ुद को राहुल-राज के खांचे में फंसा चुके थे। उनकी फ़िल्में और किरदार एक जैसे लगने लगे थे और कई बार उनमें फ़र्क करना मुश्किल हो गया था। अच्छी बात ये थी कि ये किरदार चल रहे थे। बुरी बात भी यही थी कि ये किरदार चल रहे थे।

फिर, जब कोई चीज़ टूटी ही नहीं है, तो उसे क्यूं बदलना?

शाहरुख़ ने *फिर भी दिल है हिंदुस्तानी* और *वन 2 का 4* जैसी फ़िल्मों से इस रोमांटिक छवि को तोड़ने की कोशिश की थी, लेकिन ये कोशिशें नाकाम रहीं। भंसाली के ऑफ़र से पहले, शाहरुख़ ने न कभी कोई पीरियड फ़िल्म की थी, न किसी ऐसे किरदार को निभाया था जो देवदास जैसा ख़ुद को बर्बाद करने वाला हो। शुरुआत में, इस फ़िल्म को लेकर वो बहुत उत्साहित नहीं थे। लेकिन भंसाली, जो तब भी अपनी सनक के लिए जाने जाते थे, तय कर चुके थे कि वो ये फ़िल्म तभी बनाएंगे जब शाहरुख़ इसमें मुख्य किरदार निभाएंगे। भंसाली आज भी ऐसा ही करते हैं। जबतक उन्हें अपनी कास्ट पर यक़ीन नहीं होता, वो प्रोजेक्ट को आगे नहीं बढ़ने देते हैं। हमने ऐसा *इंशाल्लाह*, जिसमें सलमान ख़ान और आलिया भट्ट को होना था और *बैजू बावरा*, जिसमें रणबीर कपूर और रणवीर सिंह को होना था, के मामले में भी देखा है। अगर उनकी मर्ज़ी के मुताबिक़ कास्टिंग नहीं जमती, तो वो प्रोजेक्ट को कम से कम उस वक़्त के लिए तो छोड़ ही देते हैं। उनके इसी जूनून के चलते शाहरुख़ आकर्षित हुए और उन्होंने हां कर दी। शाहरुख़ ने कहा था, 'मेरे लिए *देवदास* अब तक की सबसे बड़ी कहानी है, सबसे महान फ़िल्म है।'

भंसाली ने देवदास में एक ऐसा युवा लड़का देखा, जिसमें अधिकारपूर्ण क्रूरता थी। शाहरुख़ को ये छवि बेहद पसंद आयी। हालांकि उन्हें देवदास की ख़ुद को बर्बाद कर देने की प्रवृत्ति से ख़ुद को जोड़ पाने में काफ़ी मुश्किल हुई। लेकिन उन्होंने इस किरदार को एक आधुनिक दृष्टिकोण के साथ निभाया। उन्होंने इसे एक ऐसा इंसान माना, जो प्रतिबद्ध नहीं हो सकता। देवदास में एक ज़िद्दी बच्चे की बग़ावत दिखती है, जो ठीक वही सब करता है, जो उसे मना किया गया हो। शाहरुख़ ने अपने देवदास में उस विरोधाभास को डालने की कोशिश की, जो उनके मुताबिक हर पुरुष के मन में समाया होता है। 'एक पुरुष कभी सिर्फ़ एक औरत से प्रेम नहीं करता। पुरुष ये तय नहीं कर पाता कि उसे क्या चाहिए। वो एक औरत पर अधिकार जताना चाहता है, लेकिन जल्दी ही उससे ऊब भी जाता है।' शाहरुख़ का निभाया देवदास पिछले संस्करणों से ज़्यादा क्रूर और आधुनिक था। उसमें एक निखरी हुई वहशत थी। शाहरुख़ के लिए *देवदास* एक ऐसी कहानी बन गयी 'जिसमें तीन लोग थे जो एक-दूसरे से इतना प्यार करते थे कि एक-दूसरे को और ख़ुद को चोट पहुंचाने लगे।'[8]

शाहरुख़ ने शूटिंग शुरू करने से पहले दिलीप कुमार की *देवदास* देखने की कोशिश भी नहीं की। उन्होंने इस भूमिका को इस समझ के साथ निभाया कि वो भारत के सबसे

महान अभिनेताओं में से एक से मुकाबला नहीं कर रहे थे। उन्होंने कहा, 'अगर आप कार्ल लुईस के साथ दौड़ रहे हों, तो आपको शांत रहना होगा। क्यूंकि आपको पता है आप जीतने नहीं वाले। क्यूंकि कोई मुकाबला हो ही नहीं सकता।'

जब दिलीप कुमार से बराबरी करने की उम्मीदें किनारे हो गयीं, तब जाकर शाहरुख़ को मज़ा आने लगा। उनकी तैयारी में अच्छी-ख़ासी मात्रा में शराब पीना भी शामिल था। उन्होंने कुछ पत्रकारों से मज़ाक करते हुए कहा, 'मैं आमतौर पर कभी नहीं पीता, लेकिन इस फ़िल्म के लिए मैंने पी। यक़ीन मानिए, ज़िंदगी बहुत कठिन हो सकती है। सोचिए, रात के दो बजे हैं और मुझे बकार्डी पीनी है। और एक तरफ़ माधुरी (दीक्षित) मुझ पर फ़िदा हैं, दूसरी तरफ ऐश (राय) मेरे लिए डांस कर रही हैं। यक़ीन मानिए, ज़िंदगी बहुत मुश्किल है!'[9]

लेकिन जैसे ही वो किरदार में उतरे, मज़ाक किनारे हो गया। इस किरदार और उसकी अदायगी ने उन्हें पूरी तरह निचोड़ दिया। उन्होंने फ़ौरन कोई नयी फ़िल्म साइन नहीं की। अमूमन, शाहरुख़ अपने जीवन और काम की रफ़्तार को तेज़ रखते हैं, लेकिन उन्हें लगा कि *देवदास* ने उनकी मुलाक़ात उनके भीतर बसे कलाकार से करवायी थी। एक इंटरव्यू में उन्होंने इस फ़िल्म के चलते, ख़ुद पर हुए असर की बात की। उन्होंने बताया कि कैसे दिलीप कुमार को भी *देवदास* करते समय ऐसा ही अनुभव हुआ था। यहां तक कि उन्हें मानसिक उपचार की जरूरत पड़ी और उबरने में एक साल से ज़्यादा का वक़्त लगा।

शाहरुख़ ने शूटिंग शुरू करने से पहले दिलीप कुमार की *देवदास* देखने की कोशिश भी नहीं की। उन्होंने इस भूमिका को इस समझ के साथ निभाया कि वो भारत के सबसे महान अभिनेताओं में से एक से मुकाबला नहीं कर रहे थे। उन्होंने कहा, 'अगर आप कार्ल लुईस के साथ दौड़ रहे हों, तो आपको शांत रहना होगा। क्यूंकि आपको पता है आप जीतने नहीं वाले। क्यूंकि कोई मुकाबला हो ही नहीं सकता।'

शाहरुख़ को आख़िरी दिन की शूटिंग की याद थी। वो एक पेड़ की शाखाओं के झुरमुट में बैठे थे और ऐश्वर्या राय का हाथ पकड़े हुए थे। उन्हें याद है कि शॉट ख़त्म हो जाने के बाद भी उन्होंने उनका हाथ थामे रखा, क्यूंकि उन्हें ये अहसास हो चुका था कि वो उस

उदासी को मिस करने वाले थे, जो पूरे एक साल से उनके साथ बनी हुई थी। उन्होंने माना कि उदासी का भाव, असल में कला को निखारता है। और फ़िल्म ख़त्म करने के बाद उन्होंने छह महीने का ब्रेक लिया, ताकि इस भावना को सहजता के साथ जी सकें। उन्होंने एक बातचीत में कहा, 'ये एक बहुत ही ख़ूबसूरत एहसास है। हम स्टार्स एक बुलबुले में रहते हैं, जहां हर कोई आपसे मुस्कराते हुए मिलता है, जहां हर कोई आपको चाहता है। ऐसे में, आप असली, दिल के भीतर की उदासी से कट जाते हैं। इस फ़िल्म पर काम करते हुए, मैं उस एहसास से फिर से जुड़ पाया।'[10]

इस फ़िल्म को बनने में दो साल का वक़्त लगा। लेकिन ये फ़िल्म गहरे प्रेम का नतीजा थी। भंसाली ने इसे कुछ यूं समझाया कि 'एक सपने को साकार करने की ख़ातिर उन्हें एक भयानक बुरे सपने से गुज़रना पड़ा।' *देवदास* की स्क्रीनिंग 2002 में, कान फ़िल्म फ़ेस्टिवल में, 'आउट ऑफ़ कम्पटीशन' केटेगरी में हुई। अंतर्राष्ट्रीय जनता ने इस फ़िल्म की भव्यता, कहानी और संगीत को ख़ूब पंसद किया। भारतीय फ़िल्मों के लिहाज़ से, कान में हुई इस स्क्रीनिंग की बड़ी अहमियत थी। यहां से ये एहसास उपजा कि बॉलीवुड भी ऐसी कहानियां दिखा सकता था जिससे दुनियाभर के दर्शक जुड़ाव महसूस कर सकें। इसके लीड एक्टर्स, शाहरुख़ ख़ान और ऐश्वर्या राय ने बग्घी में बैठकर एंट्री ली थी। *देवदास* के ज़रिये, कान में ऐश्वर्या के डेब्यू को वहां नियमित रूप से पहुंचने वाले लोगों के बीच आज भी याद किया जाता है।

शाहरुख़ ने इस बात को लेकर थोड़ी सावधानी बरती कि *देवदास* को भारतीय सिनेमा का टर्निंग पॉइंट कह दिया जाए। 1950 और 60 के दशक में सत्यजित राय और राज कपूर जैसे फ़िल्म मेकर्स को दुनियाभर से सराहना मिली थी, लेकिन समय के साथ भारतीय फ़िल्मों को 'थर्ड वर्ल्ड सिनेमा' के तौर पर देखा जाने लगा था। शाहरुख़ ने इस बदलाव को पहचाना और *लगान* के ऑस्कर नॉमिनेशन, *अशोका* को अंतर्राष्ट्रीय स्तर पर वाहवाही, और मीरा नायर की *मॉनसून वेडिंग* की सफलता को पहचाना। उन्होंने कहा कि जो विकास हो रहा था, वो असल में एक ट्रेंड की तरह था और उस संवेग को ज़ाया होने नहीं देना चाहिए बल्कि उसे आधार बनाकर और भी कहानियां कही जानी चाहिए। 'हमें एक मंच मिला है। रास्ता है; गेट नज़र आ रहा है। अब हमें उसे खोलने की कोशिश करनी चाहिए।'[11]

ऐसी अफ़वाहें हवा में तैरने लगीं, जो कह रही थीं कि हॉलीवुड की फ़िल्में बनाने वाले, भारतीय एक्टर्स को अपनी ओर खींचने की कोशिश कर रहे थे। लेकिन शाहरुख़ का

कहना था कि वो ऐसा कुछ तभी करेंगे, जब उनका किरदार मज़बूत होगा। वो हॉलीवुड के पीछे भागने वाले नहीं थे। कान के ठीक बाद एक इंटरव्यू में शाहरुख़ ने कहा कि वो फ़िल्म-मेकर मार्टिन स्कॉरसेसी से मिलने के बाद बहुत उत्साहित थे और कहा कि उनसे हाथ भर मिलाने के बाद बहुत ही ज़्यादा ख़ुश थे। उन्होंने इस बात को स्वीकारा कि यूके से उन्हें कई लोगों ने संपर्क किया था और वो सभी चाहते थे कि शाहरुख़ उनकी फ़िल्मों में काम करें लेकिन वो इन सभी मौक़ों के पीछे भागने वाले नहीं थे। कान में, जहां हर कोई अलग ख़्वाब देख रहा था, शाहरुख़ ने साफ़ किया कि वो हिंदी फ़िल्मों में ही आगे काम करने के बारे में सोच रहे थे। वो चाहते थे कि एक ऐसी हिंदी फ़िल्म बनकर तैयार हो जो पूरी तरह से भारतीय स्टाइल में ही बनी हो और उसे दुनियाभर में पसंद किया जाए। जैसा कि रोबेर्तो बेनाईनी की *लाइफ़ इज़ ब्यूटीफ़ुल* के साथ हुआ था। हालांकि उनके पास कोई सॉलिड ऑफ़र नहीं आया था, लेकिन उनका कैरियर जिस राह पर था, उसको लेकर वो ख़ुश और संतुष्ट थे और अंतर्राष्ट्रीय फ़िल्म करने का कोई मौका फलीभूत न होने की सूरत में उन्हें बहुत फ़र्क नहीं पड़ने वाला था।[12]

देवदास ने बॉक्स ऑफ़िस पर जलवा दिखाया और ये उस साल की सबसे ज़्यादा कमाई करने वाली फ़िल्म बनी। इस फ़िल्म ने दुनियाभर में 35 मिलियन डॉलर का कारोबार किया। देश में इसने जो कमाई की, वो अद्भुत थी। 20.9 मिलियन डॉलर के साथ, उस वक़्त तक ये पहले दिन सबसे ज़्यादा कमाई करने वाली फ़िल्म बन गयी थी। थियेटर में चलने के दौरान इसका जादू कम हुआ ही नहीं और इसने कुल 41.66 करोड़ रुपये कमाये। *देवदास* ने विदेश में भी निराश नहीं किया और क़रीब 31.6 करोड़ रुपये कमाये। ये भी ध्यान में रखना चाहिए कि बॉक्स ऑफ़िस मोजो के अनुसार इस फ़िल्म ने दुनियाभर में कुल 54,28,774 डॉलर की कमाई की थी जिसमें भारतीय और विदेशी कलेक्शन लगभग बराबरी पर थे। हालांकि, ये आंकड़ा असल कमाई से कम हो सकता है, ऐसा देसी फ़िल्मी पंडितों का मानना है। ये फ़िल्म भारत की ओर से आधिकारिक ऑस्कर एंट्री थी और इसे सर्वश्रेष्ठ विदेशी फ़िल्म के लिए बाफ़्टा में नॉमिनेट भी किया गया। देश में इसने सभी बड़े पुरस्कार जीते।[13]

लेकिन, ये वो वजहें नहीं हैं, जो इस फ़िल्म को शाहरुख़ के कैरियर के लिए अहम बनाती थी। इसके पहले वो एक रोमांटिक हीरो की छवि में बंध चुके थे। वो लगातार ऐसे किरदार निभा रहे थे जिनमें वो आकर्षक, नायक सरीखे दिखते थे। *देवदास* ने इस इमेज

को तोड़ दिया। यहां उन्होंने एक ऐसा किरदार निभाया जो अंदर से टूटा हुआ था, शराब में डूबा हुआ था और जिसको उसका प्यार नहीं मिल सका था। डर के बाद शायद पहली बार वो किसी ऐसे किरदार में दिखे जिसे लेकर लोग कंफ़र्टेबल नहीं थे। लेकिन उनकी परफ़ॉर्मेंस में जो गहराई और सहजता थी, उसने साबित कर दिया कि वो बस एक ही टाइप के हीरो नहीं थे, बल्कि बहुत कुछ कर सकते थे।

जब इस साल की शुरुआत में फ़िल्म को लोकार्नो फ़िल्म फ़ेस्टिवल में दिखाया गया, तो मेरी नज़र शाहरुख़ के एक फ़ैन की सोशल मीडिया प्रोफ़ाइल पर पड़ी। इस किताब पर एक साल की रिसर्च के दौरान मैंने जाना कि शाहरुख़ के फैंस के भी कई प्रकार हैं। कुछ हैं, जो उनकी कैसी भी आलोचना को बर्दाश्त नहीं करते, कुछ महिला फैंस हैं, जो सिर्फ़ उन्हीं के रोमांटिक वीडियोज़ पोस्ट करती हैं, और कुछ जो हर हफ़्ते 'शाहरुख़ को कितना जानते हो' जैसे क्विज़ होस्ट करते हैं। लेकिन दिल्ली की एक इंस्टिट्यूट में असिस्टेंट प्रोफ़ेसर रूही, इनमें से किसी भी टाइप की नहीं थीं। इसलिए मैंने उन्हें एक्स (पहले ट्विटर) पर डायरेक्ट मैसेज भेजा, ताकि बात हो सके। उनके लिए वो फ़ैन-पेज उनकी रोज़ की जिंदगी से भागने का ज़रिया था, एक ऐसा स्पेस था, जिसमें वो बिना किसी रोक-टोक के, पुरानी यादों में खो सकती थीं।

'मैं चौतीस साल की हूं। एकेडेमिक्स में हूं। ज़िंदगी बहुत सीरियस है और दोस्तों के साथ भी बातें होती हैं तो यही कि "अब कैरियर में आगे क्या कर रहे हो? बच्चे कब होंगे?" फ़िल्में आपको ख़ुशी देती हैं, आपको सपनों की एक दुनिया में ले जाती हैं। ये हैंडल मेरी असल ज़िंदगी से बहुत अलग है। मैं चार साल की थी जबसे शाहरुख़ की फ़ैन हूं। उनकी पहली फ़िल्म जो मुझे पसंद आई थी, वो डर थी। मुझे नहीं पता कि उस फ़िल्म में मुझे क्या पसंद आया था, लेकिन मुझे याद है कि मैंने अपने मम्मी-पापा से पूछा था कि क्या वो कभी डिनर पर आएंगे? शाहरुख़ के कैरियर की सबसे ख़ूबसूरत बात यही है कि वो साल-दर-साल बेहतर होते गये। बहुत से ऐसे लोग हैं जो बचपन में मेरे फ़ेवरिट थे लेकिन अब वो उस छवि से कतई मिलते नहीं हैं। लेकिन शाहरुख़ के साथ ऐसा नहीं हुआ।'

हमने *देवदास* के बारे में बातें शुरू कीं, जो उस हफ़्ते का एक बड़ा विषय था। फ़ेस्टिवल में पहुंची उस फ़िल्म के बारे में बात करते हुए शाहरुख़ ने बताया कि कैसे वो उन किरदारों को निभाने में असहज हो जाते हैं जो महिलाओं के साथ बेअदबी करता है।

यहां से मालूम चलता है कि शाहरुख़ अपने *देवदास* के किरदार के बारे में क्या सोचते हैं। 'मैं नहीं चाहता हूं कि शाहरुख़ मेरे देवदास के किरदार को पसंद करें, जो एक महिला की बेइज़्ज़ती करता है। असल में, मैं उसे एक ऐसा शख़्स दिखाना चाहता था जो कायर था और कोई भी उसे पसंद न करे।'[14]

रूही ने बताया कि शाहरुख़ की ये बात वो दिन भर सोचती रहीं। 'शुरुआत में ये फ़िल्म बहुत ही लाउड थी लेकिन जब एक के बाद एक एक्टर्स आने लगे तो सारी जगह किरदारों को मिल गयी और ड्रामा शुरू हो गया। शाहरुख़ इस फ़िल्म में कमाल के हैं... उस शख़्स को पसंद करने लायक कुछ भी नहीं है। तो ऐसे लम्बे-लम्बे डायलॉग बोलते हैं जो बेहद काग़ज़ी मालूम देते हैं लेकिन फ़िल्म इतने अच्छे से बनायी गयी है कि उसे देखने में मज़ा आता है। हम जब शाहरुख़ को वीर या मोहन (*वीर-ज़ारा* और *स्वदेस*) में देखते हैं तो भूलने लगते हैं कि ऐसे लोग असलियत में हैं ही नहीं। लेकिन देवदास असल में हमारे आस-पास, कई रूप में हैं।'

'ये एक बहुत ही ख़ूबसूरत एहसास है। हम स्टार्स एक बुलबुले में रहते हैं, जहां हर कोई आपसे मुस्कराते हुए मिलता है, जहां हर कोई आपको चाहता है। ऐसे में, आप असली, दिल के भीतर की उदासी से कट जाते हैं। इस फ़िल्म पर काम करते हुए, मैं उस एहसास से फिर से जुड़ पाया।'

देवदास महज़ शाहरुख़ की एक्टिंग दिखाने को नहीं थी बल्कि इससे उन्हें आलोचकों की प्रशंसा भी मिली। वो हमेशा जनमानस के पसंदीदा कलाकार थे लेकिन आलोचकों का दिल वो हमेशा नहीं जीत पाते थे। आप ये सोच भी सकते हैं कि इसको लेकर वो बहुत चिंतित नहीं रहते थे, लेकिन *देवदास* के साथ इस मैदान में भी बाज़ी मारी जा चुकी थी। इस फ़िल्म के बाद, रोमांटिक हीरो के अलावा और भी कई तरह के किरदारों के लिए दरवाज़े खुल गए।

देवदास के साथ ही एक ऐलान भी कर दिया गया था। शाहरुख़ ने नए लक्ष्य को साधने का मन बना लिया था। अब उनकी नज़रें उन बड़े किरदारों पर थीं जो इंडस्ट्री के नामी-गिरामियों ने निभाये थे। हमारी जैसी इंडस्ट्री के लिए ये एक बहुत ही बड़ा काम होने वाला था क्यूंकि यहां तो कलाकारों को पूजा जाता था और कहानियों को मिथकीय

स्तर तक ऊंचा उठाया जाता था। लेकिन इस महापर्वत पर शाहरुख़ के सिवा और कौन झंडा गाड़ सकता था?

2006 में शाहरुख़ ने बड़े किरदारों को निभाने की भूख में 1978 की बेमिसाल फ़िल्म *डॉन* के रीमेक में अंडरवर्ल्ड डॉन की भूमिका निभायी, जिसे फ़रहान अख़्तर ने बनाया था। पुरानी फ़िल्म में ये किरदार अमिताभ बच्चन ने निभाया था। बेहद कम शब्दों में, ये एक साहसिक कदम था। अंडरवर्ल्ड के इतने बड़े नाम के किरदार में अमिताभ बच्चन ने शानदार काम किया था। इस फ़िल्म का एक-एक पहलू, किरदार, डायलॉग्स, गाने, कई पीढ़ियों के सिनेमा प्रेमियों के दिमाग में बसे हुए थे। ऐसे रोल को करने का मतलब था कि आने वाले दिनों में तमाम तरह की तुलनाएं होने वाली थीं और यहां तक कि फैंस को निराश करने का ख़तरा भी था। इस रीमेक में शाहरुख़ बहुत बड़ा ख़तरा मोल ले रहे थे। उन्हें अमिताभ बच्चन के जलवे को भी क़ायम रखना था और अपनी अलग छाप भी छोड़नी थी।

मुसीबतें तुलनाओं तक ही सीमित नहीं रहने वाली थीं। कई बार दर्शक रीमेक को शक की नज़रों से देखते हैं और इस शंका में रहते हैं कि आख़िर रीमेक की ज़रूरत ही क्या है। ये बहुत बड़ी संभावना थी कि शाहरुख़ की *डॉन*, दर्शकों को पुरानी फ़िल्म की तरह प्रभावित न कर पाए और इसके चलते उनकी ख़ुद की साख पर बट्टा लग सकता था। वो महज़ एक किरदार नहीं निभाने जा रहे थे। वो एक नयी पीढ़ी के लिए एक बरसों पुराने किरदार को नए स्तर से परिभाषित करने वाले थे, जैसा उन्होंने *देवदास* में किया था। ये एक बहुत बड़ा दांव था। लेकिन शाहरुख़ ये ख़तरा मोल लेने को पूरी तरह से तैयार थे। वो *शोले* भी करना चाहते थे लेकिन ये मौका उन्होंने खो दिया। 'मैं *शोले* ज़रूर करता लेकिन कोई और बाज़ी मार ले गया (रामगोपाल वर्मा, रमेश सिप्पी की इस फ़िल्म का रीमेक बना रहे थे और अमिताभ बच्चन उसमें गब्बर सिंह का किरदार करने वाले थे)। ठीक है। मतलब, मैं ये सब तय नहीं कर सकता। डायरेक्टर का फैसला ही अंतिम होता है। मुझे लगता है कि संजय लीला भंसाली *देवदास* और फ़रहान अख़्तर *डॉन* बनाने का बेसब्री से इंतज़ार कर रहे थे। किसी भी फ़िल्म को फिर से बनाने में तब तक कुछ भी अद्भुत नहीं होता, जब तक डायरेक्टर और एक्टर ये न महसूस करते हों कि उनके लिए वो फ़िल्म बेहद ख़ास थी। और

देवदास और *डॉन* मेरे लिए बहुत ख़ास थीं। मेरे मां-बाप *देवदास* और दिलीप सा'ब को बेहद पसंद करते थे। उस सबको दोबारा जीना मेरे लिए बेहद ख़ास था।'[15]

तमाम ख़तरों के बावजूद, *डॉन* ने ग़ज़ब की सफलता पायी। डायरेक्टर फ़रहान अख़्तर ने ओरिजिनल फ़िल्म को पूरा सम्मान देते हुए बड़ी बारीक़ी से नए पहलुओं को भी जगह दी। उसमें हर वो आयाम था, जिसने पुरानी *डॉन* को एक क्लासिक फ़िल्म का दर्जा दिलाया था। थ्रिलिंग एक्शन सीक्वेंस थे, आकर्षक खलनायक था, आकर्षक महिलाएं थीं और लम्बे वक़्त तक याद रहने वाला संगीत था। लेकिन, फ़रहान ने मौजूदा दर्शकों के लिए इस सबको समय के हिसाब से अपग्रेड किया। शाहरुख़ ने बारीक़ियों से भरा अभिनय किया। उन्होंने डॉन की अकड़ और ख़ौफ़ को शानदार तरीक़े से दिखाया, साथ ही एक ऐसा भावनात्मक पहलू भी जोड़ा, जो मूल *डॉन* में नहीं था। *डॉन* कई वजहों से सफल हुई। एक ऐसा डायरेक्टर था, जो पुराने समय और नए तौर-तरीक़ों के बीच संतुलन बनाए रखना जानता था, एक शानदार मुख्य अभिनेता था और एक ऐसी स्क्रिप्ट थी जो पुराने फैंस और नए दर्शकों दोनों को पसंद आयी।

एम्स्टर्डैम में रहने वाले शिक्षक और गेम डेवलपर वैभव जैरेठ इसे शाहरुख़ की अपनी सबसे पसंदीदा फ़िल्म मानते हैं। वो कहते हैं, 'मुझे पुरानी *डॉन* भी पसंद है, लेकिन इन दोनों फ़िल्मों में नाम के अलावा और कुछ भी कॉमन नहीं है। और यही तो एक अच्छे एडेप्टेशन की ख़ूबसूरती है। किसी चीज़ की हू-ब-हू कॉपी करने का मतलब है कि आपकी सोच में कोई नयी बात नहीं है। फरहान और शाहरुख़ ने फैंस को कुछ नया दिया, जबकि मूल कहानी के प्रति भी ईमानदार रहे। *डॉन* में शाहरुख़ का जो बैड-ऐस स्वैग है, वही उसे इतना धमाकेदार बनाता है। वो इस डार्क कैरेक्टर के साथ मज़े कर रहे थे और ये स्क्रीन पर साफ़ दिखायी दे रहा था।'

एक कलाकार के तौर पर, 2002 के बाद, शाहरुख़ में बदलाव आये। वो अब भी बॉलीवुड में रोमांस के बादशाह थे लेकिन *देवदास* के बाद उनमें बड़ा परिवर्तन आया। अब उनके भीतर के कलाकार की एक अलग आवाज़ थी। *वीर-ज़ारा* और *स्वदेस* जैसी फ़िल्मों में उन्होंने इस बदलाव को दिखाया, जहां वो अपनी लोकप्रियता का इस्तेमाल करते हुए सामाजिक संदेश भी पेश कर रहे थे।

उदाहरण के तौर पर, *वीर-ज़ारा* पहली नज़र में एक और प्रेम कहानी लग सकती है, जिसमें एक आकर्षक नायक (शाहरुख़ द्वारा निभाया गया वीर) है, एक ख़ूबसूरत प्रेमिका (प्रीति ज़िंटा द्वारा निभाई गयी ज़ारा) है और दशकों में फैली एक कहानी है। लेकिन, असल में ये फ़िल्म बताती है कि प्यार एकमात्र ऐसा धर्म है, जो सबको जोड़ता है। और ये बताती है कि भारत और पाकिस्तान की सीमाओं के दोनों ओर के लोग, असल में एक जैसे हैं।

यश चोपड़ा ने पहले फ़िल्म का नाम 'ये कहां आ गए हम' सोचा था, लेकिन 'वीर-ज़ारा' फ़िल्म के मूड के साथ ज़्यादा मेल खाता था। उन्होंने कहा, 'फ़िल्म के प्रेमी अपने आस-पास के झगड़ों से परेशान नहीं हैं। उनके लिए तो सिर्फ प्यार ही एकमात्र धर्म था। मैंने पहले एक और स्क्रिप्ट फ़ाइनल कर ली थी, कास्टिंग तक हो चुकी थी। फिर आदित्य इस आइडिया के साथ आए। उन्होंने कहा कि वो इस टॉपिक को डायरेक्ट नहीं कर सकते, ये मुझे करना होगा। उन्होंने कुछ सीन सुनाए और मैं उसमें खो गया। ये भले ही एक क्रॉस-बॉर्डर लव स्टोरी है, लेकिन इसमें राजनीति का एक भी शब्द नहीं है। राजनीति को छोड़िए, *वीर-ज़ारा* में तो एक थप्पड़ तक नहीं है, न ही ऊंची-ऊंची आवाज़ों में डायलॉग्स हैं। ये एक बेहद संवेदनशील, इंसानी और भावनात्मक कहानी है। *वीर-ज़ारा* मेरे पंजाब के घर के लिए एक सलाम है।'[16]

> **'हर धर्म शांति सिखाता है। तो हम धर्म के चलते ख़ून-ख़राबा क्यूं करते हैं? हम एक-दूसरे को बर्बाद करने पर क्यूं तुले हैं?'**
> **–'वीर-ज़ारा' के बारे में, यश चोपड़ा**

यश चोपड़ा भारतीय इतिहास के बेहद उथल-पुथल से भरे दौर की उपज थे। 1947 में भारत के बंटवारे ने उनकी ज़िंदगी और उनकी कला, दोनों को बराबरी से प्रभावित किया। यश चोपड़ा का जन्म लाहौर में हुआ था, जो उस वक्त अविभाजित भारत का हिस्सा था। बंटवारे ने उनकी दुनिया को उलट-पलटकर रख दिया। लाखों लोगों की तरह उन्हें भी अपना घर छोड़कर एक नए देश में पलायन करना पड़ा। विस्थापन का अनुभव उनके लिए ऐसा हिस्सा बन गया, जिसने उन पर गहरा भावनात्मक असर छोड़ा। लाहौर की जानी-पहचानी गलियां, अपने समुदाय का सुकून और बचपन के घर की सुरक्षा, सब छिन गया और उसकी जगह मिली अनजान ज़मीन पर नयी शुरुआत की अनिश्चितता और कठिनाइयां।

उनकी पहली फ़िल्म *धर्मपुत्र* (1961) ने इसी अनुभव के इर्द-गिर्द अपनी बात रखी और धर्म के आधार पर उपजी दुश्मनी और राजनीतिक उथल-पुथल के मानवीय असर जैसे विषयों को उठाया। बचपन में मिले घावों से उठते दर्द की गूंजें *वीर-ज़ारा* में एक तरह से शांत होती दिखीं। एक इंटरव्यू में उन्होंने कहा, 'हर धर्म शांति सिखाता है। तो हम धर्म के चलते ख़ून-ख़राबा क्यूं करते हैं? हम एक-दूसरे को बर्बाद करने पर क्यूं तुले हैं?'[17]

इस समय तक शाहरुख़ रोमांटिक फ़िल्मों की भाषा को पूरी तरह समझ चुके थे। उन्हें मालूम था कि इन फ़िल्मों की धड़कन क्या होती है, कैसे रोमांटिक किरदारों की मासूमियत काम करती है और कैसे महिलाओं को आकर्षित किया जाता है। *वीर-ज़ारा* के प्रमोशन्स के दौरान उन्होंने मज़ाक में कहा था कि अब तो वो बिना सोचे समझे भी रोमांटिक फ़िल्म कर सकते हैं। लेकिन *वीर-ज़ारा* उस तरह की फ़िल्म नहीं थी। उन्होंने कहा, '*वीर-ज़ारा* में महज़ एक रोमांटिक किरदार नहीं है। इसमें बहुत दर्द और भावना है। भले ही इसमें एक पाकिस्तानी लड़की की कहानी है, लेकिन फ़िल्म में कहीं भी पाकिस्तान की बुराई नहीं की गयी। मैंने कभी ऐसी फ़िल्में नहीं कीं जो किसी देश को नीचा दिखाएं। भारत और पाकिस्तान के बीच अगर तनाव नहीं है तो ये शांति और इंसानियत के लिए अच्छा है।'[18]

इस फ़िल्म ने एक और बड़ी परंपरा को तोड़ा। इसका संगीत मदन मोहन ने दिया था, जिनका निधन 1975 में हो चुका था। यश चोपड़ा ने उनके कुछ ऐसे संगीत को फिर से रिकॉर्ड कराया, जिनका इस्तेमाल कहीं हुआ नहीं था। इस प्रोजेक्ट को मदन मोहन के बेटे संजीव कोहली ने संभाला।

पाकिस्तान के अख़बार *डौन* में दिसंबर 2004 में एक लेख छपा, जिसमें शाहरुख़ की ये कहते हुए तारीफ की गयी कि वो ऐसी फिल्मों में काम नहीं करते, जो पाकिस्तान को नीचा दिखाती हैं। इस लेख में था, '*वीर-ज़ारा* दूसरी ऐसी कोशिश थी जिसमें दोनों देशों के बीच बढ़ रहे संबंधों को दिखाया गया था। पहली थी *मैं हूं न*, जो 2004 के शुरुआती हिस्से में आयी थी और इसमें भारतीय सेना का एक सैनिक अपने ही देश के उन उग्रवादियों से लड़ रहा था, जो भारत और पाकिस्तान के बीच शांति को लेकर होने वाली बातचीत को विफल करना चाहते थे। ये फ़िल्म साल 2024 की सबसे हिट फ़िल्मों में एक थी, जिसके बारे में आलोचकों का कहना था कि ये सच्चे मायनों में दोनों देशों के बीच सुधरे हालात दिखा रही थी। शाहरुख़ अपने इस फ़ैसले में अकेले नहीं हैं। बॉलीवुड के कई कॉन्सर्ट बॉर्डर के पार हो रहे हैं, पाकिस्तानी स्टार्स को बॉलीवुड की फ़िल्मों में

काम मिल रहा है और इसका उल्टा भी हो रहा है। और भारतीय फ़िल्में पाकिस्तानी फ़ेस्टिवल्स में दिखायी जा रही हैं।'[19]

नफ़रत की लहर लौटती दिख रही थी और शाहरुख़ जैसे भारतीय फ़िल्मों के मुख्य स्टार्स का इसमें बड़ा रोल था।

वीर-ज़ारा बॉक्स ऑफिस पर सफल साबित हुई। अंदाज़न, इस फ़िल्म ने दुनियाभर में लगभग 95.39 करोड़ रुपये की कमाई की, जिसमें भारत और विदेशों, दोनों में अच्छी कमाई हुई। भारत में इसने अनुमानित तौर पर 41.86 करोड़ रुपये का मुनाफ़ा और कुल 58.14 करोड़ रुपये कमाए। वहीं विदेशों में फ़िल्म ने लगभग 37.25 करोड़ रुपये की कुल कमाई की।

हालांकि, बहुत से लोगों को ये कहानी अविश्वसनीय लगी। उन्हें ये बात हज़म नहीं हो रही थी कि दो प्रेमी सीमा के दोनों ओर बीस साल तक एक-दूसरे का इंतज़ार कर सकते थे। लेकिन तीन साल बाद ही, दुनिया को असल ज़िंदगी की एक 'ज़ारा' के बारे में पता चला। ये थीं होशियारपुर की एक बुज़ुर्ग महिला परमजीत कौर। उनकी एकमात्र पूंजी थी, अपनी शादी के कुछ समय बाद 1964 में अपने पति कश्मीर सिंह के साथ खिंचवाया गया एक फ़ोटो। कश्मीर सिंह भारतीय सेना की मिलिट्री इंटेलिजेंस में थे, जिन्हें पाकिस्तान में गिरफ़्तार कर लिया गया था और मियांवाली सेंट्रल जेल में तीस साल से ज़्यादा वक्त तक कैद रखा गया। जब भारत में उनके परिवार को लगने लगा था कि वो अब इस दुनिया में नहीं रहे, तभी उनका एक ख़त घर पहुंचा। ये ख़त हिंदी और उर्दू में लिखा गया था और उनके बेटे शशिपाल सिंह को संबोधित था। भले ही ये जानकर सबको बेहद खुशी हुई कि कश्मीर सिंह जीवित हैं, लेकिन ख़त में 'फांसी की सज़ा' का ज़िक्र सुनकर परिवार परेशान हो गया। परमजीत और शशिपाल ने भारत सरकार से अपील की कि वो सिंह की रिहाई सुनिश्चित करे। उम्मीद थी कि दशकों की जुदाई के बाद फिर से मिलन होगा। परमजीत ने एक रिपोर्ट में कहा, 'प्रधानमंत्री साहब शुक्रवार को अमृतसर से ननकाना साहिब के लिए बस रवाना कर रहे हैं। मैं मनमोहन साहब से गुज़ारिश करती हूं कि वो अपने देश के लोगों को सरहद पार से वापस ले आएं।' लेकिन असल ज़िंदगी वाले वीर का अंत उस ऑन-स्क्रीन वीर जैसा सुखद नहीं था।[20]

शाहरुख़ की अगली फ़िल्म ने उनकी अदाकारी के कौशल को और भी ज़्यादा स्थापित किया। हमने उन्हें एक ऐसे रोल में देखा, जिसमें वो शाहरुख़ की छवि से पूरी तरह से दूर दिखायी दे रहे थे। उनकी जगह एक सादा सा इंसान था, जिसका नाम था मोहन भार्गव, जो नासा में वैज्ञानिक था और हिंदुस्तान में अपने गयी-गुज़री हालत वाले गांव, अपनी अम्मा से मिलने पहुंचता है।

स्वदेस के डायरेक्टर *कभी हां कभी न* में उनके साथ एक्टिंग कर चुके आशुतोष गोवारिकर थे। ये फ़िल्म शाहरुख़ की उन तमाम रोमांटिक फ़िल्मों से अलग थी, जिसकी शैली की नब्ज़ वो पकड़ चुके थे। इसके पोस्टर भी बेहद अलग थे। शाहरुख़ सादे लिबास में नज़र आ रहे थे और गांव के किरदारों की पृष्ठभूमि में एकदम अलग दिखायी पड़ रहे थे।

ये फ़िल्म सामजिक असमानता, विकासशील देशों से होने वाले प्रतिभाओं के पलायन और अपने देश को वापस कुछ दे सकने के बारे में बात करती है। मोहन अमेरिका में अपनी आराम की ज़िंदगी और गांव के लोगों के संघर्ष के बीच तुलना किया करता है। जिस तरह के लवर-बॉय वाले किरदार वो अभी तक निभाते आ रहे थे, ये फ़िल्म उससे कहीं अलग थी। उन्होंने एक ऐसे शख़्स को आत्मसात कर लिया था, जो दो अलग दुनिया के बीच के संघर्ष को देख रहा था और वो अपने कौशल का इस्तेमाल करके गांववालों को एक बेहतर जीवन देने की कोशिश करता है।

फ़िल्म की सबसे बड़ी खूबी थी कि उसने विचारधारा के तौर पर एक उदार रुख अपनाया, लेकिन साथ ही उसमें एक मज़बूत राष्ट्रवादी संदेश भी छिपा था। गांव को भारत की मौजूदा सामाजिक व्यवस्था का प्रतीक बनाकर, फ़िल्म ने उस सोच की आलोचना की, जो 'नये' को अपनाने से डरती है। फ़िल्म ने ये दिखाया कि कैसे हमारे युवा, जो पश्चिमी शिक्षा प्राप्त करते हैं, ज़िम्मेदारियों से मुंह मोड़कर सिर्फ़ भौतिक सुखों के पीछे भागते हैं। और कैसे हमें आत्मनिर्भर बनने की ज़रूरत है। फ़िल्म का वो प्रेरणादायक सीन, जिसमें मोहन गांव में आसपास की पहाड़ियों से बहने वाली धार से बिजली पैदा करता है, आज भी याद किया जाता है।

जहां हॉलीवुड की मुख्यधारा की फ़िल्में आमतौर पर 'व्यक्ति' पर केंद्रित होती हैं, जो पश्चिमी पूंजीवाद का प्रतीक भी है, वहीं *स्वदेस* ने सामूहिकता की ताक़त और ईमानदारी को सामने रखा। ये फ़िल्म बताती है कि समाज को फलने-फूलने के लिए सामाजिक दीवारों को गिराना होगा और खुद की आलोचना करने की क्षमता रखनी

होगी। मोहन भले ही किसी राजनीतिक स्तर का क्रांतिकारी न हो, लेकिन वो उस दुनिया में, जो खुद को 'ग्लोबल विलेज' कहती है, अपने जीवन को एक उद्देश्य देना चाहता था। *स्वदेस* प्रवासी भारतीयों, यानी शाहरुख़ के सबसे बड़े फ़ैनबेस, के लिए एक प्रेरणादायक संदेश बन गयी और उसने उन्हें बताया कि वो सभी अपने देश के लिए क्या कर सकते थे।

इस नए दौर की फ़िल्मों के साथ, शाहरुख़ अब अपने दर्शकों को सोचने पर मजबूर कर रहे थे। *डीडीएलजे* को आए अब एक दशक हो चुका था, जिसने भारतियों के दिलों में घर कर लिया था। लेकिन अब वो उनसे सिर्फ़ अतीत को याद करने की अपील नहीं कर रहे थे। शाहरुख़ ने एक इंटरव्यू में कहा था, 'ये पढ़े-लिखे मिडिल क्लास की पीढ़ी ही हमारे देश का भविष्य है। और यही *स्वदेस* दिखाती है। हम ये दिखाना चाहते हैं कि अगर पढ़े-लिखे लोग चाहें तो बदलाव ला सकते हैं। अगर आपने जीवन में सबकुछ हासिल कर लिया है और सच्चे मायनों में देशभक्ति में यक़ीन रखते हैं, तो सिर्फ़ ये मत कहिए कि हम भारतीय हैं, बल्कि अशिक्षितों की मदद करिए।'[21]

उनके अनुसार, आज के दौर में, समाज में ठोस योगदान देकर ही असली देशभक्ति साबित की जा सकती है। मोहन भार्गव के किरदार को एक जटिल इंसान की तरह दिखाया गया, जो अपने मजबूत विश्वासों के साथ जीता है। और जो अमेरिका में अपने सम्मानित पद को छोड़कर, अपने आंतरिक संघर्षों का सामना करने और अपने वतन की सेवा करने लौटता है। ये फ़िल्म एक इंसान की ख़ुद को खोजने की कहानी बन जाती है।

चाहे *वीर-ज़ारा* में अटूट प्रेम और समर्पण दिखाना हो या *स्वदेस* में सामाजिक जागरूकता, शाहरुख़ की फ़िल्में उनके एक कलाकार के रूप में बदलते स्वर की झलक बन गयीं। उन्हें पता था कि उनके पास एक बड़ी फ़ैन फ़ॉलोइंग थी और उन्होंने सिनेमा की ताकत का इस्तेमाल किया। लोगों के दिलों को छूने वाली कहानियों में बेहद ज़रूरी संदेश बुनकर, उन्होंने बड़े मुद्दों पर बातचीत शुरू की। उनतालीस की उम्र में, सोचने पर मजबूर करने वाले सितारे के तौर पर, वो अपनी पीढ़ी की आवाज़ बन गये।

लेकिन आंकड़े कुछ और कहानी बताते हैं। *स्वदेस* का बजट करीब 22 करोड़ रुपये था, लेकिन भारत में इसने सिर्फ़ 16 करोड़ रुपये की कमाई की। इसके राइट्स 15.5 करोड़ में बेचे गए, लेकिन हिस्सा सिर्फ़ 9 करोड़ मिला। यानी करीब 6.5 करोड़ रुपये का घाटा हुआ, जो लगभग 40% था।[22]

इसके बावजूद, 2004 में, *वीर-ज़ारा, मैं हूं न* और *मुझसे शादी करोगी* के बाद *स्वदेस* को चौथी सबसे बड़ी ओपनिंग मिली थी। रिलीज़ होने के बाद, इसके दर्शकों में कमी आने लगी। रेडिफ़ पर एक रिपोर्ट कहती है, 'तीस करोड़ की ये फ़िल्म, साढ़े तीन घंटे की मॉरल साइंस की क्लास है।'[23]

औसत दर्शकवर्ग के लिए ये फ़िल्म बेहद अलग स्वाद वाली थी, जिन्हें एक्शन से लैस, मनोरंजन करने वाली फ़िल्में कहीं ज़्यादा पसंद थीं। वो सिनेमा की मदद से उस दुनिया में जाना चाहते थे, जो उनके जीवन से कहीं ज़्यादा आलीशान था। दर्शक अपनी मुश्किलें स्क्रीन पर किरदारों के बीच भी नहीं देखना चाहते थे। और इसीलिए, ये फ़िल्म बोरिंग मान ली गयी।

साल 2004, शाहरुख़ का साल था। *स्वदेस* को सराहा गया, *वीर-ज़ारा* और *मैं हूं न* ने अच्छी कमाई की। हर कोई ये मानकर बैठा था कि उस साल का राष्ट्रीय पुरस्कार उन्हें ही मिलेगा, लेकिन सैफ़ अली ख़ान ने *हम तुम* के साथ बाज़ी मार ली। शाहरुख़ ने एक अवार्ड फ़ंक्शन में *हम तुम* के डायरेक्टर कुनाल कोहली से मज़ाकिया अंदाज़ में कहा, '*हम तुम* बहुत अच्छी थी... वो मुझे मिलनी चाहिए थी, लेकिन वो कहानी फिर कभी।'[24]

'अगर कोई ज़िंदगी के कुछ गहरे मायने ढूंढ रहा होता है, तब पैसे बहुत मायने नहीं रखते या फिर उसकी चाह प्रमुख नहीं रह जाती। ज़रूरी ये है कि हम अपने सपनों और इच्छाओं को पूरा करने की कोशिश करें। मैं एक ऐसी फ़िल्म बनाना चाहता हूं, जो वाक़ई सभी का मनोरंजन करे। अगर वो ढेरों पैसे बनाती है तो अच्छी बात है, लेकिन मैं सिर्फ़ पैसे कमाने के लिए फ़िल्म नहीं कर सकता।'

स्वदेस से शाहरुख़ को वो मिला, जो वो चाहते थे। उन्होंने वो फ़िल्म गैरों के लिए, प्रशंसा या किसी अवार्ड के लिए नहीं की थी। समय ने *स्वदेस* के साथ दर्शकों और आलोचकों से बेहतर व्यवहार किया। शायद ये बात शाहरुख़ को मालूम थी। उन्होंने कहा, 'अगर कोई ज़िंदगी के कुछ गहरे मायने ढूंढ रहा होता है, तब पैसे बहुत मायने नहीं रखते या फिर उसकी चाह प्रमुख नहीं रह जाती। ज़रूरी ये है कि हम अपने सपनों और इच्छाओं को पूरा करने की कोशिश करें। मैं एक ऐसी फ़िल्म बनाना चाहता हूं, जो वाक़ई सभी का मनोरंजन करे। अगर वो ढेरों पैसे बनाती है तो अच्छी बात है,

लेकिन मैं सिर्फ़ पैसे कमाने के लिए फ़िल्म नहीं कर सकता। हमारा ध्येय फ़िल्म बनाने और उसमें लागत के रूप में लगने वाली कलात्मकता होती है। पैसा दूर रहता है। अगर इसका उल्टा होता तो ये बिल्कुल वैसा ही होता कि मेन कोर्स में साइड डिशेज़ ही परोस दें!'[25]

मेरी बात ज़ेहान मोतलेकर से हुई, जो यूएस में क़रीब एक दशक से ज़्यादा का संमय बिताकर महाराष्ट्र के देहात के इलाक़े में चले आये थे। पेशे से टेकी, उनकी नौकरी ने उन्हें मानसिक रूप से थका दिया था। उन्होंने बताया कि कैसे *स्वदेस* ने उन्हें बदलाव लाने के लिए प्रेरित किया। 'मैं एक शाम को *स्वेदस* देख रहा था और मैंने तय किया कि अगर मुझे अपने जीवन में कुछ बदलना था तो मुझे ये कदम तुरंत ही उठाना पड़ेगा। *स्वदेस* बस एक फ़िल्म नहीं थी, ये मेरे जैसे कई लोगों के लिए नींद से जागने का अलार्म थी। हम सभी ने किसी न किसी समय पर अमेरिका की भसड़ भरी ज़िंदगी को छोड़कर वापस लौटने का मन बना लिया था। हममें से हर कोई बड़े बदलाव लाने के क़ाबिल नहीं हैं, लेकिन जैसा कि शाहरुख़ कहते हैं, हर किसी को ऐसा शख़्स बनना चाहिए जो पूरी निष्ठा के साथ कोशिशें करता है। मैं मोहन भार्गव तो नहीं हूं लेकिन मैंने सोचा कि मेरी ज़िंदगी से मेरे देश को कोई फ़ायदा ज़रूर पहुंचना चाहिए। *स्वदेस* ने एक पूरी पीढ़ी को अपनी ज़िम्मेदारी और सच्ची देशभक्ति का अहसास दिलाया। जब शाहरुख़ उस गांव के लड़के के कुल्हड़ से पानी पीते हैं या जब वो बिजली ले आते हैं, ऐसे दृश्य 70 एमएम की स्क्रीन पर सिनेमा के एक पल से कहीं बड़ी चीज़ें थीं। यहां दिख रहा था कि भारत असल में किन चुनौतियों से जूझ रहा था और कौन वो नायक थे, जो चुपचाप उनसे लोहा लेने में लगे हुए थे।'

उन्होंने बताया कि कैसे उनके पसंदीदा एक्टर के इस किरदार ने एक पूरी पीढ़ी को कुछ करने के लिए प्रेरित किया। 'एक फ़ैन के तौर पर, *स्वदेस* में शाहरुख़ के किरदार ने मुझे बताया कि हीरो होने का मतलब ये नहीं है कि आप कोई बहुत ही बड़ा काम कर देंगे, बल्कि आपको अपनी सामर्थ्य के अनुसार जो बन सके, वो करना होता है। इसने सिनेमा और ख़ुद से, हमारी अपेक्षाओं को बढ़ा दिया। शाहरुख़ ने स्टैण्डर्ड बहुत ऊंचे कर दिए। और ये सिर्फ़ एक्टिंग के मामले में ही नहीं बल्कि वो कौन सी कहानियां सुनायेंगे, इस मामले में भी। *स्वदेस* में वो महज़ कोई किरदार नहीं निभा रहे थे बल्कि वो उस पीढ़ी की आवाज़ बन गए थे, जो बदलाव लाने में विश्वास रखती थी। और इस एक काम के लिए मैं हमेशा उनकी इज़्ज़त करूंगा।'

स्वदेस के साथ एक जागी हुई आत्मा वाले सिनेमा की लहर उठी। *लगान* में भी देशप्रेम से जुड़ा फ़्लेवर था लेकिन वो कहानी एक दूसरे कालखंड की थी। *स्वदेस* हमारे वक़्त की कहानी थी और उसने पूरी दुनिया के दर्शकों के साथ बेहद नज़दीकी संवाद स्थापित किया। *स्वदेस* ने जो शुरू किया, वो आगे चलकर राकेश ओमप्रकाश मेहरा की *रंग दे बसंती* (2006) और फिर शाहरुख़ की *चक दे! इंडिया* (2007) में दिखायी दिया।

अपने कैरियर में शाहरुख़ तीन फ़िल्मों की असफलताओं से प्रभावित हुए–*दिल से...*, *स्वदेस* और *ज़ीरो*। आख़िरी फ़िल्म की बात हम आगे करेंगे क्यूंकि उस कहानी के बारे में और भी ज़्यादा इत्मीनान से बात करने की ज़रूरत है। आप शाहरुख़ को जब-जब पीछे धकेलते हैं, तो अगले मौके पर और निखरकर, और चमकते हुए नज़र आते हैं।

“बनिये का दिमाग़, और मियां भाई की डेयरिंग”

रईस, 2017

11

आसमान की ऊंचाइयों पर ख़ान

'ये बगैर शाहरुख़ ख़ान की फ़िल्म है जिसमें सोलह एक्ट्रेस हैं और कोई लव एंगल नहीं है।' ये कहना था शाहरुख़ का, जब वो *चक दे! इंडिया* का प्रमोशन कर रहे थे। किसने सोचा था कि ये सुपरस्टार उस खांचे को ही तोड़ देगा, जिसने उसे इस ऊंचाई पर पहुंचाया था और वो देश की सबसे पसंदीदा स्पोर्ट्स फ़िल्म लेकर आएगा। लेकिन ये बदलाव आसान नहीं था। उनके लिए भी नहीं। उन्होंने बताया था कि वो जिन फ़िल्मों का चुनाव कर रहे थे, उनको लेकर कुछ हद तक डरे हुए भी थे। 'मेरी पत्नी कहती हैं कि मुझे एक्सपेरिमेंट करते रहना चाहिए। उन्हें लगता है कि अगर मैं फ़ेल हो गया तो इससे मुझपर या मेरे स्टेटस पर कोई असर नहीं पड़ेगा। लेकिन भीतर से मैं डरा हुआ हूं... मैं *चक दे!* से डरा हुआ हूं। इतने सालों से दर्शकों ने मुझे गाने और डांस वगैरह करते देखा है। अचानक से मैं एक ऐसी फ़िल्म कर रहा हूं जिसमें मेरे आस-पास सोलह लड़कियां हैं और मेरे खाते में एक गाना तक नहीं है। मैं ऐसी फ़िल्म नहीं कर सकता हूं क्यूंकि मैं कोई बहुत बड़ा एक्टर नहीं हूं। मतलब, मैं एक बड़ा स्टार हूं लेकिन बड़ा एक्टर नहीं हूं जो एक्सपेरिमेंट कर सकूं। मैं ये सब समझता हूं और ये मुझे डराता है। एक स्टूडेंट के तौर पर, मैंने एग्ज़ाम की तैयारी तो की है लेकिन वो आख़िरी पल वाली सुरसुरी हो रही है।'[1]

शिमित अमीन द्वारा डायरेक्ट की गयी *चक दे! इंडिया* एक ऐसे पक्ष की क्लासिक कहानी है, जिसके जीतने की कोई कल्पना भी नहीं कर सकता। ये कहानी थी संघर्ष कर

रही एक महिला हॉकी टीम की, जिसके कोच के माथे पर कलंक लगा था। ये टीम तमाम चुनौतियों से पार पाते हुए अप्रत्याशित जीत हासिल कर लेती है। शाहरुख़ का किरदार कबीर ख़ान, राख के ढेर से उठकर खड़ा होता है और सबकुछ बदल देता है, जो इस फ़िल्म का केंद्रबिंदु है।

लेकिन इस फ़िल्म के लेखक जयदीप साहनी और डायरेक्टर शिमित अमीन ने जब इस फ़िल्म पर काम शुरू किया था तो उनके दिमाग़ में शाहरुख़ नहीं थे। 2020 में, एक इंटरव्यू में जयदीप साहनी के कहा, 'जब तक पहला ड्राफ़्ट ख़त्म होने को आया, हमें लगने लगा कि अगर इस फ़िल्म के लिए शाहरुख़ आ जाएं तो बहुत अच्छा रहेगा। और अब, जब आप फ़िल्म देखते हैं तो पाते हैं कि वो अपने साथ ढेर सारा टैलेंट, विश्वसनीयता और आकर्षण लेकर आये, जिसकी आप बस तारीफ़ कर सकते हैं, समझा नहीं सकते।'[2]

डायरेक्टर साहब के लिए तो ये फ़िल्म आंखें खोलने में मदद कर रही थी। शिमित अमीन ने कहा, 'संडे की सुबह, जब मैं महिला एथलीट ढूंढने निकलता था तो हर हरे मैदान पर लड़के क्रिकेट खेलते दिखते थे। महिला हॉकी प्लेयर छोड़ दीजिये, कोई हॉकी खेलता नहीं दिखता था। मुझे तो कोई लड़की क्रिकेट भी खेलती नहीं दिखी।'[3] जब तक किसी ने स्क्रिप्ट नहीं पढ़ी थी, इस बात पर किसी ने रुककर सोचा भी नहीं था। ये उन मौकों में एक था जो ज़िंदगी बदल देते हैं।

इस फ़िल्म कि कास्टिंग सामान्य नहीं थी। फ़िल्म बनाने वालों को ऐसी लड़कियां चाहिए थीं, जिनमें सहज रूप से एथलीट होने की झलक थी। उन्होंने ऐसे लोगों को चुना जो कुछ-कुछ एथलेटिक थे और फिर उन्हें हॉकी स्टार और एक एक्टर के रूप में तब्दील किया। तीन महीनों तक, फ़िल्म की कास्ट ने भयंकर ट्रेनिंग की। दिन सुबह साढ़े चार बजे से भी पहले शुरू हो जाता था और वो पांच घंटे अपने हॉकी खेलने के हुनर को तराशते। इसके बाद, फिज़ियोथैरेपी के सेशन चलते थे, जिससे शरीर की रिकवरी होती। लोगों को बहुत सी शंकाएं थीं लेकिन सभी आपस में एक परिवार के जैसे बंध गए। अनुभवी और नए, दोनों प्रकार के एक्टर्स ने एक-दूसरे को इस बेहद कठिन ट्रेनिंग के दौरान सहारा देना शुरू किया। इसके चलते सभी में गहरी दोस्ती हो गयी, जो बाद में स्क्रीन पर साफ़ दिखायी दे रही थी। वो एक टीम की तरह नहीं खेल रहे थे बल्कि टीम बना रहे थे।

लीड एक्टर के मामले में सभी किस्मतवाले साबित हुए। शिमित अमीन ने कहा, 'उनके साथ मैच शूट करना बहुत आसान था क्यूंकि वो बड़े सहज थे। उन्हें सभी ड्रिल्स

बड़े अच्छे से मालूम थीं। शाहरुख़ के मामले में हम बेहद लकी साबित हुए। ये एक बहुत सुखद इत्तेफ़ाक था कि शाहरुख़ ख़ुद हॉकी के खिलाड़ी थे।'[4]

शाहरुख़ इतने सालों के बाद अपनी तय छवि से बाहर निकलकर फ़िल्म कर रहे थे और किसी स्पोर्ट्स फ़िल्म में काम करने का सपना भी जी रहे थे। इसके साथ ही एक और बात थी जिसका ज़िक्र कबीर ख़ान के किरदार ने किया। ये 9/11 के बाद की दुनिया थी, जहां इस्लाम के ख़िलाफ़ ज़हरीली बातें की जा रही थीं। ये फ़िल्म एक मुसलमान होने के नाते आने वाली अड़चनों और परेशानियों के बारे में बात करती है। और मेरे लिए इस फ़िल्म में शाहरुख़ अपनी मुसलमान पहचान के साथ काम कर रहे थे।

2007 में इसी बात पर एक कॉलम छपा था, जिसमें बताया गया था कि अपने दो दशक लंबे कैरियर में शाहरुख़ ख़ान ने बहुत कम बार किसी ऐसे किरदार को निभाया था, जो खुले तौर पर मुसलमान हो। ऐसा बस कमल हासन की फ़िल्म *हे! राम* के एक छोटे से रोल में दिखा था। यहां तक कि *चक दे! इंडिया* में भी, उनके किरदार कबीर ख़ान की धार्मिक पहचान बहुत ही बारीकी से कहानी में बुनी गयी है। स्क्रिप्ट महज़ कुछ इशारों से ही काम चला लेती है। उनका नाम, कुछ-कुछ बढ़ी हुई दाढ़ी और सलाम के तौर पर एक शालीन 'आदाब'। कबीर ख़ान को कभी नमाज़ पढ़ते, पारंपरिक कपड़े पहनते या अपने धर्म को अपने शब्दों से जताते नहीं दिखाया गया। इसके बावजूद, आधुनिक भारत में एक मुसलमान होने की जो अंदरूनी बेचैनी होती है, वो पूरे सफ़र के दौरान कुछ-कुछ महसूस होती रहती है। और ये महीन बातें जानबूझकर रखी गयी लगती हैं। और शाहरुख़ ने इस किरदार को निभाने में जो सौम्यता बरती है, वो सभी बातें उससे मेल खाती हैं। उस कॉलम में लिखा था, 'कबीर ख़ान के धर्म का ज़िक्र स्क्रिप्ट में जितना भी कम किया गया हो, आज के भारत में एक मुसलमान के तौर पर उनका द्वंद्व पूरी कहानी में बहता रहता है। और मुझे पूरा यक़ीन है कि शाहरुख़ ने खुद भी यही चाहा होगा। इंडस्ट्री के बाक़ी दो ख़ान, जिन्हें उनके जैसा ही ओहदा मिला है, ऐसा नहीं करते हैं।'[5]

ये उस दौर की एक ज़रूरी बातचीत थी। *चक दे! इंडिया* की रिलीज़ से कुछ साल पहले एक इंटरव्यू में शाहरुख़ ने जिहाद के विचार पर खुलकर बात की थी। उन्होंने कहा था, 'अगर कोई इंसान इस्लाम के नाम पर जिहाद को लेकर लोगों में भ्रम फैला रहा है, तो ज़रूरी है कि जिहाद का मतलब समझा जाए। और जिहाद का मतलब है अपनी कमज़ोरियों पर काबू पाना, अपने भीतर की हिंसा को हराना। और मैं यही सब समझना

चाहता था। मैंने क़ुरान पढ़ी है, भगवद गीता पढ़ी है, महाभारत भी पढ़ी है। लेकिन जो बात मैं समझा हूं, वो ये है कि जिहाद दूसरों को मारने के बारे में नहीं है, बल्कि अपने अंदर की बुराई को खत्म करने के बारे में है। ये एक भावनात्मक स्तर का युद्ध है और जब लोग इसे शारीरिक या भौतिक युद्ध के तौर पर इस्तेमाल करते हैं तो जिहाद शब्द का ग़लत इस्तेमाल होता है। दुनिया इसे जितनी जल्दी समझेगी, उतना बेहतर होगा।'[6]

2001 के 9/11 हमलों का साया पूरी दुनिया पर पड़ चुका था और इसके चलते दुनियाभर की सोच में बहुत बड़ा बदलाव आ गया था। उसके बाद के सालों में दुनिया के कई हिस्सों में इस्लाम को लेकर बुरी बातें कहने का चलन बढ़ा और कुछ राजनीतिक नेताओं ने इस इस्लाम के ख़िलाफ़ डर को भुनाने वाले बयानों से हालात को और ख़राब किया। इससे समुदायों के बीच दूरी और भी बढ़ती गयी और मुसलमानों को शक़ की नज़रों से देखा जाने लगा। 'सभ्यताओं के टकराव' और 'आतंक के ख़िलाफ़ युद्ध' जैसे शब्दों ने दुनियाभर में मुसलमानों के ख़िलाफ़ डर और नफ़रत को बढ़ावा दिया। इसका नतीजा ये हुआ कि मुस्लिम अल्पसंख्यकों को सामाजिक और आर्थिक समस्याओं के लिए दोषी ठहराया जाने लगा, या आतंकवाद को लेकर लोगों की चिंता को आधार बनाकर, भेदभावपूर्ण नीतियों को सही ठहराया गया।

एक रेडिफ़ पोस्ट बताता है कि कैसे इस वैश्विक बदलाव का असर आम भारतीय मुसलमानों पर भी पड़ा। और शाहरुख़ ने इस माहौल के जवाब में अपनी फ़िल्मों के ज़रिए एक स्टैंड लेने का रास्ता चुना। इसमें कोई शक़ नहीं है कि भारत में मुसलमान होना, ख़ासकर आज के माहौल में, चुनौतियों से भरा है। भारत में मुसलमानों की जो विशाल संख्या है, वो लगातार दोहरी चुनौती से जूझ रही है। एक तो बंटवारा और उन्हें पाकिस्तान से जोड़कर उनपर शक़ करना और दूसरा ये कि आज के दौर में देश के भीतर होने वाली आतंकी घटनाओं के लिए लगातार उन्हें ही दोषी ठहराया जाना। मशहूर हस्तियों की चुप्पी अक्सर पूरे समाज की चुप्पी को दर्शाती है। इसमें बहुत से लोग शामिल हैं, लेकिन अगर मुसलमान चुप है, तो उसकी पड़ताल की जाती है।[7] पोस्ट लिखने वाले ने लिखा, 'मुझे पूरा यक़ीन है कि ख़ुद शाहरुख़ को भी इस उलझन से जूझना पड़ा होगा, कि कहीं उनकी देशभक्ति पर सवाल तो नहीं उठाए जा रहे हैं। और यही दर्द फ़िल्म में एक तीखे डायलॉग में सामने आता है: "ऐसे लोगों को पार्टीशन के टाइम में ही पाकिस्तान चले जाना चाहिए था।" ये एक लाइन है, एक इल्ज़ाम है, जो करोड़ों भारतीयों के साथ-साथ

शायद शाहरुख़ को अंदर तक झकझोर देता होगा। क्योंकि ये बात फ़िल्म में एक बार आती है, लेकिन उसके बाद पूरी कहानी के दौरान पीछा नहीं छोड़ती।'[8]

हक़ीक़त ये है कि फ़िल्म भले ही काल्पनिक हो, लेकिन इसकी कहानी असल ज़िंदगी के एक इंसान से प्रेरित है। वो इंसान हैं मीर रंजन नेगी, जो भारतीय हॉकी टीम के पूर्व गोलकीपर रहे हैं। 1982 के एशियाई खेलों के फ़ाइनल में पाकिस्तान से भारत की 7-1 की हार के बाद नेगी को ज़बरदस्त आलोचनाओं का सामना करना पड़ा। टीम की हार को उनकी नाकामी बना दिया गया। इस आलोचना ने उन्हें मानसिक रूप से तोड़ दिया और उन्होंने ख़ुद को लोगों से अलग कर लिया। उनकी शादी में भी कुछ उपद्रवियों ने बिजली काट दी। इस सबसे दुखी होकर नेगी ने हॉकी छोड़ दी। लेकिन सोलह साल बाद उन्होंने कोच के तौर पर वापसी की। उनकी वापसी तब रंग लाई जब भारत ने 1998 के एशियाई खेलों में गोल्ड मेडल जीता। इसके बाद नेगी ने महिला हॉकी पर ध्यान केंद्रित किया और बतौर गोलकीपिंग कोच उन्होंने भारत को 2002 के कॉमनवेल्थ गेम्स में महिला हॉकी में गोल्ड मेडल दिलाने में अहम भूमिका निभाई।

2021 के एक इंटरव्यू में मीर रंजन नेगी ने बताया कि *चक दे! इंडिया* कैसे बनी। ये फ़िल्म शुरुआत में एक डॉक्यूमेंट्री के रूप में आने वाली थी, लेकिन लेखक जयदीप साहनी इसके लिए पैसे नहीं जुटा पाए। उन्होंने कहा, 'उस वक़्त कोई भी महिला हॉकी की बात नहीं करता था। भारतीय महिला हॉकी टीम ने 2002 के कॉमनवेल्थ गेम्स में गोल्ड मेडल जीता था। अख़बारों में इस पर एक छोटा सा आर्टिकल छपा और बाकी का पूरा स्पोर्ट्स पेज क्रिकेट से भरा हुआ था। एक आदमी ने ये देखा और उसे बहुत बुरा लगा। उसने महिलाओं की हॉकी के लिए कुछ करने की सोची। लेकिन पूरी कोशिश के बाद भी वो उनके लिए सिर्फ़ दस हज़ार रुपये ही जुटा पाया। ये आदमी थे जयदीप साहनी, जिन्होंने *चक दे! इंडिया* की कहानी सोची और लिखी। उन्होंने ये फ़िल्म इसलिए लिखी ताकि महिला हॉकी को सामने लाया जा सके और उन्हें स्पॉन्सर वगैरह मिल सकें, जिसे वो डिज़र्व करती थीं। वो बेंगलुरु गए और असल खिलाड़ियों से मुलाकात की और वहीं से उन्हें मेरे (नेगी) बारे में पता चला, और फिर जो हुआ वो इतिहास है।'[9]

नेगी ने फ़िल्म में लड़कियों की टीम को ट्रेनिंग दी। *हिंदुस्तान टाइम्स* को दिए एक इंटरव्यू में नेगी ने कहा, 'जब वो (निर्माता) स्क्रिप्ट लिख रहे थे, तो हॉकी से जुड़ी कुछ तकनीकी समस्याएं सामने आईं। फिर उन्होंने मुझसे संपर्क किया और मुझे फ़िल्म का

टेक्निकल डायरेक्टर बना दिया। फ़िल्म का लगभग 35-40 प्रतिशत हिस्सा हॉकी पर था और मुझे लड़कियों को खेल सिखाना था ताकि स्क्रीन पर सबकुछ असली लगे। उनके साथ काम करना बहुत मज़ेदार था, क्यूंकि उनमें से कुछ ने तो ज़िंदगी में कभी हॉकी स्टिक छुई तक नहीं थी।'[10]

ये शाहरुख़ की शायद पहली ऐसी फ़िल्म थी जिसमें उनके किरदार के इर्द-गिर्द रोमांस की कोई भी बात नहीं थी। लेकिन जब कहानी 16 महिलाओं और हॉकी पर केंद्रित हो और शाहरुख़ जैसा स्टार लीड में हो, तो इसे कैसे सही ठहराया जाए? ये एक जोखिम भरा कदम था, क्यूंकि आमतौर पर दर्शक उन्हें रोमांटिक लीड के तौर पर देखते थे।

हर कलाकार को अपने नज़रिए को सामने रखने के लिए एक मंच चाहिए होता है। और एक्टर्स के लिए वो मंच अक्सर उनके निभाए किरदार होते हैं। ये एक सोचा-समझा चुनाव होता है और ये जानकारी भी होती है कि उसका असर क्या होगा।

उस वक़्त छपे एक लेख में ये कहा गया कि ये फ़िल्म एक गहरे सवाल से जूझती है: क्या कोई मुसलमान अपनी पहचान बनाए रखते हुए भारत के प्रति वफ़ादार रह सकता है? या, और सीधे शब्दों में कहें तो, जब किसी मुसलमान की वफ़ादारी पर सवाल उठे, तो उसका जवाब क्या होना चाहिए? ये थीम बहुत गहराई से असर करती है, क्योंकि शाहरुख़ का किरदार बड़ी ख़ामोशी से ये बताता है कि दूसरों के उलट, मुसलमानों को दूसरा मौक़ा नहीं मिलता। जब उन्हें महिला हॉकी टीम का कोच बनाने की सिफ़ारिश करने वाला दोस्त, हौसला देते हुए कहता है 'हम सबकी एक ग़लती माफ़' तो कबीर ख़ान का जवाब बहुत कुछ कहता है: 'सबकी नहीं, सबकी नहीं।' इस दौरान वो कभी भी 'मुस्लिम' शब्द का इस्तेमाल नहीं करते। लेकिन इशारा बिल्कुल साफ़ है कि एक भारतीय मुसलमान को माफ़ नहीं किया जाता। जैसा कि वो बाद में दोहराते हैं, असफलता का बोझ बहुत भारी होता है और हर कोई उसे नहीं झेल सकता। लेकिन, कबीर ख़ान अलग हैं। सात साल तक ग़ायब रहने के बाद, अपनी इज़्ज़त वापस पाने और देश के सामने अपनी देशभक्ति फिर से साबित करने के लिए वो लौटते हैं। जब वो अपनी टीम को ट्रेनिंग दे रहे होते थे, तो एक बात सबसे ऊपर रखे हुए थे: भारत, राष्ट्र, तिरंगा। कबीर ख़ान तिरंगे की पूजा करते हैं और भारतीय गौरव का प्रतीक बनते हैं। लेकिन जब बात उनके निजी जीवन की आती है, तो आख़िरी सीन में वो दरवाज़ा बंद कर देते हैं जिससे एक साफ़ संदेश जा रहा था: घर पर जो भी हों, सार्वजनिक जीवन में वो एक गर्वित भारतीय हैं। रेडिफ़ पर पोस्ट

लिखने वाले ने इस विचार को कुछ यूं रखा: 'मेरे जैसा शख़्स, जो ये जानना चाहता है कि शाहरुख़ कैसा मुसलमान किरदार निभायेंगे, या शाहरुख़ कैसे मुसलमान हैं, तो इसका जवाब है कबीर ख़ान। जो मुसलमान, कट्टरपंथ और बहुसंख्यक समाज के शक़ के बीच फंसे हैं, कबीर ख़ान उन्हें सारे जवाब दे सकते हैं।'[11]

फ़िल्म बनाने के दौरान भले ही कलाकार एक माध्यम बनते हैं, लेकिन शाहरुख़, अपनी ज़बरदस्त लोकप्रियता के साथ, एक अलग तरह की ताकत रखते हैं। उन्होंने अपनी इस पहुंच को 'सॉफ्ट पावर' की तरह समझा। जब उन्होंने रोमांस की दुनिया से बाहर कदम रखा, तो ये एक मौका बन गया ऐसे मुद्दों को सामने लाने का, जिनमें वो विश्वास रखते थे। बातचीत शुरू करने, सोच बदलने, और ज़रूरी बातों पर ध्यान खींचने के लिए उन्होंने अपने स्टारडम का इस्तेमाल किया। उन्होंने इस बदलाव का इस्तेमाल किया और किरदारों की सीमाओं से ऊपर उठकर, एक सच्चे सोचने समझने वाले नायक की तरह सामने आये।

जयदीप साहनी इस बात से सख़्त असहमति जताते हैं कि *चक दे! इंडिया* में कोई लव स्टोरी नहीं थी। उन्होंने कहा, 'कई लोग कहते हैं कि *चक दे*... में कोई प्रेम कहानी नहीं है। लेकिन मैं कहूंगा कि बिना शक, उसमें शाहरुख़ और उनके देश के बीच एक लव स्टोरी है।'[12] शायद ये बिल्कुल सही बात है।

2007 में जब भारत ने टी-20 वर्ल्ड कप जीता था, तो देश के हर शहर में लोग सड़कों पर इस फ़िल्म का टाइटल ट्रैक गा रहे थे। ये गाना जश्न का एक प्रतीक बन गया। फ़िल्म ने दुनिया भर में करीब 102 करोड़ रुपये की कमाई की। इसमें से भारत में ही 66.54 करोड़ रुपये कमाए। लेकिन इस फ़िल्म की नैतिक जीत, इसके आंकड़ों से कहीं ज़्यादा बड़ी है।[13]

इस फिल्म ने भारत में महिलाओं के खेल की ओर ध्यान खींचा जो बेहद ज़रूरी था। और ये एक ऐसा पहलू था, जिसे न केवल मुख्यधारा के सिनेमा में बल्कि आम बातचीत में भी अनदेखा किया जाता था। नेटफ़्लिक्स की *द रोमांटिक्स* में साहनी ने याद किया कि कैसे महिला हॉकी खिलाड़ियों के ट्रेनिंग कैंप के हॉस्टल के बाथरूम्स में बल्ब तक नहीं लगे थे। दो खिलाड़ी जर्सी पकड़े खड़ी रहती थीं और तीसरी उनके पीछे कपड़े बदलती थी। भारत में खेल सुविधाओं की कमी को लेकर ऐसी बातें पहली बार बड़े पैमाने पर चर्चा में आईं। हमने ख़ुद से पूछना शुरू किया कि हम क्रिकेट को इतना क्यों पूजते हैं और अपने राष्ट्रीय खेल की इतनी अनदेखी क्यों करते हैं? *चक दे! इंडिया* ने महिला खिलाड़ियों की

जद्दोजहद और जीत को सामने रखा। इसने राष्ट्रीय स्तर पर बातचीत की शुरुआत की और कई लड़कियों को खेलों में कैरियर बनाने का सपना देखने के लिए प्रेरित किया।

मेरी दोस्त अकांक्षा भाटली, जो मेटा इंडिया में काम करती हैं, ने मुझसे कहा कि वो शाहरुख़ को *डीडीएलजे* की वजह से पसंद करने लगी थीं, लेकिन उन्हें असल प्रेरणा *चक दे! इंडिया* से मिली। उन्होंने कहा, 'जब मैं 2013 में लखनऊ से मुंबई आई थी, तो सबसे पहले जो काम किया वो था मराठा मंदिर जाकर *डीडीएलजे* देखना। मैंने ये फ़िल्म कम से कम सत्तर बार देखी होगी। मैं जब भी उम्मीद खोती हूं, उस फ़िल्म की तरफ लौटती हूं, क्यूंकि ये बताती है कि औरतों को अपनी ज़िंदगी में हक़ मिलना चाहिए। लेकिन *चक दे!* ने महिलाओं के खेल के प्रति प्यार को एक सम्मान दिया। जब एक मेनस्ट्रीम फ़िल्म ये दिखा दे कि औरतों का खेलों में होना जायज़ है, तो फिर ये फ़ील्ड सिर्फ़ मर्दों की नहीं रह जाती। मुझे बचपन से ही खेल पसंद हैं। मैंने हैदराबाद में सानिया मिर्ज़ा की अकादमी में ट्रेनिंग ली है। मैं स्क्वैश खेलती हूं, स्विमिंग करती हूं। लेकिन हमेशा यही लगा कि महिलाओं को खेल में गंभीरता से नहीं लिया जाता। उनके खेल के प्रति प्यार को कभी प्राथमिकता नहीं दी जाती। जब स्कूल में ज़िला-स्तरीय मैच होते थे, तो हमेशा लड़कों की टीम को आगे बढ़ाया जाता था। मैंने उस वक़्त इसका विरोध नहीं किया, लेकिन धीरे-धीरे भेदभाव साफ़ दिखने लगा। जब मैंने *चक दे!* में शाहरुख़ को देखा, तो मुझे एक ऐसा आदमी दिखा जो महिला खिलाड़ियों की एक बेहतरीन टीम को जीत की ओर ले जा रहा था। तब मैं ग्यारहवीं में थी और ज़िंदगी को लेकर बड़ी उलझन थी। लेकिन वो फ़िल्म मेरे लिए बहुत प्रेरणादायक थी। औरतों के भी सपने होते हैं, जो जायज़ हैं और वो जीत हासिल करने के काबिल हैं।' जब भारत ने 2024 का टी-20 वर्ल्ड कप जीता, तो जश्न मनाने के लिए उन्होंने फ़िल्म के टाइटल ट्रैक को फ़ुल वॉल्यूम पर बजाया।

फ़िल्म तब और भी ज़्यादा जोश भर देती है, जब शाहरुख़ कहते हैं, 'मुझे स्टेट्स के नाम न सुनाई देते हैं, न दिखाई देते हैं। सिर्फ़ एक मुल्क का नाम सुनाई देता है। I-N-D-I-A!' जब किसी फ़िल्म का टाइटल ट्रैक खेल आयोजनों में दूसरे राष्ट्रगान की तरह बजने लगता है, तो आप समझ जाते हैं कि फ़िल्म ने कितना असर डाला है!

शाहरुख़ ने एक बार जब शुरुआत की, फिर वो कहीं रुके नहीं। उन्होंने *स्वदेस* और *चक दे! इंडिया* के बाद एक और दमदार फ़िल्म की *माय नेम इज़ खान* (2010)। इसके डायरेक्टर थे करण जौहर। ये फ़िल्म उनके लिए उतनी निजी थी, जितनी राजनीतिक।

भाईचंद पटेल ने अपनी किताब *बॉलीवुड्स टॉप 20: सुपरस्टार्स ऑफ़ इंडियन सिनेमा* के एक चैप्टर में ज़िक्र किया है कि ये फ़िल्म 9/11 के बाद मुसलमान होने की आम समझ के ख़िलाफ़ शाहरुख़ की एक तरह की बग़ावत थी।[14]

भाईचंद पटेल बताते हैं कि शाहरुख़ के घर की लाइब्रेरी में 'ॐ' और 'अल्लाह', दोनों प्रतीक मौजूद हैं, जो धर्म के प्रति उनके समावेशी दृष्टिकोण को दिखाता है। उन्होंने बताया कि उनके बच्चे, आर्यन और सुहाना, उनके साथ गायत्री मंत्र और बिस्मिल्लाह, दोनों पढ़ते हैं, हालांकि उन्हें सबसे ज़्यादा क्रिसमस मनाना पसंद है। 'मैं आस्थावान हूं... मुझे इस्लाम की अच्छाइयों के लिए स्पष्ट रूप से खड़ा होना चाहिए... मुझे लगता है कि मैं इस्लाम का असली प्रतिनिधि हूं। मैं इस्लाम के सिद्धांतों को मानता हूं, जो शांति, भलाई, मानवता के प्रति दया की बात करते हैं... मैं नमाज़ तब पढ़ता हूं जब दिल से इच्छा होती है।' मार्च 2007 में *तहलका* को दिये एक इंटरव्यू में उन्होंने इस्लाम को लेकर बन चुकी ग़लत धारणाओं को बदलने की इच्छा ज़ाहिर की। उन्होंने कहा कि वो चाहते हैं कि लोगों को ये समझाया जाए कि इस्लाम सिर्फ़ कट्टरपंथ, गुस्से या जिहाद के बारे में नहीं है, जैसा कि आमतौर पर समझा जाता है। उन्होंने कहा, 'मैं चाहता हूं कि लोग जानें कि जिहाद का असल मतलब है अपने भीतर की हिंसा और कमज़ोरी पर काबू पाना।'[15]

9/11 हमलों के बाद का दशक अमेरिका में नस्लवाद के चरम का समय था। *द न्यू यॉर्क टाइम्स* के 2012 के एक आर्टिकल में बताया गया था कि भारतीय मुस्लिम एक्टर्स को कितनी बार एयरपोर्ट पर जांच का सामना करना पड़ा और उन्हें शर्मिंदा होना पड़ा। '2002 में आमिर खान को शिकागो एयरपोर्ट पर स्ट्रिप-सर्च किया गया। इरफ़ान खान, जिन्होंने ऑस्कर जीतने वाली हॉलीवुड फ़िल्म *स्लमडॉग मिलेनियर* समेत कई फ़िल्मों में काम किया था, उन्हें भी पहले दो बार हिरासत में लिया गया। इरफ़ान का अन्य दो ख़ानों से कोई संबंध भी नहीं था। डायरेक्टर कबीर ख़ान को भी 2008 में अमेरिका में शूटिंग के दौरान कम से कम तीन बार हिरासत में लिया गया।'[16] तलाशी की इस लिस्ट में एक भयावह घटना और भी थी, जब कॉन्टिनेंटल एयरलाइंस के कर्मचारियों ने भारत के पूर्व

राष्ट्रपति एपीजे अब्दुल कलाम की न्यूयॉर्क फ़्लाइट में चढ़ने से पहले तलाशी ली। वक़्त आ गया था कि एक ठोस स्टैंड लिया जाए।

करण जौहर ने अपनी आत्मकथा *ऐन अनसुटेबल बॉय* में बताया कि उन्होंने *माय नेम इज़ खान* क्यों बनाई। इसका एक बड़ा कारण ये था कि इस्लाम के प्रति लगातार बढ़ रही घृणा उनकी निजी सोच से टकरा रही थी। 'मैं उन लोगों में से हूं जो धर्म को लेकर बहुत ओपन-माइंडेड हैं। मुझमें कोई पूर्वाग्रह नहीं है। जब इस्लाम और आतंकवाद की बात होती है और दोनों को जोड़ा जाता है, तो मैं मानता हूं कि उसके पीछे बड़े राजनीतिक कारण होते हैं। आप किसी भी धर्म को एक ही रंग में नहीं रंग सकते। दुनिया भर में करोड़ों मुसलमान हैं, जो एक ग़लत धारणा की वजह से पीड़ित हैं। और मुझे लगता था कि मुझे ये कहानी ज़रूर सुनानी चाहिए।'[17]

'जब भी मुझे ख़ुद पर ज़्यादा घमंड होने लगता है, मैं अमेरिका चला जाता हूं। [यूएस इमिग्रेशन अफ़सर] मुझसे हमेशा पूछते हैं कि मेरी हाइट कितनी है, और मैं हमेशा झूठ बोल देता हूं और बच निकलता हूं। कहता हूं 5 फुट 10 इंच। अगली बार और भी एडवेंचरस बनूंगा। वो पूछेंगे कि "तुम्हारा रंग क्या है?" मैं कहूंगा, सफ़ेद।'

जब ये फ़िल्म बनाई जा रही थी, तब तक बॉलीवुड का अतिश्योक्तियों का दौर ख़त्म हो चुका था। शाहरुख़ को अब दर्शकों को थिएटर तक लाने के लिए अपनी डिंपल वाली मुस्कान या उड़ते बालों का सहारा नहीं लेना पड़ता था। ये बिल्कुल सही समय था एक ऐसे मुस्लिम व्यक्ति का किरदार निभाने का, जिसे एस्पर्गर्स सिंड्रोम है और जो 9/11 के बाद अमेरिका के राष्ट्रपति से मिलने की ज़िद में निकल पड़ता है। *फ़ॉरेस्ट गम्प* सरीखी एक कहानी में शाहरुख़ का किरदार रिज़वान अपने निजी कारणों से पूरे अमेरिका की यात्रा करता है, क्यूंकि उसे एक ऐसी बात कहनी थी, जो उस वक़्त शायद सबसे ज़रूरी थी: 'माय नेम इज़ खान, एंड आय ऐम नॉट अ टेररिस्ट।'

शाहरुख़ इस फ़िल्म को आतंकवाद के जवाब के रूप में नहीं देख रहे थे। उनके लिए ये भी एक लव स्टोरी थी। वो मानते थे कि ये फ़िल्म उस 'बटरफ़्लाई इफ़ेक्ट' के बारे में है, जिसमें दुनिया के किसी एक कोने में हुई एक घटना, दो अनजान लोगों की ज़िंदगी और प्यार को पूरी तरह बदल देती है।[18] फ़िल्म के प्रमोशन से पहले एक इंटरव्यू में उन्होंने कहा

कि उन्हें भारत की सेक्युलर सोच पर भरोसा है। 'जहां तक आम जनता की बात है, भारत बेहद सेक्युलर है। मैं एक मुसलमान हूं, लेकिन पिछले 20 साल से टॉप स्टार हूं। तो अगर इसी से देखें, तो कभी कोई दिक्कत नहीं हुई। हां, कुछ ताकतें होती हैं जो जानबूझकर इसे मुद्दा बनाती हैं। और ऐसा तो हर जगह होता है। मुझे बस लगा कि हमें एक ऐसी फ़िल्म बनानी चाहिए जो इंसानियत की बात करे। बस अच्छाई की।'[19]

2009 में एक विडंबना भरा मौक़ा नज़र आया। शाहरुख़ मुसलमानों को लेकर बने स्टीरियोटाइप्स पर सवाल उठाने वाली फ़िल्म *माय नेम इज़ ख़ान* का प्रचार कर रहे थे और उन्हें न्यू यॉर्क एयरपोर्ट पर यूएस इमिग्रेशन ने दो घंटे के लिए रोक लिया। क्यूंकि उनके नाम ने एक सुरक्षा अलर्ट ट्रिगर कर दिया था। द *इकॉनमिक टाइम्स* की एक रिपोर्ट में लिखा था, 'ये साफ़ नहीं है कि ख़ान, जो अक्सर यूएस आते-जाते हैं और हाल ही में *माय नेम इज़ ख़ान* की शूटिंग के लिए एक महीना यहां बिता चुके थे, उन्हें "सेकेंडरी इंस्पेक्शन" के लिए क्यों रोका गया, जिसमें किसी को हिरासत में लिया ही नहीं जा सकता... उनसे लगभग दो घंटे तक सवाल-जवाब किया गया, जो उनके मुताबिक़ बेमतलब थे। उनका मोबाइल इस्तेमाल करने नहीं दिया गया (जो असामान्य नहीं है; विज़िटर इमिग्रेशन क्लियर करने से पहले फ़ोन नहीं चला सकते।) और अंत में, उन्हें नियमों के मुताबिक़ सिर्फ़ एक कॉल करने की इजाज़त दी गई।'[20]

सालों बाद शाहरुख़ ने इस घटना को अपने भाषणों में खुद पर तंज़ करते हुए मज़ाक का हिस्सा बना लिया। लेकिन 2012 में ये घटना फिर दोहराई गई जब वो येल यूनिवर्सिटी में लेक्चर देने जा रहे थे। शाहरुख़ नीता अंबानी के प्राइवेट जेट से वेस्टचेस्टर काउंटी एयरपोर्ट, न्यू यॉर्क पहुंचे, तो इमिग्रेशन अधिकारियों ने उन्हें दो घंटे से ज़्यादा समय तक रोके रखा। इस देरी के चलते वो येल यूनिवर्सिटी के अपने निर्धारित कार्यक्रम में समय पर नहीं पहुंच पाए। बाद में जब उन्होंने छात्रों को संबोधित किया तो इस पर भी मज़ाक करते हुए कहा, 'जब भी मुझे ख़ुद पर ज़्यादा घमंड होने लगता है, मैं अमेरिका चला जाता हूं। [यूएस इमिग्रेशन अफ़सर] मुझसे हमेशा पूछते हैं कि मेरी हाइट कितनी है, और मैं हमेशा झूठ बोल देता हूं और बच निकलता हूं। कहता हूं 5 फुट 10 इंच। अगली बार और भी एडवेंचरस बनूंगा। वो पूछेंगे कि तुम्हारा रंग क्या है? मैं कहूंगा, सफ़ेद।'[21]

आपको लगेगा कि अब शायद ये आख़िरी बार होगा। और कुछ सबक लेकर इस तरह की नस्लीय प्रोफ़ाइलिंग बंद की जाएगी। लेकिन 2016 में ये पैटर्न फिर दोहराया गया। सात सालों में तीसरी बार शाहरुख़ को लॉस एंजेलिस इंटरनेशनल एयरपोर्ट पर रोका गया। वजह शायद वही थी कि उनका नाम किसी यूएस टेरर वॉचलिस्ट में दर्ज नाम से मेल खाता था।

माय नेम इज़ ख़ान के प्रमोशन के दौरान ये हिरासत एक दिलचस्प विरोधाभास कही जा सकती है। धार्मिक भेदभाव पर बनी फ़िल्म के प्रमोशन के दौरान रोके जाना किसी भी कलाकार के लिए निराशाजनक अनुभव हो सकता है। ये असुविधा और रुकावट निश्चित ही सुखद नहीं रही होगी। लेकिन ये फ़िल्म नस्लीय प्रोफ़ाइलिंग के बारे में जागरूकता बढ़ाने की अपनी कोशिश में वैश्विक स्तर पर बड़ा असर छोड़ गयी।

पोर्टलैंड स्टेट यूनिवर्सिटी की प्रिया कपूर ने एक स्टडी की थी, जिसका शीर्षक था: 'ग्लोबल मुस्लिम ऑडियंसेज़ पॉलीसेमिक रीडिंग ऑफ़ "माय नेम इज़ ख़ान": टुवर्ड ऐन इमर्जेंट मल्टीकल्चरिज़्म'। इसमें उन्होंने लिखा कि इस फ़िल्म ने बड़ी संख्या में लोगों को ये महसूस कराया कि उनका प्रतिनिधित्व किया जा रहा था। उन्होंने लिखा, '*माय नेम इज़ ख़ान* का ग़लत तरीक़े से क़ैद किया गया रिज़वान हमें राजनीतिक वजहों से ग्वांतानामो और अन्य गुमनाम जेलों में बिना क़ानूनी प्रक्रिया के बंद किए गए कई मुसलमानों की याद दिलाता है। साथ ही अबू ग़रीब जेल में हुए अत्याचारों की भी। बहुत से दर्शक जो 9/11 के बाद से इन बातों को अपने तक सीमित रखे हुए थे, जिन्होंने कभी किसी बाहरी व्यक्ति से आतंकवाद, धर्म या पहचान पर बात ही नहीं की थी, वो मुझसे फ़िल्म की क्लास में, स्क्रीनिंग या पब्लिक शो करने पर शुक्रिया कहते थे। मुझे तब एहसास हुआ कि ऐसी फ़िल्म स्क्रीनिंग्स के ज़रिये ऐसे संवाद शुरू हो सकते हैं, जो सामान्यतः कभी होते ही नहीं।'[22]

बहुत कम लोग जानते हैं कि इस फ़िल्म में दिखायी गयी लव स्टोरी *ऐन ऐस्पर्गर मैरिज* नाम की किताब से प्रेरित थी। करण जौहर और उनके साथ फ़िल्म की कहानी लिखने वाली शिबानी बठिजा ने इस किताब के सह-लेखकों क्रिस्टोफ़र और गिसेला स्लेटर-वॉकर से लंबी बातचीत की थी।

जब बात इस फ़िल्म की आई तो उन्हें शाहरुख़ के आकर्षण की बराबरी कर सकने वाली एक्ट्रेस की ज़रूरत थी। और काजोल से बेहतर भला कौन हो सकता था? सबसे

पहले उन्होंने करण से यही पूछा कि क्या वो वाक़ई ये फ़िल्म बनाना चाहते थे। लेकिन उन्हें ख़ुद इसमें काम करने का पूरा भरोसा था। उन्होंने एक इंटरव्यू में कहा, 'मैं जानती थी कि ये एक ऐसा रोल था जिसमें मैं पूरी तरह डूब सकती थी। ये एक जटिल किरदार था।' और इस फ़िल्म से उन्होंने ज़िंदगी का एक बड़ा सबक सीखा: 'एक इंसान के तौर पर इमपरफ़ेक्ट होना भी ठीक है।'[23]

ये दांव काम कर गया। शाहरुख़ के सामने रोल करने के लिए काजोल एकदम सही चुनाव थीं। लेकिन जब उन्होंने फ़िल्म के सेट पर शाहरुख़ को देखा तो पाया कि वो जिसके साथ काम करने जा रही थीं, वो उस एक्टर से बेहद अलग था जिसके साथ वो पहले काम कर चुकी थीं। शाहरुख़ के बारे में बात करते हुए उन्होंने कहा, 'शूटिंग के पहले दिन, ये समझ में आ गया था कि हम किसी दूसरे ही एक्टर के साथ काम करने जा रहे थे।' हालांकि शाहरुख़ हमेशा से बहुमुखी रहे हैं, लेकिन इस फ़िल्म में उनके कुछ हाव-भाव अलग थे। 'इस फ़िल्म में वो पहले ही दिन से रिज़वान ख़ान बन चुके थे। मैंने कभी नहीं सोचा था कि शाहरुख़ इस रोल में इतने रियल लगेंगे। मैं उनके इस कमाल के बदलाव को देखकर चौंक गयी थी। एक अभिनेता के तौर पर, रिज़वान ख़ान उनके कैरियर की सबसे बड़ी जीत है।'[24]

फ़िल्म ने बॉक्स ऑफ़िस पर बेहतरीन प्रदर्शन किया। हालांकि इसकी कमाई घरेलू और अंतरराष्ट्रीय बाज़ारों में अलग-अलग रही। भारत में, जहां फ़िल्म के धार्मिक सहिष्णुता जैसे मुद्दों ने दर्शकों से गहरा जुड़ाव पाया, इसने कुल 82.52 करोड़ रुपये कमाए। इससे ये साल की पांच सबसे ज़्यादा कमाई करने वाली फ़िल्मों में शामिल हो गई। हालांकि कुछ लोगों का मानना था कि 85 करोड़ रुपये के भारी बजट के मुकाबले इसकी कमाई थोड़ी कम रही। लेकिन फ़िल्म की असली कमाई विदेश में हुई। शुरुआती दिनों में ही इसने विदेश में 108.83 करोड़ रुपये कमा लिए और इसकी वर्ल्डवाइड कमाई 223.44 करोड़ रुपये तक पहुंच गयी।[25]

दर्शकों ने शाहरुख़ की परफ़ॉर्मेंस की जमकर तारीफ़ की। फ़िल्म के ज़रिए जो संदेश उन्होंने दिया, उसे पूरी दुनिया में सराहा गया। द *न्यू यॉर्क टाइम्स* ने फ़िल्म की समीक्षा में लिखा, '[ये] कुछ चुनिंदा हिंदी फ़िल्मों में से एक है ("न्यू यॉर्क", "क़ुर्बान") जो 9/11 के बाद के तनावपूर्ण अमेरिका में रहने वाले भारतीयों की कहानी कहती है। इस देश को बॉलीवुड के नज़रिए से देखना दिलचस्प है, भले ही कहानी एक परीकथा जैसी हो। (सबसे

दिलचस्प है अश्वेत अमेरिकियों और भारतीयों, ख़ासतौर पर मुसलमानों के बीच जो लिंक दिखाया गया है।) करण जौहर ने इसे बहुत ही संवेदनशील ढंग से डायरेक्ट किया है और शंकर, एहसान और लॉय का संगीत गहरा असर पैदा करता है। "ख़ान" बिना ज़्यादा मेहनत किये आपको रुला देता है, साथ ही इस्लाम और सहिष्णुता पर गहरी सीख भी देता है।'[26]

मेरे एक पड़ोसी हैं, जो अपना नाम नहीं बताना चाहते। उन्होंने एक शाम सोसायटी मीटिंग के बाद मुझसे इस फ़िल्म को लेकर लंबी बातचीत की। उस मीटिंग में कुछ लोग उनके मुस्लिम होने को लेकर मज़ाक कर रहे थे। वो पूरे वक़्त शांत बने रहे, ग़ुस्से का कोई भाव नहीं दिखाया। मैं उनके जितनी शालीन नहीं बनी रह सकी और मैंने सख्ती से सब बंद करवाया। मैंने उनसे पूछा कि क्या वो अपनी पहचान को लेकर डरते हैं, तो उन्होंने बहुत धैर्य से बताया कि वो एक ऐसे तबके से आते हैं जहां उन्हें ज़्यादातर दिनों में कोई डर महसूस नहीं होता। बातचीत ख़त्म करते हुए उन्होंने बहुत शांति से कहा कि दुनिया इस वक़्त कहीं बड़ी समस्याओं से जूझ रही है। 'लेकिन कुछ दिन ऐसे होते हैं जब आपकी पहचान आपके लिए बहुत मायने रखती है। 9/11 के बाद मेरे लिए ऐसा ही एक दौर था। उस समय पूरे समुदाय के ख़िलाफ़ गुस्से की एक लहर थी। *माय नेम इज़ ख़ान* देखना मेरे लिए बेहद निजी अनुभव था। एक मुसलमान के तौर पर, रोज़मर्रा के भेदभाव और संघर्षों को जिस संवेदनशीलता से इस फ़िल्म ने दिखाया, उसने मुझे बहुत सुकून पहुंचाया। मुझे पहली बार लगा कि कोई हमारी कहानी को सचमुच समझ पा रहा है। ऐसा लगा जैसे शाहरुख़ ख़ान और करण जौहर ने जान-बूझकर ये कहानी दुनिया तक पहुंचाने की ठानी थी। आज अगर ऐसी फ़िल्म बनती, तो वो एक राजनीतिक स्टेटमेंट मानी जाती। ग़ाज़ा में जो हो रहा है, या भारत में एक आम ग़रीब मुस्लिम के साथ जो हो रहा है, उसके ख़िलाफ़ एक बयान माना जाता। ऐसा लगता है कि 2024 में हमें इस संदेश की पहले से ज़्यादा ज़रूरत है। भेदभाव और ग़लतफहमियां अब भी ख़त्म नहीं हुई हैं, बल्कि और तीखी हो गई हैं। *माय नेम इज़ ख़ान* अपने समय से आगे की फ़िल्म थी, जिसने सहानुभूति और समझदारी की अहमियत को दिखाया। आज, जब हम अब भी उसी इज़्ज़त और स्वीकार्यता के लिए लड़ रहे हैं, तो ये सोचकर दुख होता है कि हम कितनी कम तरक़्क़ी कर पाए हैं।'

शाहरुख़ की सबसे बड़ी तारीफ़ *अवतार* के डायरेक्टर जेम्स कैमरून के हवाले से आयी। उन्होंने 2010 में एक इंटरव्यू में कहा था, 'शाहरुख़ ख़ान एक स्टार हैं। अगर वो

माय नेम इज़ ख़ान का पोस्टर मेरे लिए साइन कर दें, तो मैं बहुत ख़ुशी से उनके लिए एक पोस्टर साइन करूंगा!'[27]

एक्स (पहले ट्विटर) पर आपको बेस्टसेलिंग लेखक पाउलो कोएलो अक्सर *माय नेम इज़ ख़ान* देखने का सुझाव देते दिख जायेंगे। 2023 में उन्होंने पोस्ट किया, 'किंग। लेजेंड। फ्रेंड। लेकिन सबसे ऊपर, एक बेहतरीन एक्टर (जो लोग उन्हें पश्चिम में नहीं जानते, मैं उन्हें "माय नेम इज़ ख़ान एंड आय ऐम नॉट अ टेररिस्ट" देखने की सख़्त सलाह देता हूं)।'[28]

फिलहाल, शाहरुख़ फिर से गानों और डांस में, चैन से लौट सकते थे। उन्हें जो कहना था, वो कह चुके थे।

'संदेश डाक सेवाओं के लिए होते हैं, फ़िल्मों के लिए नहीं। फ़िल्मों को मनोरंजन का काम करना चाहिए।'[29] ये एक ऐसी बात है, जिसे शाहरुख़ ने हमेशा निभाने की कोशिश की है। उन्होंने बहुत सा ऐसा काम किया जो आपको सोचने पर मजबूर करता है और आपके साथ रहता है, लेकिन उनकी लिस्ट में वो सबकुछ मिलता है जो लोग उनसे चाहते हैं। उन्होंने वो फ़िल्में भी की हैं जो लोगों को उनकी ज़िंदगी की दुश्वारियों से दूर ले जाती हैं और जिन्होंने भीड़ बुलाई है और ढेरों रुपये कमाये हैं।

2000 से 2010 के दशक में शाहरुख़ ने बहुत कुछ हासिल किया और इस दौरान उन्होंने बहुत कुछ ऐसा भी किया जो उनके दिल के बेहद क़रीब था। *मोहब्बतें* से शुरू हुए इस सफ़र में उन्होंने कई ऐसी फ़िल्में कीं जिन्हें अथाह प्यार मिला। आदित्य चोपड़ा इस फ़िल्म में शाहरुख़ को वापस मोहब्बत का प्रतिनिधि बनाकर लाये, जिसमें शाहरुख़ के पसंदीदा एक्टर अमिताभ बच्चन साथ काम कर रहे थे। ये पहला मौका था जब स्क्रीन पर इन दोनों को साथ देखा जा रहा था। शाहरुख़ ने राज आर्यन मल्होत्रा नाम के एक म्यूज़िक टीचर का किरदार निभाया था, जो गुरुकुल कॉलेज के प्रिंसिपल नारायण शंकर के कठोर अनुशासन को चुनौती देता है और उन्हें प्रेम के पैगाम को अपनाने पर मजबूर करता है। नारायण शंकर के रोल में अमिताभ बच्चन थे। ये फ़िल्म प्रेम और अनुशासन के बीच चली आ रही खींचतान के बारे में बात करती है और इसकी पृष्ठभूमि में कॉलेज की ज़िंदगी है, जिसमें तीन युवा जोड़ों की कहानियां देखने को मिलती हैं। *मोहब्बतें* ने बॉक्स ऑफ़िस पर हल्ला काट दिया! इसने दुनियाभर में 90 करोड़ रुपयों की कमाई की।

भारत में इस फ़िल्म ने 76.91 करोड़ रुपये कमाये। देश में इसने 41.88 करोड़ रुपयों की नेट कमाई की और विदेश से 18.74 करोड़ रुपये आये। हालांकि कई नये एक्टर स्क्रीन पर दिखायी देने लगे थे, लेकिन शाहरुख़ ख़ान का जलवा अभी भी क़ायम था।

मोहब्बतें की सफलता के बाद आयी *कभी ख़ुशी कभी ग़म*..., जिसने और कमाल किया। ये एक बहुत बड़ा प्रोडक्शन था, जिसमें तीन पीढ़ियों के सुपरस्टार्स दिखायी दे रहे थे। इस फ़िल्म को करण जौहर ने डायरेक्ट किया था। इसकी कहानी एक बेहद अमीर भारतीय परिवार के इर्द-गिर्द घूमती है, जिसमें दो बेटे हैं। इनमें एक बेटा दत्तक पुत्र था, जिसका किरदार शाहरुख़ निभा रहे थे। ये गोद लिया हुआ बेटा एक ऐसी लड़की से शादी कर लेता है, जो सामाजिक और आर्थिक रूप से कहीं निचले स्तर से आती थी। चूंकि लड़के के पिता शादी के इस फैसले के ख़िलाफ़ थे, लड़के और परिवार की बहू को घर से निकाल दिया जाता है। छोटा बेटा, जो ऋतिक रोशन हैं, अपने परिवार को वापस जोड़ने के मिशन पर निकल पड़ता है। इस फ़िल्म में बहुत बड़ी कास्ट थी, जिसमें शाहरुख़ और ऋतिक के अलावा अमिताभ बच्चन, जया बच्चन, काजोल और करीना कपूर थे।

करण जौहर ने अपने संस्मरण में बताया कि कैसे वो रामायण को एक नये और आधुनिक स्वरूप में सामने लाना चाहते थे। वो यश चोपड़ा की *कभी कभी* और उसकी बड़ी स्टार-कास्ट से प्रभावित थे और चाहते थे कि वो भी ऐसी ही एक परिवार की कहानी बनायें जिसके पोस्टर पर छह बड़े चेहरे दिखायी देते हों।

शाहरुख़ के लिए, ये बड़ी महत्वपूर्ण फ़िल्म थी। फ़िल्म की रिलीज़ से पहले एक इंटरव्यू में उन्होंने कहा, 'ये एक टर्निंग पॉइंट है। आप देखें कि तीन सुपरस्टार एक लाइन में दिख रहे हैं। इतने बड़े स्तर पर ऐसी बड़ी फ़िल्म इससे पहले कभी नहीं बनायी गयी है।'[30] इस फ़िल्म का प्रोडक्शन उसी वक़्त शुरू हुआ था जब शाहरुख़ और ऋतिक के बीच खींचतान की ख़बरें आ रही थीं। और तनाव भरे माहौल में, शाहरुख़ पूरे दौरान ख़ुद को शांतचित्त रखने की हरसंभव कोशिश करने में लगे हुए थे। करण जौहर ने ऋतिक को *कहो न... प्यार है* के पहले ही साइन कर लिया था, लेकिन सितम्बर 2000 में, जब तक शूटिंग शुरू होती, फ़िल्म ने धूम मचा दी थी और शाहरुख़-ऋतिक की तुलना मीडिया में बहुत बड़े स्तर पर शुरू हो चुकी थी। इसके चलते सेट पर जो नकारात्मकता फैली, वो चुभने वाली और अहितकारी थी। करण ने अपने संस्मरण में लिखा कि उन्हें ये अहसास हुआ था कि उस दौरान ऋतिक को कुछ मार्गदर्शन की ज़रूरत थी। बच्चन दंपत्ति उनसे

बहुत नज़दीक नहीं थे, शाहरुख़ ने परिस्थितिवश उनसे दूरी बनाकर रखी हुई थी और काजोल तो शाहरुख़ के ही साथ रहने वाली थीं। ऐसे में करण को लगा कि उन्हें ऋतिक का साथ देना चाहिए। इसके चलते इन दोनों में गहरी दोस्ती भी हो गयी। उन्होंने बताया कि पूरी कास्ट के बीच ऋतिक कुछ खोये-खोये थे क्यूंकि वो कुछ चुप स्वभाव के थे और सार्वजनिक जगहों पर बहुत सहज नहीं हो पाते।

ये फ़िल्म उसी साल रिलीज़ हुई, जिस साल *लगान* और *दिल चाहता है* आयी थीं। रिव्यू अलग-अलग तरह के थे। तमाम बातों में ऐसा भी कहा गया कि ये फ़िल्म '*कुछ कुछ होता है* के आस-पास भी नहीं फटकती', 'अतिश्योक्ति से भरी है', 'ज़रूरत से ज़्यादा समृद्धता दिखाती है', '*दिल चाहता है* जितनी कूल नहीं है', '*लगान* को टक्कर नहीं दे सकती', '*लगान* ही साल की सर्वश्रेष्ठ फ़िल्म है,' आदि-आदि। ये हर किसी के लिए चिंता का विषय था। ख़ासकर करण जौहर के लिए। उन्हें लग रहा था कि ये फ़िल्म देखने कोई नहीं जाने वाला था। लेकिन फिर इस फ़िल्म ने अच्छा करना शुरू कर दिया और साल की दूसरी फ़िल्मों के बीच अच्छा बिज़नेस किया। करण जौहर ने अपने संस्मरण में लिखा, 'दुनियाभर में हर कोई ये जानता है कि इस देश के लिए, *कभी ख़ुशी कभी ग़म* बॉलीवुड से पसंदीदा फ़िल्म है। ये सच है। जर्मनी, फ़्रांस और आयरलैंड में इसकी बहुत बड़ी ब्रांड वैल्यू है। दुनियाभर में लोग इस फ़िल्म को जानते हैं। इसे दुनिया का प्यार मिला है।' और आंकड़ों के मामले में, आज की तारीख़ तक, ये सबसे ज़्यादा कमाई करने वाली फ़िल्म है।

'कभी-कभी मैं सोचता हूं कि ऐसा क्यूं है कि मुझे ही निशाना बनाया जाता है। ऐसे दूसरे एक्टर भी हैं जो यही काम करते हैं, उनके बारे में कोई कुछ नहीं लिखता है। लेकिन जब मैं ये करता हूं, मेरी आलोचना होती है। शायद लोग मुझसे बहुत प्यार करते हैं। आप उन्हीं से अपेक्षाएं रखते हैं, जिनपर विश्वास करते हैं। एकदम वैसे ही, जैसे मुझे मेरे बेटे से कुछ अपेक्षाएं हैं।'

और शाहरुख़ की तमाम फ़िल्मों की तरह, इस फ़िल्म का भी पॉप कल्चर पर बड़ा प्रभाव पड़ा। इस फ़िल्म में कई ऐसे डायलॉग थे जो याद रखे और दोहराए जाते हैं। इस फ़िल्म में *'सूरज हुआ मद्धम'* और *'बोले चूड़ियां'* जैसे गाने और ऐसे कपड़े थे, जिन्होंने

ट्रेंड बदलकर रख दिया था। पॉप-कल्चर पर इस फ़िल्म के प्रभाव का सबसे बड़ा सबूत शायद यही है कि इस फ़िल्म के कई पहलू उन लोगों को भी प्रभावित करते हैं जो फ़िल्म की रिलीज़ के वक़्त तक पैदा भी नहीं हुए थे। यहां तक कि कम उम्र के सिनेमा देखने वाले आज चांदनी चौक के सीन को बार-बार याद करते हैं, या फिर वो सीन, जिसमें राहुल एक फ़ोटो उठाकर कहता है, 'आंखें बंद करके अपने मां और बाबा का नाम लो, फिर देखना हर मंज़िल पार हो जायेगी,' या वो सीन, जिसमें शाहरुख़ अपने घर की ओर दौड़ रहे हैं और जया बच्चन उनका स्वागत करने को आ रही हैं। इस फ़िल्म को अप्रवासी भारतीयों ने ख़ूब पसंद किया। जो लोग भारत में रह रहे थे, उन्हें इस फ़िल्म के किरदार बहुत अतिशयोक्तिपूर्ण लगे, लेकिन अप्रवासियों को इसमें अपना चेहरा दिखायी दिया, जिसमें वो विदेशी संस्कृति के बीच अपनी देसी पहचान को बरक़रार रखने का संघर्ष कर रहे थे।

इस फ़िल्म ने शाहरुख़ को आर्थिक रूप से इतना सशक्त कर दिया था कि वो आगे फिर से एक्सपेरिमेंट कर सकते थे। फ़िल्म की रिलीज़ से एक रोज़ पहले उन्होंने एक इंटरव्यू में कहा, 'कभी-कभी मैं सोचता हूं कि ऐसा क्यूं है कि मुझे ही निशाना बनाया जाता है। ऐसे दूसरे एक्टर भी हैं जो यही काम करते हैं, उनके बारे में कोई कुछ नहीं लिखता है। लेकिन जब मैं ये करता हूं, मेरी आलोचना होती है। शायद लोग मुझसे बहुत प्यार करते हैं। आप उन्हीं से अपेक्षाएं रखते हैं, जिनपर विश्वास करते हैं। एकदम वैसे ही, जैसे मुझे मेरे बेटे से कुछ अपेक्षाएं हैं।'[31]

निखिल अडवाणी द्वारा डायरेक्ट की गयी *कल हो न हो* (2003) भी अपेक्षाओं पर पूरी तरह से खरी उतरी। ये फ़िल्म अमन माथुर (शाहरुख़) की कहानी बताती है, जो जानलेवा बीमारी से जूझ रहा था। अमन, नैना कैथरीन कपूर (प्रीटी ज़िंटा) और रोहित (सैफ़ अली ख़ान) के जीवन में आता है और बेहतर कर देता है। इस फ़िल्म को समीक्षकों ने भी सराहा और इसे आर्थिक सफलता भी मिली। दुनियाभर में इसने 82 करोड़ रुपये कमाये। छह फ़िल्मफ़ेयर अवॉर्ड्स के साथ इसे ढेरों और पुरस्कार मिले और इसे 2000 के दशक की सबसे शानदार फ़िल्मों में एक माना जाता है। *कल हो न हो* को एक कल्ट क्लासिक का दर्जा मिल चुका है और इसकी मशहूर लाइन 'हंसो, गाओ, मुस्कुराओ... क्या पता कल हो न हो,' लगातार ये बताती रहती है कि हमें ख़ुलकर अपनी ज़िंदगी जीनी चाहिए।

और फिर आयी *कभी अलविदा न कहना*, जिसे एक बार फिर करण जौहर ने डायरेक्ट किया था। आज तक आयीं शाहरुख़ की फ़िल्मों में यही वो एक फ़िल्म है, जिसके बारे

में लोगों के विचार बंटे हुए हैं। आलोचकों का कहना था कि एक्सपेरिमेंट करने के क्रम में, शाहरुख़ कुछ ज़्यादा ही आगे निकल आये थे। इस फ़िल्म में शाहरुख़ ने देव शर्मा का किरदार निभाया था जो एक पूर्व फ़ुटबॉल खिलाड़ी है और उसकी शादी रिया (प्रीटी ज़िंटा) से हुई है, जो एक सफल फ़ैशन एडिटर है। देव के जीवन की गाड़ी उस वक़्त एक अलग मोड़ लेती है, जब वो किंडरगार्टन टीचर माया तलवार (रानी मुखर्जी) से मिलता है, जिसकी शादी इवेंट प्लानर ऋषि (अभिषेक बच्चन) से हुई थी। माया और देव नज़दीक आते जाते हैं और अपनी शादी पर सवाल उठाने लगते हैं और सच्चे प्यार के मायने समझने की कोशिश करने लगते हैं। ये फ़िल्म नज़दीकी, परगमन और सेक्शुअल संबंधों को सूक्ष्मता से देखती है और लगातार ये सवाल करती है कि एक सफल शादीशुदा ज़िंदगी किसे कहते हैं।

शाहरुख़ के फैंस ने ये मानने से इंकार कर दिया कि स्क्रीन पर ही सही, शाहरुख़ अपनी पत्नी को धोखा नहीं दे सकता। ये कोई आम बात नहीं थी और उस छवि के बिल्कुल उलट थी, जो उन्होंने इतने सालों में बनायी थी। शायद उन्होंने ये फ़िल्म करण जौहर को लेकर अपने प्रेम के चलते की थी। करण लम्बे वक़्त से एक बड़ी कहानी लिख रहे थे, जो आगे चलकर *कलंक* बनी। लेकिन त्रासद दिन आये और उनके पिता की मृत्यु हो गयी। एक प्रोड्यूसर बनने का मतलब था कि उन्हें ख़ुद को पहचानकर सामने लाना होगा, कलात्मक होना होगा और एक फ़िल्म-मेकर का साथ चाहिए होगा। करण कुछ साहसी होना चाहते थे और ख़ुद को समाज द्वारा तय की गयी बंदिशों से पार ले जाना चाहते थे। उन्होंने लिखा था, 'इस बारे में बहुत बातें हो रही थीं कि शादी एक ऐसी संस्था बनती जा रही थी जिसमें अब लोगों की आस्था टूट रही थी और तलाक़ इसकी जगह लेता रहा था और विवाहेतर संबंध हर घर में बढ़ रहे थे।' उन्हें ये भी मालूम था कि अगर इस दिशा में काम करने के लिए उन्हें कदम बढ़ाने थे, तो शाहरुख़ को उनके साथ होना होगा।

कभी अलविदा न कहना पर जैसी प्रतिक्रियाएं आयीं, उन्होंने करण जौहर को निराश किया, उन्हें गुस्से से भर दिया और वो झुंझलाए हुए थे। उन्होंने बताया कि कैसे वो फ़िल्म देशभर की खाने की मेज़ों पर गर्मागर्म बहसों का सबब बन गयी थी। दर्शकों ने फ़िल्म में शाहरुख़ के चाल-चलन पर सवाल उठाया और वो ये समझ नहीं पा रहे थे कि क्यूं रानी मुखर्जी के किरदार ने अभिषेक बच्चन को छोड़ा, जो एक अच्छे पति नज़र आ रहे थे।

जिस तरह से, सामूहिक रूप से इस फ़िल्म को जज किया जा रहा था और जिस तरह से हर जगह उन्हें फ़िल्म के बारे में सफ़ाई देनी पड़ रही थी, इस सबने उन्हें परेशान करके रख दिया था। करण यही समझाने की कोशिश कर रहे थे कि फ़िल्म में जो है, वो सेक्शुअल केमिस्ट्री या उसकी ग़ैर-मौजूदगी के चलते हुआ। ये बात सच थी कि ऋषि एक अच्छा आदमी था लेकिन माया उसकी ओर आकर्षित नहीं हो पा रही थी और इसके बदले वो एक चिड़चिड़े और बड़ी जल्दी परेशान हो जाने वाले देव की ओर खिंची चली आयी। उन्होंने ढेर समझाने की कोशिश की कि ये दिल का मामला था। करण ने बीते कई सालों से अपने इंटरव्यू में समाज के पाखंड के बारे में बात की है। वो कहते हैं कि लोग बड़ी जल्दी लोगों को जज करने लगते हैं और ये भूल जाते हैं कि नैतिकता की किताबी बातें असल जीवन की परिस्थितियों पर हमेशा लागू नहीं होतीं। वो झुंझलाए हुए थे क्यूंकि उन्हें मालूम था कि ऐसी ही बातें लोगों के निजी जीवन में भी चल रही थीं और फिर भी हर कोई उनकी फ़िल्म की आलोचना करने में लगा हुआ था।

शाहरुख़ को ख़ुद देव के किरदार में बहुत यक़ीन नहीं था। वो किरदार समझ पाना उनके लिए बहुत मुश्किल हो रहा था। करण बताते हैं कि उस किरदार का विवाहेतर संबंध बनाना शाहरुख़ की समझ से परे था। उन्होंने अपने संस्मरण में लिखा कि कैसे उन्हें एक सीन के बाद शाहरुख़ को समझाना पड़ा, 'शाहरुख़, तुम अफ़ेयर नहीं कर रहे हो। तुम्हारा कैरेक्टर अफ़ेयर कर रहा है। क्या ये बात तुमको समझ में नहीं आ रही?' शायद, शाहरुख़ के लिए देव उस छवि के बिल्कुल उलट था, जो उन्होंने अपने लिए, बतौर एक्टर और इंसान, बनायी थी।

शाहरुख़ ने एक इंटरव्यू में कहा, '3 घंटे में आप कोई संदेश नहीं दे सकते हैं। असल में, कोई भी फ़िल्म ऐसा नहीं कर पाएगी। ज़्यादा से ज़्यादा आप ये कर सकते हैं कि एक दृष्टिकोण सामने रख सकते हैं। अगर आप मेरे किरदार को देखें, तो वो एक आदमी है जो लंगड़ाकर चलता है, जिसका कैरियर बर्बाद हो चुका है, शादी से बहुत ख़ुश नहीं है और उसके बाहर उसे प्रेम मिलता है। अब, *कभी अलविदा न कहना* इन परिस्थितियों को आधार बनाकर एक दृष्टिकोण सामने रखती है।' फिर उनसे पूछा गया कि क्या ऐसा होता है? उन्होंने जवाब दिया, 'ओके, तो आपको ये लग सकता है कि ये आपकी ज़िंदगी का हिस्सा नहीं है। हो सकता है कि ये किसी ऐसे शख़्स की कहानी न हो, जिसे आप जानते हैं या जो आपके घर के नज़दीक रहता है। लेकिन, ऐसे चांसेज़ हैं कि दूर किसी गली के

किसी कोने पर एक ऐसा इंसान हो, जिसकी ज़िंदगी में ऐसा ही कुछ घटित हुआ हो। *कभी अलविदा न कहना* ऐसे ही दृष्टिकोण से निकली एक कहानी है!'[32]

करण जौहर को शाहरुख़ के साथ ऐसा करने के लिए बहुत कुछ झेलना पड़ा। करण ने *ऐन अनसुटेबल बॉय* में लिखा, 'और यहां मुझे ऐसा लग रहा था कि मैं बंदिशों को तोड़ रहा था। ऐसा लग रहा था कि फ़िल्मी स्क्रीन पर शाहरुख़ को अपनी पत्नी से बेवफ़ाई करते हुए दिखाकर मैंने भारतीय सिनेमा के इतिहास में सबसे बड़ा अन्याय कर दिया था।'

फ़िल्म में शाहरुख़ एक आम रोमांटिक हीरो नहीं थे, जो अपने चुनावों और नैतिकता में पवित्रता लिए होता था। इस फ़िल्म में तो इतने सज्जन नहीं थे और कुछ ऐसी चीज़ें कर रहे थे, जो सम्मान योग्य नहीं थीं और जिन्हें देखकर उनकी महिला फैंस को बड़ा झटका लगा था। वो आकर्षक और विश्वास दिलाने वाला व्यक्तित्व जाता दिख रहा था। इसकी जगह उन्हें एक ऐसा शख़्स दिख रहा था, जो बेहद निराश था, एक प्रेम-रहित शादी में फंसा हुआ था और मिड लाइफ़ क्राइसिस की दर पर खड़ा था। वो एक ऐसे रिश्ते में थे, जिसमें प्रेम नहीं था, एक ऐसी पत्नी के साथ थे, जो अपने कैरियर को सबकुछ मान चुकी थी और जो उससे कहीं ज़्यादा सफल थी। देव के ऐसे किरदार को शाहरुख़ ने बखूबी निभाया और उसके हर दिन के कामों और फ़ुटबाल में अपना कैरियर न बना पाने की लाचारी से उपजे गुस्से को उन्होंने शानदार ढंग से दिखाया। कहानी के अनुसार, वो एक वक़्त पर शानदार खिलाड़ी था लेकिन एक दुर्घटना के चलते उसका कैरियर ख़त्म हो गया और वो उस ज़िंदगी से कोसों दूर हो गया, जिसकी उसे चाहत थी। इस नुकसान से उसके भीतर गुस्से और असुरक्षा की भावना आ गयी और उसकी पत्नी के कैरियर और उसकी कामयाबी ने उसे और लाचार महसूस कराना शुरू कर दिया। लेकिन दर्शकों की नज़रों में ये सभी परिस्थितियां उसके किरदार के लिए सहानुभूति नहीं जगा सकीं, क्यूंकि उसके अफ़ेयर करने ने और सबकुछ ढंक दिया था। शाहरुख़ ने अपने तीखी और तंज़ भरी बातों से, पत्नी की ओर आक्रामक रवैये और पूरी दुनिया को लेकर द्वेष भरे तेवर के ज़रिये देव के किरदार को ज़िंदा कर दिया था। उनके फैंस ने भले ही इस किरदार को पसंद नहीं किया लेकिन उनकी परफ़ॉरमेंस ने सभी को इम्प्रेस किया। ये सही था कि उनके फैंस उन्हें पर्दे पर अपनी पत्नी से बेवफ़ाई करते हुए नहीं देख सकते थे, लेकिन उन्होंने जो काम किया था, उसे उनके फैंस और समीक्षकों ने पसंद किया। लेकिन, हर कोई इस एक बात

पर एकमत था कि देव सरन असल जीवन में उनका पसंदीदा इंसान कतई नहीं होगा। वो हर बार राज मल्होत्रा को ही देखना चाहते थे।

एक ओर जहां ज़्यादातर महिलाएं फ़िल्मों तक के बारे में इस बात को नकारती हैं कि शाहरुख़ अपनी पत्नी के सिवा किसी और से भी प्यार कर सकते हैं, मैंने न्यू यॉर्क में रिसर्च कर रहीं दीक्षा मेहता से बात की। उन्होंने मुझे एक अलग ही एंगल दिया। इत्तेफ़ाक की बात थी कि जिस शाम मैंने उनसे बात की, वो *कभी अलविदा न कहना* ही देख रही थीं। उन्होंने कहा, 'मैं *कभी अलविदा न कहना* को बेहद पसंद करती हूं और मुझे अच्छा लगता है कि इस फ़िल्म ने प्रेम के उन पहलुओं तक पहुंचने की कोशिश की, जिसे समाज ने छोड़ रखा है या जिसे पूरी तरह से नकारा हुआ है। ये दुख की बात है कि हम एक ऐसी दुनिया में रहते हैं, जिसमें ऐसे लोगों को जज किया जाता है या उन्हें हाशिये पर छोड़ दिया जाता है, क्यूंकि उनके प्रेम करने का तरीका पारंपरिक खांचे में नहीं बैठता। इस दुनिया में प्रेम को तभी नैतिक माना जाता है, जब वो शादीशुदा रिश्ते में हो। तो क्या विवाहेतर संबंध महज़ वासना तक सीमित होते हैं? आपको ऐसा ही लग सकता है क्यूंकि ज़्यादातर संस्कृतियों में विवाह को अतिपवित्र माना जाता है। लेकिन *कभी अलविदा न कहना* ने दिखाने का प्रयास किया कि शादी में भी ख़ामियां होती हैं और लोग इसमें चीज़ों को ठीक करते-करते थक चुके हैं। मैं ख़ुद को रिया की जगह सोचती हूं। मेरी एक देव से शादी हुई थी और उसके पास एक माया थी। और वो आख़िरी सीन, जिसमें रिया, माया से कहती है, "रह के देखो, पता चलेगा," एक ऐसी बात है जो मैंने भी कही हुई है। ये फ़िल्म इतनी असली है, इतनी पर्सनल है... यहां तक कि इसके डायलॉग भी लोगों द्वारा असल ज़िंदगी में इस्तेमाल किये जा चुके हैं। अगर कोई इस तरह से प्यार करता है कि उसका तरीका समाज की बनायी सीमाओं में नहीं बैठता तो उसे समझे जाने की बजाय ठुकरा दिया जाता है। फ़िल्म में जिस तरह से देव और माया के रिश्ते को दिखाया गया था, वो संकीर्ण मानसिकता के ख़िलाफ़ एक बहुत बड़ी बग़ावत है। शाहरुख़ ख़ान, करण जौहर और रानी मुखर्जी ने मिलकर एक बेहद ख़ास फ़िल्म बनायी, जिसमें एक ऐसी लव स्टोरी थी, जो पारंपरिक अपेक्षाओं पर तो खरी नहीं ही उतरती थी, लेकिन अपनी मज़बूती और ख़ुशी तलाश लेती है। ये फ़िल्म और ताक़तवर तब बन जाती है, जब इसकी हैप्पी एंडिंग होती है, जबकि लोगों को लगता है कि ऐसा नहीं होना चाहिए था। क्यूंकि लोग उस चीटिंग के बदले सभी के साथ बुरा होते हुए देखना चाहते थे। क्या ये बेहतर नहीं होगा कि जो लोग

एक-दूसरे से प्यार करते हैं, वो एक-साथ रहें, बजाय इसके कि वो अपने आस-आस के लोगों को दुखी करते फिरें? *कभी अलविदा न कहना* एक जोड़े को शांति पाने की छूट देती है। एक ऐसी फ़िल्म देखना, जो कहती हो "प्यार एक पेचीदा मसला है और ये ठीक है," एक सुखद अनुभव होता है। ये किसी भी हाल में शादी से इतर संबंधों को प्रमोट नहीं कर रही है बल्कि ये बता रही है कि प्यार में सबकुछ ब्लैक-एंड-व्हाइट नहीं रहता। फ़िल्म में देव और माया की हैप्पी एंडिंग एक जीत मालूम देती है, सिर्फ़ उनके लिए ही नहीं बल्कि हर उस शख़्स के लिए जिसे उसकी ग़ैर-परम्परागत लव स्टोरी के लिए जज किया जाता रहा हो। ये फ़िल्म हमें याद दिलाती है कि प्रेम किसी भी रूप में हो, उसका सम्मान किया जाना चाहिए।'

'संदेश डाक सेवाओं के लिए होते हैं, फ़िल्मों के लिए नहीं। फ़िल्मों को मनोरंजन का काम करना चाहिए।' ये एक ऐसी बात है, जिसे शाहरुख़ ने हमेशा निभाने की कोशिश की है। उन्होंने बहुत सा ऐसा काम किया जो आपको सोचने पर मजबूर करता है और आपके साथ रहता है, लेकिन उनकी लिस्ट में वो सबकुछ मिलता है जो लोग उनसे चाहते हैं। उन्होंने वो फ़िल्में भी की हैं जो लोगों को उनकी ज़िंदगी की दुश्वारियों से दूर ले जाती हैं और जिन्होंने भीड़ बुलाई है और ढेरों रुपये कमाये हैं।

काम में ख़ूब कमाल करने और कई ख़तरे मोल लेने के बीच, शाहरुख़ ने अपनी प्रोडक्शन कम्पनी को चलायमान रखा। 2007 में रेड चिलीज़ की अगली फ़िल्म आयी *ओम शांति ओम*, जिसे फ़राह ख़ान ने डायरेक्ट किया था। इस फिल्म में एक ऐसी एक्ट्रेस को लॉन्च किया जा रहा था, जो किसी स्टार की बेटी नहीं थी। जबकि ठीक इसी वक़्त, संजय लीला भंसाली अपनी फ़िल्म *सांवरिया* के लिए एक बड़े प्रोडक्शन की तैयारी कर रहे थे, जिसमें ऋषि कपूर और नीतू कपूर के बेटे, रणबीर कपूर और अनिल कपूर की बेटी सोनम कपूर लॉन्च होने वाली थीं। शाहरुख़ ने ख़ुद एक आउटसाइडर के तौर पर काम शुरू किया था, लिहाज़ा वो नए टैलेंट और नए चेहरों के लिए दरवाज़े खोलने की अहमियत जानते

थे। दीपिका पादुकोण को लॉन्च करने के लिए फ़राह ख़ान पूरा क्रेडिट शाहरुख़ को देती हैं। 'हीरो को लॉन्च करना एक अलग ही लेवल का काम है। क्यूंकि पैसा कौन देगा? मैंने उसको लॉन्च किया शाहरुख़ ख़ान की वजह से। क्यूंकि वो था, तो मैं ये रिस्क ले पायी... कोई भी आपको लॉन्च नहीं करेगा, अगर आप बड़े स्टार के बेटे नहीं हो, तो। माफ़ करियेगा मगर यही सच है।'[33]

ये एक आदर्श बॉलीवुड रोमांटिक ड्रामा फ़िल्म थी, जिसमें पुनर्जन्म, रोमांस और षड्यंत्र शामिल था। सिनेमा की दुनिया को ये एक सलाम था। फ़िल्म में शाहरुख़ ख़ान डबल रोल में थे। 70 के दशक का एक जूनियर आर्टिस्ट ओम प्रकाश मखीजा और वर्तमान समय का एक सुपरस्टार ओम कपूर। ओम प्रकाश को बॉलीवुड की स्टार हीरोइन शांतिप्रिया (दीपिका पादुकोण) से प्यार हो जाता है लेकिन ये प्रेम तब अधूरा रह जाता है, जब शांति की आग में जलकर मौत हो जाती है। कई दशकों के बाद, ओम प्रकाश मखीजा का ओम कपूर के रूप में पुनर्जन्म होता है। एक बार फिर शांति उसके सामने आती है और वो अपने पिछले जन्म का सच पता करता है और शांति को मारनेवाले मुकेश मेहरा (अर्जुन रामपाल) से बदला लेता है।

फ़िल्म की शूटिंग के दौरान, शाहरुख़, दीपिका से बड़े प्रभावित हुए। फ़िल्म की रिलीज़ से पहले उन्होंने कहा, 'ये एक ख़ुशनुमा फ़िल्म है और मुझे लगता है कि ज़्यादातर लोग ख़ुश रहना चाहते हैं। हमने इस फ़िल्म को ढेर सारी ख़ुशियों के साथ बनाया है। दीपिका ने कमाल का काम किया है। मेरी वजह से कई हीरोइनों ने अच्छा काम किया है, ऐसा लोग कहते हैं। लेकिन मुझे लगता है कि इस फ़िल्म में दीपिका की ऊर्जा से मैं अच्छा दिखा हूं।'[34]

ओम शांति ओम आर्थिक रूप से बेहद सफल रही, जिसने दुनियाभर में 200 करोड़ रुपये की कमाई की। आठ फ़िल्मफ़ेयर अवॉर्ड्स समेत इस फ़िल्म को ढेरों पुरस्कार मिले और इसे भारतीय इतिहास में सबसे ज़्यादा कमाई करने वाली फ़िल्म माना जाता है। इस फ़िल्म को इसके बड़े स्वरूप, लम्बे वक़्त तक पसंद आने वाले संगीत और शाहरुख़ ख़ान की अतिश्योक्ति से भरी एक्टिंग के लिए ख़ूब सराहा गया। समय के साथ-साथ *ओम शांति ओम* एक कल्ट क्लासिक फ़िल्म बन चुकी है।

ये बिल्कुल मुफ़ीद रहा कि *ओम शांति ओम* के लिए हमने एक ओम से ही बात की। एरिज़ोना में रहने वाले ओमी झा ने मुझसे कहा, 'ओह! मैं आपको बताता हूं कि

क्यों *ओम शांति ओम* बॉलीवुड की बेस्ट फ़िल्म है! ये फ़िल्म बॉलीवुड से जुड़ी हर एक चीज़ को एक प्रेम पत्र सरीखी है। इसमें ड्रामा है, रोमांस है और ठीक उतना ही नॉस्टेल्जिया है, जो हमें सुकून देता है। ओम प्रकाश मखीजा के किरदार को शाहरुख़ ख़ान ने सटीक तरीक़े से निभाया है। ये ऐसा किरदार है, जिसके विजेता होने की कोई संभावना नहीं होती लेकिन उसे ज़िंदगी में कुछ करने का, शोहरत और प्यार पाने का दूसरा मौक़ा मिलता है। ये ऐसा था कि मानो आज के समय की एक परीकथा देख रहे हों! फ़िल्म के चमकीले रंगों में, नाटकीयता से भरे दृश्यों में और हमेशा के लिए याद रह जाने वाले गानों में खोये बिना आप रह नहीं सकते। इसकी साथ, शाहरुख़ और दीपिका के बीच जो घनिष्ठता दिखती है, वो कमाल थी। कोई भी इन दोनों के प्यार में कैसे नहीं पड़ सकता था?

'ये महज़ एक फ़िल्म नहीं थी बल्कि एक अनुभव था, जो आपको हंसाता है, रुलाता है और जश्न मनाने का मौक़ा देता है। चाहे आप शाहरुख़ के फ़ैन हों, चाहे अच्छी बॉलीवुड फ़िल्में देखने के शौक़ीन हों। ये बड़ी स्क्रीन पर अपने सपने को देखने जैसा था। सपना, जो आशाओं से भरा हुआ था, जिसमें दूसरे मौक़े मिलते थे और जिसमें ख़ुशियों से भरा हुआ दिल था। इसमें ऐसा क्या है जो पसंद न आये?'

दीपिका और शाहरुख़ की जोड़ी में जो केमिस्ट्री थी, वो शाहरुख़ और काजोल के बीच की केमिस्ट्री के बेहद क़रीब आ गयी थी। हाल ही में ये जोड़ी *पठान और जवान* में दिखाई दी थी और इससे पहले ये *चेन्नई एक्सप्रेस* (2013) और *हैप्पी न्यू इयर* (2014) में भी ख़ूब सफल हुए थे। लोग कहते हैं कि दीपिका, शाहरुख़ के लिए लकी हैं। लेकिन दीपिका कुछ और मानती हैं। 'हम दोनों एक-दूसरे के लिए लकी हैं। लेकिन, ईमानदारी से कहूं तो हम लक वगैरह के आगे निकल चुके हैं। हम एक-दूसरे पर, एक तरह से हक़ रखने लगे हैं... मैं उन चुनिंदा लोगों में से एक हूं, जिसके साथ वो ख़ुद को असुरक्षित बनाए रख सकते हैं। हमारे बीच ढेर सारा विश्वास और भरोसा है और मुझे लगता है कि किस्मत का साथ होना सोने पर सुहागा बन जाता है।'[35] दीपिका ने *जवान* में कुछ सीन करने के लिए जब हां कहा था, तब तक उन्होंने स्क्रिप्ट भी नहीं पढ़ी थी। फ़िल्म में उनकी गेस्ट अपियरेंस उनकी अपेक्षा से कुछ ज़्यादा ही लम्बी चल गयी।

दीपिका, या यूं कहें कि लगभग हर एक्टर को शाहरुख़ के साथ काम करने में मज़ा आता है, इसके पीछे एक वजह है। शाहरुख़ जिस सेट पर होते हैं, कास्ट और क्रू के लिए

वो एक ख़ुशनुमा जगह बन जाती है। क्यूंकि लीड एक्टर और प्रोड्यूसर होने के नाते, शाहरुख़ सेट को अपना अधिकार क्षेत्र समझते हैं। *कल हो न हो* में उनके को-स्टार सैफ़ अली ख़ान ने कहा था कि ये 'मुख्य लीड की ज़िम्मेदारी होती है।' सैफ़ अली ख़ान, कई मायनों में, अपने मुख्य लीड बनने के लिए शाहरुख़ को श्रेय देते हैं। 'मैं उनसे प्रेरणा लेता हूं और सेट पर मेरे बहुत से विचारों को उन्होंने प्रभावित किया है। मुझे लगता है कि शाहरुख़ ने मुझे बहुत कुछ सिखाया है, जिसमें मुख्य लीड की भूमिका क्या होती है, ये सबसे अहम बात थी। लेकिन उनके साथ-साथ चलना बड़ा मुश्किल काम है। ये जो रोल है (*कल हो न हो* में रोहित), इसी के चलते मुझे मेरा पहला सोलो लीड रोल (*हम तुम* में) मिला।'[36]

शाहरुख़ में नेतृत्व करने की एक सहज क़ाबिलियत है। वो शूटिंग के दौरान अच्छा माहौल तैयार करके रखते हैं और ऐसा वो टीवी के दिनों से करते आ रहे हैं। 90 के दशक में, फ़िल्म सेट्स पर बड़े-छोटे का फ़र्क साफ़ दिखाई देता था। शाहरुख़ ने ये सब ख़त्म करना शुरू किया। रेणुका शहाने ने *सर्कस* में शाहरुख़ के साथ काम किया था और उन्होंने एक इंटरव्यू में बताया था कि शाहरुख़ का आत्मविश्वास वो पहली चीज़ थी जिसपर उनका ध्यान गया था।[37] वो सीरियल एक वजूद खोते सर्कस ग्रुप के बारे में था और शाहरुख़ ने उसके मालिक के बेटे का रोल किया था जो अभी-अभी अमेरिका से लौटकर आया था। हालांकि शाहरुख़ दिल्ली में पैदा हुए थे और रेणुका बॉम्बे में और दोनों के बोलने-चालने का ढंग बेहद अलग था, लेकिन रेणुका को उसी वक़्त लग गया था कि ये लड़का स्टार बनने के लिए ही पैदा हुआ है। एक शूट के दौरान उन्होंने देखा कि लगभग 20,000 लोग शाहरुख़ को एक बार देख सकने के लिए इंतज़ार कर रहे थे। इस तरह का जूनून सिर्फ़ फ़िल्म स्टार्स के लिए हुआ करता था लेकिन शाहरुख़ ने *फ़ौजी* में अपने रोल से इसे पा लिया था।

रेणुका को शाहरुख़ की जो बात सबसे ज़्यादा पसंद आयी, वो थी उनकी सभी को बराबर मानने की आदत। वो प्रोड्यूसर से लेकर स्पॉट बॉय तक से, एक बराबर व्यवहार करते थे। किसी को बड़ा और किसी को छोटा मानने से उन्होंने इंकार कर दिया था और ये सुखद था। वो पूरा दिन कोला और सिगरेट पर चलते थे लेकिन हर वक़्त ऊर्जा से भरे रहते थे। वो दिन में दो-दो शिफ़्ट में काम करते थे और ज़रूरत पड़ने पर एक्स्ट्रा शिफ़्ट करने से हिचकते नहीं थे।

रेणुका याद करती हैं कि एक बार शाहरुख़ ने उनसे कहा था, 'अगर डायरेक्टर कहता है कि कूद जाओ तो तुम्हें कूद जाना चाहिए।' उन्होंने कहा, 'वो पूरी तरह से परफ़ॉर्मर है और उसे शाबाशी मिलने पर बहुत मज़ा आता है।'

वो बताती हैं कि उन्हें शाहरुख़ के बारे में एक और बात याद आती है और वो थी महिलाओं के प्रति उनका इज़्ज़त भरा व्यवहार। वो महिलाओं के योगदान को सराहते थे और उन्हें आज़ाद देखना चाहते थे। रेणुका मानती हैं कि ये सबकुछ उन्हें उनकी मां से मिला, जिनके वो बेहद क़रीब थे और जो उनके जीवन की सबसे बड़ी ताक़त थीं।

रेणुका को याद है कि उन दिनों में वो फ़िल्म इंडस्ट्री को कितनी अलग तरह से देखते थे। उन्होंने कहा, 'वो स्पॉट बॉयज को स्टार्स के लिए छाता लेकर खड़े देखते थे और उनके प्रति हो रहे अलग व्यवहार को ठीक नहीं मानते थे। यहां, कुंदन शाह और अज़ीज़ सर के साथ, हर कोई एक बराबर था और सभी लोग एक साथ खाना खाते थे।'

शाहरुख़ जिस प्रोफ़ेशनल तरीक़े से काम करते हैं, उसके बारे में हर कोई बड़ाई करता है। काजोल ने कहा कि सेट पर शाहरुख़ की ऊर्जा संक्रमित करने वाली होती है। उन्होंने बताया कि कैसे बेहद गंभीर सीन में भी उनका खिलंदड़पन हर किसी का मूड हल्का कर देता था। 'मैं उसकी जो चीज़ पसंद नहीं करती हूं और जिससे मुझे नफ़रत है, वो ये है कि जब वो सेट पर आता है तो उसे हर किसी के डायलॉग याद रहते हैं। फ़र्क नहीं पड़ता है कि हम अगर तीन पेज का सीन भी कर रहे होंगे तो उसे तीनों पेज के डायलॉग रहते हैं।'[38]

ये कोई अचरज वाली बात नहीं है कि वो *ओम शांति ओम* के एक अकेले गाने के लिए, इकत्तीस एक्टर्स को एकसाथ ले आये थे। फ़राह ख़ान ने फ़िल्म कम्पेनियन को दिये एक इंटरव्यू में बताया था कि शाहरुख़ ने हर किसी को एक गुडी बैग दिया था, जिसमें घड़ियां, फ़ोन और बहुत कुछ था। महिलाओं को मनीष मल्होत्रा की साड़ियां दी गयी थीं। लेकिन यहां जो भी आया था, शाहरुख़ के लिए आया था।

महिलाओं के लिए शाहरुख़ एक ख़ास शख़्स हैं। *डॉन* में उनके साथ काम कर चुकीं ईशा कोप्पिकर ने एक पॉडकास्ट में कास्टिंग काउच के बारे में बात की थी और बताया था कि शाहरुख़ इंडस्ट्री के सभी एक्टर्स से कितना अलग थे। 'महिला एक्टर्स के लिए बात कभी इस बारे में थी ही नहीं कि आप क्या कर सकती हैं। हीरो और पुरुष एक्टर ही सबकुछ डिसाइड करते थे। आपने #MeToo के बारे में सुना होगा और अगर आपमें कुछ इंसानियत होगी तो ये सभी बातें बहुत मुश्किल मालूम हुई होंगी। मेरे समय में कितनी

ऐसी एक्ट्रेस थीं, जिन्होंने इंडस्ट्री छोड़ दी। या तो लड़कियों ने बात मान ली या हार मान ली। बहुत कम ऐसी लड़कियां हैं जिन्होंने इंडस्ट्री में हार नहीं मानी है और मैं उनमें से एक हूं। मैं अठारह की थी जब एक सेक्रेटरी और एक एक्टर ने मुझसे कास्टिंग काउच के लिए कहा। उन्होंने मुझसे कहा कि काम पाने के लिए मुझे एक्टर्स के साथ "फ्रेंडली" होना होगा। मैं बहुत फ्रेंडली हूं लेकिन "फ्रेंडली" क्या होता है? मैं इतनी फ्रेंडली हूं कि एक बार एकता कपूर ने कहा था कि मुझमें बहुत एटीट्यूड है।'[39] लेकिन फिर उन्होंने शाहरुख़ के साथ *डॉन* में काम किया और शूटिंग के दौरान की जो एक चीज़ उन्हें याद रही, वो ये थी कि शाहरुख़ महिलाओं के साथ कितनी इज़्ज़त से पेश आते थे। 'वो पूरी तरह से एक जेंटलमैन थे और वो महिलाओं के साथ पूरे आदर से पेश आते थे। वो हर किसी को ख़ास महसूस करवाते थे।'[40]

आज भी, शाहरुख़ को अपने सेट पर महिला एक्टर्स की सुरक्षा सुनिश्चित करवाने के लिए जाना जाता है। अगर शूट देर रात तक चलता है, तो वो ये सुनिश्चित करते हैं कि उनके साथ बॉडीगार्ड्स की एक कार उन्हें घर या होटल तक छोड़ने के लिए ज़रूर जाए। *जवान* में उनके साथ काम करने वाली प्रियामणि ने ऐसा एक मौका याद किया: 'चेन्नई में एटली सर का बर्थडे था तो हम सभी बर्थडे पार्टी के लिए पहुंचे हुए थे। सुबह के 3 या 4 बज गए थे। हम लड़कियां होटल वापस जा रही थीं। वो आये और उन्होंने हम सभी से मिलकर हमें विदा किया। वो गाड़ी तक आये। और उन्होंने बॉडीगार्ड्स की एक कार अरेंज की, जो हमारे साथ होटल तक जानी थी, क्यूंकि हम जहां थे, वहां से होटल कुछ 45 मिनट से एक घंटे की दूरी पर था। उन्होंने वो गाड़ी हमारे पीछे-पीछे भेजी। हमने उनसे कहा, "आप जा सकते हैं," उन्होंने कहा, "नहीं। हमें सर से ख़ास निर्देश मिले हैं। हम आपको छोड़कर आयेंगे।"'[41]

शायद यही वो बात थी, जो दीपिका कहना चाह रही थीं कि शाहरुख़ उनके लिए एक सुरक्षित जगह जैसे हैं। *पठान* से पहले एक इंटरव्यू में उन्होंने कहा, 'मझे लगता है कि मैं घर पर हूं, एकदम सुरक्षित हूं और वो ऐसे ही शख़्स हैं। मुझे लगता है कि मैं शाहरुख़ के साथ काम करने को लेकर उत्साहित रहती हूं। वो मेरे लिए एक सुरक्षित जगह से हैं...'[42]

2013 में, शाहरुख़ ने बॉलीवुड में एक ऐसा ट्रेन शुरू किया जो उस इंडस्ट्री में सामान्य नहीं माना जा सकता, जिसे ज़्यादातर पुरुष चलाते हैं और जिसे पितृसत्तात्मक कहा जा सकता है। अंतर्राष्ट्रीय महिला दिवस पर उन्होंने ऐलान किया कि उनकी अगली सभी

फ़िल्मों में लीडिंग एक्ट्रेस के नाम उनके नाम से पहले दिखाये जायेंगे। '*चेन्नई एक्सप्रेस* से शुरू करते हुए, मेरे साथ जितने भी लोग काम कर रहे हैं, मैं उन सभी लोगों से गुज़ारिश करूंगा (कि वो ऐसा करें)। मुझे नहीं पता है कि ये कोई बदलाव ला सकेगा या नहीं लेकिन इस मुद्दे को उठाना ज़रूरी है।' ये उनकी एक कोशिश थी, जिससे इंडस्ट्री में लैंगिक समानता आ सके क्यूंकि यहां सबसे लोकप्रिय महिला कलाकारों को भी समान रूप से पैसा नहीं मिलता है। एक प्रेस मीटिंग में उन्होंने कहा, 'वो हमसे ज़्यादा मेहनत करती हैं, वो बेहतर दिखती हैं, वो फ़िल्म इंडस्ट्री को जोड़कर रखती हैं। ईमानदारी से कहूं तो मुझे यही लगता है कि उन्हें वो श्रेय नहीं मिलता, जिसकी वो अधिकारी हैं।'[43]

तबसे अब तक 12 साल हो चुके हैं, लेकिन किसी भी दूसरे सुपरस्टार, प्रोडक्शन हाउस या ओटीटी प्लेटफ़ॉर्म ने ऐसा कुछ करने की कोशिश भी नहीं की है। इस एक काम में भी, शाहरुख़ अकेले ही खड़े दिखायी पड़ते हैं।

आज... आज एक हंसी और बांट लो, आज एक दुआ और मांग लो, आज एक आंसू और पी लो, आज एक ज़िंदगी और जी लो. आज एक सपना और देख लो... आज... क्या पता, कल हो न हो.

कल हो न हो, 2003

12

पिक्चर अभी बाक़ी है, मेरे दोस्त...

इंडस्ट्री में इस बात पर विश्वास किया जा सकता है कि स्टार्स की एक सीमित जीवनरेखा होती है, लेकिन एक्टर सदाबहार होते हैं। एक बार कोई स्टार उरूज पर पहुंच जाए, फिर कुछ ही समय की बात होती है कि वो अर्श से फ़र्श पर आ गिरते हैं। और जब सपनों की ये दुनिया ख़त्म होती है तो ये कतई ख़ुशनुमा नहीं होता। एक इंटरव्यू में, राजेश खन्ना के बुरे दौर के बारे में बात करते हुए उनकी पत्नी डिम्पल कपाड़िया ने कहा, 'ज़िंदगी में पहली बार मैं असफलता को इस क़रीबी से देख रही थी। जब एक सफल इंसान टूटता है तो उसकी झुंझलाहट आस-पड़ोस की हर चीज़ को जकड़ लेती है। ये देखना बहुत दुखदायी था कि हफ़्ता ख़त्म होने पर राजेश कलेक्शन के आंकड़े जानने का इंतज़ार कर रहे होते थे लेकिन लोगों के पास हिम्मत नहीं थी कि वो फ़ोन करके उन्हें बता सकें।'[1]

लेकिन फिर ऐसा क्या है कि ख़ान की ये तिकड़ी लगभग पैंतीस सालों तक इतनी मज़बूती से यहां टिकी हुई है? इंडस्ट्री में इस बात पर हर ओर और समय-समय पर विचार किया जाता रहा है। फिल्मों के व्यापार की जानकारी रखने वाले गुरु मानते हैं कि सुपरस्टार वही है, जो बम्पर ओपनिंग दे, पहले दिन लोगों की भीड़ खींचकर लाये, चाहे फ़िल्म जैसी भी हो। लेकिन करण जौहर इस मामले में कुछ और ही विचार रखते हैं। वो कहते हैं, 'चुंबकीय आकर्षण, ऑरा, रहस्यमयी व्यक्तित्व, मुझे नहीं लगता है कि आज की पीढ़ी में ये सबकुछ है। जब मैं एक पार्टी में मिस्टर अमिताभ बच्चन, मिस्टर दिलीप कुमार को आते देखता हूं, मिस्टर शाहरुख़ ख़ान को आते देखता हूं, तो पाता हूं कि इनकी

एंट्री पर हर कोई अपनी गर्दन मोड़-मोड़कर इनकी दिशा में ही देख रहा होता है। मैंने ये अपनी आंखों से देखा है। वो ऑरा, हर कोई उनकी मौजूदगी का अहसास कर रहा होता है। ये ताक़त थी। ये स्टारडम था। ये उनका वैभव था। आज, सबकुछ बहुत आसान हो गया है, बहुत कैज़ुअल हो गया है, सबकुछ उपलब्ध है, बहुत सुलभ है। मुझे मालूम है कौन किस जिम में जाता है, किस पिलाटेज क्लास में जाते हैं, मुझे मालूम है आप क्या खाते हैं, मुझे मालूम है आप किससे मिलते हैं, मैं आपके बारे में सबकुछ जानता हूं। अब आपके बारे में रहस्यमयी रह ही क्या सकता है?'[2]

आपके इर्द-गिर्द जब एक सुपरस्टार होता है, आपको ख़ुद-ब-ख़ुद अहसास हो जाता है। उसका आभामंडल छुपाये नहीं छुप सकता। करण ने अपने पचासवें जन्मदिन की पार्टी का ज़िक्र एक इंटरव्यू में किया: 'जब शाहरुख़ मेरी पार्टी में आए तो आपको नयी पीढ़ी की धड़कती हुई ऊर्जा महसूस हो रही थी। आपको मालूम है कि शाहरुख़ तो शाहरुख़ हैं, उनका अपना साम्राज्य है, वो जो भावनाओं का सैलाब लेकर आते हैं, सब सच है। अगर वो अभी यहां चले आएं, आप उनकी ऊर्जा महसूस कर सकते हैं, भले ही आप उन्हें देखें न। आप शाहरुख़ ख़ान को महसूस कर सकते हैं। मेरी पार्टी में वो अकेले ऐसे शख़्स थे जो रेड कार्पेट पर चलकर नहीं आये बल्कि दूसरी ओर से आये। तो मैं देख सकता था कि युवा फ़िल्म स्टार, अनन्या पांडे से लेकर उनके साथियों तक, हर कोई उनके ऑरा को महसूस कर रहा था।'

और मैं ये अनुभव के आधार पर कह सकती हूं। मैंने ये महसूस किया था कि मेरे आस-पास एक बेहद ताक़तवर शख़्स था... हवा में ही वो फ़ीलिंग थी। शाहरुख़ वाईआरएफ़ स्टूडियो में शूटिंग कर रहे थे और मैं *फ़ैन* में काम कर रहे एक दोस्त से मिलने पहुंची हुई थी। वो स्टूडियो से भागकर आयी, मुझसे मिलने के लिए। कुछ ही मिनटों बाद, मुझे अहसास हुआ कि मेरे पीछे कुछ बहुत विशालकाय चीज़ थी। मैं पलटी और मैंने देखा कि मेरे पीछे शाहरुख़ ख़ान खड़े हुए थे और किसी से बात कर रहे थे। मेरी दोस्त ने पूछा कि क्या मैं उन्हें हेलो कहना चाहती थी। लेकिन मैं वहां खड़ी बस मुस्कुराती रही और समय में पीछे जाकर ख़ुद के बारे में सोचने लगी, जब मैं पांच साल की थी और मां के साथ कलकत्ता के प्रिया सिनेमा में *डीडीएलजे* देखने आयी थी। ये असल में हो रहा था। मैं शाहरुख़ को सशरीर देख रही थी। लेकिन एक युवा पत्रकार होने के नाते, आपको ख़ुद को रोकने की कला आनी चाहिए। उस फ़ैन बन चुकी बच्ची को पीछे होना था और

आप जो पत्रकार बनना चाहते हैं, उसे आगे आना था। तो मैं वहां खड़ी रही और मिनट भर के लिए शाहरुख़ को देखा, फिर मैं वहां से निकल आयी। वापसी में, जब मैं ऑटोरिक्शा में बैठी थी और हॉस्टल जा रही थी, मैं इसी बारे में सोच रही थी कि जिस ऑरा को मैंने महसूस किया था, वो क्या था। क्या यही चुम्बकीय आकर्षण होता है? मुझे कैसे मालूम चला था कि मेरे इर्द-गिर्द कोई था। एक दशक बीत जाने के बाद, मुझे लगता है कि मुझे इसका जवाब मिल चुका है। सुपरस्टार होना बिल्कुल असल में एक सुपरपॉवर है। कुछ के पास ये होती है, कुछ के पास बिल्कुल नहीं होती।

'चुम्बकीय आकर्षण, ऑरा, रहस्यमयी व्यक्तित्व, मुझे नहीं लगता है कि आज की पीढ़ी में ये सबकुछ है। जब मैं एक पार्टी में मिस्टर अमिताभ बच्चन, मिस्टर दिलीप कुमार को आते देखता हूं, मिस्टर शाहरुख़ ख़ान को आते देखता हूं, तो पाता हूं कि इनकी एंट्री पर हर कोई अपनी गर्दन मोड़-मोड़कर इनकी दिशा में ही देख रहा होता है। मैंने ये अपनी आंखों से देखा है। वो ऑरा, हर कोई उनकी मौजूदगी का अहसास कर रहा होता है। ये ताक़त थी। ये स्टारडम था।'
—करण जौहर

और उस पहले अनुभव में भी, मुझे मालूम था कि शाहरुख़ में ये हमेशा से थी। भले ही उनकी फ़िल्में बॉक्स ऑफ़िस पर कैसा भी करें। शाहरुख़ एक एक्टर या एक स्टार होने से कहीं आगे बढ़ चुके हैं। वो लोगों को आशा देते हैं। वो अपने आपमें एक भावना बन चुके हैं।

लेकिन उनके जैसे शख़्स के लिए, बॉक्स ऑफ़िस पर सफलता न मिल पाने का मतलब ये हो सकता है कि फैंस उनसे अब उतना प्रेम नहीं करते। 2000-2010 के दशक में मिली अपार सफलता के बाद, वो समझ रहे थे कि दर्शकों की अपेक्षाएं उनसे कुछ दूर खिसक रही थीं। अब वो उनकी सपनों की दुनिया के रोमांटिक हीरो नहीं रहे थे। लोग अब एक्शन फ़िल्मों और हौले-हौले पकने वाली फ़िल्मों की ओर बढ़ रहे थे। ये दुनिया 2008 की आर्थिक तंगी से अभी भी उबरने की कोशिश कर रही थी और ऐसे रोमांस एक भोग विलास की चीज़ बन गयी थी। इंडस्ट्री को ऐसी फ़िल्मों की ज़रूरत थी, जो बेचे जाने की गारंटी दे सके। रोमांस एक बेहद निजी शैली है जबकि एक्शन और ड्रामा वो विधाएं हैं, जो लोगों तक असानी से पहुंच सकती हैं। 2009 में आमिर ने *3*

इडियट्स फ़िल्म दी थी, जो एक सोशल कॉमेडी थी और भारतीय शिक्षा व्यवस्था की खाल उधेड़ रही थी। 55 करोड़ में बनी इस फ़िल्म ने लाइफ़टाइम बिज़नेस में 400 करोड़ रुपये कमाए।[3] बॉलीवुड में पैसा बहुत महत्व रखता था और एक-एक पैसा बेहद अहम था।

2010 आते-आते शाहरुख़ को ये समझ में आ गया था कि ख़ुद को अच्छा महसूस करवाने के लिए रचनात्मक ज़ोखिम लेना ठीक नहीं था। उनकी फ़िल्मों पर सैंकड़ों करोड़ रुपया लगता है और उनका प्रोडक्शन हाउस, रेड चिलीज़ एंटरटेनमेंट, आर्थिक सफलता पर ही आश्रित था। बड़े बजट की फ़िल्में एक ज़रूरी सुरक्षा कवच बन गयी थीं, जिनसे मज़बूती पाकर ही छोटे, रिस्क भरे प्रोजेक्ट पर काम किया जा सकता था। लोगों को पसंद आने वाली फ़िल्मों और बहाव के उलट जाकर कहानियां कहने में जो चुनाव करना पड़ता था, वो एक मुश्किल भरा काम था।

2011 में शाहरुख़ ने तय किया कि वो अभूतपूर्व स्तर पर जाकर एक बड़ा प्रोजेक्ट बनायेंगे। उन्होंने अपनी पूरी ताक़त *रा.वन* में झोंक दी। ये एक ऐसी फ़िल्म लग रही थी, जो लोगों को पसंद आने वाली थी क्यूंकि अभी तक सुपरहीरो फ़िल्में सफल होती दिख रही थीं। राकेश रोशन *क्रिश* फ्रेंचाइज़ी स्थापित कर चुके थे और दिखा चुके थे कि हिंदुस्तान को घरेलू सुपर हीरो रास आ रहे थे। *रा.वन* को भी कुछ यूं ही तैयार किया गया था।

जब इसका अनाउन्समेंट हुआ, उस वक़्त फैंस ने इसे ख़ूब सपोर्ट किया। व्यापार के ज्ञाताओं ने कहना शुरू कर दिया कि ये सबसे महंगी फ़िल्म बनने वाली थी और इसे बनाने में 100 करोड़ का आंकड़ा छू जाएगा। फ़िल्म में अंतर्राष्ट्रीय क्रू काम करने वाला था और सेनेगली-अमेरिकी सिंगर एकॉन इस फ़िल्म के लिए दो गाने, *'क्रिमिनल'* और *'छम्मक छल्लो'*, रिकॉर्ड करने वाले थे। फ़िल्म में अद्भुत सेट्स दिखने वाले थे, नयी से नयी तकनीकों का इस्तेमाल होने को था और विज़ुअल इफ़ेक्ट्स पर ढेर सारा काम होने जा रहा था। शाहरुख़ ने इस फ़िल्म को सबकुछ देने की तैयारी कर रखी थी। यहां तक कि फ़िल्म में रजनीकांत का भी केमियो तय था।

भारत में ये साई-फ़ाई थ्रिलर अपने आपमें एक अनोखी फ़िल्म होने वाली थी। फ़िल्म के प्रमोशन के दौरान, शाहरुख़ ने कहा, 'मैंने एक ऐसी फ़िल्म बनायी है जिसमें कोई भी ये नहीं कह सकता है कि इस फ़िल्म में दोयम दर्जे की तकनीक का इस्तेमाल हुआ है। *रा.वन* बॉलीवुड फिल्मों की तकनीक को बहुत आगे लेकर जायेगी। जिस इंडस्ट्री ने मुझे इतना कुछ दिया है, ये मैं उसको दे रहा हूं। मैं चाहता हूं कि हमारा सिनेमा दुनिया में सबसे

बेहतर हो। ये फ़िल्म अंतर्राष्ट्रीय स्तर पर अपनी छाप छोड़ेगी। मैं ढेरों सुपरहीरो फ़िल्मों से प्रभावित हुआ हूं लेकिन मैंने एकदम ओरिजिनल फ़िल्म बनायी है। ये पूरे परिवार को मनोरंजन देने वाली फ़िल्म है। इस इंडस्ट्री में सबकुछ है लेकिन हम ऐसी फ़िल्म बना नहीं रहे थे। हमारे पास दुनिया के सबसे अच्छे थियेटर हैं, तो हम टेक्नोलॉजी बेस्ड फ़िल्में क्यूं नहीं बना रहे थे?'[4]

लेकिन, इस फ़िल्म के बनने के दौरान, सारी बातचीत फ़िल्म में लगायी जा रही अच्छी तकनीक की बजाय इसके बड़े बजट के इर्द-गिर्द होती रही। कितने ही लोग इस बात पर बहस कर रहे थे कि हाल ही में दुनियाभर पर छाये आर्थिक संकट के ठीक बाद एक फ़िल्म पर इतना पैसा लगाना कितना उचित था। एक इंटरव्यू में शाहरुख़ ने इस भुनभुनाहट पर बात की और कहा कि इस फ़िल्म में उन समेत कई महत्वपूर्ण लोगों ने कोई फ़ीस नहीं ली थी। 'आप इसे इस तरह से देखिये कि मैंने आज तक इतनी महंगी फ़िल्म में काम नहीं किया है, जबकि मैं इस देश की सबसे महंगी फ़िल्मों में काम कर चुका हूं। मुझे उन फ़िल्मों के बारे में नहीं पता है, जो दक्षिण में बनती हैं, जैसे *रोबोट* और एक-आध और फ़िल्में। उन्होंने इन फ़िल्मों पर बहुत पैसा ख़र्च किया है। लेकिन इस ख़र्च में बहुत सारा पैसा आर्टिस्ट्स पर भी ख़र्च हुआ होगा। लेकिन ईमानदारी से बताऊं तो इस फ़िल्म में मैंने और मेरे अलावा और भी कई लोगों ने कोई पैसा नहीं लिया है। उनके पास टैलेंट है और उन्होंने कहा कि पैसा बस फ़िल्म पर ख़र्च करो। मैं कहूंगा कि हां, जहां तक मेरी जानकारी है, ये इंडिया की सबसे महंगी फ़िल्म होगी।'[5]

जब प्रेस ने ये पूछना शुरू किया कि इस फ़िल्म में ठीक-ठीक कितना पैसा लगाया जा रहा था, तो डायरेक्टर अनुभव सिन्हा ने कहा, 'मैं इतना ही कह सकता हूं कि शाहरुख़ ने इस फ़िल्म में जितना पैसा लगाया है, वो सोचा भी नहीं जा सकता है। मेरा विश्वास करिए, ये सब स्क्रीन पर दिखेगा। मैंने देखा है कि शाहरुख़ इस फ़िल्म को लेकर कितने जुनूनी हैं और उन्होंने रा.वन को सबसे बड़ी फ़िल्म बनाने की ज़िम्मेदारी अपने कंधों पर उठा रखी है।'[6]

दो साल के प्रोडक्शन और करोड़ों रुपये की लागत के बाद, 26 अक्टूबर 2011 को ये फ़िल्म रिलीज़ हुई। इसने बॉक्स ऑफ़िस के रिकॉर्ड्स तोड़ दिए और 200 करोड़ से ज़्यादा की कमाई की। लेकिन इस फ़िल्म पर पैसा इतना ज़्यादा लग चुका था कि मुनाफ़ा न के बराबर हुआ।

पैसा, भव्यता, विचार, सबकुछ बड़ी स्क्रीन पर अच्छा लगा, लेकिन फ़िल्म की कहानी हिली हुई लग रही थी। शानदार दृश्यों के बावजूद समीक्षकों को फ़िल्म बहुत पसंद नहीं आयी। कई मौकों पर तो इसके रिव्यू निजी हमले जैसे होने लगे। एक रिव्यू ने तो इस फ़िल्म को 'शाहरुख़ की सबसे महंगी मिड लाइफ़ क्राइसिस' तक कह डाला।[7]

शाहरुख़ कभी खुले में भड़कते नहीं हैं लेकिन वो शांत भी नहीं बैठते हैं। ऐसे में, एक इंटरव्यू में उन्होंने इस तरह की बातों का जवाब दिया। उन्होंने ये बात मानी कि फ़िल्म के रिव्यूज़ को लेकर वो व्यथित थे और ये भी कबूला कि जो बातें कही जा रही थीं, वो इस फ़िल्म की अतिश्योक्तिपूर्ण मार्केटिंग के चलते थीं। इसके बावजूद, उन्होंने इस फ़िल्म की आर्थिक सफलता पर ध्यान खींचा और बताया कि वो इस शैली की फ़िल्मों को आगे ले जाने में कितने क़ामयाब हुए थे। जो बात उन्हें पसंद नहीं आयी, वो थे निजी हमले। उन्होंने कहा, 'ये महाशय थे जिन्होंने अपने रिव्यू में लिखा कि मैं मिड लाइफ़ क्राईसिस से गुज़र रहा हूं। मुझे यक़ीन है कि उनमें इतनी हिम्मत नहीं है कि वो ये बात मेरे सामने आकर कह सकें।'[8]

ये उन विरले मौक़ों में एक था, जब शाहरुख़ ने इंडस्ट्री में अपने 'बाहरी' होने की बात कही हो। शाहरुख़ ने कहा कि इंडस्ट्री में दो दशक से ज़्यादा लम्बा काम करने के बावजूद उन्हें 'आउटसाइडर' सा महसूस होता है। उन्होंने कहा कि वो ख़ुद तक सीमित रहना पसंद करते हैं, अपने काम पर ध्यान देते हैं और अपने परिवार के साथ समय बिताते हैं। उन्होंने ये माना कि हर किसी की उनकी फ़िल्म को लेकर एक राय होगी और आलोचना को रोकना नामुमकिन था। उन्होंने कहा, 'वो हवा में वैसे ही रहेगी जैसे वायरस होते हैं।'

हालांकि, शाहरुख़ ने कहा कि अंत में वो इस बात से ख़ुश थे कि उनकी फ़िल्म उनके बच्चों को पसंद आयी। ये फ़िल्म बनाने की उनकी वजह बड़ी सीधी सी थी। अपने फैंस को तकनीकी स्तर पर एक अच्छी फ़िल्म देने के साथ-साथ, वो अपने बच्चों को पसंद आने वाली फ़िल्म भी बनाना चाहते थे। उनका बेटा आर्यन, उस वक़्त चौदह बरस का था और उसे एक्शन पसंद था, जबकि शाहरुख़ की बेटी को फ़िल्मों में उनके 'गाना गाने' की बात समझ में नहीं आती थी। शाहरुख़ ने नयी पीढ़ी के स्वाद को समझते हुए ऐसे रोल करने की कोशिश की, जो मज़ाकिया थे, प्यारे थे या फिर जो एक्शन करते थे, जिससे उनके बच्चों को फ़िल्म पसंद आये।[9]

अनुभव सिन्हा इस फ़िल्म के रिव्यू से आहत हो गए थे। उन्होंने पांच साल बाद अपनी अगली फ़िल्म *तुम बिन 2* बनायी और फिर 2018 में जाकर *मुल्क़* के साथ एक बड़ी

वापसी की। 2023 में *वेरायटी* को दिए एक इंटरव्यू में उन्होंने कहा, 'आज *रा.वन* एक बड़ी हिट है लेकिन जब ये रिलीज़ हुई थी, लोगों ने कहना शुरू कर दिया कि वो फ़्लॉप थी। ये वो समय था, जब पूरी इंडस्ट्री चाहती थी कि शाहरुख़ फ़ेल हो जाएं। क्यूंकि उन्हें मालूम ही नहीं था कि इतने बड़े आदमी के साथ कैसे डील करें।'[10]

उसी साल, *डॉन 2* भी रिलीज़ हुई। ये 2006 में आयी एक्शन थ्रिलर फ़िल्म, *डॉन* का सीक्वेल थी और हिट साबित हुई। समीक्षकों ने फ़िल्म की कहानी, उसके पीछे की सोच, एक्शन और एक्टर्स की अदाकारी को ख़ूब पसंद किया। उन्हें डॉन के किरदार में शाहरुख़ का काम भी पसंद आया। दिसंबर 2011 में, रिलीज़ के वक़्त ये फ़िल्म साल की तीसरी सबसे ज़्यादा कमाई करने वाली फ़िल्म बन चुकी थी। लेकिन अनुभव सिन्हा इस बारे में बिल्कुल सही कह चुके थे कि इंडस्ट्री चाहती थी कि शाहरुख़ असफल हो जाएं। इस फ़ील्ड में काम करने वाले अनुभवी लोग, हम जैसे नए लोगों को ये बताते थे कि कैसे शाहरुख़ का स्टारडम इस दशक में ख़त्म हो जाएगा। ऐसा लग रहा था मानो वो कोई भविष्यवाणी कर रहे थे और आस लगाये बैठे थे कि वो सही साबित हो जाए।

उस साल, *डॉन 2* रिलीज़ होने से पहले, शाहरुख़ ने एक बार फिर से यश राज फ़िल्म्स की ओर रुख किया। वो यश चोपड़ा के साथ काम करने जा रहे थे, जो सात साल बाद डायरेक्टर की कुर्सी में बैठने वाले थे। उस वक़्त पर किसी ने भी नहीं सोचा था कि *जब तक है जान* इन दोनों की साथ में आख़िरी फ़िल्म साबित होगी। इस बार फ़िल्म डायरेक्ट करते वक़्त यश चोपड़ा काफ़ी तनाव में थे और ये एक ऐसी बात थी जो उनसे जोड़कर कभी कही नहीं गयी थी। द *टेलीग्राफ़* को दिये एक इंटरव्यू में उन्होंने कहा, 'मुझे मिक्स्ड फ़ीलिंग्स आ रही हैं। मैं एक्साईटेड हूं, नर्वस हूं। मैं तनाव में हूं। मैं डरा हुआ हूं... इन सात सालों में, दुनिया बहुत बदल गयी है। बहुत ज़्यादा बदल गयी है। और बहुत शानदार फ़िल्ममेकर इस फ़ील्ड में आ गए हैं। मैं एक छोटी सी, सादी सी लव स्टोरी बनाना चाहता हूं... और कुछ नहीं... मैं नर्वस महसूस कर रहा हूं क्यूंकि मुझे नहीं मालूम है कि आज दर्शकों को क्या चाहिए। दर्शक बदल गए हैं। मैं शाहरुख़, कटरीना कैफ़ और अनुष्का शर्मा के साथ अपनी फ़िल्म शुरू कर रहा हूं। मैं इसे दिवाली पर रिलीज़ करूंगा। मैं भगवान से प्रार्थना करता हूं कि सबकुछ ठीक रहे।'[11]

जब तक है जान एक आदर्श यश चोपड़ा मार्का रोमांटिक फ़िल्म थी। इसमें भारतीय आर्मी में बम निरोधक एक्सपर्ट समर आनंद की कहानी थी, जिसके किरदार में शाहरुख़

ख़ान थे। फ़िल्म की कहानी तब आगे बढ़ती है, जब उनकी डायरी एक फ़िल्ममेकर अकीरा राय (अनुष्का शर्मा) के हाथ लग जाती है। डायरी के ज़रिये उन्हें मालूम चलता है कि बीते वक़्त में समर लंदन में एक प्रवासी के रूप में रहता था, जहां उसे बेहद मुश्किल परिस्थितियों का सामना करना पड़ा था और वहां वो मीरा थापर (कटरीना कैफ़) नाम की एक लड़की के प्रेम में पड़ जाता है। लेकिन, एक त्रासद घटना के चलते, ये दोनों अलग हो जाते हैं और समर को वापस भारत लौटना पड़ता है। अकीरा ख़ुद को समर के प्रति अकार्षित होते हुए पाती है लेकिन उसी वक़्त ये भी सोचती है कि उसे समर और मीरा को फिर से मिलाने की कोशिश करनी चाहिए। बेहद ख़ूबसूरत जगहों की पृष्ठभूमि में चलती इस फ़िल्म में प्रेम, क़िस्मत और बलिदान जैसे विषयों को छुआ गया है।

ये फ़िल्म असल में आदित्य चोपड़ा का आइडिया थी, जिससे उनके पिता वापस फ़िल्म डायरेक्ट कर सकें। शाहरुख़ उनकी पहली पसंद थे और फ़िल्म कब शूट होगी, ये उनके शेड्यूल के हिसाब से ही तय किया गया था। कटरीना को फ़िल्म की मुख्य महिला किरदार बनाया गया था, जबकि अनुष्का शर्मा ने एक खिलंदड़ अंदाज़ वाली डॉक्युमेंट्री फ़िल्ममेकर का रोल निभाया था, जो 'मैन हू कैन नॉट डाय' (कभी न मर सकने वाला आदमी) की कहानी दिखाने आयी थीं। शाहरुख़ के किरदार को फ़िल्म में यही बताया जाता है।

ये फ़िल्म मुंबई में शूट हुई और फिर पैंतीस दिनों के लिए लंदन में शूटिंग हुई। यहां से फिर कश्मीर और लद्दाख की शूटिंग शुरू हुई।

यश चोपड़ा को शायद ये अहसास हो गया था कि ये वो आख़िरी फ़िल्म होने वाली थी, जिसे वो डायरेक्ट करने वाले थे। 80 बरस के हो जाने पर, अपने जन्मदिन के मौके पर शाहरुख़ से बातचीत के दौरान उन्होंने कहा, 'दिल कहता है बहुत हो गया।'[12]

शाहरुख़ बताते हैं कि कैसे इस फ़िल्म की शूटिंग के दौरान वो बेहद भावुक हो गए थे। द *रोमांटिक्स* में, उन्होंने इस फ़िल्म की लद्दाख में हो रही शूटिंग के बारे में बात की। 'मैं कश्मीर में एक शॉट ले रहा था, इतने में वो आये और बोले, "यार, तेरी पिक्चर ख़त्म हो गयी।" मैंने कहा, "क्या बोल रहे हो आप?" उन्होंने कहा, "आख़िरी शॉट हैं, बस। अब तो कुछ रहा नहीं। पिक्चर ख़त्म।" वो बहुत भावुक हो गए। फिर वो लगभग रोने लगे। उन्होंने कहा कि ये हमारा आख़िरी शॉट हो सकता है। मैंने कहा आख़िरी शॉट क्यूं? उन्होंने कहा कि नहीं, तुम्हारे लिए अब शॉट्स नहीं बचे हैं। मैंने कहा हां, लेकिन हम अगली फ़िल्म भी बनायेंगे। उन्होंने कहा... *लास्ट हैं, यार। लास्ट शॉट हैं।'*

यश चोपड़ा की मृत्यु के लिए कोई भी तैयार नहीं था। वो फ़िल्म की एडिटिंग ख़त्म कर रहे थे और उन्हें हल्का बुखार आ गया था। लेकिन कुछ ही दिनों के भीतर वो चल बसे। उन्हें डेंगू हुआ और वो बहुत जल्दी मल्टिपल ऑर्गन फ़ेलियर में बदल गया।

बॉलीवुड के लिए ये एक बहुत बड़ा झटका था। एक बहुत बड़ा आदमी जा चुका था। और उनकी इस फ़िल्म की रिलीज़ की राह में रुकावटें थीं कि आती ही जा रही थीं। एडिटिंग अभी भी बची हुई थी। आदित्य चोपड़ा को फ़िल्म की कमान अपने हाथ में लेनी पड़ी और उसे पूरा करना पड़ा।

जब तक है जान को दिवाली पर रिलीज़ होना था लेकिन इसका एक दूसरी बड़े बजट की फ़िल्म *सन ऑफ़ सरदार* से टकराव हो रहा था, जो अजय देवगन की फ़िल्म थी। दोनों ही दिवाली पर बॉक्स ऑफ़िस की कमाई पर ध्यान केन्द्रित किये बैठे थे। इस चक्कर में भ्रष्टाचार जैसी एक कंट्रोवर्सी खड़ी हो गयी। अजय देवगन ने यश राज फ़िल्म्स पर आरोप लगाये कि उन्होंने अपनी साख का इस्तेमाल करते हुए थियेटरों पर दबाव डाला था, जिससे *जब तक है जान* को ज़्यादा स्क्रीन मिल सकें। अजय देवगन का कहना था कि इससे *सन ऑफ़ सरदार* को नुकसान पहुंच रहा था। कई जगहों से ये भी बात सामने आयी कि *एक था टाइगर* के समय में यश राज फ़िल्म्स ने थियेटरों से कॉन्ट्रैक्ट पर साइन करवाये थे कि वो *जब तक है जान* को उसी स्तर पर दिखाएंगे। यश राज स्टूडियो ने इसे ख़ारिज कर दिया, लेकिन अजय देवगन इस मामले को कम्पटीशन कमीशन ऑफ़ इंडिया के पास ले गए। कमीशन को इसमें कुछ भी गड़बड़ नहीं लगा और उन्होंने यश राज फ़िल्म्स के पक्ष में ही फैसला सुनाया।[13]

इस झगड़े ने निजी मोड़ तब ले लिया, जब काजोल ने अपने पति का पक्ष लेना शुरू कर दिया। हर किसी को ये लगा कि इस बात की टाइमिंग ने फ़िल्म के लिए मामले को और बिगाड़ दिया था। शाहरुख़ के लिए, यश चोपड़ा का जाना एक बड़ी क्षति थी। उनके लिए ये ऐसा था, मानो उन्होंने एक दफ़ा फिर अपने पिता को खो दिया हो। उस फ़िल्म की रिलीज़ के इर्द-गिर्द जो कुछ भी हो रहा था, उस पर निगाह डालते हुए उन्होंने कहा कि अगर यश चोपड़ा ज़िंदा होते और उनके सामने ये सबकुछ घटित हो रहा होता तो उससे बुरा कुछ नहीं होता। उन्होंने कहा कि उन्हें ये परिस्थिति 'हास्यास्पद और बेतुकी' लग रही थी। उन्होंने कहा कि फ़िल्म की रिलीज़ की डेट सालभर पहले ही बता दी गयी थी और *सन ऑफ़ सरदार* बनाने वालों को भी ये मालूम था। उनका मानना था कि थियेटर

मिलेंगे या नहीं, इस बारे में पहले ही विचार कर लिया जाना चाहिए था। इसी संदर्भ में उन्होंने कहा था, 'अगर आपको इस बात की चिंता है कि आपके पास कम थियेटर्स हैं तो आपको उन्हें पहले बुक कर लेना चाहिए था। आपके बिज़नेस हाउस ने ऐसा नहीं किया, हमने कर लिया तो इसमें हमारी क्या ग़लती? सबकुछ ख़रीदने वाले पर निर्भर करता है। ये एक फ़्री मार्केट है और यहां किसी एक की नहीं चलती।'[14]

उन्होंने ये भी कहा कि इंडस्ट्री में स्टार सिस्टम फलता-फूलता है क्यूंकि मार्केट फ़्री है। उन्होंने कहा, 'क्या मुझे कोई आकर बतायेगा कि मैं फ़्राइडे को फ़िल्म न रिलीज़ करूं। ये फ़िल्म दिखाने वालों की निजी पसंद की बात होती है। वो जो मर्ज़ी आये, वो फ़िल्म ले सकते हैं। फ़िल्म दिखाने वाले, मेरे लिए, दर्शकों का प्रतिनिधित्व करते हैं।'

शाहरुख़ के लिए ये थोड़ा अजीब सा वक़्त था। वो अभी भी यश चोपड़ा के निधन से उबरे नहीं थे और दोनों की साथ में आख़िरी फ़िल्म के प्रमोशन में लगे हुए थे। 'कोई भी अमर नहीं है। कोई चाहे कितना भी बड़ा इंसान हो, वो मौत से भाग नहीं सकता। आपको अहसास होता है कि अच्छे लोगों को भी जाना पड़ता है। वो बग़ैर किसी दर्द के गए। अगर बात मेरे पिता की होती, तो मैं उनके लिए भी यही कामना करता।'[15]

जब तक है जान की रिलीज़ वैसे ही हुई, जैसे योजना बनायी गयी थी। बॉक्स ऑफ़िस पर फ़िल्म हिट साबित हुई। दुनियाभर में फ़िल्म ने 236 करोड़ रुपये कमाये। भारतीय मार्केट का भी इसमें बड़ा हिस्सा था और इसने देश में 120 करोड़ की नेट कमाई की (कुल कमाई का आंकड़ा और भी ज़्यादा होगा)। ये फ़िल्म यश चोपड़ा का फ़िल्मों की दुनिया को लिखा अंतिम प्रेम पत्र था। और हम अपने पसंदीदा एक्टर को यश चोपड़ा के जाने-माने अंदाज़ में रोमांस करते हुए आख़िरी बार देख रहे थे।

जैसा साल शाहरुख़ ने देखा था, उसके बाद अब वो एक हल्की-फुल्की फ़िल्म करना चाहते थे। लगभग इसी दौरान, रोहित शेट्टी उनके पास *अंगूर* की रीमेक लेकर पहुंचे। हालांकि उस पर बात नहीं बनी, लेकिन इन दोनों ने मिलकर *चेन्नई एक्सप्रेस* बनायी। मज़ेदार बात ये थी कि शुरुआत में रोहित शेट्टी इस फ़िल्म को अजय देवगन के साथ करना चाहते थे। अजय के दूसरे प्रोजेक्ट्स के चलते तारीख नहीं मिल रही थीं और शाहरुख़ को इस रोल के लिए फ़ाइनल कर लिया गया।

दीपिका पादुकोण इस फ़िल्म के लिए महिला लीड चुनी गयीं। इस तरह से, *ओम शांति ओम* के बाद *चेन्नई एक्सप्रेस* इन दोनों की दूसरी फ़िल्म साबित हुई। ये फ़िल्म

एक मनोरंजन करने वाली रोमांटिक फ़िल्म थी। इसमें राहुल (शाहरुख़ ख़ान) की मुंबई से रामेश्वरम की यात्रा की कहानी है। इस फ़िल्म की कास्ट में सत्यराज (*बाहुबली* वाले) थे और ये बॉलीवुड में उनकी पहली फ़िल्म थी। उनके अलावा प्रियामणि भी थीं, जिन्होंने एक हिट आइटम नंबर किया था।

फ़िल्म समीक्षक इस फ़िल्म से ख़ासे निराश थे, जिसके बावजूद, *चेन्नई एक्सप्रेस* ने ढेरों रुपये कमाये। शाहरुख़ ने कहा, 'दर्शकों को आसानी से प्रभावित किया जा सकता है। वो पूछते हैं, "हमें बताइये कि हम क्या देखने आ रहे हैं"। मुझे उन्हें यही बताना था कि ये कोई *चक दे!* (सीरियस ड्रामा) नहीं है, न ही ये कोई एक्शन फ़िल्म है और न ही साउथ की रीमेक है। ये एक कॉमेडी भरी और साफ़-सुथरी और सीधी, परिवार का मनोरंजन करने वाली फ़िल्म है जिसे देखने में बहुत ज़ोर नहीं लगाना पड़ेगा। ये कोई (पेड्रो) एलमोडोवर नहीं है, लेकिन ये कोई *आयरन मैन* भी नहीं है।'[16]

ये वो वक़्त था, जब बॉलीवुड को बॉक्स ऑफ़िस के आंकड़ों के सिवा और कुछ नहीं सूझता था। रिव्यू बहुत अच्छे नहीं आ रहे थे लेकिन लोगों को फ़िल्म में मज़ा आ रहा था। ऐसी फ़िल्म की अपेक्षा शाहरुख़ से नहीं की जाती है लेकिन दर्शकों ने लुत्फ़ उठाना ठीक समझा। हर पुरुष स्टार अपने दम पर बड़ी रक़म लाने की ज़िम्मेदारी उठाता हुआ दिख रहा था। शाहरुख़ ने भी अब ये कर दिखाया था। उन्होंने *मिंट लाउंज* से 100 करोड़ की इस सनक के बारे में बात करते हुए कहा, 'मैं इससे इंकार तो करना चाहता हूं लेकिन यही कहूंगा कि मेरे सर से एक बोझ हट गया है।' उन्होंने आगे कहा, 'अगर मुझे मालूम होता कि ये फ़िल्म क्यूं चल गयी, तो मैं ऐसी ही एक और बना देता।'[17]

हिंदुस्तान टाइम्स के साथ आने वाले *ब्रंच* ने ये दावा किया है कि उन्होंने ही '100-करोड़ क्लब' टर्म की शुरुआत की थी। फ़िल्मी बिज़नेस के जानकार कोमल नाहटा ने अपने कॉलम में लिखा, 'इस क्लब में बस वही एक्टर शामिल होते हैं जिन्होंने बम्पर कमाई की होती है। वेलकम टु द 100 करोड़ क्लब, ये ऐसा वाक्य है जो इंडस्ट्री के लोग ज़्यादा सफल कलाकारों को दूसरों से अलग करने के लिए इस्तेमाल करते हैं। वही एक्टर्स इस क्लब की मेम्बरशिप पाते हैं, जिनकी फ़िल्में 100 करोड़ से ऊपर का बिज़नेस कर पायी होती हैं।'[18] देश का हर बड़ा स्टार इस क्लब में आने को तड़प रहा था। ये एक दौड़ थी जिसमें हर कोई भाग ले रहा था और इसके चलते जिस एक चीज़ को सबसे ज़्यादा चोट पहुंची, वो थी फ़िल्मों की गुणवत्ता।

ये बात शाहरुख़ की अगली फ़िल्म, *हैप्पी न्यू इयर* में दिखायी दी, जो डांस की थीम पर बनायी गयी एक कॉमेडी फ़िल्म थी और इसे फ़राह ख़ान ने डायरेक्ट किया था। इन दोनों को एक को-प्रोड्यूसर ढूंढने में कुछ महीने लग गए। जैसा की शाहरुख़ ने मज़ाक में कहा भी था, 'मैं ख़ुद पर शादियों में नाचने का बहुत ज़्यादा प्रेशर नहीं डालना चाहता।' शाहरुख़ जैसे तेज़ दिमाग़ इंसान को मालूम होता है कि वो क्या कर रहे हैं और क्यूं।

ये चोरी पर आधारित एक कॉमेडी फ़िल्म थी जिसकी लम्बी-चौड़ी कास्ट थी। इसकी कहानी छह नौसिखिये डांसरों के इर्द-गिर्द घूमती है, जो दुबई में एक बहुत नामी-गिरामी डांस कम्पटीशन में भाग लेते हैं। असल में, ये डांस कम्पटीशन दिखावा था, उनका इरादा चोरी करना और बदला लेना था।

इस फ़िल्म ने पैसे बनाए। दुनियाभर में *हैप्पी न्यू इयर* ने लगभग 385 करोड़ रुपये कमाये। देश और विदेश में फ़िल्म ने अच्छा प्रदर्शन किया। लेकिन इससे शाहरुख़ की साख को बट्टा लगा। एक बार फिर, ऐसी फ़िल्म की उनसे अपेक्षा नहीं की गयी थी। एक आयोजन में जया बच्चन ने फ़िल्म की कड़ी आलोचना की। '*हैप्पी न्यू इयर* मेरी हाल के सालों में देखी सबसे बकवास फ़िल्म है। मैंने ये बात फ़िल्म के लीड एक्टर्स से भी कही थी। मैंने ये सिर्फ़ इसलिए देखी थी क्यूंकि अभिषेक इसका हिस्सा थे। मैंने कहा कि अगर वो कैमरे के सामने इस तरह से इतना बुद्धू ऐक्ट कर सकता है तो वो बहुत बड़ा एक्टर है। आजकल फ़िल्मों में जो हो रहा है, मैं उसका हिस्सा नहीं बन सकती और इसीलिए अब मैं फ़िल्मों में काम नहीं करती। ख़राब बात ये है कि आज के समय में सिनेमा आर्ट नहीं बल्कि बिज़नेस बनकर रह गया है। अच्छी फ़िल्मों को तो हम आर्ट हाउस सिनेमा कह देते हैं। उसका मतलब ही क्या होता है? हर सिनेमा आर्ट है।'[19]

ऐसा लगता है कि बहुत एक्टर्स की तरह शाहरुख़ भी बॉक्स ऑफ़िस के आंकड़ों के फेर में फंस गए थे। आख़िरकार, सौ-करोड़ी क्लब पूरी तरह से स्थापित हो चुका था और सुर्ख़ियों में आंकड़ों की ही बातें हो रही थीं। फ़राह ख़ान और रोहित शेट्टी जैसे डायरेक्टर इन आंकड़ों की लगभग गारंटी दे रहे थे।

शाहरुख़ की अगली फ़िल्म थी *दिलवाले* । ये रोहित शेट्टी की सबसे बड़ी फ़िल्म होने वाली थी, जिसमें वो शाहरुख़ और काजोल को दोबारा एकसाथ लेकर आ रहे थे।

2014 में, शाहरुख़ ने अजय देवगन की ओर शांति प्रस्ताव खिसकाया था। एक न्यूज़ रिपोर्ट के मुताबिक़, शाहरुख़ बांद्रा में महबूब स्टूडियो के सामने से गुज़र रहे थे और उन्हें सुभाष दिखायी दिए, जो रोहित शेट्टी के बेहद क़रीबी असिस्टेंट हैं। सुभाष ने शाहरुख़ को बताया कि *सिंघम रिटर्न्स* की टीम पास ही में शूट कर रही थी। शाहरुख़ ने घर जाने की बजाय उस फ़िल्म के सेट की ओर रुख किया। वो सीधे अजय देवगन के पास पहुंचे और उन्हें कसकर गले लगा लिया। आस-पास खड़ा हर शख़्स मुंह खोलकर ये दृश्य देख रहा था।[20] अजय देवगन ने 2015 में इस बारे में कहा, 'हम अच्छे दोस्त नहीं हैं क्यूंकि हम अक्सर मिलते नहीं हैं। हम बहुत कैज़ुअल हैं। जब भी हम मिलते हैं कलीग्स की तरह बर्ताव करते हैं... हमारे बीच में सबकुछ नॉर्मल है।'[21]

दिलवाले में वरुण धवन और कृति सेनन भी थे। इस फ़िल्म में रोमांस और एक्शन मिले हुए थे और इसे समीक्षकों की मिलीजुली प्रतिक्रिया ही मिली। आलोचकों का कहना था कि शाहरुख़ ने अपने कैरियर की शुरुआत से जो अपेक्षाएं तय कर दी थीं, वो अब उसके आस-पास भी नहीं फटक रहे थे। उनका ये भी कहना था कि वो आर्थिक सफलता को ही सबकुछ मान चुके थे और उसी के हिसाब से काम कर रहे थे और उन्होंने रचनात्मक पक्ष को आगे रखना बंद कर दिया था। उधर, फैंस इस बात से दुखी थे कि उन्हें ऐसे किरदारों में बर्बाद किया जा रहा था।

शाहरुख़ समय के साथ-साथ ख़ुद में बदलाव लाने की कोशिश कर रहे थे लेकिन उनकी ये मेहनत उन्हें चाहने वालों को रास नहीं आ रही थी।

उन्हें विश्वास था कि ये फ़िल्म उन्हें और काजोल को दोबारा गढ़ सकेगी। उन्होंने *फ़ोर्ब्स* से कहा था कि वो मानते हैं कि नए फ़िल्म डायरेक्टर फ़िल्म बनाने के अनोखे तरीक़े लेकर आ रहे थे। रोहित शेट्टी एक बार फिर शाहरुख़ और काजोल की रोमांटिक जुगलबंदी को स्क्रीन पर ज़िंदा करना चाहते थे, मगर एक नए नज़रिये से, जो उनके हिसाब से फ़िट बैठता था।

रोहित शेट्टी ने शाहरुख़ और काजोल को ऐसे स्वरूप में सोचकर रखा हुआ था, जो उनके पिछले किरदारों से बेहद अलग था। शुरुआत में, शाहरुख़ और काजोल कुछ सीन्स को लेकर निश्चित नहीं थे क्यूंकि वो बड़े ही अलग लग रहे थे। लेकिन, जब रोहित शेट्टी ने उन्हें एक रफ़ कट दिखाया तो ये दोनों बहुत प्रभावित हुए। उन्हें सबकुछ बेहद नया और अपने पुराने कामों से अलहदा नज़र आ रहा था।

इस बार बॉक्स ऑफ़िस पर इस फ़िल्म की टक्कर हुई संजय लीला भंसाली की बड़े स्तर पर बनी रोमांटिक फ़िल्म *बाजीराव मस्तानी* से, जिसमें रणवीर सिंह, दीपिका पादुकोण और प्रियंका चोपड़ा थीं। ये टक्कर कितनी कड़ी थी, उसे सोचकर ही सिहरन होती है।

उस वक्त मैं *टाइम्स ऑफ़ इंडिया* के साथ रिपोर्टर थी और मुझे *बाजीराव मस्तानी* को पूरी तरह से कवर करने की ज़िम्मेदारी सौंपी गयी थी। मैं रणवीर और दीपिका के साथ एक इवेंट के लिए अहमदाबाद गयी, जहां मैंने उनका इंटरव्यू लिया और बेहद नज़दीक से सारा घटनाक्रम देखा। साफ़ दिख रहा था कि रणवीर नर्वस थे और ऐसा इसलिए नहीं था कि वो अपनी परफ़ॉरमेंस को लेकर अनिश्चितता की स्थिति में थे या शाहरुख़ की फ़िल्म के चलते पिछड़ जाने का डर था। वो ख़ुशी-ख़ुशी शाहरुख़ से पिछड़ने को राज़ी थे। वो इस बात को लेकर चिंतित थे कि कहीं उनकी फ़िल्म बिल्कुल भी चले ही न। फ़िल्मों के ऐसे टकरावों में किसी एक फ़िल्म के बिज़नेस या उसकी संभावनाओं पर बहुत बुरा असर पड़ना कोई विरली बात नहीं है। मसलन, *मेरी प्यारी बिंदु* जैसी अच्छी और प्यारी फ़िल्म, जो बाद में ख़ूब पसंद की गयी, रिलीज़ के वक़्त बॉक्स ऑफ़िस पर पूछी भी नहीं गयी, क्यूंकि उसी दौरान *बाहुबली* रिलीज़ हुई थी।

फ़िल्म की रिलीज़ के दो दिन पहले हम मुम्बई के सन एंड सैंड होटल में रिलीज़ वाले दिन के लिए एक शूट कर रहे थे। इंटरव्यू के दौरान, दीपिका ने ज़्यादा बातचीत की और रणवीर शांत रहे, जो आम नहीं है। जब रणवीर जैसा शख़्स शांत बैठता है, तो वो सन्नाटा कचोटता है। इंटरव्यू के बाद मैंने उनसे पूछा, 'आप क्या सोच रहे हैं?' वो मुस्कुराए और बोले, 'जान लगा दी है पिक्चर में। चलेगी न?' मैं भी मुस्कुराई और उन्हें आश्वासन दिया कि उन्हें बिल्कुल भी चिंता नहीं करनी चाहिए।

मैंने अगले दिन फ़िल्म देखी और रणवीर की परफ़ॉरमेंस देखकर हैरान रह गयी। उस भूमिका में कोई एक्टर दिखा ही नहीं, बस वो किरदार ही दिखायी दे रहा था। उन ठाठदार पोशाकों में रणवीर सिंह थे ही नहीं। वो हमें तीन घंटों के लिए बाजीराव के साथ छोड़कर जा चुके थे।

दिलवाले की स्क्रीनिंग अगली ही स्क्रीन पर हो रही थी और मैंने अपने जीवन में पहली बार शाहरुख़ की फ़िल्म देखने में देरी की थी। *बाजीराव मस्तानी* के ज़रिये, संजय लीला भंसाली ने हमें एक ऐसी भव्य प्रेम कहानी दी थी, जिसकी सोहबत में आप ख़ुद को लम्बे वक़्त तक के लिए रखना चाहते थे।

उसी वीकेंड में मैंने एक भरे हुए थियेटर में *दिलवाले* देखी और मुझे बहुत मज़ा आया। उसका म्यूज़िक शानदार था, हमेशा की तरह शाहरुख़ और काजोल भी कमाल के दिख रहे थे। लेकिन बॉक्स-ऑफ़िस का वो टकराव पूरी तरह से इस बारे में था कि किसने बेहतर फ़िल्म बनायी थी। जिसने भी वो दोनों फ़िल्में देखी थीं, उसे इस सवाल का जवाब साफ़तौर पर मालूम चल चुका था।

लोगों की बातों का असर ये हुआ कि संजय लीला भंसाली की भव्य और ऐतिहासिक पृष्ठभूमि पर बनी फ़िल्म ने घरेलू मार्केट में अच्छा प्रदर्शन किया। यहां ये फ़िल्म *दिलवाले* से भी आगे निकलती हुई दिखायी दी। ऐसा पहले कभी नहीं हुआ था। टकरावों में शाहरुख़ कभी पिछड़े नहीं थे। ये पहली बार हुआ था।

'देश बदल रहा था। शायद उस आदमी के लिए भी, जो इस दुनिया में सबसे ज़्यादा जाना-माना भारतीय था और जो हर लिहाज़ से देश का सबसे प्यार पाने वाला शख़्स था। शाहरुख़ हर उस बात पर कान लगाए हुए थे, जो आम लोगों द्वारा कही जा रही थीं। और जब उन्हें अहसास हुआ कि चीज़ें उनके हाथ से निकल रही थीं, तो उन्हें समझ में आ गया कि अब उन्हें ऐसी फ़िल्म करने की ज़रूरत थी, जो अनूठी हो, नए कलेवर की हो, सधी हुई हो और हैरान कर देने वाली हो।'

लेकिन शाहरुख़ की स्टार पॉवर के चलते, विदेश में *दिलवाले* ने ख़ूब कमाई की और उनकी अंतर्राष्ट्रीय पहुंच का ही ये नतीजा था कि बॉक्स ऑफ़िस की लड़ाई में वो विजेता साबित हुए।

समीक्षक *दिलवाले* फ़िल्म के साथ बहुत ख़ुश नहीं थे, लेकिन दर्शकों ने इसे देखना सही समझा। हालाँकि समझ में आ रहा था कि शाहरुख़ को लेकर लोगों का प्रेम कम होता जा रहा था। दर्शकों की सहनशक्ति की भी एक सीमा होती है और आने वाली फ़िल्मों, *फ़ैन, रईस, जब हैरी मेट सेजल* में वो ख़ामियां और बढ़ती नज़र आने लगीं, जो इस फ़िल्म में थीं।

बॉक्स ऑफ़िस पर *दिलवाले* के बुरा प्रदर्शन करने की एक और वजह थी। फ़िल्म की गुणवत्ता के अलावा बात ये भी थी कि शाहरुख़ ने उस वक़्त के भारतीय परिवेश को लेकर एक बयान दिया था। 'असहिष्णुता फैली हुई है। बहुत असहिष्णुता है। इस तरह से असहिष्णु होना बेवकूफ़ी है और ये हमारा सबसे बड़ा मसला है। धार्मिक असहिष्णुता

और देश में सेक्युलर न होना वो सबसे बड़ा गुनाह है, जो एक देशभक्त होने के नाते आप कर सकते हैं।' उन्होंने आगे कहा, 'लोग सोचने से पहले ही बोलने लग जाते हैं।' उन्होंने कहा कि भारत 'कभी भी सुपरपॉवर नहीं बन पायेगा, अगर हम ये नहीं समझेंगे कि सभी धर्म एक समान होते हैं।'[22]

इसके चलते फ़िल्म की कमाई को काफ़ी नुकसान पहुंचा। दक्षिणपंथी संगठनों ने राजस्थान और बिहार में फ़िल्म के प्रदर्शन का विरोध किया और ग़ाज़ियाबाद, पुणे, जबलपुर और वाराणसी समेत दूसरे शहरों में कई प्रदर्शन हुए। इस सबके बावजूद, शाहरुख़ अपने बयान पर डटे रहे। 'मैंने ऐसा कुछ भी नहीं कहा जिसके लिए मुझे माफ़ी मांगनी पड़े। अगर मैंने ऐसा कुछ किया तो मैं अपनी ही नज़रों में गिर जाऊंगा।'[23] विरोध प्रदर्शनों से पड़ने वाले असर के बारे में उन्होंने कहा कि उन्होंने व्हाट्सैप और सोशल मीडिया पर मैसेज देखे थे और इस बारे में जानकारी मिली थी कि फ़िल्म की स्क्रीनिंग्स रोकी जा रही थीं। उन्हें मालूम था कि इन कारणों से बॉक्स ऑफ़िस के आंकड़ों पर बड़ा असर पड़ा था।

उन्होंने इस बात पर निराशा जतायी कि उनके शब्दों को ग़लत संदर्भ में लिया जा रहा था और ये आशा की कि जो लोग फ़िल्म देखना चाहते थे, वो उनके झांसे में नहीं आयेंगे, जिन्होंने उनके बयान को तोड़ा-मरोड़ा था। शाहरुख़ को इस पूरे घटनाक्रम से दुख पहुंचा था और उन्होंने हर उस शख़्स से माफ़ी मांगी, जो आहत हुआ था। उन्होंने ये कहते हुए लोगों से फ़िल्म देखने की अपील की कि इसे पूरी कास्ट और क्रू ने बड़ी मेहनत और प्यार से बनाया था। उन्होंने कहा कि ऐसी बातें, जो खुशियां लाने के मक़सद से कही गयी थीं, वो कंट्रोवर्सी खड़ी कर दें तो उन्हें दुख होता है।

देश बदल रहा था। शायद उस आदमी के लिए भी, जो इस दुनिया में सबसे ज़्यादा जाना-माना भारतीय था और जो हर लिहाज़ से देश का सबसे प्यार पाने वाला शख़्स था। शाहरुख़ हर उस बात पर कान लगाए हुए थे, जो आम लोगों द्वारा कही जा रही थीं। और जब उन्हें अहसास हुआ कि चीज़ें उनके हाथ से निकल रही थीं, तो उन्हें समझ में आ गया कि अब उन्हें ऐसी फ़िल्म करने की ज़रूरत थी, जो अनूठी हो, नए कलेवर की हो, सधी हुई हो और हैरान कर देने वाली हो। उन्होंने इस नाराज़गी को समझा और फ़ैन फ़िल्म के ज़रिये सबकुछ ठीक करने की कोशिश की।

ये फ़िल्म एक साइकोलॉजिकल थ्रिलर थी, जिसे मनीष शर्मा ने डायरेक्ट किया था। इसमें शाहरुख़ डबल रोल में थे। शाहरुख़ इस फ़िल्म में अपनी शक्ल के एक शख़्स के

किरदार में कहते हैं, 'कनेक्शन भी न, कमाल की चीज़ है। बस हो गया तो हो गया। वाई-फ़ाई, ब्ल्यूटूथ से भी ज़्यादा स्ट्रांग है अपना कनेक्शन। वो सिर्फ़ स्टार नहीं है, दुनिया है मेरी।'

ये कहानी है गौरव चांदना नाम के एक युवा की, जो बॉलीवुड सुपरस्टार आर्यन खन्ना का जुनूनी फ़ैन है। आर्यन के प्रति गौरव का प्रेम सभी सीमाओं से परे है और वो अपनी ज़िंदगी उसकी पूजा करने और उसे सबकुछ मानने में ही बिताना चाहता है। लेकिन, जब आर्यन से मिलने की कोशिशें नाकाम होने लगती हैं और उसे लगता है कि उसका हीरो उसकी उपेक्षा कर रहा है, तब गौरव का प्रेम एक ख़तरनाक मोड़ ले लेता है। गौरव एक यात्रा पर निकल पड़ता है, जिसकी मंज़िल थी आर्यन को ये यक़ीन दिलाना कि वो उसके प्रति कितना निष्ठावान था। आगे, उसकी हरकतें यूं हो जाती हैं कि एक ख़तरनाक चूहे-बिल्ली का खेल शुरू हो जाता है और प्रेम और सनक के बीच का भेद मिटता हुआ दिखायी देता है। गौरव और आर्यन, दोनों के लिए मुसीबतें खड़ी होती जाती हैं।

ये फ़िल्म देश में सेलिब्रिटी को पूजने और फैंस के चलते पैदा होने वाली परिस्थितियों को देखती है। शाहरुख़ इस फ़िल्म में एकदम मुफ़ीद थे। सुपरस्टार आर्यन और फ़ैन गौरव, दोनों ही रोल में समीक्षकों को वो पसंद भी आये। शो बिज़नेस में हीरो को पूजने की इस कहानी में उन्होंने शानदार काम किया और एक अलग छाप छोड़ी।

फ़िल्म के रिव्यू बहुत ही अच्छे थे। *इंडियन एक्सप्रेस* ने लिखा, '*फ़ैन* एक जीत है। शाहरुख़ ने अपने तगड़े पक्ष सामने रखे हैं और एक स्टार और उसके फ़ैन के बीच झूलते हुए, एकदम सटीक काम किया है। एक सीन में वो दोनों किरदारों के बीच एक साफ़ रेखा खींचते दिखते हैं और अगले ही सीन में उसे मिटा भी देते हैं। ये कमाल का काम है जिसमें परफ़ॉरमेंस, एक्टर और स्टार, सबकुछ एक ही में घुला हुआ है। ये सभी चीज़ें हमारे लिए हाज़िर दिखती हैं।'[24]

अंतर्राष्ट्रीय स्तर पर भी इसे अच्छे रिव्यू मिले। *गार्डियन* ने लिखा, 'शाहरुख़ ने अपनी इस डबल रोल वाली साइकोलॉजिकल थ्रिलर फ़िल्म में ख़ुद को पीछे छोड़ने वाला काम किया है।'[25]

लेकिन एक बार फिर, आंकड़े अपेक्षाओं पर खरे नहीं उतर रहे थे। सुपरस्टारडम के बावजूद, बॉक्स ऑफ़िस पर ये फ़िल्म कोई कमाल नहीं कर सकी। दुनियाभर में इसने क़रीब 2.7 करोड़ डॉलर कमाये। इसमें भारतीय मार्केट की कमाई शामिल थी। इंडिया में

इसे उतना प्यार नहीं मिला, जितने की उम्मीद की गयी थी। ये फ़िल्म एक आम कमर्शियल फ़िल्म नहीं थी और इसने हर किसी को अपनी ओर आकर्षित नहीं किया। फ़िल्म की अनोखी कहानी उन फ़िल्मों से बेहद अलग थी, जिसका इंतज़ार देश के ज़्यादातर दर्शकों को रहता है।

2021 में *मसाला!* मैगज़ीन ने ये समझाने की कोशिश की कि आख़िर इस फ़िल्म के साथ गड़बड़ क्या हुई। इसमें लिखा हुआ था, 'सबसे पहले, *फ़ैन* (14 अप्रैल 2016 को रिलीज़ हुई) को शाहरुख़ की सबसे बड़ी फ़्लॉप फ़िल्मों में से एक कहना बहुत बड़ी ग़लती होगी। जब किंग ख़ान के हिस्से में *जब हैरी मेट सेजल* और हाल ही में आयी *ज़ीरो* जैसी नाकामियां हों, तो *फ़ैन* जैसी फ़िल्म उतनी बुरी नहीं लगती है।'[26] शाहरुख़ के अद्भुत व्यक्तित्व की जगह इस फ़िल्म ने एक मनोवैज्ञानिक थ्रिलर वाली कहानी पेश की और इसने एक अनोखा काम किया। इसने लोगों को बताया कि शाहरुख़ एक इंसान थे। इस बेहद नए अंदाज़ ने फ़िल्म की असफलता में हाथ बंटाया। ये फ़िल्म किसी ठोस ज़मीन पर नहीं खड़ी दिख रही थी। इसमें इतनी शैलियां थीं कि सभी दर्शकों को ये अपील नहीं कर पायी। मुख्यधारा की मसाला फ़िल्में देखने वालों को इस फ़िल्म में अपेक्षाकृत उतना एक्शन और थ्रिल देखने को नहीं मिला, जितने की उन्हें आदत थी। इसके साथ ही, ये मनोवैज्ञानिक पक्ष में भी उतनी ताक़तवर नहीं साबित हुई कि फ़िल्मों के शौकीनों को ये खींच पाती। लेकिन, इस फ़िल्म को इसकी महत्वाकांक्षाओं के चलते शाबाशी ज़रूर मिलनी चाहिए, जहां इसने बॉलीवुड के एक बेहद ताक़तवर शख़्स को एक स्टार के साथ-साथ एक आम आदमी की तरह भी दिखाया।

इसी साल में शाहरुख़ ने एक और फ़िल्म की थी, जो लोगों को ख़ूब पसंद आयी। लेकिन शाहरुख़ इसे कभी भी अपनी फ़िल्म नहीं मानते हैं। फ़िल्म *डियर ज़िंदगी* आलिया भट्ट की थी, लेकिन अगर इसमें जग के किरदार में शाहरुख़ नहीं होते तो क्या ये वैसी ही बनती?

इस नए नज़रिये से बनी ड्रामा फ़िल्म को गौरी शिंदे ने बनाया था और ये 2016 में रिलीज़ हुई थी। आलिया भट्ट ने इसमें काईरा नाम की एक युवा सिनेमेटोग्राफ़र का किरदार निभाया था, जो मुंबई में रहती है। अपने रिलेशनशिप से नाख़ुश और भावनात्मक रूप से परेशान चल रही काईरा, डॉक्टर जहांगीर ख़ान (शाहरुख़ ख़ान का किरदार) के पास जाती है और थैरेपी सेशन्स के ज़रिये मदद लेने की कोशिश करती है। जैसे काईरा अपने

बीते वक़्त में लौटती है और अपनी असुरक्षाओं के बारे में बात करना शुरू करती है, डॉक्टर खान उसे बेहद ज़रूरी और अपरम्परागत सलाह देते हैं और उसकी ज़िंदगी के तमाम पहलुओं को पटरी पर लाने की कोशिश करते हैं। थैरेपी सेशन्स के ज़रिये काईरा को समझ में आया कि ख़ुद को अपने स्वरूप में कबूल करना और माफ़ करना कितना ज़रूरी होता है। इसके साथ ही उसे समझ में आया कि ज़िंदगी को उसकी कमियों और छोटे-मोटे दोषों के साथ स्वीकार करना किस कदर ज़रूरी होता है।

ये उन शुरुआती फ़िल्मों में से एक है, जिसने मेंटल हेल्थ, ख़ुद की खोज और आधुनिक रिश्तों की उथल-पुथल पर बात करनी शुरू की थी।

फ़िल्म कम्पेनियन के साथ बातचीत में गौरी शिंदे ने बताया कि जब उन्होंने शाहरुख़ को उनका हिस्सा सुनाया तो उन्होंने पूछा, 'ठीक है, क्या करना होगा मुझे?' शिंदे ने कहा, 'और बस। उन्हें सबकुछ समझ में आ गया।' उन्होंने स्क्रिप्ट की गहराई में उतरने की कोशिश की। 'उसमें एक शख़्स है। मज़ाकिया है, हल्की-फुल्की बातें करता है। वैसा ही, जैसे शाहरुख़ असल जीवन में हैं। आप ऐसे शख़्स पर भरोसा जताते हैं, उसपर विश्वास करने लगते हैं। मैं और किसी के बारे में सोच ही नहीं सकती हूं, जो जहांगीर ख़ान का किरदार निभा सकता था। उनके ही चलते बहुत से लोगों ने थैरेपी को गंभीरता से लेना शुरू कर दिया। क्यूंकि मुझे एक मुख्यधारा का एक्टर और स्टार चाहिए था। वो बहुत शानदार और काबिल एक्टर हैं और इसके अलावा जब वो कुछ कहते हैं तो आप उन्हें सुनना चाहते हैं।'[27]

मेलबर्न में रहने वाली शाहरुख़ की फ़ैन अलीशा करिअप्पा मुझसे कहती हैं, 'मुझे उस फ़िल्म की ज़रूरत थी, जिससे में थैरेपी के लिए कहीं जा सकूं। पूरी ज़िंदगी मुझे मालूम था कि मैं कुछ अलग हूं। लेकिन जबतक *डिअर ज़िंदगी* नहीं आयी, मुझे समझ में नहीं आया था कि मेरा एक थैरेपिस्ट के पास जाना कितना ज़रूरी था। उस सीन में, जब जग, काईरा को समंदर के किनारे टहलने के लिए ले जाता है और उससे अपने मां-बाप से एक मिनट के लिए बात करने को कहता है, मुझे अहसास हुआ कि अगर भविष्य को थोड़ा-बहुत भी स्थिर करना है तो मुझे अपने बीते हुए कल की आंखों में झांकना होगा। मुझे नहीं लगता है कि अगर जग के रोल में शाहरुख़ नहीं होते तो मैं ऐसा कुछ भी सोच पाती। वो यूं बात करते हैं कि बगैर ज़ोर-ज़बरदस्ती किये आपको विश्वास दिला देते हैं।'

क्या ये हमारी कल्पना का हिस्सा था या वाक़ई, शाहरुख़ का स्टारडम ढलान पर था? मैं तो इंडस्ट्री को कवर कर रही थी, लेकिन मैं भी इसका कोई ठोस जवाब नहीं दे सकती थी। समय-समय पर ये भुनभुनाहट उठती रहती थी कि फलाने एक्टर का समय बीत चुका है। ज़्यादा से ज़्यादा एक्टर ऐसी कहानियां चुन रहे थे जो आम मसाला फ़िल्मों से अलग थीं। 2015 में सलमान ख़ान, जो शायद बॉलीवुड के सबसे बड़े मसाला स्टार हैं, ने *बजरंगी भाईजान* की। इस फ़िल्म में उन्होंने पवन नाम के शख़्स की भूमिका अदा की, जो हनुमान जी का परमभक्त है और मुन्नी नाम की एक बोल न सकने वाली पाकिस्तानी लड़की को, बॉर्डर पार, उसके घरवालों से मिलाने के मिशन पर निकल पड़ता है। ये वो स्टार है, जो फ़िल्म के क्लाइमेक्स में अपनी शर्ट उतारने के लिए जाने जाते हैं, लेकिन उन्होंने इस फ़िल्म में अपनी बॉडी शर्ट से ढकी रखी। यहां तक कि बग़ैर शर्ट के उनका एकमात्र सीन तब आता है, जब पाकिस्तान में पुलिसवाले उनकी पिटाई कर रहे होते हैं। 2014 में, देश के बॉक्स ऑफ़िस पर तहलका मचाने वाली फ़िल्म थी *पीके*, जिसमें आमिर ख़ान थे। ये फ़िल्म एक एलियन के नज़रिये से बनायी गयी थी जिसके किरदार में आमिर थे। इस फ़िल्म ने देश में धर्मांधता पर करारा प्रहार किया था।

ये वो समय था, जब स्टार्स अपने स्टारडम को हल्के में नहीं ले रहे थे। वो कॉन्टेंट और व्यापार, दोनों को साथ रखने की हरसंभव कोशिश कर रहे थे। स्टारडम भले ही लोगों को थियेटर तक ला सकता था, लेकिन ऐसी फ़िल्में ही आपको वहां तीन घंटे बिठाए रख सकती थीं। हर साल बॉक्स ऑफ़िस का रिपोर्ट कार्ड आता है और अब पहले की तरह शाहरुख़ उसमें टॉप करते हुए नहीं दिखा करते थे।

लेकिन, शाहरुख़ वो इंसान नहीं हैं, जो इतनी जल्दी हार मान जाएं। उन्होंने फिर एक कोशिश की। उन्हें अहसास हुआ कि काबिल डायरेक्टरों में इन्वेस्ट करना बेहद ज़रूरी था। उनकी अगली फ़िल्म थी राहुल ढोलकिया के साथ, जिन्होंने 2007 में *परज़ानिया* बनायी थी और जिसके लिए उन्हें राष्ट्रीय फ़िल्म पुरस्कार भी मिला था। ये फ़िल्म परज़ान नाम के एक पारसी लड़के के बारे में थी, जो 2002 के गुजरात दंगों के दौरान ग़ायब हो गया था और उसका परिवार, हिंसा और अफरातफरी के उस माहौल में उसे ढूंढने में लगा हुआ था।

फ़िल्म *रईस* 1980 और 1990 के दशक के गुजरात के ड्राई स्टेट को लेकर बनी थी। शाहरुख़ ने इसमें रईस का किरदार निभाया था, जो प्रदेश में ग़ैर-कानूनी शराब का व्यापार करने में लगा हुआ था। इधर रईस तस्करी के काम में लगा हुआ था, उधर वो

लगातार विरोधी गैंगस्टरों से जूझ रहा था और इस दौरान, एक पुलिस अधिकारी उसे ख़त्म करने की जुगत में लगा हुआ था। अपनी आपराधिक गतिविधियों के बावजूद, रईस को समाज में इज़्ज़त मिलती थी, क्यूंकि वो आस-पास सभी की मदद किया करता था। लेकिन फिर, एक अपराधी के साथ टकराव के दौरान एक दुर्घटना घट जाती है और उसे अपने धंधे के अंधेरे भरे हिस्से में उतरना पड़ता है। ये फ़िल्म अपने दर्शकों को एक सवाल के साथ छोड़ जाती है: क्या रईस एक रॉबिन-हुड जैसा शख़्स था या ताक़त के फेर में पड़ चुका एक क्रूर अपराधी?

ये फ़िल्म अब्दुल लतीफ़ नाम के एक गैंगस्टर के जीवन पर आधारित थी। ये एक बड़े स्तर पर बनायी गयी फ़िल्म थी। इसके एक सीन में शाहरुख़ अपने सबसे क्रूर अवतार में दिखते हैं, जिसमें उनकी आंखें काजल में डूबी हुई थीं और वो एक ट्रेलर में धुएं और आग से बाहर निकलते हैं। इसमें भौकाल था, एक्शन था और सनी लियोनी का एक आइटम सॉन्ग भी था। इस फ़िल्म में शाहरुख़ को भरपूर एक्शन करने को मिला था। इसमें गैंगस्टर और पुलिस के बीच भरपूर टकराव देखने को मिलता है, जो अमूमन भीड़ को खींचने में कामयाब होता है। इसे तो काम करना ही था।

लेकिन, जैसा कि इंडस्ट्री में मशहूर है, सफलता टाइमिंग और किस्मत पर निर्भर करती है। ये फ़िल्म देश में फैली सामाजिक उथलपुथल की भेंट चढ़ गयी। इस फ़िल्म की रिलीज़ की टाइमिंग इससे बुरी हो ही नहीं सकती थी। इस फ़िल्म में पाकिस्तानी एक्टर माहिरा ख़ान थीं, और ये इनकी पहली बॉलीवुड फ़िल्म थी।

2014 में ज़ी का ज़िंदगी चैनल लॉन्च हुआ था और भारत में ये ख़ूब पसंद किया जा रहा था। माहिरा ख़ान और बेहद लोकप्रिय फ़वाद ख़ान का सीरियल *हमसफ़र* सबसे आगे चल रहा था। फ़वाद ने 2014 में सोनम कपूर के साथ *ख़ूबसूरत* के जरिये बॉलीवुड फिल्मों में डेब्यू किया था। *रईस* के साथ अब माहिरा की बारी थी। 2021 में एक इंटरव्यू के दौरान उन्होंने बताया था कि कैसे उन्हें इत्तेफ़ाक के चलते ये फ़िल्म मिली थी। उन्होंने बताया कि वो *हमसफ़र* के प्रमोशन के सिलसिले में मुंबई आयी हुई थीं, जो अपने रिलीज़ के तीन साल बाद टीवी पर आ रहा था। इस यात्रा के दौरान, उन्हें कई फ़ोन कॉल्स आये, जिन्हें वो नज़रंदाज़ करती गयीं। फिर उन्हें एक मैसेज आया, जिसमें लिखा था कि एक 'बड़ी फ़िल्म' के सिलसिले में उनसे बात करनी थी। अब उनमें कुछ जिज्ञासा जागी, तो उन्होंने कॉल उठाया। जब उन्हें मालूम चला कि फ़िल्म

एक्सेल एंटरटेनमेंट प्रोडक्शन की थी, जिसने *दिल चाहता है* जैसी फ़िल्म बनायी थी, वो उत्सुकता से भर गयीं। इसके बाद, उनसे कहा गया कि वो अगले दिन आकर डायरेक्टर से मिल लें। सुबह-सुबह की मीटिंग में उन्हें कहानी के बारे में बताया गया। 'शाहरुख़ का नाम मेरे लिए सीक्रेट था। मैंने अगले ही दिन ऑडिशन दिया और कुछ देर में कॉल आया कि मुझे ये रोल मिल गया था। मैंने पूछा कि मेरा रोल था क्या। तो मुझे बताया गया "आप शाहरुख़ ख़ान की हीरोइन हैं"।'[28]

सबकुछ ठीक चल रहा था। फ़िल्म को जनवरी 2017 में रिलीज़ होना था। लेकिन इस रिलीज़ से कुछ महीने पहले ही कश्मीर के उरी में स्थित भारतीय सेना के बेस पर हमला हो गया, जिसके बाद पूरी इंडस्ट्री में पाकिस्तानी एक्टर्स के हिन्दुतान में काम करने पर बैन लग गया। फ़वाद ख़ान, करण जौहर की *ऐ दिल है मुश्किल* (2016 की दिवाली पर रिलीज़ हुई) में काम कर रहे थे, जिन्हें अतिवादी संगठनों के गुस्से का शिकार होना पड़ा। अंत में, फ़िल्म से उनके कई सीन हटाने पड़े और कुछ इस तरह से इंडस्ट्री में नये मानक गढ़ दिए गए। माहिरा को भी अपनी फ़िल्में प्रमोट करने की अनुमति नहीं मिल सकी। यहां तक कि ऐसी रिपोर्टें भी आयीं कि शाहरुख़ और माहिरा को *'ज़ालिमा'* गाने की शूटिंग पूरी करने के लिए यूएई जाना पड़ा था।[29]

मुख्य एक्ट्रेस के बग़ैर फ़िल्म प्रमोट करना बहुत कारगर साबित नहीं होता है। शाहरुख़ की फ़िल्म के लिए तो ये और भी बुरी बात समझी जाती थी। माहिरा तो बहुत परेशान थीं। उन्होंने पाकिस्तानी अख़बार *डौन* से कहा, 'मैं भी शाहरुख़ के साथ इंटरव्यू में रहकर फ़िल्म के बारे में बात करना चाहती हूं। क्यूं नहीं कर सकती? ऐसा क्यूं है कि मुझसे ये कहा जा रहा है कि मैं बहुत बड़ी मांग रख रही हूं? ऐसा कुछ है नहीं। ये मेरा अधिकार है। ये मेरी भी फ़िल्म थी।'[30]

कुछ ही वक़्त बाद मालूम चला कि माहिरा को बाईपोलर डिसऑर्डर था। उन्होंने बताया कि *रईस* के बाद जो भी हुआ, उसने कैसे उनकी इस बीमारी पर बुरा असर डाला।[31] उन्होंने बताया कि कैसे उस दौरान उन्हें लगातार धमकियां मिला करती थीं। उन्होंने कहा, 'लगातार ट्वीट्स आ रहे थे। लगातार। यहां तक कि कई बार मुझे कॉल्स आती थीं जिनमें कुछ बहुत डरावनी होती थीं। जो एकमात्र चीज़ मैं चाहती थी, वो ये थी कि ठीक है मैं इंडिया नहीं जा सकती, वहां फ़िल्म प्रमोट नहीं कर सकती, लेकिन आशा कर रही थी कि कम से कम ये फ़िल्म मेरे देश में तो रिलीज़ हो। क्यूंकि मुझे मालूम था कि लोग

सिनेमा जाकर ये फ़िल्म ज़रूर देखेंगे। क्यूंकि उन्हें (शाहरुख़) यहां बहुत पसंद किया जाता है। जो हुआ, उसने मेरा दिल तोड़ दिया। मेरे अंदर जो घबराहट थी, जो डिप्रेशन था, इस फ़िल्म ने उसे बाहर ला दिया।'[32]

इधर, हिंदुस्तान में, शाहरुख़ अपनी लड़ाई लड़ने में व्यस्त थे। वो किसी तरह से फ़िल्म को थियेटर तक ले जाने में लगे हुए थे। फ़िल्म रिलीज़ होने की स्थिति में उन्हें अंजाम भुगतने सरीखी धमकियां भी मिल रही थीं। महाराष्ट्र नवनिर्माण सेना (एमएनएस) ने ये शर्त रखी कि अगर फ़िल्म को रिलीज़ करना है तो पाकिस्तानी कलाकारों के साथ काम करने वाले प्रोड्यूसर्स को आर्मी वेलफ़ेयर फ़ंड में 5 करोड़ रुपये जमा करने पड़ेंगे। इस शर्त की कई लोगों ने आलोचना की और इसे फिरौती जैसा बताया। फ़रहान अख्तर *रईस* के को-प्रोड्यूसर थे और उन्होंने एमएनएस की इस बात को मानने से साफ़ मना कर दिया। इसके जवाब में एमएनएस ने फ़िल्म बनाने वालों को नतीजा भुगतने को तैयार हो जाने की धमकी दे डाली। फ़रहान ने कहा, 'आर्मी को 5 करोड़ रुपये देने का तो सवाल ही नहीं उठता है क्यूंकि उन्होंने ख़ुद इसके लिए मना किया है। हम क़ानून मानने वाले, टैक्स देने वाले नागरिक हैं और देश को हमारा ख़्याल रखना होगा।' इसके जवाब में एमएनएस के सिने-विंग के अध्यक्ष अमेय खोपकर ने *मिड*-डे से कहा, 'रिलीज़ नज़दीक आने दो, फिर देख लेंगे।'[33]

इस सबके बीच, शाहरुख़ सामने आये और मामला ठंडा करने के लिए, वो जाकर राज ठाकरे से मिले।

इस फ़िल्म के बारे में चर्चा इससे जुड़ी कंट्रोवर्सी को लेकर शुरू हुई, न कि फ़िल्म को लेकर। किसी ने भी शाहरुख़ के तस्करी करने वाले किरदार या नवाज़ुद्दीन सिद्दीक़ी के कर्मठ पुलिसिया किरदार मजूमदार के बारे में बात नहीं की। शाहरुख़ के एक साथी, जिनका नाम मैं सामने नहीं लाना चाहती, का मानना है कि ये फ़िल्म इसलिए काम नहीं कर पायी क्यूंकि फ़िल्म के डायरेक्टर राहुल ढोलकिया ने शाहरुख़ के किरदार को अंत में मार दिया था। 'शाहरुख़ ख़ान एक बहुत बड़ा आदमी है... आप उसको मार नहीं सकते! और वो भी ऐसे ही, सड़क के किनारे। आप अपने हीरो के साथ ऐसा नहीं करते। यहां तक कि विलेन के साथ ऐसा नहीं कर सकते।'

रईस ने दुनियाभर में 281.44 करोड़ रुपयों की कमाई की, जिसमें 137.51 करोड़ देश की स्क्रीन्स पर कमाये गए थे। लेकिन ये शाहरुख़ की वो फ़िल्म बन गयी जिसके

बारे में सबसे कम बात हुई। ये फ़िल्म, कला पर राजनीति के काले बादलों के छा जाने का क्लासिक उदाहरण कही जा सकती है।

उस साल बॉलीवुड ने सीखा कि बड़े से बड़े शाहकार को भी झटका खाना पड़ सकता है। अब छोटी चीज़ें बड़ा धमाका कर रही थीं। उस साल जिस फ़िल्म ने सबसे ज़्यादा पैसे कमाये, वो थी बड़े ही कम बजट में बनी फ़िल्म *सीक्रेट सुपरस्टार* । इसमें आमिर ख़ान का एक केमियो था, जिन्होंने ये फ़िल्म प्रोड्यूस की थी। उस साल जिस फ़िल्म के बारे में सबसे ज़्यादा बात हुई थी, वो थी इरफ़ान ख़ान की *हिंदी मीडियम* । चाहे वो सलमान की *ट्यूबलाइट* हो या शाहरुख़ की *रईस*, बड़े बजट की फ़िल्मों ने उस साल कोई बड़ा नाम नहीं कमाया। ये ट्रेंड अगले दो साल और चला। 2018 में, *द प्रिंट* में छपे एक आर्टिकल में नए बॉक्स ऑफ़िस ट्रेंड बताये गए थे। 'इस साल बॉलीवुड पर विकी कौशल, आयुष्मान खुराना और राजकुमार राव जैसे एक्टर्स ने राज किया, जिनकी *राज़ी, बधाई हो* और *स्त्री* जैसी फ़िल्मों ने बॉक्स ऑफ़िस पर अच्छे पैसे कमाये। अपनी-अपनी सालाना फ़िल्मों के अलावा, इंडस्ट्री के ख़ान अब लाइमलाइट से ग़ायब हो गए हैं।'[34]

ट्रेलर शानदार होने के बावजूद, बड़े स्टार्स की फ़िल्में कहानी के मामले में औंधे मुंह गिरती जा रही थीं। जनता इन्हें फिर-फिर उन्हीं किरदारों में देखकर उकता रही थी। सलमान वैसे ही एक्शन पैक्ड स्टंट कर रहे थे, शाहरुख़ अभी भी लवर-बॉय की छवि में थे जो पुरानी हो चली थी और आमिर लगातार ऐसी फ़िल्में बना रहे थे जो लोगों से जुड़ ही नहीं पा रही थीं। सभी को चाह थी कहानियों में नयेपन की और ऐसे किरदारों की, जिनसे वो जुड़ा हुआ महसूस कर सकें।

जब हैरी मेट सेजल और *ज़ीरो* की रिलीज़ के साथ, 2017 और 2018 में शाहरुख़ के बॉक्स ऑफ़िस प्रभुत्व को टूटते हुए देखा गया।

जब हैरी मेट सेजल, शाहरुख़ की इम्तियाज़ अली के साथ पहली फ़िल्म थी। इम्तियाज़ की फ़िल्में प्रेम कहानियों को नयी पीढ़ी के लिए नए कलेवर में परोसती आ रही थीं। इस फ़िल्म को लेकर बहुत उम्मीदें पाल ली गयी थीं। फ़िल्म की शैली को लेकर, दबी ज़ुबान में बातें हो रही थीं। हर कोई देशज कहानियों की ओर, सादी और मीडियम बजट की फ़िल्मों की ओर खिसक रहा था। क्या ऐसी फ़िल्म के लिए ये वक़्त सही था?

शाहरुख़ ने एक इंटरव्यू में मुझसे कहा, 'कोई भी इतना प्यार नहीं पा सकता कि उससे छक जाए। प्यार के कई पहलू होते हैं और इम्तियाज़, रोमांस को लेकर हमेशा एक नया दृष्टिकोण ले आते हैं। प्रेम कहानियों को सामने रखने का एक नया तरीका हमेशा नज़र आ जाता है। इम्तियाज़ की अपनी एक भाषा है। मैंने जैसे फ़िल्मों में किरदार निभाये हैं, असल ज़िंदगी में मैं उस तरह से कभी भी प्यार नहीं कर पाया हूं। और सिर्फ़ इम्तियाज़ ही इस तरह की कोई चीज़ सोच सकते हैं।'

हालांकि, ये फ़िल्म भी नहीं चल सकी। आलोचकों को शाहरुख़ और अनुष्का शर्मा के बीच की केमिस्ट्री में कुछ ग़ायब सा लगा। फ़िल्म की कहानी, जो यूरोप में गुम हुई एक अंगूठी के इर्द-गिर्द घूमती है, लोगों को बांध नहीं पाई। फ़िल्म को पूरी तरह से फ़्लॉप नहीं कहा जा सकता है लेकिन इसकी 130 करोड़ की देसी कमाई, 200 करोड़ के निशान से पीछे रह गयी, जो उस वक़्त तक शाहरुख़ की फ़िल्मों को मिल जाया करती थी।

इस फ़िल्म का ह्यूमर, यूरोपियों को दिखाये जाने के जाने-माने तरीक़ों पर निर्भर कर रहा था, जो दर्शकों तक नहीं पहुंच पाया। कहानी के केंद्र में रखी खोई हुई अंगूठी, इम्तियाज़ की दूसरी फ़िल्मों की कहानियों के केंद्र की तुलना में कहीं टिकती हुई नहीं जान पड़ी। इसके साथ ही, कहा गया कि फ़िल्म घिसटने की गति के साथ आगे बढ़ रही थी और क्लाइमैक्स ने लोगों को संतुष्ट नहीं किया।

जब हैरी मेट सेजल की रिलीज़ के वक़्त इस फ़िल्म का ख़ूब भौकाल बना हुआ था। ऐसी फ़िल्मों में शाहरुख़ को मिलने वाली सफलताओं और डायरेक्टर और एक्टर के ट्रैक रिकॉर्ड को देखते हुए माना जा रहा था कि ये 200 करोड़ से ऊपर का डोमेस्टिक बिज़नेस कर ले जायेगी। लेकिन फ़िल्म की कमज़ोरियों ने उसकी आर्थिक सफलता को बुरी तरह प्रभावित किया।

कई असफल फ़िल्मों की एक लम्बी कड़ी के बाद, शाहरुख़ इस फ़िल्म को लेकर आश्वस्त थे और एक अच्छी कमबैक फ़िल्म की उम्मीद लेकर बैठे हुए थे। कुछ वक़्त बाद दिये एक इंटरव्यू में उन्होंने कहा कि उन्हें *जब हैरी मेट सेजल* की असफलता से चोट पहुंची थी। 'मैंने *जब हैरी मेट सेजल* से बहुत सारे लोगों को निराश किया, जो बुरी तरह फ़्लॉप हुई। लेकिन मैं किसी को निराश करना नहीं चाहता था। मुझे बस ये अच्छा लग रहा था कि कोई स्टोरी नहीं थी, सिर्फ़ एक रिंग के चक्कर में दो लोग खिंचे चले जाते हैं। ये बड़ी ही ऑर्गैनिक, स्लाइस-ऑफ़-लाइफ़ (जीवन से जुड़ी) फ़िल्म थी। कुछ ही दिन

पहले एक डायरेक्टर ने "स्लाइस-ऑफ़-लाइफ़" कहा तो मैंने उससे कहा कि "नहीं भाई, पूरा कद्दू दो मुझे इस बार।"'[35]

मैंने एक सीनियर पत्रकार से बात की और उन्होंने कहा, 'ऐसा लग रहा था कि वो जिस चीज़ को छू रहे थे, वो फ़ेल हो जा रही थी। क्या वो ग़लत चुनाव कर रहे थे? मुझे नहीं लगता। *जब हैरी मेट सेजल* एक ख़राब फ़िल्म थी। उसमें केमिस्ट्री ठीक से नहीं बैठी। अधपकी फ़िल्म लग रही थी। लेकिन शाहरुख़ के साथ ऐसा था कि न जाने क्यूं, वो पहले जैसी फ़िल्में नहीं कर रहे थे। उन्हें ग़लत सलाह दी जा रही थी, वो ऑडियंस या मार्केट को ठीक से पढ़ नहीं पा रहे थे। कई बार ऐसा होता है कि जब आप इतने बड़े स्टार बन जाते हैं तो आप अपनी दुनिया में रहने लगते हैं और ज़मीन पर जो कुछ भी हो रहा होता है, वो आप तक पहुंच ही नहीं पाता है। लोग आपकी बड़ाई करने में ही लगे रहते हैं और वो आपको सच बताना बंद कर देते हैं। सच्चाई ये थी कि शाहरुख़ जल्दबाज़ी कर रहे थे और ख़राब फ़ैसले ले रहे थे। इस नयी दुनिया में, ओटीटी पर पल रही नयी पीढ़ी के लिए शाहरुख़ के क्या मायने हैं, उन्हें इस पर नए स्तर से विचार करने की ज़रूरत थी। कुछ नया, कुछ सामान्य से अलग, मगर अपनी जड़ों के बेहद क़रीब।'

ट्रेलर शानदार होने के बावजूद, बड़े स्टार्स की फ़िल्में कहानी के मामले में औंधे मुंह गिरती जा रही थीं। जनता इन्हें फिर-फिर उन्हीं किरदारों में देखकर उकता रही थी। सलमान वैसे ही एक्शन पैक्ड स्टंट कर रहे थे, शाहरुख़ अभी भी लवर-बॉय की छवि में थे जो पुरानी हो चली थी और आमिर लगातार ऐसी फ़िल्में बना रहे थे जो लोगों से जुड़ ही नहीं पा रही थीं। सभी को चाह थी कहानियों में नयेपन की और ऐसे किरदारों की, जिनसे वो जुड़ा हुआ महसूस कर सकें।

ज़ीरो इसी आइडिया के साथ बनायी गयी थी। आनंद एल. राय इसके डायरेक्टर थे और ये एक महत्वाकांक्षी साई-फ़ाई फ़िल्म थी। शाहरुख़ इसमें एक बेहद छोटे कद के किरदार में थे, जो एक मशहूर एक्ट्रेस (कटरीना कैफ़) के प्यार में पड़ जाता है। इस फ़िल्म का प्रोडक्शन बहुत हाई था और विचार के तौर पर ये बहुत नयी फ़िल्म थी। शुरुआत में, इस फ़िल्म में शाहरुख़ नहीं होने वाले थे। कटरीना ने एक इंटरव्यू में बताया था, 'शुरुआत में, मुझे मेरा ही किरदार निभाना

था। इस फ़िल्म का टाइटल "कटरीना मेरी जान" होने वाला था। फ़िल्म की कास्ट भी बिल्कुल अलग थी और शाहरुख़ सर इसका हिस्सा थे ही नहीं। अब ये एक एक्ट्रेस पर तंज़ की कहानी है।'

फ़िल्म की कहानी बदली और फिर ये अपने उस स्वरूप में आयी, जिसमें रिलीज़ हुई। शाहरुख़ ने ये फ़िल्म करने के लिए हां कहा क्यूंकि वो फ़िल्म के मूल से सहमत थे। उन्होंने *फ़िल्मफ़ेयर* से कहा, 'हम अपनी ज़िंदगी यही सोचते हुए बिता देते हैं कि "काश मैं कुछ और ख़ुश होता।" या "काश मैं ऐसा होता।" हमारे आस-पास बहुत से ऐसे लोग होते हैं जो हमें बताते हैं कि हमें कैसा होना चाहिए। हममें से हर किसी में, कुछ न कुछ मिसिंग होता है। कोई भी परफ़ेक्ट नहीं है। (मुस्कुराते हैं)... हमें इस बात को जितनी जल्दी हो सके, समझ लेना चाहिए और किसी और की ज़िंदगी जीने की इच्छा में इसे बर्बाद नहीं करना चाहिए... हमने इस फ़िल्म में तीन तरह के अधूरेपन दिखाये हैं। एक इंसान है जो शारीरिक रूप से अपाहिज है, एक मानसिक तौर पर बीमार है, जो ख़ुद जीनियस है लेकिन उसे सेरीब्रल पाल्सी है। और फिर आती है एक लड़की जो दुनिया में सबसे ख़ूबसूरत है लेकिन भावनात्मक तौर पर उसमें बहुत कुछ अधूरा है। हम अपनी कमियों को जितनी तेज़ी से स्वीकार कर लें, उतना ही बेहतर है। आनंद एल. राय ने कोशिश की है कि किसी भी किरदार के लिए सहानुभूति न बटोरी जाए, न ऑडियंस ऐसा करे और न ही कोई किरदार ख़ुद अपने लिए ऐसा महसूस करे।'[36]

शाहरुख़ मानते हैं कि *ज़ीरो* एक ऐसा नज़रिया था, जिसे पूरी दुनिया को देखना चाहिए था। वो ख़ुद को एक अधूरा कलाकार मानते हैं जो लगातार छटपटा रहा है और बतौर एक्टर और प्रोड्यूसर, अपने किरदारों में नयी संभावनाओं की तलाश कर रहा है। उनके लिए सम्पूर्ण हो जाने का मतलब होगा एक ही जगह स्थिर हो जाना। उनके लिए यात्रा ही सबकुछ है। वो अपनी सफलताओं को मील का पत्थर मानते हैं, मंज़िल नहीं। वो कैरियर को कमाई के लक्ष्य और आंकड़ों, पुरस्कारों या बॉक्स ऑफ़िस पर मिलने वाली सफलता से नहीं आंकते। इंडस्ट्री में पच्चीस साल बिताने के बाद, फ़िल्म की सफलता से जुड़ी महीन बातें अब उनके लिए मायने नहीं रखती थीं क्यूंकि फ़िल्म कैसी कमाई करेगी, इसकी भविष्यवाणी करना किसी के बस की बात नहीं रह गयी थी। 'पच्चीस साल काम करने के बाद ये तो समझ में आ गया है कि आपको सिर्फ़ इसलिए काम करना चाहिए जिससे आपके भीतर के कलाकार को ख़ुशी मिले।'[37]

वीएफ़एक्स के साथ *ज़ीरो* को बनाने में लगभग 200 दिन लगे। आमतौर पर 140 दिनों का काम होता है। शाहरुख़ अधिक मेहनत कर रहे थे, वो ख़ुद को नयी तरह से पेश करने में लगे हुए थे। जिन पत्रकारों ने प्रेस स्क्रीनिंग में फ़िल्म देखी, उन्हें इसका नतीजा उनके चेहरे पर ही दिख गया था, बॉक्स ऑफ़िस पर इसका बुरा हश्र होना बाक़ी था। एक सीनियर पत्रकार ने मुझसे कहा, 'शाहरुख़ फ़िल्म के बाद मुझसे मिलना चाहते थे और मुझे समझ में नहीं आ रहा था कि कैसे यहां से भाग जाऊं। मुझमें हिम्मत नहीं थी कि उनको जाकर ये कहूं कि ये एक बुरी फ़िल्म थी। और वो इतने अस्त-व्यस्त और चिंतित दिख रहे थे, मानो वो जानते थे कि फ़िल्म बुरी थी।' इस वक़्त तक चुनिंदा लोगों के लिए कई स्क्रीनिंग्स हो चुकी थीं और हर जगह से लगभग ऐसी ही प्रतिक्रियाएं आ रही थीं।

ज़ीरो की समीक्षकीय और आर्थिक असफलता ने शाहरुख़ को ख़ासा प्रभावित किया। उन्होंने कुछ वक़्त काम से छुट्टी ली और अफ़वाहें फैलने लगीं कि उनका कैरियर ढलान पर था। *ज़ीरो* के साथ वही समस्या थी, जो *रईस* के साथ थी कि आप इतने बड़े स्टार को हल्का नहीं कर सकते।

इस बार ये बस एक फ़िल्म और बस एक और फ़्लॉप वाली बात नहीं थी। इस बार मामला निजी था। फ़िल्म के इर्द-गिर्द जो बातें हो रही थीं, उनकी थीम यही थी, 'शाहरुख़ अब ज़ीरो हो गए हैं।' रिव्यू करने वाले वो लोग, जो *ज़ीरो* को साहसी फ़िल्म कहकर तारीफ़ कर रहे थे, *ज़ीरो* को बेहद बुरा बता रहे थे। *इंडियन एक्सप्रेस* में छपे एक रिव्यू में लिखा था, '*ज़ीरो* हमें कुछ भी ऐसा नहीं देती, जिस पर विश्वास किया जा सके, और शुरू से अंत की यात्रा में ये अविश्वास बढ़ता ही जाता है।'[38]

ज़ीरो की असफलता के बाद मेलबर्न में हुए इंडियन फ़िल्म फ़ेस्टिवल में शाहरुख़ ने फ़िल्मों से ब्रेक का ऐलान कर दिया। उन्होंने कहा, 'मैंने हाल ही में अपनी पिछली फ़िल्म ख़त्म की और हल्के शब्दों में कहूं तो ये बहुत ही ख़राब साबित हुई। मैंने ख़ुद से कहा कि चलो कुछ वक़्त अपनी असफलता के मज़े लेते हैं क्यूंकि सफलता के तो ख़ूब मज़े ले ही चुका हूं। तो मैंने अगले चार या पांच महीनों के लिए काम से छुट्टी ले ली है। असल में, मैं उसी छुट्टी पर चल रहा हूं... यहां आया हूं (मेलबर्न में) और लोगों से मिल रहा हूं, नयी कहानियों का अहसास हो रहा है और कुछ ढूंढ भी रहा हूं, बुद्धिमानी की बातें भी कर रहा हूं।'[39]

ये किसी भी हाल में अंत नहीं था और उन्होंने ये साफ़ कर दिया था। बस वो कुछ वक़्त के लिए रुक गए थे, सबकुछ दोबारा समझने के लिए और नए सिरे से योजना बनाने के लिए। 'मुझे फ़िल्म करने के लिए जो बातें तैयार करती हैं, वो हैं मेरे आस-पास के वो लोग जो शानदार सिनेमा बनाते हैं... और मुझे लगता है कि मुझमें अभी बहुत क्षमता है कि ऐसा ही अच्छा सिनेमा बना सकूं। मेरे भीतर अभी 20-25 साल का शानदार सिनेमा बचा हुआ है।'[40]

'मेरे पास ढेरों फ़्लॉप्स थीं और उन्होंने बहुत-बहुत ख़राब किया था। मैं अपने घावों को देख रहा था। लेकिन आपको पता है मैंने क्या किया ? मैंने इस दुनिया का सबसे शानदार पिज़्ज़ा बनाना सीखा। मैंने कहानियां सुननी बंद कर दीं, मैंने कहानियां सुनाने की इच्छा छोड़ दी, मैंने अपना एक छोटा सा किचन बनाया और पिज़्ज़ा बनाना सीखना शुरू कर दिया। मैंने काम में लगे रहना सीखा। क्यूंकि आप हज़ारों बार चौकोर पिज़्ज़ा बनाने के बाद ही एक अच्छा गोल पिज़्ज़ा बना पाते हैं।'

बॉलीवुड में ब्रेक लेना कोई नयी बात नहीं थी। ख़ासकर उन कलाकारों के मामलों में, जिन्होंने ख़ुद को विस्तार देने की कोशिश की है। *लाल सिंह चड्ढा* (2022) की दुर्गति के बाद आमिर ख़ान ने भी एक साल का ब्रेक लिया था। उनके नज़दीकियों ने बताया कि वो हर दिन एक स्क्रिप्ट पढ़ रहे थे। वो ख़ुद को एक स्टार तक ही सीमित नहीं रखना चाहते थे, बल्कि उससे भी कुछ बड़ा होना चाहते थे।

'शाहरुख़ ने उन दिनों में क्या किया?' ये सवाल उनके फैंस ने अक्सर पूछा है।

जब उन्होंने 2019 में आईएफ़एफ़एम में शिरक़त की थी, जहां उन्हें एक मानद डॉक्टरेट भी मिली थी, उन्होंने राजीव मसंद के साथ एक इंटरव्यू किया था। इस बातचीत में उन्होंने कहा था कि वो अपनी कुलबुलाहट में शांत थे। उन्होंने कहा, 'मेरे पास ढेर सारा धैर्य है, अथाह शांति है और ढेर सारी कुलबुलाहट है। मैं हाइपर नहीं होता हूं। मेरी ऊर्जा शांत रहती है। मेरी ऊर्जा से ख़ुशियां आती हैं।' उस साल शाहरुख़ ने कई लेखकों के साथ काम किया और ख़ुद को बतौर प्रोड्यूसर व्यस्त रखा, जिस दौरान उन्होंने कई प्रोजेक्ट्स को हां कहा और कई की शुरुआत की। बॉबी देओल की *क्लास ऑफ़ '83* और आलिया भट्ट की *डार्लिंग्स* उसी समय की उपज थीं। उसी इंटरव्यू में, शाहरुख़ ने

माना था कि वो एक एक्शन फ़िल्म करना चाहते थे। '*आय वांट टु किक सम ऐस।* कुछ बॉक्सिंग करना चाहता हूं। ऐसे डायलॉग्स बोलना चाहता हूं कि "रिश्ते में तो हम तुम्हारे बाप लगते हैं..." लेकिन मेरे लिए कोई भी एक्शन फ़िल्म लिखता ही नहीं।'[41] उन्होंने उस इंटरव्यू में अपने ट्विटर (अब एक्स) हैंडल का भी ज़िक्र किया और कहा कि कोई फ़िल्ममेकर चाहे तो उन्हें एक एक्शन फ़िल्म के लिए मैसेज कर सकता है।

कोविड-19 के दिनों के ठीक बाद, उन्होंने अपने बीच के वक़्त के बारे में बताया। 'मेरे पास ढेरों फ़्लॉप्स थीं और उन्होंने बहुत-बहुत ख़राब किया था। मैं अपने घावों को देख रहा था। लेकिन आपको पता है मैंने क्या किया? मैंने इस दुनिया का सबसे शानदार पिज़्ज़ा बनाना सीखा। मैंने कहानियां सुननी बंद कर दीं, मैंने कहानियां सुनाने की इच्छा छोड़ दी, मैंने अपना एक छोटा सा किचन बनाया और पिज़्ज़ा बनाना सीखना शुरू कर दिया। मैंने काम में लगे रहना सीखा। क्यूंकि आप हज़ारों बार चौकोर पिज़्ज़ा बनाने के बाद ही एक अच्छा गोल पिज़्ज़ा बना पाते हैं।'[42]

इस दुनिया और शाहरुख़ के बारे में क़िस्मत को कुछ और ही मंज़ूर था। अगले ही साल, हमारी ज़िंदगी पूरी तरह से कोविड की चपेट में आ चुकी थी। ऐसा लग रहा था कि शायद हम अपने जीवनकाल में कभी भी थियेटर में दोबारा न घुस पाएं।

मैं थियेटर जाने को लेकर अपने उस डर को याद कर सकती हूं। मैं अपने काउच के सिवा और कहीं नहीं जाना चाहती थी। पहली फ़िल्म जो मैंने देखी थी, वो थी क्रिस्टोफ़र नोलन की टेनेट। मैं थियेटर में एकमात्र दर्शक थी और ख़ुद को सुरक्षित रखने के लिए अपने साथ पूरी एक बोतल सैनिटाइज़र लेकर गयी थी। अगले ही दिन मुझे डिम्पल कपाड़िया का इंटरव्यू लेना था और मिस्टर नोलन और उनका स्टूडियो चाहता था कि फ़िल्म की कास्ट से किसी भी इंटरव्यू से पहले मैं उस फ़िल्म को बड़ी स्क्रीन पर देखूं।

मेरे फ़िल्म देखने के अनुभव को महामारी के डर ने ख़राब कर दिया और मुझे लगा कि मुझे ऐसा नहीं करना चाहिए था। ये वो दिन थे जब थियेटरों को आधी क्षमता पर काम करने को कहा गया था और हर दूसरी सीट खाली छोड़ी जानी थी। जो फ़िल्ममेकर कर सकते थे, उन्होंने अपनी फ़िल्में रोककर रखीं और बाक़ी ओटीटी के हत्थे चढ़ गयीं। कई तैयार प्रोजेक्ट, बड़े दामों पर ओटीटी प्लेटफ़ॉर्म्स को बेचे गए।

कोविड-19 के पूरे दौर में 'नेटफ़्लिक्स एंड चिल' हमारी जीवनशैली बन चुका था। फ़िल्मों को घर के आराम के साथ देखने के अनुभव ने थियेटर में जाने के श्रम और उससे

मिलने वाले आनंद को पीछे धकेलना शुरू कर दिया था। इस दौर से हमारी फ़िल्म देखने की आदतों में बहुत बड़ा बदलाव आया और इससे हिंदी फ़िल्म इंडस्ट्री आज भी जूझती दिख रही है।

स्टार्स पर इसका जो असर पड़ा, वो और भी बड़ा था। उन्होंने तीन दशक ऐसे बिताये थे कि दर्शक उन पर जान लुटाने को राज़ी थे। और अब अचानक उन्हें ये साबित करना था कि वो अभी भी उस भीड़ को अपने दम पर थियेटर तक खींचकर ला सकते हैं। ऐसे समय में, जब थियेटर के मालिक और धंधे की समझ रखने वाले, इंडस्ट्री को दोबारा अपने पैरों पर खड़ा करने की ख़ातिर उनका मुंह ताक रहे थे, दबाव अपने चरम पर था।

आमिर की बड़ी फ़िल्म *लाल सिंह चड्ढा* ने अच्छा नहीं किया। सलमान *राधे* और *अंतिम* में आये और इन फ़िल्मों ने भी कुछ ख़ास नहीं किया। शाहरुख़ दो फ़िल्मों की शूटिंग कर रहे थे और सभी की नज़रों से बाहर जा चुके थे।

वो पूरी तरह से अपने काम में डूबे हुए थे। ऐसा लग रहा था कि जितने दिन वो ग़ायब थे, उन दिनों में उनके भीतर कुछ बदल गया था। एक मौक़े पर उन्होंने इस बारे में कहा, 'मैं थोड़ा सा अपने आपसे दूर हो गया। एक्टर को अपने क़रीब रहना बहुत ज़रूरी होता है।'[43]

जिस दौरान वो स्पॉटलाइट से दूर थे, उस वक़्त के बारे में बात करते हुए उन्होंने बताया कि उन्होंने कभी भी चार साल के ब्रेक के बारे में नहीं सोचा था। शुरुआती दिनों में उन्हें ऐसा लगा था कि वो एक एक्टर के तौर पर ख़ुद से दूर हो गए थे। बड़े स्तर पर फ़िल्में बनने लग जाएं तो अक्सर आप अपना ध्यान केन्द्रित नहीं कर पाते हैं। ऐसा बुरे अर्थों में नहीं बल्कि परिस्थितिवश हो ही जाता है। वो चुनिंदा काम ही करते हैं और जल्दबाज़ी में फैसले नहीं लेते, इसलिए आराम करने में उन्हें आराम मिलने लगा। जो दौर एक साल की छुट्टी से शुरू हुआ था, वो महामारी के चलते लम्बा खिंच गया। 'उन दिनों में मैंने ढेरों फ़िल्में देखीं। हर तरह की फ़िल्में। मुझे ऐसा करने का समय मिलता ही नहीं था।'

कोविड-19 के दौर में, घंटों तक टीवी देखने और हर ओर फैली घबराहट के बीच किसी एक समय हम फिर से उठ खड़े हुए। फ़िल्म इंडस्ट्री भी।

2023 में, शाहरुख़ ने अपने आराम करने के दिनों में मिले सबक अपनी आनेवाली फ़िल्म में डाल दिए जो 70 एमएम की स्क्रीन पर उनका कमबैक साबित होने वाली थी। मैंने इस किताब की शुरुआत जश्न के दृश्यों और उत्सव के साथ की थी। क्यूंकि हर चीज़ से इतर, शाहरुख़ आज भी उन दिनों का पर्याय हैं जब हम सांस रोककर किसी फ़िल्म के

सिनेमाघर में लगने का इंतज़ार करते थे। शाहरुख़ अपने आपमें उन दिनों की खुशियों को समेटे हुए लगते हैं। पूरा शहर चटकीले रंगों के फ़िल्मी पोस्टरों से पटा रहता था और हम अपने दोस्तों-परिवार के साथ थियेटर पहुंच जाते थे। उस अंधेरे से भरे थियेटर के तीन घंटों में, जब हमारे सामने सुनहरी चमकती स्क्रीन पर एक नयी कहानी पंख पसार रही होती थी, तो लगता था कि हमारी सारी चिंताएं भी दूर कहीं उड़ गयी हैं। अक्सर थियेटर में बिताये वो कुछ घंटे, हमें रात को सुकून भरी नींद देने के लिए काफ़ी होते थे और हम ख़ुद को आशा और ख़ुशी से भरा पाते थे। क्यूंकि ये फ़िल्में, हमेशा हमारे साथ रह जाने वाली कहानियों की सुनहरी दुनिया और उसमें पाए जाने वाले किरदारों तक पहुंचाने का एक दरवाज़ा नहीं, तो और क्या हैं?

और हमारे दिलों की मरम्मत करने वाला और भला कौन हो सकता है, जो तीन दशकों से ज़्यादा वक़्त से ये काम कर रहा है–शाहरुख़ ख़ान।

चलते चलते...

बीते दो सालों से मैं ये सोच रही हूं कि शाहरुख़ ख़ान की विरासत क्या है। 2023 में मैंने जितने भी इंटरव्यू किये हैं, हर डायरेक्टर, लेखक और एक्टर ने कहा है, 'आप शाहरुख़ सर को किसी के साथ भी कम्पेयर नहीं कर सकते हैं। वो अपने आपमें एक घटना हैं। अब वो बस एक एक्टर या स्टार नहीं रह गए हैं।'

इस साल के दौरान, सिनेमा में उनके योगदान के लिए, उन्हें बेहद प्रतिष्ठित द पार्डो एला कैरिएरा एस्कोना-लोकार्नो टूरिज़्म, या कैरियर लेपर्ड पुरस्कार दिया गया। अंग्रेज़ी में बात करते हुए उन्होंने मज़ाकिया लहजे में कहा कि इसका मतलब होता है कि वो दुनिया में और मानव सभ्यता के इतिहास में सबसे शानदार शख़्स हैं। कुछ ही हफ़्तों बाद, उन्होंने 7,300 करोड़ की नेटवर्थ के साथ, 2024 की हुरुन इंडिया रिच लिस्ट में पदार्पण किया।

क्या ये पुरस्कार उनकी विरासत हैं? क्या ये धन-दौलत उनकी विरासत है? या बॉक्स ऑफ़िस के ये आंकड़े हैं?

इसका जवाब मुझे इस किताब के छपने जाने से एक हफ़्ते पहले मिला। असल में, जवाब हर वक़्त मेरी आंखों के सामने ही था। ज़रूरत थी तो किसी ऐसे शख़्स की, जो मुझे इसकी ओर इशारा कर सकता।

उस हफ़्ते, एक डिनर पार्टी में, मैं अपने एक पुराने दोस्त से टकरा गयी। आज वो एक जाना-माना लेखक और डायरेक्टर है। हमारी मुलाक़ात 2013 में हुई थी जब मैं नयी-नवेली रिपोर्टर थी और फ़ील्ड में रहती थी और वो एक एक्टर बनने की कोशिश में लगा

हुआ था। एक जैसी समस्याओं, घर के अनाप-शनाप किराए और मुंबई में न मिलने वाले अच्छे बटर चिकन की शिकायतों ने हमें दोस्त बना दिया।

उस रात, हमने उसे मिली तमाम असफलताओं के बारे में बात की, जिसके बाद उसे पहला ब्रेक मिल सका।

2013 में, ये मेरी ज़िम्मेदारी थी कि मैं उसे ऑडिशन के लिए ड्रॉप करने जाऊं क्यूंकि ऑटो वगैरह का किराया देने पर उसका बजट गड़बड़ा जाता। मैं ये कह सकती हूं कि मैंने उसे संघर्ष करते हुए देखा है। 2015 में उसे एक बहुत बुरी असफलता मिली। एक बड़े बैनर की फ़िल्म में, रोल मिलने के बाद, उसकी जगह एक स्टार के बेटे को रख दिया गया। जैसा कि बॉलीवुड में होता है, उसे बताया गया था कि 'उन्हें वो इतना पसंद आया' कि उसे सपोर्टिंग रोल दे दिया गया। उन्होंने कहा, 'स्क्रीन टाइम कोई बड़ी बात नहीं होती। आपको बस कोई ऐसा चाहिए, जो आप पर दांव खेल सके। हम वही कर रहे हैं।' उसने वो फ़िल्म छोड़ दी।

ऐसा लगा कि उसका कैरियर शुरू होने से पहले ही ख़त्म होने वाला था। अगले नौ महीनों तक, उसका फ़ोन नहीं बजा। ये साफ़ होने लगा था कि वो बतौर एक्टर कुछ ख़ास कर नहीं पायेगा। उसने ख़ुद से कह रखा था कि अगर अगले एक साल में कुछ नहीं होगा तो वो दिल्ली वापस चला जाएगा।

हममें से कई लोग, उसे अपने पसंदीदा वर्सोवा के ठिकाने पर ले जाते थे। टूटे हुए दिल के लिए वोडका से अच्छी कोई दवा नहीं होती। जब वो जगह बंद हो जाती थी, हम एक ऑटो लेकर मन्नत पहुंचते थे। वो उस बंगले को घंटों देखा करता था। उसके सामने कभी वो शांत बैठा रहता था, तो कभी फ़ुल वॉल्यूम पर *'चांद तारे तोड़ लाऊं'* गाना बजाता था। जब भी वो गुस्से से भरा होता था तो कहता, 'किसी के बाप की इंडस्ट्री नहीं है!' एक दिन, अपनी बातों के बीच, बेहद नाटकीय ढंग से, वो समुद्र की ओर गया और चिल्लाकर बोला, 'अगर शाहरुख़ कर सकता है तो मैं भी कर सकता हूं!'

और उसने कर दिखाया। 2020 आते-आते, उसके संघर्ष के दिन जा चुके थे। पिछले हफ़्ते, डिनर के बाद, उसने हमें अपनी नयी गाड़ी में हमें शहर भर में घुमाया। उस रात हम फिर मन्नत के सामने से निकले। हम वही गाना बजा रहे थे।

ये कहा जा सकता है कि जब आप लोगों के लिए एक विचार, एक कहावत बन जाते हैं, तभी ये माना जा सकता है कि आपने सबकुछ बदलकर रख दिया है। और शाहरुख़ ठीक वही कर चुके हैं।

हर साल, मुंबई में हज़ारों लोग अपनी आंखों में सपने लेकर आते हैं। उन्होंने बॉलीवुड में कुछ कर दिखाने का सपना देखा होता है। और इसमें से न जाने कितने लोग, कभी न कभी, शाहरुख़ के बंगले के सामने आ खड़े होते हैं। ये बंगला, उनके लिए आशा, सफलता, सपनों और विश्वास का पर्याय होता है।

फिर भी, ज़्यादातर लोगों के लिए ये इंडस्ट्री अछूती ही रह जाती है और चंद लोग ही स्पॉटलाइट में आ पाते हैं। यहा हर कोई सपना बेचने की कोशिश में लगा हुआ है और यही सिनेमा का जादू है। लेकिन इस जादू के पीछे ऐसे हज़ारों लोगों की लाखों कहानियां हैं, जो इस आस में लगे हुए हैं कि एक दिन उनकी मेहनत रंग लाएगी। मुंबई में बाहर से आया हुआ हर वो शख़्स, जो बड़े सपने देख रहा है, शाहरुख़ की कहानी का ही सहारा लेता है और ख़ुद को याद दिलाता है: 'अच्छे से पढ़ो। ख़ूब मेहनत करो। और भी मेहनत से खेलो। नियमों से मत बंधो, किसी को चोट मत पहुंचाओ और कभी भी किसी और के सपने को मत जियो।' हर असफल ऑडिशन के बाद यही वो मंत्र है, जो उन्हें फिर से कोशिश करने को प्रेरित करता है। यही वो चीज़ है जो उन्हें साधारण से ऊपर उठने को कहती है।

इस बड़े से शहर की धक्कमपेल और जेब भरने के लगातार चलते संघर्ष में फंसा हर शख़्स, इस बात में विश्वास रखता है कि अगर दिल्ली से आया मिडिल-क्लास का एक लड़का इस शहर पर राज कर सकता है, जहां का वो है नहीं, ऐसे लोगों का दिल जीत सकता है, जिन्हें वो जानता नहीं है, तो शायद, वो भी कुछ ठीक-ठाक कर ले जायेंगे।

'किस्मत एक ढकोसला है। या तो आप मेहनत में विश्वास रखते हैं या भगवान में। इसके बीच में जो बहाना है, वो है किस्मत...

– शाहरुख़ ख़ान

एक श्रद्धांजलि

प्रदीप बांदेकर। मेरे बड़े होने के दिनों में इस एक नाम की बहुत बड़ी अहमियत थी, लेकिन ये कितनी थी, इसका एहसास मुझे अबसे तीन महीने पहले तक नहीं था।

मेरे पिता के देहांत के बाद, मुझे ये एहसास हुआ कि वो अपने पीछे कितनी बड़ी सम्पदा छोड़ गए हैं। फ़िल्म इंडस्ट्री के बारे में और एक फ़ोटोग्राफ़र के रूप में, मुझे जो भी मालूम है, उन्हीं के चलते संभव हुआ है। मैं बहुत किस्मतवाला था कि मुझे एक ही शख़्स में पिता और गुरु मिले। लेकिन, सभी चीज़ों से इतर, उन्होंने जो विरासत में दिया, वो है प्रेम।

बीते कुछ महीनों में, बहुत से लोगों ने मुझे फ़ोन करके बताया कि मेरे पिता उन्हें कैसा महसूस करवाते थे। वो एक ऐसे शख़्स थे, जिनसे इंडस्ट्री का हर शख़्स मार्गदर्शन लेता था। मैं भी ऐसा ही कुछ कर दिखाना चाहता हूं।

जब मैं बड़ा हुआ और मैंने अपने पिता के पेशे को ही अपनाने का फैसला लिया, तो उन्होंने मुझे बहुत कुछ सिखाया। इनमें सबसे ज़रूरी बात थी: एक्टर हमारे सहकर्मी हैं और तुम्हें उनके साथ इज़्ज़त और मर्यादा के साथ पेश आना चाहिए। वो हर वक़्त स्टार्स के साथ काम करते थे और बताते थे कि हमें उनसे सही अपेक्षाएं रखनी बहुत ज़रूरी हैं।

मुझे कभी भी शाहरुख़ ख़ान के प्रति मेरे पिता का अतुलनीय प्यार समझ में नहीं आया। मैं अक्सर मज़ाक में कहता था: 'आपके पास मेरी तस्वीरों से ज़्यादा तो शाहरुख़ की तस्वीरें हैं!' उनकी मृत्यु के बाद मुझे शाहरुख़ से उनकी क़रीबी की असल जानकारी

मिली, जब शाहरुख़ ने मेरे पिता की प्रार्थना सभा में बात की: 'प्रदीप इस फ़िल्म इंडस्ट्री में मेरे सबसे पहले बने दोस्तों में एक थे। जब उन्होंने पहली बार मेरी तस्वीर ली थी तो मुझे लगा था कि मैं स्टार बन गया हूं...'

इस किताब पर काम करते हुए, हमने पिताजी के पुराने सभी कामों को देखा। जब मैं घर पर रखे तमाम डब्बों को खोल-खोलकर देख रहा था, जिसमें मेरे पिता के लम्बे कैरियर का सारा काम क़ैद था, तब मुझे इस बात का अहसास हुआ कि उनका जीवन और उनका काम कितना बड़ा और कितना मज़बूत था। उनकी तस्वीरों ने फ़िल्म इंडस्ट्री को यूं दिखाया है, जैसा कोई नहीं कर सका। मेरे पिता, सेट पर बिताये अच्छे समय के बारे में घंटों बात करते थे और लॉकडाउन के दौरान हम जब फ़िल्में देखते थे, तब वो उनसे जुड़ी ढेरों कहानियां बताते थे। गानों, लोकेशनों और कलाकारों के बारे में उनके पास बेहद शानदार किस्से-कहानियां हुआ करते थे। इस पूरे दौरान मुझे उनकी आंखों में बीते हुए वक़्त को लेकर लगाव नज़र आता रहता था।

उनके जाने से जो खालीपन जन्मा है, उसे कभी दूर नहीं किया जा सकता। वो अब अख़बार पढ़ने के लिए और उसमें मेरा नाम और मेरी ली हुई तस्वीरें ढूंढने के लिए नहीं होंगे। लेकिन जैसा कि शाहरुख़ ने कहा था, वो ऊपर स्वर्ग में हैं और वहां पहुंच चुके तमाम लोगों की तस्वीरें ले रहे हैं और उन्हें ख़ूबसूरती से पेश कर रहे हैं।

– प्रथमेश बांदेकर

आभार

90 के दशक का हर बच्चा, अपने जीवन के किसी न किसी पड़ाव में, शाहरुख़ से प्रेम कर चुका है। अब, जबकि आप ये किताब पढ़ चुके हैं, आप जानते हैं कि ऐसा मेरी दोस्त प्रेरणा सान्याल ने कहा था।

ये कतई मुफ़ीद होगा कि मैं उन्हें शुक्रिया कहने से ही शुरुआत करूं: शुक्रिया शाहरुख़ ख़ान। आपने मेरी पूरी पीढ़ी को अच्छाई में विश्वास करना सिखाया है। आप नहीं होते तो हम न जाने कहां खोये हुए होते।

ये मेरी ख़ुशकिस्मती है कि मुझे शाहरुख़ फैंस ने पाल-पोसकर बड़ा किया है। मेरी मां, मेरे दिवंगत पिता से लेकर, मेरी चाचियां, चाचा, चचेरे भाई-बहन तक, मेरे जीवन में शाहरुख़ के फैंस ही फैंस शामिल रहे हैं। शायद, मैं ऐसे फैंस को आकर्षित करती हूं (बिल्कुल इस किताब की तरह)। सभी का शुक्रिया। ख़ासकर मेरी मां एलोरा बासु का, जिन्होंने मुझे मेहनत करने के लिए प्रेरित किया और हमेशा मेरे साथ खड़ी रहीं।

जब मैं मुंबई आयी, मेरी दोस्ती एक और शाहरुख़ फ़ैन से हुई। ये थीं प्रतिष्ठा मल्होत्रा (वाकई, मैं शाहरुख़ फैंस को आकर्षित करती हूं)। हमने अपनी दोस्ती की शुरुआती शामें शहर में घूमते हुए, ज़िंदगी और शाहरुख़ के बारे में बातें करते हुए बितायीं। हम अक्सर खार में, रेड चिलीज़ के दफ़्तर के नीचे मौजूद स्टारबक्स में पाए जाते थे। वो जगह हमें ख़ुशियों से भर देती थी। कई मायनों में, हमारे अकेलेपन के बीच, हमारे साथ वो और

उनकी फ़िल्में हमेशा होती थीं। प्रतिष्ठा, उन शामों के लिए और इस शहर में मेरी ज़िंदगी को अपनी गर्मजोशी से बेहतर बनाने के लिए, ढेर सारा शुक्रिया।

ये किताब असल में मेरी शानदार सम्पादक बुशरा अहमद की अमानत है। पेशेवर ज़िंदगी के बीते चार सालों में उनके साथ काम करना एक कमाल का अनुभव रहा है। इस प्रोजेक्ट के लिए मुझपर भरोसा करने और ढेर सारा धैर्य दिखाने के लिए बेहद शुक्रिया। अनंत पद्मनाभन, पॉलोमी चटर्जी, उज्जैनी दासगुप्ता, शबनम श्रीवास्तव, राहुल दीक्षित, गुंजन सुयाल, अनीता शर्मा – हार्पर कॉलिन्स इंडिया की इस बेहतरीन टीम को भी शुक्रिया। आशिमा ओभन एंड असोसिएट्स की टीम और हर उस शख़्स का शुक्रिया, जिसने इस किताब पर काम किया है।

मयंक शेखर, इप्शिता गुहा, आस्था आत्रे बनन, कृष्ण पद्मनाभन और तिनाज़ नूशियां– *मिड*-डे के मेरे परिवार का ढेर सारा शुक्रिया। अगर मैं आप सभी से न मिली होती तो मुझे कभी मालूम ही नहीं पड़ता कि अपने काम से प्यार कैसे किया जाता है। मैं जो भी हूं, आप की ही बदौलत हूं। मेरे पूर्व सहकर्मियों, सोनिल देधिया और उमा रामसुब्रमनियम का शुक्रिया, जिन्हें मैं ख़ूब मिस करती हूं।

लेखन एक कष्टप्रद काम है। हज़ार बार ऐसा लगता है कि सबकुछ ख़राब हो गया है, तब जाकर कुछ ठीक-ठाक सी तस्वीर बनती हुई दिखायी पड़ती है। अगर शामिक बोस, देबांजन मोइत्रा, रुद्राणी चट्टोराज, पूर्वजा सावंत, गर्विता शर्मा, देवकी पांडे, तुषार जोशी और इब्राहीम कांट्रैक्टर जैसे दोस्त नहीं होते तो मैं इस काम को पूरा नहीं कर पाती। अच्छे-बुरे दिनों में, मेरा साथ न छोड़ने के लिए शुक्रिया।

मेरे साथी लेखकों, अभिषेक ठुकराल, कश्यप कपूर, राघव राज कक्कड़, सैयद शादान और सिद्धि गुप्ता का शुक्रिया।

इस किताब पर काम करने के दौरान बहुत कुछ घटित हुआ। सबसे अच्छी बात हुई कि मैं अपने दोस्त प्रथमेश बांदेकर और उनके परिवार के साथ समय बिता सकी। मेरी है तरह, वो भी शाहरुख़ को चाहनेवालों से घिरे हुए हैं। उनकी पत्नी सम्हिता से लेकर उनके पिता, स्वर्गीय प्रदीप बांदेकर तक, शाहरुख़ को पसंद करते थे। प्रदीप जी को बॉलीवुड के सबसे चहेते प्रेस फ़ोटोग्राफ़र के रूप में जाना जाता है। उन्हें हम प्यार से प्रदीप दादा बुलाते थे। उनके साथ बितायी एक दोपहर, इस किताब लिखने के दौरान की सबसे पसंदीदा यादों में एक है। किताब के लिए हमने लगभग 10,000 तस्वीरें देखीं और इस

दौरान हमने शाहरुख़ ख़ान से जुड़ी ढेरों कहानियां सुनीं। दादा के शब्दों में, 'यारों का यार है शाहरुख़!' हमारी पीढ़ी कभी भी एक पत्रकार और स्टार के बीच का ऐसा प्यार समझ ही नहीं पाएगी। इस प्रोजेक्ट के बीच ही दादा चल बसे और उनके जाने के दुख को शब्दों में बयान करना असंभव सा काम लगता है। मैं बेहद शुक्रगुज़ार हूं कि ये प्रोजेक्ट मेरे हाथों में था और मुझे इसपर काम करते हुए बहुत मज़ा आया। सोचती हूं कि दादा इस किताब को मूर्त रूप में देखते तो सबकुछ और भी अच्छा होता।

लगभग 93,000 शब्दों के बाद, और शब्द जोड़े, तो मुझे नहीं लगता है कि मेरी सम्पादक बहुत ख़ुश होंगी। लेकिन मैं ये ज़रूर कहना चाहती हूं: मुझे यक़ीन है कि शाहरुख़ ख़ान पर कोई भी किताब लिख सकता हे और हर किताब में उनके बारे में कहने को कितनी नयी बातें मिल जायेंगी। आख़िर, ये वो इंसान है जिसने इस विविधता से भरे देश और इसके लोगों को बांधकर रखा हुआ है और हर उस चीज़ से पार पायी है, जो हमें बांटती है।

इस किताब में दुनियाभर के लोगों की कहानियां हैं। इन्होंने अपने दिल खोलकर मेरे सामने रखे और अपने दुख-सुख से मेरा परिचय करवाया। मैं उनके साथ हंसी हूं, रोयी हूं। और समय के साथ, हम एक कुनबे में तब्दील हो गए हैं, जो ऐसी दुनिया में रहते हुए, पूरी तरह से प्रेम में विश्वास रखता है, जहां ऐसा होना नामुमकिन सा लगता है। ये किताब ऐसे ही लोगों के चलते अस्तित्व में आ सकी है और इसे पढ़ने वाले हर शख़्स को ढेर सारा प्यार देने में विश्वास रखती है।

नोट्स

हारी हुई बाज़ी को जीतने वाला...

1 श्वेता वर्मा, 'पेंडेमिक फ़ोर्सेज़ मेनी थियेटर्स टु शट शॉप', द संडे गार्डियन, 17 जुलाई 2021,

2 श्रुति गणपतये, 'सोबो सिगल स्क्रीन थियेटर सेंट्रल प्लाज़ा शट्स इट्स डोर्स', मुंबई मिरर, 29 अगस्त 2020, https://mumbaimirror.indiatimes.com/coronavirus/news/sobo-singlescreen-theatre-central-plaza-shuts-its-doors/articleshow/77813871.cms

3 ख़ालिद मोहम्मद, '100 सिंगल स्क्रीन्स अक्रॉस इंडिया मे शट आफ़्टर कोविड-19 लॉकडाउन', द क्विंट, 15 सितम्बर 2020, https://www.thequint.com/entertainment/cinema/mumbai-dreamland-andother-single-screen-movie-halls-to-shut-downsoon#:~:text=India's%20single%2Dscreen%20movie%20halls,out%20due%20to%20COVID%20lockdown.&text=At%20a%20modest%20estimate%2C%20100,the%20impact%20of%20COVID%2D19

4 Afaqs! न्यूज़ ब्यूरो, https://www.afaqs.com/news/media/indian-boxoffice-lost-more-than-15000-crore-to-the-pandemic-in-2020-2021-ormaxmedia

5 पीटीआई, ''पठान' सीज़ हाउसफ़ुल शोज़ इन कश्मीर', 29 जनवरी 2023 https://kashmirreader.com/2023/01/29/pathaan-seeshouseful-shows-in-kashmir/

6 'हाउ पठान रिवाइव्ड द फ़ॉरच्यून्स ऑफ़ सिंगल=स्क्रीन थियेटर्स', फ़िल्म कम्पेनियन, 21 March 2023, https://www.filmcompanion.in/features/indepth-stories/how-pathaanrevived-the-fortunes-of-single-screen theatres-shah-rukh-khan-deepikapadukone-john-abraham

1. बादशाह की वापसी

1 राजन लाड, 'अमिताभ बच्चन इज़ द सुपरस्टार फ़ॉर ऑल सीज़ंस', न्यूज़लॉन्ड्री, 11 अक्टूबर 2022, https://www.newslaundry.com/2022/10/11/amitabh-bachchan-is-the-superstar-for-all-seasons

2 'शाहरुख़ ख़ान ऑन व्हाट चेंज्ड इन हिम आफ़्टर ज़ीरो फ़ेल्ड: "आय विल डू समथिंग व्हिच पीपल लाइक, बहुत कर ली अपने दिल की"' द इंडियन एक्सप्रेस, 20 दिसंबर 2022, https://indianexpress.com/article/entertainment/bollywood/shah-rukh-khan-on-what-changed-in-him-after-zero-failed-pathaan-8334072/

3 'शाहरुख़ ख़ान ऑन व्हाट चेंज्ड इन हिम आफ़्टर ज़ीरो फ़ेल्ड: "आय विल डू समथिंग व्हिच पीपल लाइक, बहुत कर ली अपने दिल की"' द इंडियन एक्सप्रेस, 20 दिसंबर 2022, https://indianexpress.com/article/entertainment/bollywood/shah-rukh-khan-on-what-changed-in-him-after-zero-failed-pathaan-8334072/

4 नेटफ़्लिक्स, द रोमैन्टिक्स।

5 https://x.com/ani_digital/status/1603034786943369216

6 https://x.com/HateDetectors/status/1607748606123208705

7 निवेदिता निरंजन कुमार, 'हाउ शाहरुख़ ख़ान फ़ैन क्लब्स डिस्ट्रॉय्ड बॉयकॉट कॉल्स फ़ॉर "पठान", डिकोड, 2 फ़रवरी 2023, https://www.boomlive.in/decode/pathaan-shah-rukh-khan-box-office-records-fan-clubs-boycott-trends-20921

8 'जॉन अब्राहम्स वन-लाइनर टु फ़ैन चैंटिंग "शाहरुख़ ख़ान इज़ बैक: लू ब्रेक"', एनडीटीवी, 31 जनवरी 2023, https://www.ndtv.com/entertainment/john-abraham-gives-witty-reply-to-fan-chanting-shah-rukh-khan-is-back-at-pathaan-event-3737548

9 गौरांग चौहान, '"इतनी ख़ुशी सालों बाद देखी": शाहरुख़ ख़ान ऑन पठान एंड बींग "लो ऑन कॉन्फ़िडेंस" मेन्सएक्सपी, 31 जनवरी 2023, https://www.mensxp.com/entertainment/celebrities/128086-shah-rukh-khan-opens-up-on-his-flops-being-low-on-confidence-before-pathaan-blockbuster-success.html

10 'शाहरुख़ ख़ान हैड टु कन्विंस आदित्य चोपड़ा फ़ॉर पठान आफ़्टर "ज़ीरो" फ़ेलियर; सेज़ "दे वर लेस दैन एंथुज़ियेस्टिक"' द टाइम्स ऑफ़ इंडिया, 20 दिसंबर 2022, https://timesofindia.indiatimes.com/entertainment/hindi/bollywood/news/shah-rukh-khan-had-to-convince-aditya-chopra-for-pathaan-after-zero-failure-says-they-were-less-than-enthusiastic/articleshow/96375293.cms

11 'पठान्स फ़र्स्ट प्रेस मीट: दीपिका पादुकोण गेट्स इमोशनल; सेज़, "आय वुडंट बी हियर टुडे, इफ़ इट वाज़ंट फ़ॉर शाहरुख़ ख़ान"' द टाइम्स ऑफ़ इंडिया, 1 फ़रवरी 2023, https://

timesofindia.indiatimes.com/entertainment/hindi/bollywood/news/pathaans-first-press-meet-deepika-padukone-gets-emotional-says-i-wouldnt-be-here-today-if-it-wasnt-for-shah-rukh-khan/articleshow/97449487.cms

12 'पठान बॉक्स ऑफ़िस', बॉलीवुड हंगामा, https://www.bollywoodhungama.com/movie/pathaan/box-office/

13 'शाहरुख़ ख़ान क्लेरिफ़ाइज़ दैट ही इज़ंटऐरोगेन्ट टु अज़्यूम पठान, डंकी, एंड जवान विल बी हिट्स: "इफ़ आय डिड नॉट हैव द बिलीफ़..."', द इंडियन एक्सप्रेस, 15 नवम्बर 2022, https://indianexpress.com/article/entertainment/bollywood/shah-rukh-khan-pathaan-dunki-jawan-films-hits-8269946/

14 'डॉक्टर कफ़ील ख़ान सेंड्स अप्रीसियेशन लेटर टु शाहरुख़ ख़ान फ़ॉर फ़ीचरिंग "गोरखपुर एन्सेफ़लाइटिस इंसिडेंट" इन जवान', हिंदुस्तान टाइम्स, 5 अक्टूबर 2023, https://www.hindustantimes.com/entertainment/bollywood/dr-kafeel-khan-sends-appreciation-letter-to-shah-rukh-khans-for-featuring-gorakhpur-encephalitis-incident-in-jawan-101696484567803.html

15 पीटीआई, 'एटली ऑन डायरेक्टिंग एसआरके इन "जवान": टु गेट इट राइट, यू हैव टु बिकम अ फ़ैन फ़र्स्ट', द न्यू इंडियन एक्सप्रेस, 19 सितम्बर 2023, https://www.newindianexpress.com/entertainment/tamil/2023/Sep/19/atlee-on-directing-srk-in-jawan-to-get-it-right-you-have-to-become-a-fan-first-2616325.html

16 'शाहरुख़ ख़ान रिवील्स व्हाट जवान डायरेक्टर एटली टोल्ड हिम एवरी टाइम ही थॉट ही गेव अ 'कूल' शॉट: "दिस इज़ मास एंड नॉट क्लास"', द इंडियन एक्सप्रेस, 15 सितम्बर 2023, https://indianexpress.com/article/entertainment/bollywood/shah-rukh-khan-reveals-what-jawan-director-atlee-told-him-every-time-he-thought-he-gave-a-cool-shot-8941357/#:~:text=Shah%20Rukh%20Khan%20defines%20Jawan&text=He%20said%2C%20%E2%80%9CA%20lot%20is,he%20is%20all%20of%20us.

17 पूर्वोक्त।

2. सभी का साथ चाहिए, बादशाह को भी

1 'व्हेन शाहरुख़ ख़ान सेड हिज़ फ़ादर वॉज़ द "यंगेस्ट फ़्रीडम फ़ाइटर", रिवील्ड द एडवाइस ही गेव हिम ऑन फ़्रीडम', हिंदुस्तान टाइम्स, 15 अगस्त 2022, https://www.hindustantimes.com/entertainment/bollywood/when-shah-rukh-khan-said-his-father-was-the-youngest-freedom-fighter-in-pre-independence-india-101660557924633.html

2 डीएआईएस मुंबई, 'शाहरुख़ ख़ान्स स्पीच ऐट डीएआईएस जीसी2016, विद नीता अम्बानी', यूट्यूब, https://www.youtube.com/watch?v=1Kyw_HLk6hQ

3 पूर्वोक्त।

4 तहलका टीवी, 'इन द ग्रीन रूम: शाहरुख़ ख़ान ऐट THiNK2012', यूट्यूब, https://www.youtube.com/watch?v=SQxBE3qSFws

5 अनुपमा चोपड़ा, किंग ऑफ़ बॉलीवुड: शाहरुख़ ख़ान एंड द सिडक्टिव वर्ल्ड ऑफ़ इंडियन सिनेमा, ग्रैंड सेंट्रल पब्लिशिंग, 2007.

6 तहलका टीवी, 'इन द ग्रीन रूम: शाहरुख़ ख़ान ऐट THiNK2012', यूट्यूब, https://www.youtube.com/watch?v=SQxBE3qSFws

7 पूर्वोक्त।

8 पूर्वोक्त।

9 अनुपमा चोपड़ा, किंग ऑफ़ बॉलीवुड: शाहरुख़ ख़ान एंड द सिडक्टिव वर्ल्ड ऑफ़ इंडियन सिनेमा, ग्रैंड सेंट्रल पब्लिशिंग, 2007.

10 'शाहरुख़ ख़ान - जीना इसी का नाम है इंडियन अवॉर्ड विनिंग टॉक शो-ज़ी टीवी हिंदी सीरियल', ज़ी टीवी, यूट्यूब, https://www.youtube.com/watch?v=7okQw08wJr8

11 माय नेक्स्ट गेस्ट, विद डेविड लेटरमैन एंड शाहरुख़ ख़ान, नेटफ़्लिक्स।

12 'एसआरके: माय डैड वाज़ सैक्ड फ़ॉर बींग अ बैड एक्टर', एनडीटीवी, 25 फ़रवरी 2011, https://www.ndtv.com/entertainment/srk-my-dad-was-sacked-for-being-a-bad-actor-598770

3. बम्बई का सपना

1 https://x.com/iamsrk/status/669535232110931968

2 मार्क मैनुएल, 'एसआरके एंड द अदर स्टार्स आय ट्रेंड डोंट कम टु मी ऑन टीचर्स डे', हफ़पोस्ट, 5 सितम्बर 2016, https://www.huffpost.com/archive/in/entry/srk-and-the-other-stars-i-trained-dont-come-to-me-on-teachers_in_5c0f6468e4b0d42cf234adec

3 मोहर बासु, 'बर्स्ट ऑफ़ टैलेंट वे बिफ़ोर बॉलीवुड एंड बुकर', मिड-डे, 8 मई 2024, https://www.mid-day.com/entertainment/bollywood-news/article/shah-rukh-khan-manoj-bajpayees-first-tv-film-in-which-annie-gives-it-those-ones-to-be-re-released-later-this-year-23348024

4 वायरलबॉलीवुड, 'आय हैड नो मनी एंड नो हाउस। शाहरुख़ ख़ान इमोशनल स्पीच। एसआरके 25 इयर्स ऑफ़ लाइफ़', यूट्यूब, https://www.youtube.com/watch?v=fawU4mZ7MVM&t=282s

5 लहरें रेट्रो, 'शाहरुख़ ख़ान: आय नेवर वांटेड टु डू फ़िल्म्स। फ़्लैशबैक इंटरव्यू', यूट्यूब, https://www.youtube.com/watch?v=NmnwjeXApO4

6 सिमी ग्रेवाल ऑफ़िशियल, 'शाहरुख़ ख़ान एंड गौरी 'द वे दे वर' 1997 (फ़ुल-अपडेटेड)', यूट्यूब, https://www.youtube.com/watch?v=FCSZ9YK6FzE&t=2512s

7 'आय ऐम नॉट कम्फ़र्टेबल विद रोमांस ऐट ऑल', फ़िल्मफ़ेयर, 19 अक्टूबर 2015, https://www.filmfare.com/features/im-not-comfortable-with-romance-at-all-10892.html

8 फ़िल्म कम्पेनियन 'शाहरुख़ ख़ान्स जर्नी ऑन लाइफ़ जर्नी फ़ीचरिंग चेतक एंड रोहिणी रामनाथन', यूट्यूब, https://www.youtube.com/watch?v=acgQ7-bM1RE&t=2s

9 '"माय मॉम थॉट दैट आय लुक्ड लाइक दिलीप कुमार"-शाहरुख़ ख़ान्स इंटरव्यू फ्रॉम 2013', फ़िल्मफ़ेयर, 11 दिसंबर 2017, https://www.filmfare.com/news/bollywood/my-mom-thought-that-i-looked-like-dilip-kumar-shah-rukh-khans-interview-from-2013_-25560.html

10 पूर्वोक्त।

11 ज़ी सिने अवॉर्ड्स, 'एक दौर था-दिलीप कुमार-फ़ेमस इंडियन एक्टर-रेड कार्पेट-ज़ी सिने अवॉर्ड्स 2001', यूट्यूब, https://www.youtube.com/watch?v=Uj8XhODB4l0&t=416s

12 'शाहरुख़ ख़ान: "हैव ओनली डन वन फ़िल्म फ़ॉर मनी, बॉट माय फ़र्स्ट हाउस फ्रॉम द फ़ीस ऑफ़ दैट फ़िल्म"' फ़र्स्टपोस्ट, 22 नवम्बर 2023, https://www.firstpost.com/entertainment/shah-rukh-khan-have-only-done-one-film-for-money-bought-my-first-house-from-the-fees-of-that-film-13417222.html

13 गौरी ख़ान, माय लाइफ़ इन डिज़ाइन, पेंग्विन रैंडम हाउस इंडिया, 2023.

4. एक प्रेम कहानी, समय की सीमाओं से परे

1 'आय ऐम नॉट कम्फ़र्टेबल विद रोमांस ऐट ऑल', फ़िल्मफ़ेयर, 19 अक्टूबर 2015, https://www.filmfare.com/features/im-not-comfortable-with-romance-at-all-10892.html

2 'आय ऐम नॉट कम्फ़र्टेबल विद रोमांस ऐट ऑल"', फ़िल्मफ़ेयर, 19 अक्टूबर 2015, https://www.filmfare.com/features/im-not-comfortable-with-romance-at-all-10892.html

3 अनुपमा चोपड़ा, किंग ऑफ़ बॉलीवुड: शाहरुख़ ख़ान एंड द सिडक्टिव वर्ल्ड ऑफ़ इंडियन सिनेमा, ग्रैंड सेंट्रल पब्लिशिंग, 2007. पेज 76.

4 पूर्वोक्त, पेज 104.

5 'व्हॉट! शाहरुख़ ख़ान कैननॉट ऐक्ट व्हेन वाइफ़ गौरी ख़ान इज़ अराउंड, हेयर इज़ व्हाय', टेली चक्कर, 15 अक्टूबर 2023, https://www.tellychakkar.com/movie/movie-news/what-shah-rukh-khan-cannot-act-when-wife-gauri-khan-around-heres-why-231015

6 अनुपमा चोपड़ा, किंग ऑफ़ बॉलीवुड: शाहरुख़ ख़ान एंड द सिडक्टिव वर्ल्ड ऑफ़ इंडियन सिनेमा, ग्रैंड सेंट्रल पब्लिशिंग, 2007. पेज 105.

7 प्राजक्ता अजगांवकर, 'शाहरुख़ ख़ान्स वाइफ़ गौरी ख़ान सफ़र्ड अ मिसकैरिज व्हेन ही वॉज़ शूटिंग फ़ॉर "परदेस"', बॉलीवुड बबल, 19 मार्च 2017, https://www.bollywoodbubble.com/bollywood-news/shah-rukh-khans-wife-gauri-khan-suffered-a-miscarriage-when-he-was-shooting-for-pardes/

8 सेजल पारेख एंड कविता खन्ना, 'आय ऐक्ट ऑल द टाइम', रेडिफ़ डॉट कॉम 30 सितम्बर 1998, https://www.rediff.com/movies/1998/sep/30shah.htm

9 धनक टीवी यूएसए, 'बॉलीवुड किंग शाहरुख़ ख़ान इंटरव्यू विद धनक टीवी यूएसए', यूट्यूब, https://www.youtube.com/watch?v=hI4CC9Cgr1w&t=1179s

10 'शाहरुख़ ख़ान: आय ऐम सो पथेटिक इन रिलेशनशिप्स दैट आय ऐम कॉमिक', द टाइम्स ऑफ़ इंडिया, 17 जुलाई 2017, https://timesofindia.indiatimes.com/entertainment/hindi/bollywood/news/shah-rukh-khan-i-am-so-pathetic-in-relationships-that-i-am-comic/articleshow/59631555.cms

5. एंटी-हीरो

1 लहरें रेट्रो, 'शाहरुख़ ख़ान: आय नेवर वांटेड टु डू फ़िल्म्स। फ़्लैशबैक इंटरव्यू', यूट्यूब, https://www.youtube.com/watch?v=NmnwjeXApO4&t=135s

2 'शाहरुख़ ख़ान रिग्रेट्स नॉट वियरिंग अ हेल्मेट इन हिज़ दीवाना एंट्री सीन', फ़िल्मफ़ेयर, 26 जून 2023, https://www.filmfare.com/news/bollywood/shah-rukh-khan-regrets-not-wearing-a-helmet-in-his-deewana-entry-scene-59409.html

3 'ओह माय गॉड! आय वर्क्ड विद जूही, माधुरी, मनीषा, शिल्पा, सोनाली, नगमा, सुचित्रा, कृष्णमूर्ति, उर्मिला... आय डिन्ट गो टु बेड विद देम: शाहरुख़ ख़ान', टेलीचक्कर, 24 सितम्बर 2021, https://admin.tellychakkar.com/movie/movie-news/omg-i-worked-juhi-madhuri-manisha-shilpa-sonali-nagma-suchitra-krishnamurthy

4 प्रमोद गायकवाड, 'ट्यूसडे ट्रिविया: व्हेन शाहरुख़ ख़ान गॉट अरेस्टेड फ़ॉर थ्रेटेनिंग अ जर्नलिस्ट फ़ॉर राइटिंग अ स्लेंडेरस स्टोरी अबाउट हिम एंड हिज़ को-एक्टर', बॉलीवुडलाइफ़ डॉट कॉम, 13 जुलाई 2021, https://www.bollywoodlife.com/news-gossip/tuesday-trivia-

when-shah-rukh-khan-got-arrested-for-threatening-a-journalist-for-writing-a-slanderous-story-about-him-and-his-co-actor-1873255/#goog_rewarded

5 पेट्सी एन, 'कभी हां कभी न वर्क्ड बिकॉज़ ऑफ़ शाहरुख़ ख़ान"', रेडिफ़ डॉट कॉम 7 अक्टूबर 2017, https://www.rediff.com/movies/report/kabhi-haan-kabhi-naa-worked-because-of-shah-rukh-khan/20151102.htm

6 एचटी एंटरटेनमेंट डेस्क, 'शाहरुख़ ख़ान कॉल्स कभी हां कभी न हिज़ "स्वीटेस्ट, वॉर्मेस्ट, हैप्पीएस्ट" फ़िल्म ऐज़ इट क्लॉक्स 30 इयर्स ऑफ़ रिलीज़', हिंदुस्तान टाइम्स, 25 फ़रवरी 2024, https://www.hindustantimes.com/entertainment/bollywood/shah-rukh-khan-calls-kabhi-haa-kabhi-naa-his-sweetest-warmest-happiest-film-as-it-clocks-30-years-of-release-101708870676832.html

7 'आय विल मिस कुंदन शाह लाइक माय मदर दैट आय डिन्ट हैव फ़ॉर द लॉन्गेस्ट ऑफ़ टाइम: शाहरुख़ ख़ान', हिंदुस्तान टाइम्स, 11 अक्टूबर 2017, https://www.hindustantimes.com/bollywood/i-ll-miss-kundan-shah-like-my-mother-that-i-didn-t-have-for-the-longest-of-time-shah-rukh-khan/story-N6DzNtIqRAs1bHBGSIRSaK.html

8 अरुण कटियार, 'फ़्रॉम द इंडिया टुडे आर्काइव्स (1992) । द राइज़ एंड राइज़ ऑफ़ शाहरुख़ ख़ान', इंडिया टुडे, 1 फ़रवरी 2023, https://www.indiatoday.in/india-today-insight/story/from-the-india-today-archives-1992-the-rise-and-rise-of-shah-rukh-khan-2335173-2023-02-15

9 पूर्वोक्त।

10 '"शाहरुख़ ख़ान्स डंकी विल ऑल्सो अर्न 500 करोड़, जस्ट लाइक पठान एंड जवान," सेज़ प्रोड्यूसर रतन जैन-एक्सक्लूज़िव', द टाइम्स ऑफ़ इंडिया, 6 नवम्बर 2023, https://timesofindia.indiatimes.com/entertainment/hindi/bollywood/news/shah-rukh-khans-dunki-will-also-earn-rs-500-crore-just-like-pathaan-and-jawan-says-producer-ratan-jain-exclusive/articleshow/104918302.cms

11 अनुपमा चोपड़ा, किंग ऑफ़ बॉलीवुड: शाहरुख़ ख़ान एंड द सिडक्टिव वर्ल्ड ऑफ़ इंडियन सिनेमा, ग्रैंड सेंट्रल पब्लिशिंग, 2007. पेज 137.

12 'डर टर्न्स 30: व्हेन आमिर ख़ान टर्न्ड डाउन द एंटेगनिस्ट रोल दैट वेंट टु शाहरुख़ ख़ान; फ़िल्म हिस्टोरियन दिलीप ठाकुर रिवील्स मोरे-एक्सक्लूज़िव' द टाइम्स ऑफ़ इंडिया, 23 दिसंबर 2023, https://timesofindia.indiatimes.com/entertainment/hindi/bollywood/news/darr-turns-30-when-aamir-khan-turned-down-the-antagonist-role-that-went-to-shah-rukh-khan-film-historian-dilip-thakur-reveals-more-exclusive/articleshow/106238598.cms

13 वायआरएफ़, 'यश चोपड़ा इन कॉनवर्सेशन विद उदय चोपड़ा। डर। शाहरुख़ ख़ान। सनी देओल। जूही चावला', यूट्यूब, https://www.youtube.com/watch?v=iN1uyXg1sK8

14 धनक टीवी यूएसए, 'बॉलीवुड किंग शाहरुख़ ख़ान इंटरव्यू विद धनक टीवी यूएसए', यूट्यूब, https://www.youtube.com/watch?v=hI4CC9Cgr1w&t=1179s

15 बॉक्स ऑफ़िस इंडिया, 'डर', https://www.boxofficeindia.com/movie-story.php?movieid=3320

16 मीरा नायर, 'आय वुड रादर लव द विलेन एसआरके दैन द हीरो: 30 इयर्स इनटू डर', मीडियम, 18 अप्रैल 2023, https://meeranaircreates.medium.com/id-rather-love-the-villain-srk-than-the-hero-30-years-into-darr-ace2191822e7

17 नयरिता मुखर्जी, '25 इयर्स ऑफ़ डर: हाउ शाहरुख़ ख़ान्स "डर" शेप्ड मोलेस्टेशन, डिप्रेशन एंड लव', डेली ओ, 24 दिसंबर 2018, https://www.dailyo.in/arts/25-years-of-darr-how-shah-rukh-khan-s-darr-shaped-molestation-depression-and-love-stalking-juhi-chawla-sunny-deol-28496

18 नमन रामचंद्रन, 'शाहरुख़ ख़ान टॉक्स ब्रैड पिट्स जॉ, स्विस चॉकलेट एंड बॉलीवुड सेलिब्रिटी ऐत रोलिकिंग लोकार्नो मास्टरक्लास: "आय वियर स्टारडम लाइक अ टी-शर्ट, नॉट अ टक्सीडो"', वेरायटी, 11 अगस्त 2024, https://variety.com/2024/film/asia/shah-rukh-khan-locarno-masterclass-1236103201/

6. एक राज तो हर किसी को चाहिए

1 अंकुर पाठक, 'द एसआरके इंटरव्यू-पार्ट 1: 'ऐज़ लॉन्ग ऐज़ इंडिया मेक्स फ़िल्म्स, पीपल विल वॉच शाहरुख़ ख़ान', हफ़पोस्ट, 1 जुलाई 2016, https://www.huffpost.com/archive/in/entry/the-srk-interview-part-1-as-long-as-india-makes-films-peopl_n_10765942

2 '25 इयर्स ऑफ़ "डीडीएलजे": शाहरुख़ ख़ान रिवील्स ही ऑलवेज़ फ़ेल्ट दैट ही वॉज़न्ट कट आउट टु ले अ रोमांटिक कैरेक्टर', द टाइम्स ऑफ़ इंडिया, 20 अक्टूबर 2020, https://timesofindia.indiatimes.com/entertainment/hindi/bollywood/news/25-years-of-ddlj-shah-rukh-khan-reveals-he-always-felt-that-he-wasnt-cut-out-to-play-a-romantic-character/articleshow/78760637.cms

3 करण जौहर, ऐन अनसुटेबल बॉय, पेंग्विन रैंडम हाउस इंडिया, 2017.

4 सोनिल देढिया, '"शूटिंग फ़ॉर मेहंदी लगाके रखना वॉज़ अ नाइटमेयर"', रेडिफ़, 12 दिसंबर 2014, https://www.rediff.com/movies/interview/shooting-for-mehndi-laga-ke-rakhna-was-a-nightmare/20141212.htm

5 सोनिल देढिया, '"आफ़्टर डीडीएलजे, आय कुड कोट एनी प्राइस"', रेडिफ़, 10 दिसंबर 2014, https://www.rediff.com/movies/report/after-ddlj-i-could-quote-any-price/20141210.htm

6 केरा जॉय डेविड, 'अ बॉलीवुड फ़ेवरिट इज़ रीमेड फ़ॉर द स्टेज, रेज़िंग आयब्राउज़', द न्यू यॉर्क टाइम्स, 13 सितम्बर 2022, https://www.nytimes.com/2022/09/13/theater/come-fall-in-love-ddlj-musical-bollywood.html

7 अमन बाशा, 'रीडर्स राइट इन #419: इन डिफ़ेंस ऑफ़ डीडीएलजे', भारद्वाज रंगन्स ब्लॉग, 1 नवम्बर 2021, https://baradwajrangan.wordpress.com/2021/11/01/readers-write-in-419-in-defense-of-ddlj/

8 एलेक्सिस पुथुसेरी, 'अ जेंडर्ड रेट्रोपर्सपेक्टिव ऑन डीडीएलजे', रेवरी, https://www.magazinereverie.com/post/a-gendered-retrospective-on-ddlj

9 अंकुर पाठक, 'द काजोल इंटरव्यू: मैन इन द इंडस्ट्री आर रनिंग स्केयर्ड इन द इंडस्ट्री आर रनिंग स्केयर्ड इन वेक ऑफ़ द #MeToo मूवमेंट', हफ़पोस्ट 18 अगस्त 2018, https://www.huffpost.com/archive/in/entry/the-kajol-interview-men-in-the-industry-are-running-scared-in-wake-of-the-metoo-movement_in_5c10ae81e4b06e80c3f910a7

10 धर्मा प्रोडक्शन्स, 'हम्प्टी शर्मा की दुल्हनिया-अ फ़िल्मी ट्रेलर लॉन्च', यूट्यूब, https://www.youtube.com/watch?v=w7itPXJBmKM

11 पूर्वोक्त।

12 वायआरएफ़, 'सेलिब्रेटिंग 1000 वीक्स ऑफ़ डीडीएलजे ऐट मराठा मंदिर। शाहरुख़ ख़ान। काजोल', यूट्यूब, https://www.youtube.com/watch?v=zvEV1vVjgCs

13 कर्ली टेल्स, 'संडे ब्रंच विद काजोल x कामिया जानी । एपिसोड 108 । कर्ली टेल्स', यूट्यूब, https://www.youtube.com/watch?v=KTEKtHoyzoA

14 वायआरएफ़, 'शाहरुख़ एंड काजोल इन कवर्सेशन । दिलवाले दुल्हनिया ले जायेंगे । डीडीएलजे', यूट्यूब, https://www.youtube.com/watch?v=uLuUmuQ_vbY&t=137s

7. दुनिया उसकी जेब में

1 मल्लिका राव, 'द थॉरली गूफ़ी, अनडिनायेबली सिडक्टिव, ऑल-इन-वन चार्म ऑफ़ शाहरुख़ ख़ान', वल्चर, 8 मार्च 2024.

2 रुमाना अहमद, 'व्हाय एनआरआईज़ लव बॉलीवुड', याहू! न्यूज़, 8 अप्रैल 2013, https://www.yahoo.com/news/news/news/blogs/100-years-of-bollywood/why-nris-love-bollywood-095801307.html?guccounter=1

3 बॉक्स ऑफ़िस इंडिया, दिल तो पागल है, https://www.boxofficeindia.com/movie.php?movieid=2635

4 https://x.com/iamsrk/status/1761701672932544834

5 'जॉन सीना हेल्स शाहरुख़ ख़ान्स टेड टॉक ऐज़ "बियॉन्ड इन्स्पिरेश्नल", प्रेज़ेज़ वेरायटी ऑफ़ कुइजिंस ऐट अम्बानी वेडिंग', डेकन हेरल्ड 5 अगस्त, 2024, https://www.deccanherald.com/india/john-cena-hails-shah-rukh-khans-ted-talk-as-beyond-inspirational-praises-variety-of-cuisines-at-ambani-wedding-3137194

6 पट्रिशिया ओबेरॉय, 'द डायोस्पोरा कम्स होम: डिसिप्लिनिंग डिज़ायर इन डीडीएलजे', कंट्रीब्यूशंस टु इंडियन सोशियोलॉजी (एन.एस.) 32, 2 (1998), सेज पब्लिकेशन्स, नयी दिल्ली/थाउज़ेंड ओक्स/लंडन, https://bpb-us e2.wpmucdn.com/sites.middlebury.edu/dist/1/3376/files/2015/01/Uberoi-Discipling Desire-DDLJ.pdf

7 'मेकिंग मूवीज़ विद मणि रत्नम', रेडिफ़, 30 अप्रैल 2008, https://www.rediff.com/movies/2008/apr/30mani.htm

8 'व्हेन अ सिली सजेशन अबाउट दिल से ऐन्गर्ड मणि रत्नम: "हाउ कैन शाहरुख़ ख़ान हग मनीषा कोइराला एंड इमेजिन मलाइका अरोड़ा?"', द इंडियन एक्सप्रेस, 1 सितम्बर 2022, https://indianexpress.com/article/entertainment/bollywood/when-silly-suggestion-about-dil-se-angered-mani-ratnam-shah-rukh-khan-malaika-arora-8125602/

9 '"देयर वॉज़ टॉक दैट शाहरुख़ ख़ान वॉज़ ऐरोगेन्ट: करण जौहर रीकॉल्स वॉकिंग इनटू देयर फ़र्स्ट मीटिंग विद प्रीकंसीव्ड नोशंस अबाउट मूवी स्टार्स', द इंडियन एक्सप्रेस, 17 अक्टूबर 2023, https://indianexpress.com/article/entertainment/bollywood/shah-rukh-khan-arrogant-rumours-karan-johar-recalls-first-meeting-8986632/

10 पूर्वोक्त।

11 मिडडे इंडिया, 'करण जौहर: शाहरुख़ ख़ान हैज़ नेवर आस्क्ड फ़ॉर मनी फ़ॉर अ फ़िल्म। सिट विद हिटलिस्ट', यूट्यूब, https://www.youtube.com/watch?v=gABBDEsYxlE

12 अंकुर पाठक, 'द एसआरके इंटरव्यू-पार्ट 1: "ऐज़ लॉन्ग अस इंडिया मेक्स फ़िल्म्स, पीपल विल वॉच शाहरुख़ ख़ान", हफ़पोस्ट, 1 जुलाई 2016, https://www.huffpost.com/archive/in/entry/the-srk-interview-part-1-as-long-as-india-makes-films-peopl_n_10765942

13 अभिषेक मंदे भोट, 'करण जौहर: आय वुड गिव एसआरके अ स्पाइन', मिड-डे, 27 अक्टूबर 2019, https://www.mid-day.com/sunday-mid-day/article/karan-johar-i-would-give-srk-a-spine-21983184

14 असीम छाबड़ा (इन न्यू यॉर्क), '"शाहरुख़ बहुत शरीफ़ आदमी है"', रेडिफ़, 18 अक्टूबर 2005, https://www.rediff.com/movies/report/aseem/20051018.htm

15 https://content.time.com/time/magazine/asia/0,9263,501041011,00.html

16 अनुपमा चोपड़ा, किंग ऑफ़ बॉलीवुड: शाहरुख़ ख़ान एंड द सिडक्टिव वर्ल्ड ऑफ़ इंडियन सिनेमा, ग्रैंड सेंट्रल पब्लिशिंग, 2007. पेज 3.

17 अपारिता भंडारी, 'हॉट ऑन द ट्रेल ऑफ़ अ बॉलीवुड स्टार', द ग्लोब एंड मेल, 27 सितम्बर 2004, https://www.theglobeandmail.com/news/national/hot-on-the-trail-of-a-bollywood-star/article4090964/

18 असीम छाबड़ा (इन न्यू यॉर्क), '"शाहरुख़ बहुत शरीफ़ आदमी है"', रेडिफ़, 18 अक्टूबर 2005, https://www.rediff.com/movies/report/aseem/20051018.htm

19 'मीटिंग शाहरुख़', द अग्ली बग बॉल, 8 नवम्बर 2011, https://theuglybugball.wordpress.com/tag/temptation-tour/

20 नंदा विक्रमसिंघे, 'ग्रेनेड अटैक ऑन श्रीलंकन म्यूज़िक कॉन्सर्ट किल्स टू', वर्ल्ड सोशलिस्ट वेब साइट, 17 दिसंबर 2004, https://www.wsws.org/en/articles/2004/12/sril-d17.html

21 सैयद फ़िरदौस अशरफ़, '"शाहरुख़ एंड आय वर ओनली सिक्स फ़ीट अवे फ़्रॉम द ब्लास्ट"', रेडिफ़, 13 दिसंबर 2004, https://www.rediff.com/movies/report/priyanka/20041213.htm

22 पीटीआई, 'शाहरुख़ ख़ान्स टेम्पटेशन रीलोडेड रिटर्न्स टु सिड्नी आफ़्टर नाइन इयर्स', इंडिया टुडे, 7 अक्टूबर 2013, https://www.indiatoday.in/movies/bollywood/story/shah-rukh-khans-temptation-reloaded-returns-to-sydney-after-nine-years-213535-2013-10-06

23 पीटीआई, 'आय सेल ड्रीम्स, पेडल लव टु मिलियंस: शाहरुख़ ख़ान ऐट टेड टॉक्स', हिंदुस्तान टाइम्स, 28 अप्रैल 2017, https://www.hindustantimes.com/bollywood/i-sell-dreams-peddle-love-to-millions-shah-rukh-khan-at-ted-talks/story-bfI6oSKitgPRlCqOb7RO1I.html

8. शाहरुख़ ख़ान: सभी का चहेता, सभी की चाहत

1 रॉजर ईबर्ट, 'व्हॉट विमेन वॉन्ट', रॉजर-ईबर्ट डाट काम, 15 दिसंबर 2000, https://www.rogerebert.com/reviews/what-women-want-2000

2 जाह्नवी पटेल, '"मनी हैज़ नेवर केप्ट मी गोइंग"', रेडिफ़, 6 अक्टूबर 2017, https://www.rediff.com/movies/report/money-has-never-kept-me-going/20171006.htm

3 मुज़ीरा अमीन, 'व्हॉट कुड कम्पेयर टु द जॉय ऑफ़ वॉचिंग शाहरुख़ ख़ान ऑन द बिग स्क्रीन आफ़्टर ऑलमोस्ट हाफ़ अ डेकेड?' इमेजेज़ डॉन, 2 नवम्बर 2023, https://images.dawn.com/news/1192070

4 तक्षी मेहता, '30 इयर्स ऑफ़ शाहरुख़ ख़ान: टु द ओनली मैन वे हैव ऑलवेज़ लव्ड', वोग, 25 जून 2022, https://www.vogue.in/culture-and-living/content/30-years-of-shah-rukh-khan-to-the-only-man-we-have-always-loved

5 रेणुका व्यवहारे, 'आय ऐम नॉट अ रोमांटिक: शाहरुख़ ख़ान', 20 दिसंबर 2011, https://timesofindia.indiatimes.com/entertainment/hindi/bollywood/news/i-am-not-a-romantic-shah-rukh-khan/articleshow/11181567.cms

6 एनडीटीवी, 'आय नो हाउ टु रेस्पेक्ट एंड डिग्निफ़ाई अ वुमन: शाहरुख़ ख़ान', यूट्यूब, https://www.youtube.com/watch?v=rrILVaL_YS8

7 रेणुका व्यवहारे, 'आय ऐम नॉट अ रोमांटिक: शाहरुख़ ख़ान', 20 दिसंबर 2011, https://timesofindia.indiatimes.com/entertainment/hindi/bollywood/news/i-am-not-a-romantic-shah-rukh-khan/articleshow/11181567.cms

8 राहुल गंगवानी, 'ऐक्ट्रेसेज़ टॉक अबाउट एसआरके', फ़िल्मफ़ेयर, 31 अक्टूबर 2014, https://www.filmfare.com/features/actresses-talk-about-srk-7579.html

9 'शाहरुख़ ख़ान स्मेल्स सो नाइस, हेयर आर द टू परफ़्यूम्स ही स्वेयर्स बाय', द टाइम्स ऑफ़ इंडिया, 13 जून 2024, https://timesofindia.indiatimes.com/life-style/beauty/shah-rukh-khan-smells-so-nice-here-are-the-two-perfumes-he-swears-by/articleshow/110906012.cms

10 पूर्वोक्त।

11 रितिका शेरी, 'फ़्रॉम कंगना, कम्युनल टेंशन टु सेक्सिज़्म इन बॉलीवुड, एसआरके बेयर्स ऑल इन दिस हार्ड टॉक विद बीबीसी', स्कूपव्हूप, 8 फ़रवरी 2018, https://www.scoopwhoop.com/entertainment/srk-interview-bbc/

12 ऐरिस्टन एंडरसन, 'बॉलीवुड स्टार शाहरुख़ ख़ान प्रेज़ेज़ विमेन ऐट दावोस', हॉलीवुड रिपोर्टर, 23 जनवरी 2018, https://www.hollywoodreporter.com/movies/movie-news/bollywood-star-shah-rukh-khan-praises-women-at-davos-1077406/

13 https://x.com/iamsrk/status/9495625732?lang=en

14 'एसआरकेज़ थॉट्स ऑन विमेन', रेडिट, https://www.reddit.com/r/BollyBlindsNGossip/comments/14ogt4k/srks_thoughts_on_women/?rdt=34403

15 सुभाष के झा, 'एसआरके, लक्स "मैन" व्हाय?', द टाइम्स ऑफ़ इंडिया, 13 सितम्बर 2005, https://timesofindia.indiatimes.com/lucknow-times/srk-lux-man-why/articleshow/1229909.cms; ये भी देखें: 'लक्स ऐड विद शाहरुख़', यूट्यूब, https://www.youtube.com/watch?v=1SwzNd2lIdc

16 अंकिता प्रधान, 'शाहरुख सेज़ ही इज़ टू सेक्शुअल टु लस्ट ऐनी को-एक्टर', बिज़नेस अपटर्न, 28 सितम्बर 2023, https://www.businessupturn.com/entertainment/celebrity/shah-rukh-khan-says-hes-too-sexual-to-lust-any-co-actor-read-more/

17 '"नो वुमन हैज़ मेड अ पास ऐट मी"', रेडिफ़, https://specials.rediff.com/movies/2007/feb/15sd3.htm

18 https://x.com/iamsrk/status/1377179114042368004

19 'डब्ल्यूईएफ़ 2018: शाहरुख ख़ान फ़ुल स्पीच इन दावोस आफ़्टर रिसीविंग क्रिस्टल अवॉर्ड; वॉच वीडियो', द फ़ाइनेंशियल एक्सप्रेस, 23 जनवरी 2018, https://www.financialexpress.com/life/entertainment-wef-2018-shah-rukh-khan-full-speech-in-davos-after receiving-crystal-award-watch-video-1026780/

20 'शाहरुख ख़ान सेट्स 7 रूल्स फ़ॉर एनी गाय हू वॉन्ट्स टु डेट सुहाना ख़ान', फ़िल्मफ़ेयर, 22 मई 2024, https://www.filmfare.com/news/bollywood/shah-rukh-khan-sets-7-rules-for-any-guy-who-want-to-date-suhana-khan-66186.html

21 पूर्वोक्त।

22 वीर सांघवी, अ रूड लाइफ़, पेंग्विन रैंडम हाउस इंडिया, 2021.

23 इशारा भासी. 'फ़्रॉम द आर्काइव्स (2023) । आय ऐम नीदर गे नॉर बाईसेक्शुअल: शाहरुख ख़ान', इंडिया टुडे, 23 जनवरी 2022, https://www.indiatoday.in/india-today-insight/story/from-the-archives-2003-i-am-neither-gay-nor-bisexual-shah-rukh-khan-1966002-2022-06-23

24 जीतेश पिल्लै, 'आय ऐम अ ट्राय-सेक्शुअल: शाहरुख ख़ान', द टाइम्स ऑफ़ इंडिया, 23 अप्रैल 2021, http://timesofindia.indiatimes.com/articleshow/823524.cms

25 'शाहरुख ख़ान: आय ऐम सो पथेटिक इन रिलेशनशिप्स दैट आय ऐम अ कॉमिक', द टाइम्स ऑफ़ इंडिया, 17 जुलाई 2017, https://timesofindia.indiatimes.com/entertainment/hindi/bollywood/news/shah-rukh-khan-i-am-so-pathetic-in-relationships-that-i-am-comic/articleshow/59631555.cms

26 पूर्वोक्त।

27 https://www.instagram.com/p/C0tZ0qqIETg/

28 वी आर युवा, 'विकी कौशल ऑन #BeAManYaar विद निखिल तनेजा । अ युवा ओरिजिनल - एपिसोड 1', यूट्यूब, https://www.youtube.com/watch?v=P1T5wVpiTu8

29 'व्हेन डैनिअल रैडक्लिफ़ सेड ही इज़ फ़ॉन्ड ऑफ़ शाहरुख ख़ान: "ही इज़ डेफ़िनिटली ऐन एपिटोम ऑफ़ स्टाइल एंड क्लास"', कोईमोई, 4 मार्च 2021, https://www.koimoi.com/hollywood-news/when-daniel-radcliffe-said-he-is-fond-of-shah-rukh-khan-he-is-definitely-an-epitome-of-style-class/

30 नार्डाइन साद, 'मीट शाहरुख़ ख़ान: इफ़ यू हैव नॉट हर्ड ऑफ़ द बॉलीवुड सुपरस्टार, इट्स अबाउट टाइम यू डिड', लॉस एंजेल्स टाइम्स, 21 सितम्बर 2023, https://www.latimes.com/entertainment-arts/movies/story/2023-09-21/shah-rukh-khan-key-facts-srk-jawan-pathaan-bollywood

31 टॉम ब्रुक, 'बॉलीवुड्स किंग अमेज़्ड बाय ऑनगोइंग ऐड्युलेशन', बीबीसी न्यूज़, 25 नवम्बर 2011, https://www.bbc.com/news/world-radio-and-tv-15820465

32 पूर्वोक्त।

33 पूर्वोक्त।

34 आईएमडीबी, 'शाहरुख़ ख़ान ऑन "जवान", हिज़ लेगसी, गोइंग बॉल्ड एंड मोर! । आइकंस ओनली एक्सक्लूज़िव । आईएमडीबी 2023', यूट्यूब, https://www.youtube.com/watch?v=J1gmqmfKj_0

35 सौरव मजूमदार एंड दीपक अजवानी, 'द इम्पॉर्टेंस ऑफ़ बींग शाहरुख़ ख़ान', फ़ोर्ब्स, 15 दिसंबर 2015, https://www.forbesindia.com/article/2015-celebrity-100/the-importance-of-being-shah-rukh-khan/41723/1

36 https://www.facebook.com/BBCEntsNews/videos/821752091609865/; टॉम ब्रुक, 'बॉलीवुड्स किंग अमेज़्ड बाय ऑनगोइंग ऐड्युलेशन', बीबीसी न्यूज़, 25 नवम्बर 2011, https://www.bbc.com/news/world-radio-and-tv-15820465

37 'सस्य फ़ील लोनली ऑन द इनसाइड: शाहरुख़ ख़ान', द न्यू इंडियन एक्सप्रेस, 17 मई 2012, https://www.newindianexpress.com/entertainment/2010/Jan/30/i-feel-lonely-on-the-inside-shah-rukh-165583.html

38 '"लोनली" शाहरुख़ ख़ान क्रेव्स फ़ॉर अ डे जस्ट फ़ॉर हिमसेल्फ़', इंडिया टुडे, 25 फ़रवरी 2013, https://www.indiatoday.in/movies/celebrities/story/shah-rukh-khan-craves-for-a-day-just-for-himself-121173-2012-11-10

39 'व्हेन शाहरुख़ ख़ान ओपेन्ड अप अबाउट इन्स्टेन्स दैट ऑलवेज़ मूव्स हिम टु टियर्स: "आय फ़ील वैरी लोनली इन दैट वन मोमेंट"', द इंडियन एक्सप्रेस, 8 जून 2023, https://indianexpress.com/article/entertainment/bollywood/shah-rukh-khan-opens-up-instance-moves-him-to-tears-lonely-8650339/

9. 2000 की निराशा

1 अंकुर पाठक, 'द एसआरके इंटरव्यू-पार्ट 1: 'ऐज़ लॉन्ग ऐज़ इंडिया मेक्स फ़िल्म्स, पीपल विल वॉच शाहरुख़ ख़ान', हफ़पोस्ट, 1 जुलाई 2016, https://www.huffpost.com/archive/in/entry/the-srk-interview-part-1-as-long-as-india-makes-films-peopl_n_10765942

2 अनुपमा चोपड़ा, किंग ऑफ़ बॉलीवुड: शाहरुख़ ख़ान एंड द सिडक्टिव वर्ल्ड ऑफ़ इंडियन सिनेमा, ग्रैंड सेंट्रल पब्लिशिंग, 2007.

3 'आय वॉन्ट टु रीटेन व्हॉट आय हैव, रीकैप्चर व्हॉट आय हैव लॉस्ट', रेडिफ़, 13 जनवरी 2000, https://in.rediff.com/movies/2000/jan/13srk.htm

4 पूर्वोक्त।

5 पूर्वोक्त।

6 मधु जैन, 'इन अ बॉलीवुड डॉमिनेटेड बाय द ख़ान्स, हृतिक रोशन सडनली बिकम्स अ नैशनल क्रेज़', इंडिया टुडे, 20 मार्च 2000, https://www.indiatoday.in/magazine/cover-story/story/20000320-in-a-bollywood-dominated-by-the-khans-hrithik-roshan-suddenly-becomes-a-national-craze-777238-2000-03-19

7 अनुपमा चोपड़ा, किंग ऑफ़ बॉलीवुड: शाहरुख़ ख़ान एंड द सिडक्टिव वर्ल्ड ऑफ़ इंडियन सिनेमा, ग्रैंड सेंट्रल पब्लिशिंग, 2007.

8 'व्हॉट गौरी सेड अबाउट (शाहरुख़ ख़ान)', https://members.tripod.com/srk_maria2/gauri_aboutsrk.htm

9 'शाहरुख़ ख़ान ऑन फ़ीलिंग इनसेक्योर: आय वोंट जस्ट फ़ॉल डाउन फ़्रॉम द टॉप पोज़ीशन इन वन डे [फ़्लैशबैक]', फ़िल्मीबीट, 29 दिसंबर 2020, https://www.filmibeat.com/bollywood/features/2020/when-shah-rukh-khan-said-he-will-not-just-fall-down-from-the-top-position-in-one-day-308041.html

10 पूर्वोक्त।

11 'द कोक-पेप्सी वॉर: ऋतिक इन क्रॉसफ़ायर', इंडिया एफ़एम, https://hrithikroshan.tripod.com/hrithikpepsicoke.htm

12 प्रिया सहगल, 'धर्मा कोला', आउटलुक, 5 फ़रवरी 2022, https://www.outlookindia.com/society/dharma-cola-news-209625

13 'पैटर्न द पीएम वोन्ट सी', सबरंग, जुलाई 2000, https://www.sabrang.com/cc/comold/july00/edit.htm

14 पूर्वोक्त।

15 तरुण विजय, '"अ स्टार इज़ अ स्टार एंड शुड नॉट बी लेबल्ड ऐज़ हिंदू ऑर मुस्लिम..."', रेडिफ़, 13 जुलाई 2000, https://m.rediff.com/news/2000/jul/13inter.htm

16 अलीज़ेह लोधी, 'व्हाय डिड शाहरुख़ ख़ान रीप्लेस ऐश्वर्या राय इन "चलते-चलते" बिकॉज़ ऑफ़ सलमान ख़ान?" मसाला!, 1 जुलाई 2024, https://www.masala.com/bollywood-news/why-did-shah-rukh-khan-replace-aishwarya-rai-in-chalte-chalte-because-of-salman-khan

17 तन्वी त्रिवेदी, 'आय ऐम टू ओल्ड टु वर्क विद शाहरुख़ ख़ान: जूही चावला', द टाइम्स ऑफ़ इंडिया, 4 जनवरी 2012, https://timesofindia.indiatimes.com/entertainment/hindi/bollywood/news/im-too-old-to-work-with-shah-rukh-khan-juhi-chawla/articleshow/11350839.cms

18 आर्थर जे पाइस, 'मैं हूं न: हाउस फ़ुल इन यूएस, यूके!', रेडिफ़, 5 मई 2004, https://www.rediff.com/movies/2004/may/05mnh.htm

19 पूर्वोक्त।

20 पूर्वोक्त।

21 सैयद फ़िरदौस अशरफ़, 'व्हाय मैं हूं न विल बी एसआरकेज़ बिगेस्ट हिट', रेडिफ़, 28 फ़रवरी 2004, https://www.rediff.com/movies/report/main/20040228.htm

10. रिस्क है तो इश्क़ है, बेबी

1 'शाहरुख़ ख़ान एंड संजय लीला भंसाली वुड कम इन विद देयर ओन शॉट डिवीज़न्स ड्यूरिंग देवदास, दे वुड डिस्कस बिफ़ोर शूट: टीकू तल्सानिया', द इंडियन एक्सप्रेस, 5 अप्रैल 2024, https://indianexpress.com/article/entertainment/bollywood/shah-rukh-khan-sanjay-leela-bhansali-would-come-in-with-their-own-shot-divisions-during-devdas-9253091/

2 लता खूबचंदानी, '"आय डिड नॉट अप्रूव ऑफ़ वैजंतीमाला ऐज़ चंद्रमुखी"', रेडिफ़, 5 जुलाई 2002, https://www.rediff.com/entertai/2002/jul/05ghosh.htm

3 सुभेश के झा, '"लव कैन नेवर बी आउटडेटेड"', रेडिफ़, 20 अप्रैल 2002, https://m.rediff.com/movies/2002/apr/20leela.htm

4 'व्हाय देवदास इज़ अ ट्रबलसम, बट डियर चाइल्ड', रेडिफ़, 27 मई 2002, https://www.rediff.com/entertai/2002/may/27bhan.htm

5 सुभेश के झा, '"लव कैन नेवर बी आउटडेटेड"', रेडिफ़, 20 अप्रैल 2002, https://m.rediff.com/movies/2002/apr/20leela.htm

6 'व्हेन संजय लीला भंसाली वॉज़ टोल्ड दैट देवदास इज़ "जिन्क्स्ड, शुड बी शट डाउन": "द सेट कॉट फ़ायर, वी वर ऑल सफ़रिंग"', द इंडियन एक्सप्रेस, 12 जुलाई 2023, https://indianexpress.com/article/entertainment/bollywood/sanjay-leela-bhansali-devdas-jinxed-should-be-shut-down-set-caughte-fire-8829930/

7 पूर्वोक्त।

8 अनुपमा चोपड़ा, किंग ऑफ़ बॉलीवुड: शाहरुख़ ख़ान एंड द सिडक्टिव वर्ल्ड ऑफ़ इंडियन सिनेमा, ग्रैंड सेंट्रल पब्लिशिंग, 2007. पेज 201.

9 '"फ़ॉर ऐन एंटायर इयर आय वॉज़ सैड"', रेडिफ़, 10 जुलाई 2002, https://www.rediff.com/entertai/2002/jul/10srk.htm

10 पूर्वोक्त।

11 '"इट टेक्स अ लॉट टु बीट मी"', रेडिफ़, 28 मई 2002, https://www.rediff.com/entertai/2002/may/28srk.htm

12 पूर्वोक्त।

13 https://www.boxofficeindia.com/movie.php?movieid=591

14 लोकार्नो फ़िल्म फ़ेस्टिवल, 'लाइव कन्वर्सेशन विद शाहरुख़ ख़ान', यूट्यूब, https://www.youtube.com/watch?v=fhjA7_R9MAE

15 '"आय वुड हैव डन शोले"', रेडिफ़, https://specials.rediff.com/movies/2007/feb/19slide5.htm

16 '"देयर वॉज़ कांस्टेंट आर्ग्युमेंट बिटवीन आदित्य एंड मी"', रेडिफ़, 14 सितम्बर 2004, https://www.rediff.com/movies/2004/sep/14yash.htm

17 पूर्वोक्त।

18 विकी लालवानी, '"आय स्लीपवॉक थ्रू रोमांटिक रील्स नाउ!"', रेडिफ़, 18 अक्टूबर 2004, https://www.rediff.com/movies/2004/oct/18srk.htm

19 'फ़िल्म स्टार्स से "नो" टु पाकिस्तान बैशिंग', डॉन, 16 दिसंबर 2004, https://www.dawn.com/news/377150/film-stars-say-no-to-pakistan-bashing

20 'अ रियल लाइफ़ वीर ज़ारा', डॉन बाय अरेंजमेंट विद द टाइम्स ऑफ़ इंडिया, 23 मार्च 2006, https://www.dawn.com/news/184340/a-real-life-veer-zaara

21 लता खूबचंदानी एंड सैयद फ़िरदौस अशरफ़, '"लाइफ़ टेकिंग मी फ़ॉर अ फ़ैन्टास्टिक, फ़न-फ़िल्ड राइड"', रेडिफ़, https://m.rediff.com/movies/2004/dec/15sd1.htm

22 https://boxofficeindia.com/movie.php?movieid=460

23 'टॉप लाइफ़टाइम ग्रॉसर्स ओवरसीज़', https://web.archive.org/web/20130926064255/http://www.boxofficeindia.com/showProd.php?itemCat=337&catName=TGlmZXRpbWUgSW4gSU5EIFJz

24 'एसआरके जोक्स दैट ही शुड हैव वन द नैशनल अवॉर्ड ओवर सैफ़', रेडिट, https://www.reddit.com/r/BollyBlindsNGossip/comments/16ae9tc/srk_jokes_that_he_should_have_won_the_national/

25 लता खूबचंदानी एंड सैयद फ़िरदौस अशरफ़, '"लाइफ़ टेकिंग मी फ़ॉर अ फ़ैन्टास्टिक, फ़न-फ़िल्ड राइड"', रेडिफ़, https://m.rediff.com/movies/2004/dec/15sd1.htm

11. आसमान की ऊंचाइयों पर ख़ान

1 ‘आय ऐम स्केयर्ड फ़ॉर चक दे’, रेडिफ़ https://m.rediff.com/movies/2007/aug/06sld2.htm

2 भावना अग्रवाल, ‘10 इयर्स ऑफ़ चक दे इंडिया: इट्स अ अव स्टोरी बिटवीन शाहरुख़ ख़ान एंड हिज़ कंट्री: डायरेक्टर शिमित अमीन एंड राइटर जयदीप साहनी’, पिंकविला, 11 अगस्त 2017, https://www.pinkvilla.com/entertainment/exclusives/10-years-chak-de-india-its-love-story-between-shah-rukh-khan-and-his

3 सुभाष के झा, ‘चक दे! इंडिया: सलमान वॉज़ टु प्ले द कोच!’, रेडिफ़, 14 अगस्त 2021, https://www.rediff.com/movies/report/chak-de-india-salman-was-to-play-coach/20210814.htm

4 ‘ऑडियंसेज़ आर गोइंग टु गेट देयर मनीज़ वर्थ’, रेडिफ़, 7 अगस्त 2007, https://www.rediff.com/movies/2007/aug/07shimit.htm

5 साइसुरेश शिवस्वामी, ‘एसआरके एंड द एम वर्ड’, रेडिफ़, 13 अगस्त 2007, https://www.rediff.com/movies/2007/aug/13sai.htm

6 ‘“जिहाद इज़ अबाउट किलिंग द बैडनेस इन यू”’, रेडिफ़, https://specials.rediff.com/movies/2007/feb/19slide2.htm

7 साइसुरेश शिवस्वामी, ‘एसआरके एंड द एम वर्ड’, रेडिफ़, 13 अगस्त 2007, https://www.rediff.com/movies/2007/aug/13sai.htm

8 पूर्वोक्त।

9 रचना दुबे, ‘मीर रंजन नेगी: व्हेन द विमेन्स हॉकी टीम वन गोल्ड इन सीडब्लूजी 2002, ओनली अ स्मॉल आर्टिकल अपियर्ड, रेस्ट ऑफ़ द स्पोर्ट्स पेज वॉज़ अबाउट क्रिकेट’, द टाइम्स ऑफ़ इंडिया, 6 अगस्त 2021, https://timesofindia.indiatimes.com/sports/off-the-field/mir-ranjan-negi-when-the-womens-hockey-team-won-gold-in-cwg-2002-only-a-small-article-appeared-rest-of-the-sports-page-was-about-cricket/articleshow/85079401.cms

10 अभिषेक रॉय, ‘“चक दे! इज़ नॉट अ डॉक्युमेंट्री ऑफ़ माय लाइफ़”’, हिंदुस्तान टाइम्स, 18 अगस्त 2007, https://www.hindustantimes.com/india/chak-de-is-not-a-documentary-of-my-life/story-uuzFXBN7IfMwcfxcQzxYdJ.html

11 साइसुरेश शिवस्वामी, ‘एसआरके एंड द एम वर्ड’, रेडिफ़, 13 अगस्त 2007, https://www.rediff.com/movies/2007/aug/13sai.htm

12 भावना अग्रवाल, ‘10 इयर्स ऑफ़ चक दे इंडिया: इट्स अ अव स्टोरी बिटवीन शाहरुख़ ख़ान एंड हिज़ कंट्री: डायरेक्टर शिमित अमीन एंड राइटर जयदीप साहनी’, पिंकविला, 11 अगस्त

2017, https://www.pinkvilla.com/entertainment/exclusives/10-years-chak-de-india-its-love-story-between-shah-rukh-khan-and-his

13 https://www.boxofficeindia.com/movie-story.php?movieid=234

14 नम्रता जोशी, 'शाहरुख़ ख़ान: यप्पी प्रिंस ऑफ़ लिबरलाइज़्ड इंडिया' बॉलीवुड्स टॉप 20: सुपरस्टार्स ऑफ़ इंडियन सिनेमा, पेंग्विन रैंडम हाउस इंडिया, 2016.

15 'शाहरुख़: आय ऐम ऐन एम्बेसडर ऑफ़ इस्लाम', ऐन इंडियन मुस्लिम डॉट कॉम, 18 मार्च 2007, http://www.anindianmuslim.com/2007/03/shahrukh-i-am-ambassador-of-islam.html

16 श्रुति गोत्तिपती, 'द डेंजर ऑफ़ फ़्लाइंग व्हाइल ख़ान', द न्यू यॉर्क टाइम्स, 13 अप्रैल 2012, https://archive.nytimes.com/india.blogs.nytimes.com/2012/04/13/the-dangers-of-flying-while-khan/

17 करण जौहर, ऐन अनसुइटेबल बॉय, पेंग्विन रैंडम हाउस इंडिया, 2017.

18 'हिज़ नेम इज़ ख़ान (एंड इट्स वन यू माइट नो)', एनपीआर, 11 फ़रवरी 2010, https://www.npr.org/2010/02/11/123589668/his-name-is-khan-and-its-one-you-might-know

19 पूर्वोक्त।

20 चिदानंद राजगट्टा, 'माय नेम इज़ ख़ान? टू बैड. एसआरके फ़ील्स द हीट ऑफ़ अमेरिकन पैरानोइया', द इकॉनमिक टाइम्स, 15 अगस्त 2009, https://economictimes.indiatimes.com/news/politics-and-nation/my-name-is-khan-too-bad-srk-feels-the-heat-of-american-paranoia/articleshow/4897602.cms?from=mdr

21 श्रुति गोत्तिपती, 'द डेंजर ऑफ़ फ़्लाइंग व्हाइल ख़ान', द न्यू यॉर्क टाइम्स, 13 अप्रैल 2012, https://archive.nytimes.com/india.blogs.nytimes.com/2012/04/13/the-dangers-of-flying-while-khan/

22 प्रिया कपूर, 'ग्लोबल मुस्लिम ऑडियंसेज़ पॉलीसेमिक रीडिंग ऑफ़ "माय नेम इज़ ख़ान": टुवर्ड ऐन इमर्जेंट मल्टीकल्चरलिज़्म', जर्नल ऑफ़ मीडिया एंड कम्युनिकेशन स्टडीज़, मई 2018, https://pdxscholar.library.pdx.edu/cgi/viewcontent.cgi?article=1024&context=is_fac

23 आर्थर जे पाइस (इन न्यू यॉर्क), 'काजोल्स ओनली रिग्रेट इन माय नेम इज़ ख़ान', रेडिफ़, 10 फ़रवरी 2010, http://movies.rediff.com/slide-show/2010/feb/10/slide-show-1-kajol-on-my-name-is-khan.htm

24 पूर्वोक्त।

25 https://boxofficeindia.com/movie.php?movieid=96

26 रेशेल सॉल्ट्ज़, 'अ हीरो बिगिन्स हिज़ क्वेस्ट, एंड देन द ट्रबल स्टार्ट्स', द न्यू यॉर्क टाइम्स, 12 फ़रवरी 2010, https://www.nytimes.com/2010/02/13/movies/13name.html

27 गौरांग चौहान, 'व्हेन "अवतार 2" डायरेक्टर जेम्स कैमरॉन वॉज़ इन ऑ ऑफ़ एसआरके एंड कॉल्ड हिम अ "जायंट मूवी स्टार"', मेन्सएक्सपी, 17 दिसंबर 2022, https://www.mensxp.com/entertainment/hollywood/124734-avatar-the-way-of-water-director-james-cameron-called-shah-rukh-khan-giant-movie-star.html

28 https://x.com/paulocoelho/status/1621093765216894976?lang=en

29 'शाहरुख़ ख़ान टॉक्स अबाउट "इन्टेंस" सिनेमा; सेज़ "मेसेजेज़ आर फ़ॉर द पोस्टल सर्विसे, नॉट फ़ॉर फ़िल्म्स"', बॉलीवुड हंगामा, 12 नवम्बर 2022, https://www.bollywoodhungama.com/news/features/shah-rukh-khan-talks-intense-cinema-says-messages-postal-service-not-films/

30 'एंड अ फ़िल्म इज़ बॉर्न', रेडिफ़, https://m.rediff.com/movies/2001/dec/13shah.htm

31 पूर्वोक्त।

32 आर्शी श्रीवास्तव, '"केएएनके दज़ंट कन्वे अ मेसेज बट अ पॉइंट ऑफ़ व्यू" - एसआरके' इंडिया ग्लिट्ज़, 24 अगस्त 2006, https://www.indiaglitz.com/%22kank-doesnt-convey-a-message-but-a-point-of-view%22-srk-malayalam-news-24740

33 'फ़राह ख़ान ऑन लॉन्चिंग दीपिका पादुकोण न ओम शांति ओम: "आय कुड टेक दैट रिस्क बिकॉज़ ऑफ़ शाहरुख़ ख़ान"', एनडीटीवी, 8 मार्च 2024, https://www.ndtv.com/entertainment/farah-khan-on-launching-deepika-padukone-in-om-shanti-om-5200637

34 '"दीपिक हैज़ डन अमेज़िनाली वेल"', रेडिफ़, https://specials.rediff.com/movies/2007/nov/05sl4.htm

35 'दीपिका पादुकोण सेज़ शी इज़ वन ऑफ़ द फ़्यू पीपल शाहरुख़ ख़ान इज़ वल्नरेबल विद, डिड नॉट चार्ज एनिथिंग फ़ॉर जवान', हिंदुस्तान टाइम्स, 15 सितम्बर 2023, https://www.hindustantimes.com/entertainment/bollywood/deepika-padukone-says-she-is-one-of-the-few-people-shah-rukh-khan-is-vulnerable-with-101694749046246.html

36 फ़ेनिल सेता, '20 इयर्स ऑफ़ कल हो न हो: सैफ़ अली ख़ान टॉट मी रेस्पोंसिबिलिटी ऑफ़ द मेन लीड'; अर्जुन कपूर, हू वॉज़ एडी इन द फ़िल्म रिवील्ड, "एसआरके, सैफ़ डिड नॉट अटेम्प्ट टु अंडर-कट ईच अदर"', बॉलीवुड हंगामा, 28 नवम्बर 203, https://www.bollywoodhungama.com/news/features/20-years-kal-ho-naa-ho-saif-ali-khan-says-shah-rukh-khan-taught-responsibility-main-lead-arjun-kapoor-ad-film-revealed-srk-saif-didn/

37 ‘एसआरकेज़ लीडिंग लेडीज़ को-स्टार्स, डायरेक्टर्स ऑन मिस्टर ख़ानटास्टिक’ इंडिया फ़ोरम्स, https://www.indiaforums.com/forum/topic/4502786

38 ‘काजोल रीकॉल्स शाहरुख़ ख़ान गिविंग हर “करेज” व्हेन शी फ़ेल्ट शी “लुक्स लाइक हॉर्सेज़” इन करण अर्जुन सॉन्ग “जाती हूं मैं”: “ही हैज़ ऑलवेज़ बीन लाइक दैट”’, द इंडियन एक्सप्रेस, 21 जुलाई 2023, https://indianexpress.com/article/entertainment/bollywood/kajol-recalls-shah-rukh-khan-giving-her-courage-when-she-felt-she-looks-like-horses-in-karan-arjun-song-8852893/

39 ‘शाहरुख़ ख़ान्स डॉन कोस्टार ईशा कोप्पिकर रिवील्स ऐन ए-लिस्ट एक्टर आस्क्ड हर “टु मीट हिम अलोन”: “आय रिफ़्यूज़्ड हिम...”’, फ़र्स्टपोस्ट, 21 जून 2024, https://www.firstpost.com/entertainment/shah-rukh-khans-don-costar-isha-koppikar-reveals-an-a-list-actor-asked-her-to-meet-him-alone-i-refused-told-him-13784621.html

40 ‘ईशा कोप्पिकर: शाहरुख़ ख़ान ट्रीटेड विमेन इन हाई रीगार्ड’, मिड-डे, 2 नवम्बर 2022, https://www.mid-day.com/entertainment/bollywood-news/article/isha-koppikar-shah-rukh-khan-treated-women-in-such-high-regard-23253517

41 ‘प्रियमणि रिवील्स शाहरुख़ ख़ान मेड अ “कार ऑफ़ बॉडीगार्ड्स” फ़ॉलो देम टिल होटल ऐट 4 एएम: “वी गर्ल्स वर...”’, द इंडियन एक्सप्रेस, 15 अप्रैल 2024, https://indianexpress.com/article/entertainment/bollywood/priyamani-reveals-shah-rukh-khan-made-a-car-of-bodyguards-follow-them-till-hotel-at-4-am-we-girls-were-9271514/

42 अर्नब मुखर्जी, ‘आय फ़ील सेफ़ एंड सेक्योर, लुक फ़ॉरवर्ड टु वर्किंग विद एसआरके: दीपिका’, इनशॉर्ट्स, 23 फ़रवरी 2022, https://inshorts.com/en/news/i-feel-safe-and-secure-look-forward-to-working-with-srk-deepika-1645595442131

43 ‘फ़र्स्ट दीपिका, देन एसआरके इन चेन्नई एक्सप्रेस क्रेडिट्स!’, कोईमोई, 7 मार्च 2013, https://www.koimoi.com/bollywood-news/first-deepika-then-srk-in-chennai-express-credits/

12. पिक्चर अभी बाकी है, मेरे दोस्त...

1 ‘व्हेन “फ़्राईटेंड” डिम्पल कपाड़िया सेड दैट शी “नेवर गॉट अ वर्ड ऑफ़ प्रेज़” फ़्रॉम राजेश खन्ना: “स्पेंट ऑल माय एनर्जी डूइंग व्हॉट ही वॉन्टेड”’, द इंडियन एक्सप्रेस, 25 अगस्त 2024, https://indianexpress.com/article/entertainment/bollywood/dimple-kapadia-said-that-she-never-got-a-word-of-praise-from-rajesh-khanna-career-decline-9530899/

2 'करण जौहर सेज़ एरा ऑफ़ सुपरस्टारडम इज़ ओवर: "दिस जनरेशन डज़ंट हैव द मैजिक ऑफ़ अमिताभ बच्चन ओर शाहरुख़ ख़ान"', द इंडियन एक्सप्रेस, 17 जून 2022, https://indianexpress.com/article/entertainment/bollywood/karan-johar-on-lack-of-superstardom-in-todays-time-srk-amitabh-bachchan-7970397/

3 https://boxofficeindia.com/movie-story.php?movieid=136

4 आईएएनएस, '"रा.वन" सुपरहीरो इज़ अ फ़ैमिली मैन, सेज़ एसआरके', आईबीएन लाइव, 15 अक्टूबर 2011, https://web.archive.org/web/20111219055746/http://ibnlive.in.com/news/raone-superhero-is-a-family-man-says-srk/193359-8-66.html

5 सोनाली कृष्णा, 'रा.वन इज़ द मोस्ट एक्सपेंसिव फ़िल्म मेड इन इंडिया: शाहरुख़ ख़ान', द इकॉनमिक टाइम्स, 6 अक्टूबर 2011, https://economictimes.indiatimes.com/ra-one-is-the-most-expensive-film-made-in-india-shahrukh-khan/articleshow/10276482.cms?from=mdr

6 'रा.वन - अ 150 करोड़ अफ़ेयर? द रियल पिक्चर', बॉलीवुड हंगामा, 12 अप्रैल 2011, https://www.bollywoodhungama.com/news/features/ra-one-a-150-crores-affair-the-real-picture/

7 अभिषेक मंदे, 'रिव्यू: रा.वन इज़ एसआरकेज़ मोस्ट एक्सपेंसिव मिडलाइफ़ क्राइसिस', रेडिफ़, 26 अक्टूबर 2011, https://www.rediff.com/movies/report/review-raone-abhishek-mande/20111026.htm

8 पूर्वोक्त।

9 'एसआरके: वी नेवर थॉट वी वुड मेक डॉन 2', रेडिफ़, 22 दिसंबर 2011, https://www.rediff.com/movies/slide-show/slide-show-1-interview-with-shah-rukh-khan/20111222.htm

10 नमन रामचंद्रन, 'अनुभव सिन्हा टॉक्स "भीड़", रिवील्स बनारस मीडियावर्क्स स्लेट (एक्सक्लूज़िव)', वेरायटी, 20 मार्च 2023, https://variety.com/2023/film/asia/anubhav-sinha-bheed-benaras-mediaworks-1235559148/

11 '"आय ऐम नर्वस, टेन्स, स्केयर्ड"', द टेलीग्राफ़ 19 दिसंबर 2011, https://web.archive.org/web/20120117060541/http://www.telegraphindia.com/1111219/jsp/entertainment/story_14899703.jsp

12 मूवीज़ अड्डा, 'यश चोपड़ाज़ लास्ट इंटरव्यू विद शाहरुख़ ख़ान - अंकट', यूट्यूब, https://www.youtube.com/watch?v=qHXi4MT9ujQ

13 फ़ेनिल सेता, 'रीविज़िटिंग द एपिक जब तक है जान वर्सेज़ सन ऑफ़ सरदार क्लैश: व्हेन अजय देवगन हैड टु क्लेरिफ़ाय, "इट्स नॉट शाहरुख़ ख़ान ऐड माय वॉर ऐत ऑल"', बॉलीवुड

हंगामा, 16 नवम्बर 2022, https://www.bollywoodhungama.com/news/features/revisiting-epic-jab-tak-hai-jaan-vs-son-sardaar-clash-ajay-devgn-clarify-not-shah-rukh-khan-war/

14 'शाहरुख़: गर्ल्स जस्ट लव मी इन रोमांटिक कैरेक्टर्स', रेडिफ़, 8 नवम्बर 2012, https://www.rediff.com/movies/slide-show/slide-show-1-interview-with-shah-rukh-khan-on-jab-tak-hai-jaan/20121108.htm

15 पूर्वोक्त।

16 नंदिनी रामनाथ, 'हाउ शाहरुख़ ख़ान स्कोर्ड बग विद "चेन्नई एक्सप्रेस"', लाइवमिंट, 20 अगस्त 2013, https://www.livemint.com/Consumer/F5WPCMhzE4sOnBirKKDEGN/How-Shah-Rukh-Khan-scored-big-with-Chennai-Express.html

17 पूर्वोक्त।

18 कोमल नाहटा, 'बॉलीवुड्स 100 करोड़ क्लब', हिंदुस्तान टाइम्स, 2 जून 2012, https://www.hindustantimes.com/brunch/bollywood-s-100-crore-club/story-QfLp7zFAqDgXNKaJKo1KNP.html

19 'जया स्लैम्स सन अभिशेक्स हैप्पी न्यू इयर, कॉल्स इट मोस्ट नॉनसेंसिकल फ़िल्म', इंडिया टुडे, 5 नवम्बर 2014, https://www.indiatoday.in/movies/bollywood/story/jaya-bachchan-slams-abhishek-happy-new-year-calls-it-most-nonsensical-film-225823-2014-11-04

20 'यू वोंट बिलीव व्हॉट शाहरुख़ ख़ान डिड टु अजय देवगन', आईदीवा, 11 जून 2014, https://www.idiva.com/entertainment/bollywood/shah-rukh-khan-and-ajay-devgn-patch-up/30430

21 'शाहरुख़ ख़ान एंड आय आर जस्ट कलीग्स, नॉट गुड फ्रेंड्स: अजय देवगन', द इंडियन एक्सप्रेस, 15 जुलाई 2015, https://indianexpress.com/article/entertainment/bollywood/i-and-shah-rukh-khan-are-just-colleagues-not-good-friends-ajay-devgn/

22 'देयर इज़ एक्सट्रीम इनटॉलेरेंस इन इंडिया, सेज़ शाहरुख़ ख़ान', स्क्रोल डॉट इन, 2 नवम्बर 2015, https://scroll.in/latest/1265/there-is-extreme-intolerance-in-india-says-shah-rukh-khan

23 'व्हॉट आय सेड वॉज़ंट रॉन्ग बट रिग्रेट दिलवाले अर्निंग्स वर हिट: एसआरके', हिंदुस्तान टाइम्स, 23 दिसंबर 2015, https://www.hindustantimes.com/bollywood/won-t-apologise-for-intolerance-remarks-but-regret-dilwale-earnings-were-hit-shah-rukh-khan/story-DGpQ8EHGtCLkM5uXNzhMBK.html

24 शुभ्रा गुप्ता, 'फ़ैन मूवी रिव्यू: एसारके इज़ प्लेड टु ऑल हिज़ स्ट्रेंथ्स इन द फ़िल्म', द इंडियन एक्सप्रेस, 15 अप्रैल 2016, https://indianexpress.com/article/entertainment/movie-review/fan-movie-review-shah-rukh-khan-stars-2754519/

25 मार्क कर्मोड़े, 'फ़ैन रिव्यू - क्रीपी इंट्रीग एंड बिग ऐक्शन', द गार्डियन, 17 अप्रैल 2016, https://www.theguardian.com/film/2016/apr/17/fan-review-shah-rukh-khan-maneesh-sharma

26 सारा सरवर, 'व्हाय शाहरुख़ ख़ान्स बिगेस्ट फ़्लॉप इज़ हिज़ बेस्ट फ़िल्म', मसाला, 19 अप्रैल 2019, https://www.masala.com/bollywood-news/why-shah-rukh-khans-biggest-flop-is-his-best-film-279853

27 'शाहरुख़ ख़ान्स कैरेक्टर इन डियर ज़िन्दगी सिमिलर टु हिज़ रियल लाइफ़ पर्सनालिटी, शेयर्स गौरी शिंदे: "हिज़ स्टार क्वालिटी वॉज़ एसेंशियल फ़ॉर डिस फ़िल्म"', द इंडियन एक्सप्रेस, 29 नवम्बर 2023, https://indianexpress.com/article/entertainment/bollywood/shah-rukh-khan-character-in-dear-zindagi-similar-to-his-real-life-personality-gauri-shinde-9047539/

28 '"यार! इट्स शाहरुख़ ख़ान": व्हॉट माहिरा ख़ान वॉज़ टोल्ड व्हेन शी आस्क्ड टु रीड रईस स्क्रिप्ट', हिंदुस्तान टाइम्स, 11 जुलाई 2021, https://www.hindustantimes.com/entertainment/bollywood/yaar-it-s-shah-rukh-khan-what-mahira-khan-was-told-when-she-asked-to-read-raees-script-101625990631781.html

29 'माहिरा ख़ान एंड एसआरके सीक्रेटली शूटिंग फ़ॉर रईस इन दुबई?' डेकन क्रॉनिकल, 11 दिसंबर 2016, https://www.deccanchronicle.com/entertainment/bollywood/111216/mahira-khan-and-srk-secretly-shooting-for-raees-in-dubai.html

30 'इट्स माय राइट टु बी इन ऐन इंटरव्यू विद शाहरुख़ ख़ान: माहिरा ख़ान', द फ़ाइनेंशियल एक्सप्रेस, 24 जनवरी 2017, https://www.financialexpress.com/life/entertainment-its-my-right-to-be-in-an-interview-with-shah-rukh-khan-mahira-khan-519685/

31 'माहिरा ख़ान ओपन्स अप फ़ॉर द फ़र्स्ट टाइम अबाउट बाईपोलर डिसऑर्डर डायग्नोसिस, सेज़ रईस बैकलैश ट्रिगर्ड इट', द इंडियन एक्सप्रेस, अगस्त 2023, https://indianexpress.com/article/entertainment/mahira-khan-opens-up-for-the-first-time-about-bipolar-disorder-diagnosis-8914216/

32 'बाईपोलर डायग्नोसिस टु बैकलैश आफ़्टर "रईस", माहिरा ख़ान्स शॉकिंग रेवेलेशन्स', इंडिया टुडे, 29 अगस्त 2023, https://www.indiatoday.in/movies/celebrities/story/mahira-khan-talks-about-getting-diagnosed-with-bipolar-disorder-backlash-after-raaes-release-shah-rukh-khan-2428211-2023-08-29

33 ‘रिलीज़ पे देख लेंगे: एमएसएस टु फ़रहान अख़्तर’, मिड-डे, 29 अक्टूबर 2016, https://www.mid-day.com/entertainment/bollywood-news/article/mns-raees-release-farhan-akhtar-pakistani-actress-mahira-khan-shah-rukh-khan-rs-5-crore-indian-army-17720187

34 ‘डज़ 2018 मार्क द एंड ऑफ़ द रेन ऑफ़ ख़ान्स इन बॉलीवुड?’, द प्रिंट, 23 दिसंबर 2018, https://theprint.in/talk-point/does-2018-mark-the-end-of-the-reign-of-khans-in-bollywood/167760/

35 ‘शाहरुख़ ख़ान: आय लेट पीपल डाउन विद जब हैरी मेट सेजल. इट वॉज़ ऐन अटर फ़्लॉप’, इंडिया टुडे, 16 नवम्बर 2018, https://www.indiatoday.in/movies/bollywood/story/shah-rukh-khan-i-let-people-down-with-jab-harry-met-sejal-it-was-an-utter-flop-1389659-2018-11-16

36 अश्विनी देशमुख, ‘शाहरुख़ ख़ान ऑन ज़ीरो बींग द गेम-चेंजर फ़ॉर हिम’, फ़िल्मफ़ेयर, 20 दिसंबर 2018, https://www.filmfare.com/interviews/shah-rukh-khan-on-zero-being-the-game-changer-for-him-31773-2.html

37 पूर्वोक्त।

38 शुभ्रा गुप्ता, ‘ज़ीरो मूवी रिव्यू: प्रेपॉस्टेरस द्रिवेल’, द इंडियन एक्सप्रेस, 21 दिसंबर 2018, https://indianexpress.com/article/entertainment/movie-review/zero-movie-review-rating-shah-rukh-khan-5503184/

39 राजीव मसंद, ‘शाहरुख़ ख़ान इंटरव्यू विद राजीव मसंद। आईएफ़एफ़एम2019’, यूट्यूब, https://www.youtube.com/watch?v=lgw93uaabyE

40 पूर्वोक्त।

41 पूर्वोक्त।

42 ‘शाहरुख़ ख़ान ओपन्स अप अबाउट “डिसअपियरेंस” आफ़्टर 2018, अडमिट्स ही वॉज़ “लिकिंग हिज़ वुंड्स” आफ़्टर मैसिव फ़्लॉप्स: “आय वॉज़न्ट लिसनिंग टु ऑडियंसेज़”’, द इंडियन एक्सप्रेस, 14 फ़रवरी 2024, https://indianexpress.com/article/entertainment/bollywood/shah-rukh-khan-opens-up-about-disappearance-after-2018-admits-he-was-licking-his-wounds-after-flops-9160794/

43 ‘शाहरुख़ ख़ान रिवील्स रियल रीज़न बिहाइंड करियर ब्रेक आफ़्टर ज़ीरो: “मैं थोड़ा सा अपने आप से दूर...”’, न्यूज़18, 23 दिसंबर 2023, https://www.news18.com/movies/shah-rukh-khan-reveals-real-reason-behind-career-break-after-zero-mai-thoda-sa-apne-aap-se-door-8715341.html#

लेखक के बारे में

मोहर बासु *मिड-डे* में प्रमुख संवाददाता हैं। इससे पहले वो कोइमोई डॉट कॉम के साथ बतौर फ़िल्म आलोचक, जुड़ी रही हैं जिसके बाद उन्होंने द *टाइम्स ऑफ़ इंडिया* के लिए फ़िल्म समीक्षाएं भी की हैं। उनका काम मुख्य रूप से हिंदी फ़िल्म इंडस्ट्री के तमाम पहलुओं पर केंद्रित रहता है। फ़िल्मों और ओटीटी प्लेटफ़ॉर्म्स की सेंसरशिप, भारत में 2016 में पाकिस्तानी कलाकारों पर लगे बैन और ज़िन्दगी चैनल के साथ 2020 में उनकी वापसी और बॉलीवुड में पसर चुके यौन शोषण के माहौल पर कहानियां उनके प्रमुख कामों का उदाहरण हैं। मोहर बासु की रिपोर्टिंग, इंडस्ट्री में कई बदलावों का सबब बनी। कास्टिंग एजेंसियों और टैलेंट मैनेजमेंट कंपनियों में सुरक्षित माहौल बनाया जाना, उनकी रिपोर्टिंग का ही नतीजा है। भारतीय पेपराज़ियों के नकारात्मक व्यवहार और सोशल मीडिया पर कटु शब्दों के बढ़ते इस्तेमाल को लेकर लेख पर, 2024 में, इंडियन अचीवर्स क्लब ने उन्हें सम्मानित करते हुए अपनी '40 अंडर 40' की लिस्ट में जगह दी थी।

अनुवादक के बारे में

पेशे से पत्रकार, केतन मिश्रा, द *लल्लनटॉप*, *ऑल्ट न्यूज़* और *आज तक* जैसे संस्थानों से जुड़े रहे। फ़िलहाल, बतौर फ्रीलांसर काम कर रहे हैं। इस किताब से पूर्व इन्होंने राजदीप सरदेसाई की किताब *टीम लोकतंत्र*, रामचन्द्र गुहा की *क्रिकेट का कॉमनवेल्थ*, त्रिपुरदमन सिंह-अदील हुसैन की *नेहरू - भारत को परिभाषित करने वाले संवाद*, स्वप्निल पांडे की *बलिदान*, कुणाल पुरोहित की *हिंदुत्व पॉप* समेत कई अन्य किताबों का भी अनुवाद किया है।

HarperCollins *Publishers* India

At HarperCollins India, we believe in telling the best stories and finding the widest readership for our books in every format possible. We started publishing in 1992; a great deal has changed since then, but what has remained constant is the passion with which our authors write their books, the love with which readers receive them, and the sheer joy and excitement that we as publishers feel in being a part of the publishing process.

Over the years, we've had the pleasure of publishing some of the finest writing from the subcontinent and around the world, including several award-winning titles and some of the biggest bestsellers in India's publishing history. But nothing has meant more to us than the fact that millions of people have read the books we published, and that somewhere, a book of ours might have made a difference.

As we look to the future, we go back to that one word—a word which has been a driving force for us all these years.

Read.